ZERO

MARC ELSBERG

ZERO

Oni wiedzą, co robisz

Przełożyła Elżbieta Ptaszyńska-Sadowska

Tłumaczenie książki powstało przy wsparciu finansowym
Austrian Federal Chancellery

Dla Ursuli

I dla moich Rodziców

„Poznaj samego siebie".

    starożytna Grecja

„Kształtujemy nasze narzędzia,
a potem one kształtują nas".

    Marshall McLuhan

„Chcielibyśmy uczynić Google trzecią połówką twojego mózgu".

    Sergey Brin na spotkaniu 8 września 2010 r.

„Najlepszy sposób przewidywania przyszłości
to kształtowanie jej na własnych warunkach".

    autor nieznany

Uwaga

Zero może częściowo wydawać się utopią, tymczasem wszystkie opisane w książce technologie są już stosowane, podobnie jak działają wymieniane w niej instytucje policyjne w Londynie (Lambeth) i Nowym Jorku (RTCC).

Dzięki gromadzeniu danych i wyrafinowanym programom komputerowym firmy już od lat są w stanie przewidywać wzorce naszych zachowań w wielu dziedzinach, co im pozwala podsuwać nam odpowiednie oferty – lub z nich rezygnować. Ostatnio jest wśród nich także coraz więcej rozwiązań przeznaczonych dla odbiorców indywidualnych. Korzystając z ich różnorodności – począwszy od systemów nawigacji („Wybierając tę trasę, unikniesz korków!"), przez aplikacje fitnessowe („Zalecany dystans do przebiegnięcia w najbliższym tygodniu…"), po wirtualnych coachów – ludzie obiecują sobie wygodniejsze, zdrowsze, bezpieczniejsze i lepsze życie. Jedynie programy i aplikacje doradcze nie są jeszcze tak dalece rozwinięte.

W niektórych krajach można już kupić inteligentne okulary.

Mimo to *Zero* jest powieścią. Występujące w niej postacie są tworem wyobraźni, a wszelkie podobieństwa z żyjącymi osobami są niezamierzone lub przypadkowe.

Słowniczek zawarty na końcu książki wyjaśnia niektóre pojęcia.

Marc Elsberg, luty 2014

Peekaboo777:

Wszyscy gotowi? Potem nie będzie już dla żadnego z nas bezpiecznego miejsca na tym świecie.

Teldif:

Gotowy.

xxxhb67:

Gotowy.

ArchieT:

Gotowy.

Snowman·

Gotowy.

Submarine:

Gotowy.

Puchacz:

Gotowy.

Peekaboo777:

Okej. To zaczynamy!

Poniedziałek

– Masz tam kamienie czy co? – stęka Cynthia Bonsant, stawiając na biurku swojego nowego sąsiada karton z jego rzeczami.

– Całą masę supergadżetów – mówi z ekscytacją Jeff. – Wersje testowe różnych produktów dla wydziału techniki. – Z błyskiem w oku wyjmuje z pudła pełnego kabli i sprzętów plastikową wańkę-wstańkę.

Wydział techniki! Cynthia z irytacją przeciąga palcami po włosach, długich co najwyżej na paznokieć, które teraz sterczą jej we wszystkie strony. Po chwili przygładza je i jednocześnie ogarnia wzrokiem nowy open space, w którym siedzą stłoczeni dziennikarze tworzący zarówno wersję papierową, jak i internetową „Daily". Przy sześciu długich rzędach biurek starzy i nowi koledzy wypakowują żwawo swoje manatki, układają, ustawiają je niczym przy taśmie firmy wysyłkowej z artykułami biurowymi. Monitor przy monitorze, ludzie z IT podłączają ostatnie kable, które sterczą z komputerów niczym wyrwane wnętrzności. Kolejni koledzy wchodzą do środka: oparłszy na brzuchach kartony, przeciskają się w poszukiwaniu swoich miejsc. Z ogromnego ekranu na głównej ścianie sali atakuje ich migocząca fala obrazów ze światowych agencji informacyjnych, stron internetowych i mediów społecznościowych. Poniżej wiadomość skierowana do nowych:

„Witamy w newsroomie «Daily»!".

– Newsroom – mamrocze Cyn pod nosem. – Bardziej by pasowało określenie „maszynownia".

Skupia się na własnym pudle z rzeczami.

Żadnych supergadżetów.

Zdecydowanym ruchem stawia na biurku sfatygowany pojemnik na długopisy. Obok kładzie notes.

Gdy podnosi wzrok, widzi, że Jeff przestał opróżniać pudło i utkwił spojrzenie w ekranie komputera. Także inni koledzy przerwali swoje czynności przy taśmie i poszeptując między sobą, skupiają się w grupkach przed monitorami.

– To jakiś obłęd – bąka Jeff, pocierając szczękę z namiastką brody. – Spójrz!

W tym samym momencie redaktor naczelny Anthony Heast wypada ze swojego biura.

– Przełączcie transmisję na duży monitor!

Na ścianie już od kilku chwil wszystkie ekrany pokazują to samo: poruszone ujęcia lotnicze pola golfowego. W położonym na granicy z nim lesie rozrzucone dachy domów. Nad jednym z nich powiewa flaga amerykańska.

– Dron… dron go atakuje… – jąka Jeff.

Cyn także widzi prezydenta Stanów Zjednoczonych, który właśnie kładzie piłkę na miejscu startowym. Obok niego żona, na dwóch dalszych stanowiskach dwójka ich dzieci bez entuzjazmu przymierza się do uderzenia swoich piłek. W odległości kilku metrów od rodziny prezydenckiej nudzi się pięciu ludzi z ochrony w ciemnych okularach.

– Te zdjęcia z wakacyjnej siedziby prezydenta od kilku sekund nadawane są na żywo w sieci – trajkocze podekscytowany lektor telewizyjny. – Tuż przedtem organizacja o nazwie Zero za pośrednictwem serwisów społecznościowych poinformowała opinię publiczną i media o swojej akcji. Na razie nie wiadomo, w jaki sposób dron zdołał pokonać wszelkie zabezpieczenia, a tym bardziej, jakie są zamiary Zero!

Gdy latająca kamera w oszałamiającym tempie zbliża się do prezydenta, Cyn czuje, że serce bije jej coraz szybciej. „Czy nikt tam tego nie widzi?" – zastanawia się. Niektórzy z kolegów nie mogą powstrzymać okrzyków przerażenia. Nawet pracownicy firmy przeprowadzkowej odpowiedzialnej za przeniesienie redakcji przerwali pracę i gapią się na ścianę wideo.

Prezydent bierze zamach, uderza, patrzy za piłką. Następnie wbija główkę kija w trawę i coś krzyczy. Raczej nic cenzuralnego, sądząc po jego grymasie.

Nagle wyraz jego twarzy się zmienia. Ręka podnosi się, palec wskazuje prosto na kamerę, prezydent odwraca się do swoich ochroniarzy, następnie zaczyna biec w stronę żony i zamarłych z przerażenia dzieci, a za nim puszczają się pędem pracownicy ochrony. Z lasu wyjeżdżają jak wystrzelone z katapulty dwa ciemne auta terenowe. Ich opony ryją trawnik, podczas gdy prezydenccy goryle rzucają się na głowę państwa i jego bliskich, starając się ich osłonić.

Między drzewami i zadaszonymi stanowiskami pojawia się oddział mężczyzn. Kilku z nich biegnie do prezydenta. Pozostali rozglądają się nerwowo lub patrzą przez lornetki, gorączkowo wystukują coś na smartfonach i tabletach, wrzeszczą do minimikrofonów.

Wianuszek ochroniarzy holuje pospiesznie prezydenta i jego rodzinę do samochodu. Grudy ziemi i strzępy trawnika bryzgają spod kół, gdy auto pędzi w kierunku lasu. Dopiero kiedy Cyn wypuszcza powietrze z ust, uzmysławia sobie, że ze zdenerwowania wstrzymała oddech.

Po chwili jednak puls znowu jej przyspiesza, gdy widzi, że latająca kamera nadal śledzi pojazd przez zwarty dach liści. Rusza drugi samochód. Z jego okien wychylają się faceci z pistoletami maszynowymi gotowymi do strzału i lustrują niebo nad sobą, aż w końcu oba auta docierają do kompleksu budowli i znikają we wjeździe do garażu.

– Okej – oznajmia komentator telewizyjny z wyraźną ulgą, gdy zamykają się drzwi. – Prezydent i jego rodzina chyba są na razie bezpieczni.

– Mamy gotowy ticker? – woła Anthony, rozluźniając krawat. – Czy możemy włączyć streaming na naszej stronie? Tytuł: „Atak na prezydenta USA…".

Gorączkowe okrzyki w maszynowni zmuszają go do milczenia. Na rozchwianych obrazach ukazujących jasno oświetlone wnętrze garażu Cyn rozpoznaje dwa samochody terenowe. Prezydent, jego rodzina i ochroniarze wysiadają w milczeniu. Najwyraźniej jeszcze nie zauważyli, że dron wdarł się do środka. Nagle rozlega się pisk dziecka i ponownie zaczyna się pospieszna ucieczka.

„Jakby znaleźli się w zamknięciu razem z rojem szerszeni" – przebiega Cyn przez głowę.

Pod osłoną ochroniarzy rodzina prezydencka dociera do wyjścia z garażu, podczas gdy dwaj pracownicy ochrony osobistej zostają w środku i bezradnie wymachują w powietrzu automatami. Za nimi cień wielkości pięści przecina z gwizdem powietrze.

– Fuck! Jak to się tu dostało! – wrzeszczy jeden z nich, kierując lufę w kamerę.

Obrazy na ścianie rozmywają się. Widać zamazane zarysy ścian, samochodów i osób w akompaniamencie ogłuszających strzałów. Potem na monitorach robi się czarno, a z głośników dobiegają nakładające się na siebie, rozgorączkowane głosy moderatorów.

Open space wypełnia zbiorowe westchnienie. Cyn zastanawia się, czy to westchnienie ulgi, czy zawodu.

– Kurde! – woła Jeff, kiedy na ekrany znowu wraca obraz. – Oni mają tam jeszcze drugą kamerę!

Żabia perspektywa, chaos biegających nóg. Ukryta kamera tkwi gdzieś jak jakieś zwierzątko, które chce wykończyć myśliwy. Cyn zauważa, że mimo woli denerwuje się razem z tym stworzeniem. Chociaż może jego zamiarem jest zabicie prezydenta Stanów Zjednoczonych.

– Chuck! To jeszcze nie wszystkie! – wrzeszczy szef sztabu Erben Pennicott w słuchawkę. Druga ręka zaciska się w pięść.

Na ekranach komputerów i telewizorów w gabinecie Erbena rodzina prezydencka z ochroniarzami dociera do wyjścia w następnym pomieszczeniu. Widoczne są tylko dwie pary ciężkich czarnych butów. Nagle kamera porzuca je i pędzi za prezydentem. Huk strzałów. Rozdzierające wrzaski. Przez zdający się trwać wieczność moment kamera pokazuje rozszerzone strachem oczy najpotężniejszego męża stanu na świecie, ciemną czeluść krzyczących ust.

„Cholera! Niech to szlag! – myśli Erben, krzywiąc twarz. – Te zdjęcia obiegną cały świat. I nie przysłużą się prezydentowi. Ani śladu niezależności, ani opanowania!".

Po nowej serii strzałów monitor robi się czarny. Erben wpatruje się w ekrany, wciąż trzymając słuchawkę przy uchu. Nie ma pojęcia, kto strzelał. Jego ludzie czy dron? Komentatorzy przekrzykują się nawzajem. A jeśli prezydent lub ktoś z jego rodziny został trafiony? Wypada z gabinetu.

Biegnie przez korytarze i amfilady rozległego kompleksu. Znowu huk wystrzałów. Kolejne pomieszczenie, w którym mogłoby mieszkać co najmniej dziesięć osób, dwuskrzydłowe drzwi w przeciwległej ścianie są otwarte. Niczym ogarnięte paniką krasnoludki dzieci prezydenta pędzą z wrzaskiem pod osłoną trzech potężnych ochroniarzy w jego stronę; za nimi Pierwsza Dama, prezydent i spora grupa goryli. Kątem oka Erben dostrzega przemykający między ich nogami cień. Cała kolumna przebiega obok niego, ochroniarze strzelają ślepo w kierunku podłogi.

– Powariowaliście?! – wrzeszczy do nich. – Gdzie jest to gówno? – rzuca, raz po raz przenosząc spojrzenie z wyświetlacza swojego smartfonu z transmisją online w różne punkty sali.

– Tam! – woła jeden z pracowników ochrony tuż obok niego i celuje pod którąś z kanap.

Erben podbija mu ramię. Salwa strzałów tnie sufit, deszcz odłamków tynku spada na nich wszystkich.

– Przestań grzać w to gówno! – wydziera się.

Właśnie dostrzegł małego robota pajęczego i szybko ściąga marynarkę, po czym rusza w stronę metalowego pająka. Niczym hycel ciska ją jak sieć na urządzenie, a potem sam rzuca się na nie.

– Ooo! – rozlega się pełen zawodu jęk wielu obecnych w newsroomie, gdy monitory znowu robią się czarne. Trwa to jednak krótko.

Głośny wrzask towarzyszy zmianie perspektywy na żabią z kolejnej kamery. Na ekranach widoczny jest Erben Pennicott, który grzebie dłonią w zwiniętej w kłębek marynarce, aż w końcu z triumfalną miną wyciąga z niej zwiniętą pięść. Między mocnymi palcami szamocze się para metalowych odnóży. Erben wyrywa je kilkoma wprawnymi ruchami, po czym ze znawstwem bada pozostałą w dłoni resztę wielkości myszy.

– Co to jest? – pyta Cyn. – Co on robi?

– Jak to co? – odpowiada Jeff. – To jest minirobot pajęczy z kamerą. Pennicott już jako student miał własną firmę

18

internetową, którą sprzedał za setki milionów. On zna się na takich rzeczach.

I rzeczywiście po kilku sekundach szef sztabu prezentuje między palcami coś, czego Cyn nie poznaje.

– Komórkowa karta telefoniczna SIM! – rozbrzmiewa z monitorów bas Pennicotta, podczas gdy ludzie z ochrony prezydenta nerwowo szukają następnych kamer. Potem ryczy: – Każcie natychmiast wyłączyć wszystkie regionalne sieci komórkowe!

Ciemny cień przesłania pozostałą kamerę, głosy przyjmują głuche brzmienie. Ktoś nakrył marynarką także drugiego robota.

– Zero: kto to jest? Albo co? – odzywa się głos Anthony'ego w newsroomie. – Terroryści? Charly, masz już coś?

– Aktywiści internetowi – odpowiada Charly, drapiąc się z tyłu głowy.

To weteran „Daily", Cyn zna go z redakcji papierowej. Gotowa byłaby się założyć, że dzień w dzień odhacza, ile jeszcze zostało mu do emerytury, i to bynajmniej nie od wczoraj.

– Coś jak Anonymous. Tyle że nieznani. Wrzucili parę wideo do sieci i poradnik, jak można się ochronić przed powszechną inwigilacją. *The Citizen's Guerrilla Guide to the Surveillance Society.*

– No to chyba już przestali być nieznani. Cholera, to dość ryzykancka akcja. Nie chciałbym być w skórze tych gości, kiedy dorwie ich FBI!

Cyn przysłuchuje się przez kilka minut gorączkowemu trajkotaniu kolegów. W końcu uznają, że przedstawienie się skończyło – z wakacyjnej siedziby prezydenta nie dochodzą już żadne nieautoryzowane zdjęcia. Pracownicy firmy przeprowadzkowej wczołgują się z powrotem pod biurka, żeby podłączyć przewody i dokręcić ostatnie śruby.

– I co teraz? – pyta Jeff.

– Teraz zróbcie mi z tego story! – odpowiada Anthony. Jest szykownym facetem w wieku Cyn, menedżerem i księgowym z ambicjami do bycia kreatywnym, co zdradzają jego fryzura i strój. Został umieszczony przez właścicieli na tym stanowisku, aby całą grupę medialną „poprowadzić w przyszłość". Którą oczywiście jest internet. – Jeff, Charly, zróbcie research o tym Zero. Wyszperajcie wszystko, co tylko da się znaleźć! Cyn sprawdza najświeższe doniesienia na temat śledztwa.

– Internet to nie jest moja działka – przypomina mu.

– Internet to działka was wszystkich! – mówi Anthony, nie podnosząc wzroku znad wielkiego kartonu, w którym czegoś szuka.

– Żadnych ofiar, żadnych rannych – stwierdza Charly z miernym entuzjazmem. – Jeśli skończyło się, jak się skończyło, pojutrze wszyscy o tym zapomną.

– Ale do tej pory doimy, ile się da! – woła Anthony zirytowany, z rękami zanurzonymi po łokcie w kartonie. – Gdzie one są, do cholery? A, tutaj! – Dumnie unosi trzy nieduże pudełka. Szybkim krokiem podchodzi do biurek i podaje po jednym Cyn, Charly'emu i Jeffowi. – Żebyście mogli przedstawić tę story w nowoczesny sposób! – oznajmia.

– Wow, ekstra! – cieszy się Jeff. – Nowe okulary!

Zwinnym ruchem rozrywa opakowanie i wyjmuje okulary, które zaraz trafiają na jego nos. Potem sięga po swój smartfon z biurka.

– Co to jest? – pyta Cyn.

– Inteligentne okulary, okulary cybernetyczne: możesz je sobie nazywać, jak chcesz – mamrocze Jeff pod nosem. – Na ich szkłach możesz widzieć to, co zwykle oglądasz na wyświetlaczu smartfonu.

– Od kiedy istnieje coś takiego?

– No nie mów, Cyn, że o nich nie słyszałaś – odpowiada z rozbawieniem Jeff. – Na pewno je znasz! Google i inni udostępnili pierwsze egzemplarze już w dwa tysiące dwunastym roku.

– Nowy oferent dał je nam do testowania – wyjaśnia podekscytowany Anthony. – Idealnie pasują do tematu!

– A co ja niby mam z tym począć? – dopytuje Cyn. – Jestem dziennikarką prasową. Ja piszę.

– Możesz zbierać materiały, nadawać relacje na żywo. Dzięki tym okularom cały czas jesteś w stanie kontrolować otoczenie i otrzymujesz wszystkie niezbędne informacje bezpośrednio przed oczy. To jest przyszłość!

Cyn obraca oprawkę między palcami.

– Przecież ja nie jestem reporterką telewizyjną!

– Dzisiaj każdy jest po trosze reporterem! – poucza ją Anthony. – Powinnaś się do tego jak najszybciej przyzwyczaić, dobrze ci radzę, w przeciwnym razie niedługo możesz okazać się niepotrzebna.

– Skoro dzisiaj i tak każdy jest reporterem – sarka Cyn – to chyba już teraz jestem zbędna.

– Słyszałem to – odzywa się Anthony. – Uważaj, Cynthio, żebym cię w końcu nie złapał za słówko. Są już takie programy komputerowe, które samodzielnie piszą artykuły nie do odróżnienia od tych pisanych przez człowieka. Może co najwyżej różnią się tym, że są od nich lepsze – mówi ze śmiechem, podchodząc jednocześnie do niej tak blisko, że tylko ona słyszy, co szef syczy między zębami: – Tak czy inaczej jesteś na mojej liście.

Cyn odwraca się od niego zdenerwowana. Obok Jeff porusza wciąż głową w jedną i drugą stronę.

– Wow! Super!

Cynthia przygląda się przedmiotowi w swojej ręce.

– Wyglądają jak normalne okulary.

– Specjalnie – odpowiada Charly. – Większość ludzi nie lubi, gdy ktoś obok nich ma na nosie coś takiego. Boją się, że mogą być obserwowani i nagrywani.

– I słusznie – stwierdza ze śmiechem Jeff.

– Pewnie nagrywają wszystko, co widzą i słyszą – snuje przypuszczenia Cyn. – A potem gdzieś to jest rejestrowane i archiwizowane.

– No właśnie – chichocze Jeff. – Na przykład Cyn staje się przedstawicielką firmy, która chce mieć wgląd w najbardziej skryte zakamarki jej życia.

– To zaczyna brzmieć naprawdę interesująco! A ja do tej pory cieszyłam się z tego, że nauczyłam się korzystać z komórki.

Na jej biurku naprawdę leży obok smartfonu staromodna słuchawka telefoniczna. Dostała ją dwa lata temu w prezencie od córki, która w ten sposób zażartowała sobie z matki.

– Poczekaj, zaraz ci je uruchomię – proponuje Jeff.

Cyn zgadza się, wiedząc, że sama potrzebowałaby na to co najmniej godziny, podczas gdy on łączy bezprzewodowo jej smartfon z inteligentnymi okularami w ciągu kilku sekund.

– Załóż je na nos – prosi ją. – Dźwięk docierać będzie do ciebie przez oprawkę dzięki drganiom, w jakie wprawiana jest kość czaszki za twoimi uszami.

– Żartujesz sobie.

– Nie. To sprawdzona technika, wykorzystywana od dziesięcioleci w aparatach słuchowych.

– *Pronto*, moi państwo! – Anthony klaszcze w dłonie. – Do roboty!

Cyn przewraca oczami.

– No to kim jest ten Zero?

– Mam go na ekranie – mówi Charly i ociężale odsuwa swoje krzesło na bok, żeby zrobić miejsce Cyn i Jeffowi.

Z mrocznego czarno-białego ekranu spogląda na Cyn męska twarz, która wydaje się jej znajoma – melancholijne, a mimo to przenikliwe spojrzenie, bujne włosy, z trudem zaczesane do tyłu, wąziutki niczym trzecia brew wąsik tuż nad górną wargą.

– Przecież to jest George Orwell! – stwierdza.

– Muszę się poskarżyć – mówi angielski pisarz. – W tysiąc dziewięćset czterdziestym ósmym roku George Orwell napisał książkę. Nadał jej tytuł *Rok 1984*. – Twarz Orwella w trakcie mówienia zmienia się, jakby była z gumy, i staje się ciastowatą łysą czaszką w ciemnych okularach. Również tembr głosu przyjmuje inne, głębsze brzmienie. – Wszechobecna i wszechpotężna dyktatura oparta na szpiclowaniu ustawicznie kontroluje swoich obywateli i dyktuje im, jak mają żyć.

Cyn musiała przeczytać tę książkę w szkole. Około roku tysiąc dziewięćset osiemdziesiąt dziewiątego, kiedy świat nie był jednym wielkim państwem policyjnym, za to zawalił się komunizm wraz ze swoim aparatem szpiegowskim.

– Ciarki przechodzą człowiekowi po plecach, jak sobie coś takiego wyobrazi! Upiorna wizja! Hasło reklamowe tej książki brzmiało: *Big Brother is watching you* – „Wielki Brat patrzy". Dzisiaj *Big Brother* to telewizyjny show.

Ten Zero wyraźnie upodobał sobie metamorfozy. Wśród płynnie zmieniających się twarzy Cyn rozpoznaje prezydenta USA, potem brytyjskiego premiera, kanclerz Niemiec i innych szefów rządów. Kiedy patrzy, jak Zero przechodzi z postaci w postać, przypomina jej się wideoklip Michaela Jacksona z czasów swojej młodości, tyle że tamten był bardziej statyczny. Również jego głos ciągle się zmienia – raz brzmi jak kobiecy, po chwili jak męski, mimo to Cyn odbiera go jako przyjemny. Osobliwy zaśpiew działa na nią wręcz hipnotyzująco.

– Wyobraź sobie na przykład swój rząd. Rzecz jasna, chce dla własnych obywateli wyłącznie tego, co najlepsze. Opracowuje naprawdę pierwszorzędne systemy, żeby chronić każdego z nich: PRISM, XKeyscore, Tempora, INDECT czy jak tam one się nazywają. Te cudowne systemy zbierają i przetwarzają wszystkie dane, które da się zdobyć, żeby zawczasu rozpoznać wszelkie niebezpieczeństwa, jakie mogą im grozić.

Cyn przyłapuje się na tym, że się uśmiecha. Ten Zero ma jednak poczucie humoru.

– ...i co rządy mają z tego? Są odsądzane od czci i wiary jako Wielcy Bracia! Dlaczego National Security Agency inwigiluje jak świat długi i szeroki komunikację telefoniczną i internetową? – Obraz się zmienia. W ciemnym garniturze i okularach przeciwsłonecznych Zero stoi w metrze. Dookoła niego ludzie trajkoczą przez komórki. – Myślisz, że to taka frajda przez cały boży dzień być zasypywanym gigantyczną górą banałów i idiotyzmów? Można narażać siebie samego na coś takiego jedynie wtedy, jeśli naprawdę, ale to naprawdę dobrze życzy się ludziom! W nadziei, że w całej tej stercie śmieci znajdzie się terrorystę. Czy czujesz się teraz bezpieczniejszy? Ogromnie na to liczę! Nie? Wciąż narzekasz? Nadal nazywasz państwo Wielkim Bratem? Jak w *Roku 1984*?

Obrazy znowu bardzo szybko się zmieniają, wymagając od Cyn całkowitej koncentracji. Zero jest teraz młodą kobietą, blondynką w czerwonych sportowych szortach i białym podkoszulku. Biegnie między szeregami szarych, smutnych, jednakowych ludzi, którzy wgapiają się w gigantyczny monitor z poważnym mówcą, i podnosi ogromny młot nad własną głowę.

– W tysiąc dziewięćset osiemdziesiątym czwartym jeden z producentów komputerów reklamował swój najnowszy model hasłem „Apple Macintosh. Dlaczego rok 1984 nie będzie jak *Rok 1984*". To ten sam producent, którego iPhone'y, iPady dzisiaj ustawicznie rejestrują, gdzie stoimy czy dokąd idziemy. Wychwytują nasze listy adresowe w aplikacjach i przekazują je dalej. A jeśli ktoś pokaże, powie albo zrobi coś, co nie podoba się Big Apple, aplikacja od razu wyrzuca go ze swojego App Store. Google i wszyscy inni oferujący usługi, komórki, okulary i sprzęt dotykowy właściwie robią to samo…

Cyn może się tylko z nim zgodzić. Bo to właśnie z tej przyczyny z takim sceptycyzmem podchodzi do wszystkich nowinek technicznych ostatnich lat.

Zero przeobraża się w policjanta i mówi dalej:

– Wyobraź sobie, że twój rząd albo policja zażąda od ciebie, abyś zawsze nosił przy sobie skrzyneczkę, która będzie nieustannie meldować, gdzie jesteś i co robisz w danym momencie. Powinieneś pokazać im środkowy palec! A ty jeszcze opłacasz oligarchów od pozyskiwania danych za to, że cię szpiegują. To są dopiero wyżyny sztuki inwigilacji! Czy pozwolisz, że dam ci pieniądze, abyś mnie namierzył i przekazał dalej moje dane? Tajne służby ziemskiego globu mogłyby się z nich naprawdę całkiem sporo nauczyć! – Głos Zero robi się cichszy, ale ostrzejszy. – Pojawiają się ze swoimi końmi trojańskimi, obiecują wyszukiwarki, kontakt z przyjaciółmi, mapy, miłość, sukces, kondycję, rabaty i diabli wiedzą co jeszcze, a tymczasem w ich brzuchach tkwią przyczajeni uzbrojeni wojownicy i tylko czekają na odpowiedni moment, żeby zaatakować! Ich strzały trafiają dokładnie w twoje serce i umysł. Oni znają cię lepiej niż jakikolwiek wywiad. A nawet niż ty sama! Pozostaje tylko pytanie tak często już stawiane: kto inwigiluje inwigilujących? I przez kogo z kolei oni są inwigilowani? Ale może również na to pytanie zaraz sobie odpowiemy. Każdy inwigiluje każdego – śpiewa Zero niemal radośnie i kiwa palcem wskazującym w stronę kamery. – *Little Brother, I am watching you*. – Nagle znowu robi się poważny. – Lecz nie nas! Jestem zresztą zdania, że ośmiornice żywiące się danymi osobowymi powinny zostać zniszczone.

– Niezłe triki – stwierdza z uznaniem Cyn.

– Żadna sztuka zrobić coś takiego, mając nowoczesny program do animacji komputerowej – wtrąca Jeff.

– Zero opublikował w ostatnich latach ponad czterdzieści takich filmików – dopowiada Charly.

– Obejrzę je sobie wszystkie do jutra – dodaje Jeff.

– Okej, a ja sprawdzę, co da się znaleźć na temat dochodzenia – mówi Cyn, pakując torbę, bo jest już po dziewiętnastej.

– Poczekaj! – Jeff zatrzymuje Cyn, widząc, że zbiera się do wyjścia. – Przecież nie poznałaś jeszcze najbardziej bajeranckiej opcji w tych okularach: rozpoznawania twarzy.

– Co proszę?

– Coś takiego jest już dostępne od lat na Facebooku albo w programach fotograficznych. Wersje live były przez dosyć długi czas wstrzymywane, ale od kilku miesięcy możesz przy użyciu nowszych wersji zidentyfikować wszystkie możliwe twarze z internetu. W czasie rzeczywistym! Spójrz!

Nakłada okulary, kieruje spojrzenie na nią i podaje jej smartfon, na którym Cyn widzi siebie samą, a obok informacje:

Bonsant, Cynthia
Urodzona: 27.07.1976
Wzrost: 1,65 m

Adres: 11 Pensworth Street, London, NW6 Kilburn
Tel. komórkowy: +4475269769
Tel. stacjonarny: zastrzeżony (więcej >)
E-mail: cynban@dodnet.com
Zawód: dziennikarka
Stan cywilny: rozwiedziona z Cordanem, Garym (więcej >)
Dzieci: Bonsant, Viola (więcej >), > Profil Freemee
Matka: Sandwell, Candice + (więcej >)
Ojciec: Sandwell, Emery + (więcej >)
Zdjęcia:
Więcej informacji na Freemee:
Professional od £ 0,02 (> kup teraz)
Analysis od £ 0,02 (> kup teraz)

– Jak widzisz, wszystko na twój temat – oznajmia Jeff. – Ojej,
a kto to jest ta młoda dama?

– To moja córka – odpowiada niechętnie Cyn.

To beztroskie żonglowanie swoimi zdjęciami przez młodych
ludzi w sieci zupełnie jej nie odpowiada. A gdy chodzi o jej własną córkę – tym bardziej.

– Jest gotką? – interesuje się Jeff.

– Na szczęście ten etap ma już za sobą.

Nowsze zdjęcie ukazuje Violę z krótkimi jasnymi włosami.
Skończyła już osiemnaście lat, po Cyn odziedziczyła szczupłą
figurę, a po ojcu – blond loki, które gdy wyrosła z czerni sub-
kultury gotyckiej, nosi krótko obcięte jak chłopczyca.

– Wow, zmieniona nie do poznania! – stwierdza Jeff.

Ponad dwadzieścia kolejnych zdjęć ukazuje także Cyn w różnych okresach jej życia, jedno pochodzi jeszcze z college'u.
Zostało zaczerpnięte z serwisu społecznościowego umożliwia-
jącego odnalezienie kolegów szkolnych.

– Co znaczy „professional" i „analysis"? – pyta Cyn, marszcząc czoło.

– Informacje, analizy. Prognozy, kogo będziesz wybierać, po jakie będziesz sięgać produkty, dokąd wybierzesz się na urlop i tak dalej.

– A niby skąd oni mają to wiedzieć?

– Mogą to bez problemu wykalkulować na podstawie informacji, jakie mają o tobie, o mnie i o miliardach innych ludzi.

– Żartujesz sobie!

– Dzisiaj robi to większość firm – wyjaśnia z pobłażliwością Jeff. – I to już od dawna! Masz komórkę, karty stałego klienta tego czy innego supermarketu, stacji benzynowych, hoteli, kartę kredytową i co tam jeszcze. Od lat pozostawiasz za sobą szeroki ślad złożony z danych. A myślisz, że jak ubezpieczyciele, banki i kredytodawcy obliczają swoje ryzyko? Firma udzielająca kredytów z dziewięćdziesięciopięcioprocentowym prawdopodobieństwem wie, którzy z jej klientów i klientek rozwiodą się w ciągu najbliższych pięciu lat.

– Szkoda, że mnie wtedy w porę nie ostrzegli – zauważa oschle Cyn.

Jeff uśmiecha się krzywo.

– Ale to ma też swoje dobre strony. Na przykład Google może na podstawie analizy wyszukiwanych haseł śledzić w czasie bieżącym przebieg epidemii grypy czy ją wręcz przewidzieć. Dzięki takim programom o wiele trafniejsze stały się też prognozy pogody. By wymienić choćby te dwa przykłady.

– Mimo to wciąż będzie się pomstować na żaby i odczytywać po ich zachowaniu pogodę – mruczy Charly.

Jeff, nie zwracając na niego uwagi, mówi dalej:

– Ale o słynnym przypadku ciężarnych z Targetu na pewno słyszałaś?

– Tak słynnym, żc jakoś zupełnie umknął mojej uwadze – wzdycha Cyn.

Chce wreszcie iść do domu, ma za sobą długi dzień. Jeff jednak jest w swoim żywiole.

– …Już ileś lat temu sieć marketów Target ustaliła na podstawie danych wielu kart klientów, że niemal wszystkie z ciężarnych klientek w różnych okresach ciąży kupują określone produkty. Mydło bez żadnych sztucznych dodatków, bezbarwne waciki i tym podobne. Jeśli więc jakaś kobieta kupuje takie lub inne towary, to znaczy, że jest w konkretnym miesiącu ciąży. I tak, po nitce do kłębka, Target może przewidzieć termin narodzin dziecka z dokładnością niemal do dnia.

– Robisz sobie jaja.

– Nie – zaprzecza Jeff. – To kwestia właściwego rozpoznania wzorów zachowania. To się nazywa analityka predyktywna. W dzisiejszych czasach wszyscy uważamy się za indywidualistów, w rzeczywistości jednak zachowujemy się dosyć jednolicie, a tym samym przewidywalnie. Opierając się na tej przesłance, policja łatwiej ściga seryjnych przestępców. Ponieważ podpalacze czy gwałciciele często zachowują się podobnie. Za pomocą tak zwanych programów *predictive policing* i *pre-crime* możliwe jest wyznaczenie w miastach ulic, na których w najbliższych godzinach zostaną popełnione takie przestępstwa jak włamania czy dojdzie do handlu narkotykami. Wiedząc to, policja może profilaktycznie pojawić się w tych miejscach. Coraz więcej miast stosuje tę metodę.

– To przypomina *Raport mniejszości* – wtrąca Charly. – Swoją drogą, to był całkiem niezły film.

– Właśnie mamy już do czynienia z wczesnym stadium procesu, który w nim przedstawiono – odpowiada Jeff. – W niektórych stanach amerykańskich część więźniów nie otrzymuje kar w zawieszeniu, ponieważ ktoś wyliczył algorytm, zgodnie z którym właśnie oni z dosyć wysokim prawdopodobieństwem w ciągu najbliższych trzech lat znowu popełnią to samo przestępstwo.

– A co, jeśli któryś z tych więźniów mimo wszystko nie stałby się recydywistą?! – reaguje ze wzburzeniem Cyn.

– Po prostu miałby pecha – odpowiada Jeff, wzruszając ramionami.

– To znaczy, że ci ludzie nie dostają żadnej szansy, aby udowodnić, że nie popadną w recydywę? – pyta osłupiała Cyn.

– No cóż, w naszym nowym świecie możliwości oraz szanse podporządkowuje się prawdopodobieństwu. Dzisiaj w większym stopniu niż kiedykolwiek twoja przyszłość zależy od twojej przeszłości, ponieważ twoja przyszłość zostaje wyliczona z twojej przeszłości.

– A wszyscy wciąż twierdzą, że gromadzą tylko zanonimizowane dane.

– Już lata temu udowodniono, że także na ich podstawie można zidentyfikować poszczególne osoby – kontynuuje Jeff. – Zwłaszcza gdy zastosuje się kombinację różnych zbiorów danych. Nasze surfowanie po sieci, dane z telefonów komórkowych, nawyki zakupowe i kierunki podróży, które wybieramy, dają w efekcie bardzo jednoznaczny profil.

– Czyli oni wszyscy najzwyczajniej w świecie kłamią, kiedy mówią, że poddają dane anonimizacji. A większość ludzi się na to nabiera.

– I tak, i nie. Zbierają dane faktycznie zanonimizowane, tyle tylko że w długim łańcuchu ich wykorzystywania zawsze może znaleźć się ktoś, kto je potem bezbłędnie przyporządkuje tobie. I określi twoje wzorce zachowań i perspektywy.

– To znaczy, że oni mogą zajrzeć w moją przyszłość i wiedzą, czego chcę?

– Może nie w stu procentach, ale z dużym prawdopodobieństwem. Wiedzą nawet, na ile łatwo dajesz się sterować w różnych kwestiach.

Cyn wydyma usta.

– To chyba jednak nie do końca tak działa. Bo bez przerwy znajduję w swojej skrzynce e-mailowej reklamy rzeczy, które w ogóle mnie nie interesują.

Ma na myśli sponsorowane linki najprzeróżniejszych diet, których pełno jest na odwiedzanych przez nią stronach. A akurat ona nie jest właściwą adresatką takich ofert.

– Dostajesz właśnie dlatego, że to tak dobrze działa – protestuje Jeff. – Gdyby reklamodawcy ciągle podsuwali właściwe oferty, wydałoby ci się to przerażające. Czułabyś się wtedy monitorowana i jakby prześwietlona. W branży określa się to jako *creepiness effect*, czyli efekt niesamowitości. Aby mu zapobiec, raz po raz wrzucają ci nieodpowiednie oferty. I podczas gdy ty wierzysz, że jak sama powiedziałaś, nie zostałaś jeszcze prześwietlona, w rzeczywistości tym łatwiej dajesz się im prowadzić na pasku.

Cyn się wzdraga:

– To rzeczywiście jest przerażające!

Jeff przewraca oczami.

– Wcale nie. Szczerze mówiąc, wolałbym, żeby darowali sobie rozsyłanie tych wszystkich niepotrzebnych śmieci. Pomyśl tylko, ile czasu każdy by zaoszczędził, gdyby dostawał wyłącznie to, co go ciekawi.

Pokolenie Jeffa ma całkowicie inny stosunek do nowych mediów. Mniej więcej taki jak jej córka. A może Cyn po prostu wykazuje zbyt mało zainteresowania? Skąd się u niej bierze ta niechęć do wszystkich technicznych nowości ostatnich lat? Przypomniały jej się słowa Zero. Jak to on powiedział:

31

„Pojawiają się ze swoimi końmi trojańskimi, obiecują wyszukiwarki, kontakt z przyjaciółmi... miłość, sukces...".

Odwraca się w stronę wyjścia. Jeff jest jednak nieokiełznany w swoim entuzjazmie.

– Poczekaj, ustawię ci tylko opcję rozpoznawania twarzy. – Nim Cyn zdążyła go powstrzymać, wstukał już coś w jej smartfonie. – Masz! Wypróbuj sobie okulary w metrze, w drodze do domu. Wideotutorial pokaże ci, co masz robić.

– Wcale nie mam ochoty tego wiedzieć.

Wkłada okulary do torby, po czym mówi Jeffowi i Charly'emu „do widzenia". Szumi jej w głowie od tych wszystkich objaśnień.

Cyn lubi bawić się w zgadywanki na temat obcych jej ludzi. Jadąc autobusem czy metrem, zastanawia się, jakie mogą mieć zawody, pragnienia, rodziny, przeszłość. Oczywiście nigdy nie wie, czy trafnie odgaduje, bo opiera się tylko na własnej intuicji.

Okulary w torebce okazują się mimo wszystko sporą pokusą. Na ile dobra jest w tych łamigłówkach?

Sięga do torebki, wyczuwa pod palcami okulary, waha się. Wyjmuje je, zakłada na nos. Nikt nie zwraca na nią uwagi.

Po dwóch minutach Cyn już się orientuje, jak należy się nimi posługiwać: wystarczy użyć głosu bądź zamrugać powiekami, poruszyć głową czy dotknąć zausznika, aby otrzymać wymaganą odpowiedź. Wszystkie informacje widzi wyświetlone bezpośrednio na szkłach zamiast na ekranie dotykowym, na wpół przejrzyste unoszą się przed nią niczym zjawy w powietrzu, a ona przez cały czas ma wolne ręce. Praktyczny gadżet.

Mierzy od góry do dołu pasażera z naprzeciwka, po czym aktywuje opcję rozpoznawania twarzy. Po kilku sekundach obok głowy mężczyzny pokazuje się kilka linijek tekstu i symboli.

Nazwisko, wiek, miejsce zamieszkania. Rozgląda się dalej i mimo woli przeklina pod nosem. Sieć zna każdą osobę obecną w autobusie! „Ja znam każdą osobę w tym autobusie…".

Zatrzymuje wzrok na konkretnej twarzy w tłumie ludzi – urządzenie dzięki automatycznemu rozpoznawaniu kierunku spojrzenia od razu rejestruje, o kogo jej chodzi. Cyn mówi szeptem:

– Okulary: zidentyfikować.

Kilka sekund później wie to i owo o Pauli Ferguson, zamężnej gospodyni domowej i matce trójki dzieci zamieszkałej w Tottenham, mającej pięćdziesiąt trzy lata. Mogłaby dowiedzieć się o niej jeszcze więcej, ale w tym celu musiałaby założyć konto u usługodawcy i uiścić odpowiednią opłatę. Bierze więc na cel młodego mężczyznę z rastafariańskimi warkoczykami na głowie i kabelkami zwisającymi z uszu. Jedno mrugnięcie powiek później dowiaduje się, że dwudziestotrzyletni Duńczyk jest studentem London School of Economics i w tej chwili słucha Wagnera.

„Nigdy bym na to nie wpadła" – przyznaje się sama przed sobą.

Mimo pewnej odrazy czy też lęku Cyn zaczyna podzielać entuzjazm Jeffa. Fascynacja zagłusza wyrzuty sumienia. Zanim opuszcza autobus, aby przesiąść się do metra, jest bogatsza o wiedzę na temat dwunastu osób. Stwierdza przy tym, że wyobraźnia często podsuwała jej złe podpowiedzi. Mimo to rzeczywistość – lub to, co okulary sprzedają jej jako rzeczywistość – jest nierzadko nie mniej zaskakująca.

Przemierzając stację metra, obserwuje dalej. Naprzeciw niej idzie kobieta mniej więcej w jej wieku. Okulary prezentują standardowe informacje i obrazy. Oprócz tego coś jeszcze. Relacje prasowe sprzed piętnastu lat ukazują ją ciężko pobitą i ranną w szpitalu. „…brutalny napad…", Cyn pochwytuje strzęp starego tytułu. „…straciła stopę… renta inwalidzka…". Rzeczywiście, kobieta lekko utyka, zauważa jeszcze Cyn, po czym odwraca się przerażona. Mimo woli zadaje sobie pytanie: ile z okularów na nosach mijających ją ludzi potrafi to samo? Kto robi dokładnie to, co ona robiła w autobusie i podczas przesiadki? Kto przesyła jej zdjęcia natychmiast do sieci? Nagle Cyn odnosi wrażenie, że zwrócone są na nią tysiące oczu.

Zerkając w szybę gabloty z plakatem reklamowym, szybko lustruje, jak wygląda. Sprawdza swoją sylwetkę. Unosi głowę. I uświadamia sobie, gdzie się znajduje: na peronie londyńskiego metra w godzinach szczytu. Tutaj i bez okularów widzą ją setki ludzi. I oprócz tego wszechobecne kamery monitoringu stołecznej komunikacji miejskiej.

„Witamy w paranoi" – przemyka jej przez głowę.

Na peron w terkotem wtacza się pociąg. Wraz z potokiem powracających z pracy Cyn wślizguje się do wagonu i zmierza ku wolnemu miejscu. Okulary podają jej czas przejazdu do stacji, na której musi wysiąść.

Po drodze Cyn za pomocą okularów surfuje po internecie. Rząd amerykański nie zajął jeszcze oficjalnego stanowiska w sprawie akcji Zero w Dniu Prezydentów. W niektórych biurach amerykańskiej administracji rządowej panuje pewnie teraz zamęt jak po wtargnięciu lisa do kurnika. Media snują już najbardziej absurdalne teorie spiskowe z udziałem standardowych i paru nowych podejrzanych.

Cyn wstępuje jeszcze do supermarketu po kilka drobiazgów. Gdy w dziale z warzywami sięga po opakowanie pomidorów, okulary przestrzegają ją przed pestycydami. Rezygnuje więc z nich i przechodzi między regały ze słodyczami. Okulary doradzają, aby kupiła ciastka w innym markecie za rogiem, gdzie kosztują trzydzieści pensów mniej. Cyn odstawia więc wózek na miejsce i rusza do konkurencji.

Rzeczywiście herbatniki są tam w promocji, a pomidory wyglądają na bardziej dojrzałe i ekologiczne. Jej zastrzeżenia wobec okularów niemal z każdą minutą stają się coraz mniejsze. Ze zdumieniem odnotowuje, że bardzo szybko nauczyła się nimi posługiwać i robi to już wręcz śpiewająco. Przemierza powoli kolejne alejki między regałami i sprawdza różne specjalne promocje. Okulary podsuwają jej odpowiednie przepisy. Kiedy decyduje się na sandwicze z pastą jajeczną, otrzymuje pytanie, które z potrzebnych składników ma w domu, i zostaje upomniana, aby nie zapomniała kupić brakujących.

Wkrótce potem stoi przy kasie z pełnym wózkiem i zaczyna się wahać. Co ona tu robi? Przecież chciała kupić jedynie pomidory i herbatniki. Musi jednak przyznać, że wszystkie rzeczy w wózku na pewno też się przydadzą.

Za nią utworzyła się kolejka. Zamyślona wykłada towary na taśmę, po czym wyjmuje z torebki portmonetkę. Okulary rekomendują jej kartę stałego klienta tego supermarketu i od razu wyliczają, ile dzięki niej zaoszczędzi już przy pierwszym zakupie.

„Jeszcze jedna karta?" – zadaje sobie pytanie Cyn, zaglądając do portmonetki, po czym postanawia zapłacić gotówką.

– Prezydent wciąż nie może dojść do siebie – ciska się Erben.

Przed nim siedzi dowództwo amerykańskich organizacji bezpieczeństwa. Chociaż każdy z nich przyzwyczajony jest do długich narad, Erben patrzy na wyjątkowo zmęczone twarze.

– Ci goście skompromitowali nas przed całym światem! A mogło się skończyć jeszcze gorzej! Chyba zdajecie sobie sprawę, że drony mają możliwość przenosić coś zupełnie innego niż kamery. – Coraz bardziej podnosi głos. – Prezydent chce wiedzieć, dlaczego nie przewidzieliśmy tego ataku. Chce też wiedzieć, kim są ci ludzie. Domaga się, żebyśmy jak najszybciej ich złapali! Orville? – zwraca się oschle do szefa FBI.

Wiele go kosztuje okiełznanie wściekłości na tę grupę aktywistów. Chyba mają się za The Monkey Wrench Gang*!

– Transmisja zaczęła się o godzinie dziesiątej trzynaście według czasu waszyngtońskiego – relacjonuje Orville.

Erbena zalewa krew, kiedy tylko myśli o obojętnej żołnierskiej gębie tego typa. Cała ta operacja pociągnie za sobą przynajmniej jedną dobrą rzecz: zmiany personalne. Aż po najwyższe piętra.

Na wielkim monitorze na ścianie Orville odtwarza nagranie ze strzelnicy golfowej.

– O dziesiątej szesnaście została poinformowana ochrona prezydenta...

Nerwowe chwytanie się za uszy, prezydent i jego żona pochylają się.

– Trzy minuty! – krzyczy Erben. – Gdyby to cholerstwo było uzbrojone, nie mielibyśmy już prezydenta!

– Wtedy musiałoby być znacznie większe i nie przedostałoby się przez naszą sieć bezpieczeństwa – odpiera atak Orville i dalej prezentuje film. – Trzy minuty później ochroniarze ukryli prezydenta w garażu. W tej gorączkowej atmosferze razem z nimi do środka dostało się także kilku małych intruzów. – Zatrzymuje film i pokazuje pięć cieni opuszczających się z wierzchołków drzew za samochodami.

---

* Nawiązanie do tytułowego gangu z powieści Edwarda Abbeya, który stał się inspiracją dla radykalnych ugrupowań działających na rzecz ochrony środowiska (przyp. tłum.).

– Całkiem niepostrzeżenie – jęczy Erben, obrzucając Orville'a druzgocącym spojrzeniem.

– Wszystko działo się bardzo szybko – próbuje się tłumaczyć dyrektor FBI. – Dwa drony nie tylko filmowały, lecz także miały na sobie po pięć robotów pajęczych z kamerami i w garażu natychmiast je zrzuciły. Te cholerstwa były wielkości pająka ptasznika i poruszały się błyskawicznie.

– A gdyby tak któryś z nich był wyposażony w niewielki ładunek jadu i go rozpylił? – grzmi Erben. Już sam nie wie, co go bardziej rozsierdza: aktywiści czy Orville. – To po prostu niewyobrażalne! Prezydent i jego rodzina zamordowani! Obraz niezbyt budującej walki na śmierć i życie transmitowany prawie na cały świat! To gówno jest gorsze niż jedenasty września! Udowadnia, że najlepiej chroniony człowiek na tej planecie nie jest bezpieczny! Te typy wdarły się w samo serce naszego wspaniałego narodu! Zasiały ziarno niepewności i podważyły zaufanie do amerykańskiego systemu bezpieczeństwa! W tym kraju nikt nie jest bezpieczny – tak brzmi ich przesłanie! Kto sterował tymi cholerstwami? I jak?

– Jon? – Szef FBI wzywa jednego ze swoich zastępców i dodaje gwoli wyjaśnienia: – Jon kieruje dochodzeniem.

Czytelny manewr. Orville ma nadzieję, że tym ruchem personalnym złagodzi gniew Erbena. Na próżno.

Erben i Jonathan Stem przyjaźnią się od studiów. Wie o tym każdy w Waszyngtonie. Jon ma trzydzieści siedem lat i też jest dosyć młody jak na stanowisko, które zajmuje. Jako byłego członka sił specjalnych amerykańskiej marynarki wojennej, wielokrotnie rannego i odznaczonego najwyższymi medalami, mającego tytuł doktora prawa, łączy go z Erbenem bezwzględna samodyscyplina, która obu doprowadziła na szczyt. Brak mu natomiast eleganckiej powierzchowności przyjaciela.

– Zakładamy, że Zero – mówi Jon lekko charkotliwym głosem. – Przez internet. Sygnały telefonii komórkowej zostały przekazane przez zanonimizowane systemy. Zero mógł sterować tymi urządzeniami z każdego smartfonu mającego dostęp do internetu z dowolnego miejsca w świecie. To jest ta zła wiadomość…

– Zaraz, zaraz – przerywa mu Erben z irytacją. Prezydent nie może sobie pozwolić na taką skazę na wizerunku i utratę twarzy. Bo jeśli on traci twarz, to samo spotyka także jego najważniejszych współpracowników. Czyli Erbena. – Podsłuchujemy cały świat i nie przechwyciliśmy żadnej informacji ani o planach, ani o samej akcji? Za co wobec tego nasze służby specjalne i ich partnerzy dostają co roku miliardy dolarów?

– Nasze dochodzenie koncentruje się na trzech aspektach. – Jon próbuje przywrócić rozmowie racjonalny wymiar. – Po pierwsze, na dronach. Badamy pochodzenie i drogę każdego najmniejszego elementu, sprawdzamy każdą formę klasycznych śladów, takich jak DNA, odciski palców i tym podobne. Poza tym ustalamy oczywiście, skąd pochodziły karty SIM i kto je kupił. – Jon odchrząkuje. – Po drugie, skupiamy się na streamingu wideo. Wiemy, że był on przekazywany na żywo na konto YouTube, a ponadto na specjalną stronę zeropresidentsday.com. Prawdopodobnie na wszelki wypadek, gdyby YouTube dezaktywował kanał podczas transmisji. Ów kanał, a także stronę internetową musiał ktoś zarejestrować. Związane z nimi adresy e-mailowe, IP i inne ślady cyfrowe prawdopodobnie zostały już zatarte lub posłużono się fałszywymi nazwami i jednorazowymi kontami, mimo to wszystkie są już badane. Po trzecie, w ubiegłych latach Zero opublikował już liczne filmy wideo oraz poradnik online na temat ochrony sfery prywatnej *The Citizen's Guerrilla Guide to the Surveillance*

Society. Oczywiście też je analizujemy pod kątem ewentualnych wskazówek.

– Okej – mówi Erben. W tym momencie nie może chyba więcej oczekiwać. Na Bliskim Wschodzie dzieje się niemało, w Chinach wrze, Rosjanie znowu pokazują się od najgorszej strony, Europejczycy chcą wyzwolić się z pęt zadłużenia. On naprawdę ma co robić. – Jon, informuj mnie na bieżąco – mówi, świadomie robiąc tym samym afront znanym szefom za stołem.

Nie zaszczyciwszy ich nawet jednym spojrzeniem, rusza do wyjścia.

W maleńkim przedpokoju jest ciemno, jedynie w szparze pod drzwiami Violi widać smugę światła.

– Dobry wieczór! Jestem! – woła Cyn.

W niewiele większej kuchni stawia zakupy na stole. Obok nich kładzie okulary.

Dopiero teraz zauważa, jak bardzo jest zmęczona tym potokiem danych. Jednocześnie odczuwa coś na kształt ulgi, niewolnej jednak od poczucia straty, jakby po długim dniu umęczona, ale mimo wszystko szczęśliwa, zrzucała z nóg eleganckie nowe buty.

– Od kiedy to nosisz okulary? – pyta Vi za jej plecami.

Cyn obraca się do niej. Córka przerosła ją już o pół głowy.

– Super! Inteligentne okulary! – wykrzykuje Vi z euforią na ich widok.

„Jak ona je rozpoznała? Zdaje się, że świetnie by się rozumiała z Jeffem" – myśli Cyn.

– Skąd je masz?

– Z redakcji.

– To „Daily" jest takie nowoczesne? Proszę, proszę. Mogę je wypróbować?

– Najpierw kolacja.

Vi bez szemrania zabiera się do robienia kanapek, podczas gdy Cyn znika w łazience, żeby trochę się odświeżyć.

Potem przy jedzeniu próbuje się dowiedzieć, jak córce minął dzień w szkole, ona jednak interesuje się wyłącznie okularami.

Cyn opowiada jej zatem, jak znalazły się w jej posiadaniu.

– Racja, akcja w Dniu Prezydentów – mówi Vi. – Poszli na całego.

– Znasz Zero?

– Nie, a przynajmniej do dzisiaj nie znałam. Mogę wziąć te okulary?

Cyn podaje je Vi, która od razu idzie z nimi do siebie.

Następnie Cyn rozsiada się wygodnie na kanapie zajmującej niemal cały pokój. Bynajmniej nie z powodu rozmiarów kanapy. Ale jej w ogóle nie przeszkadza ta ciasnota. Po urodzeniu się Vi przeprowadzka tutaj oznaczała nowy początek, a ponieważ już dosyć długo zajmuje to mieszkanie, czynsz jest przystępny – taki sam od wielu lat. Inaczej nie byłoby jej stać na Londyn.

Sprawdza najświeższe doniesienia agencji informacyjnych. Z Białego Domu jest tylko sucha notatka prasowa: „Prezydent i jego rodzina czują się dobrze, napaść przeprowadzono bez użycia broni. FBI i Homeland Security podjęły odpowiednie działania w celu wytropienia terrorystów".

„Terrorystów?" – dziwi się Cyn. Oczywiście. Wszystko, co choćby w przybliżeniu przypomina atak na ziemię amerykańską, jest natychmiast klasyfikowane jako terroryzm. Nie wiadomo, co naprawdę kryje się za kulisami tego zdarzenia.

Chociaż nie ma ani rannych, ani ofiar śmiertelnych, które należałoby opłakiwać, akcja z letniej siedziby prezydenta znajduje się na pierwszych stronach wszystkich gazet. Gdziekolwiek Cyn kliknie, media zdają się nie mieć żadnych innych tematów. Reakcje sięgają od cichej satysfakcji, przez najdziksze spekulacje, po oburzenie. Wszystkie materiały zdominowane są przez jedno zdjęcie: wykrzywionej przez panikę twarzy prezydenta z rozszerzonymi strachem oczami i ustami otwartymi w okrzyku przerażenia.

Jeśli celem Zero było uczynienie z rzekomo najpotężniejszego męża stanu na świecie żałosnej kupki nieszczęścia, to zamierzenie zostało osiągnięte.

„Ale prezydent nigdy im tego nie wybaczy – myśli Cyn, czując, jak zaczyna tlić się w niej niepokój. – Z rozhisteryzowanym i urażonym supermocarstwem nie ma żartów".

Cyn robi herbatę i rozkoszuje się kilkoma chwilami spokoju, czekając na zagotowanie się wody. Z pokoju Vi nie dochodzą żadne odgłosy. Jeszcze rok temu bardzo by ją to niepokoiło, ale w ostatnich miesiącach jej córka przeobraziła się z Lily Munster w Złotowłosą. Wcześniej Cyn od razu zapukałaby do jej drzwi i spytała na przykład, czy napije się herbaty, używając pierwszego lepszego pretekstu, aby ją skontrolować. Strach przed tym, że Vi mogłaby stoczyć się w bagno depresji i narkotyków, był w niektórych momentach nie do przezwyciężenia.

Dzisiaj Cyn nie ma już poczucia, że musi kontrolować córkę. Po latach niekończących się paskudnych pyskówek i awantur ostatnio znalazły całkiem niezłą nić porozumienia.

„Chyba w końcu się pozbierała" – myśli Cyn. Szkoda tylko, że po skończeniu szkoły pewnie zaraz się wyprowadzi. Od jesieni Vi chce zacząć studiować prawo.

Lekko westchnąwszy, Cyn wraca z filiżanką parującej herbaty do pokoju.

Modernizacja redakcji „Daily" przyniosła przynajmniej jedną dobrą rzecz: zdygitalizowanie archiwum wszystkich wydanych artykułów, z którego Cyn może skorzystać także z domu. Szuka świeższych tekstów na temat inwigilacji, ochrony sfery prywatnej i akcji dochodzeniowych amerykańskich władz. Jest ich niemało. Są poświęcone witrynie internetowej Wikileaks, Bradleyowi (dzisiaj Chelsea) Manningowi, amerykańskiemu żołnierzowi, który zdemaskował zbrodnie armii amerykańskiej w Iraku, no i oczywiście Edwardowi Snowdenowi i ujawnionemu przez niego terrorowi inwigilacyjnemu stosowanemu przez NSA na całym świecie. Latem dwa tysiące trzynastego roku Cyn przez wiele dni regularnie śledziła te publikacje. Ale potem, jak to zwykle bywa, jej uwagę zaprzątnęły świeższe tematy – powstania, wojny domowe, powodzie, trzęsienia ziemi, zamachy, kryzys ekonomiczny.

Poza tym jest przecież mieszkanką Londynu, przyzwyczaiła się więc do ciągłego monitoringu. Co może na to poradzić? Pociesza się, że taka stała kontrola oznacza także bezpieczeństwo.

Próbuje otrząsnąć się z tego niemiłego uczucia, skupiając się na tym, co ma do zrobienia. Znajduje w sieci kilka reportaży o „wygarnianiu" przez agentów członków Anonymous i grupy noszącej nazwę LulzSec. Jedno nieostrożne wejście do internetu – i już cię mają. „Niezbyt pocieszająca perspektywa dla Zero" – przemyka Cyn przez głowę. Ich też dopadną. W następnym artykule, poświęconym reżyserce Laurze Poitras, która zrobiła film o Edwardzie Snowdenie, dowiaduje się, że tych dwoje komunikowało się ze sobą niemal niezauważalnie. Większość środków stosowanych przez obie strony tego procederu wydaje się skomplikowana i wysoce zaawansowana technicznie. Niektóre jednak są jak zaczerpnięte z thrillera kryminalnego, na przykład chowanie baterii telefonów komórkowych w lodówce. Cyn robi kilka notatek i szkicuje zarys artykułu.

„Niecałe czterdzieści lat, a mam wrażenie, jakbym obudziła się w trakcie filmu science fiction z czasów mojej młodości... Czy coś takiego jak sfera prywatna już nie istnieje?... Koncepcja sfery prywatnej usankcjonowana prawnie dopiero od stu lat... Czy jest przestarzała? Czy nie jest wystarczająco chroniona? Czy obrona przed inwigilacją i wszechobecną kontrolą w stylu Zero to ostatnie podrygi, czy też przejaw budzącego się oporu? Przykłady innych działań i aktywistów... Strach przed terrorem prawdziwą przyczyną inwigilacji czy tylko pretekstem do kontroli i/lub pełnych wyrachowania poczynań?".

Artykuł stopniowo nabiera kształtów w jej głowie. Rano napisze go na czysto.

Następnie Cyn wchodzi na swoje konto w portalu randkowym, któremu miesiąc w miesiąc płaci pieniądze za nic. Jej zdjęcie jest prawie aktualne i nieprzesadnie podrasowane. Lekko czerwonawy odcień szatynowych włosów dobrze się na nim prezentuje. Jeśli chodzi o wiek, minęła się tylko o kilka lat z prawdą. Tak czy inaczej wciąż jest trójka na początku.

W skrzynce znajduje pięć listów. Trzy wyrzuca od razu, ponieważ nie podoba jej się sposób sformułowania samego tematu, w czwartym tekst e-maila jest zbyt krótki. Ostatni brzmi nie najgorzej, choć autor chyba nie do końca jest w jej typie. Może mu odpisze. Ale raczej nie.

Dochodzi jedenasta i Cyn ogarnia zmęczenie. Idzie więc do łazienki, w której prawie nie można się obrócić między prysznicem a umywalką. Rozbiera się i jak każdego ranka i wieczora unika patrzenia na swoje odbicie w lustrze, by potem jednak przesunąć palcami po napiętej, kostropatej i węźlastej czerwonej skórze na części lewej piersi i żeber oraz po wewnętrznej stronie ramienia.

Nagle ogarnia ją panika – może w internecie krąży jej zdjęcie z pożaru sprzed siedemnastu lat, podobnie jak fotografia kobiety z metra, która wiele lat wcześniej straciła stopę.

Bierze długi prysznic, a potem starannie wyciera się ręcznikiem, aby na koniec delikatnie posmarować maścią pokrytą bliznami skórę. Wkłada szorty od piżamy i T-shirt, a na to zarzuca swój stary, przytulny płaszcz kąpielowy.

Puka do drzwi Vi.

– Ale odlot! – woła jej córka, gdy tylko widzi Cyn w drzwiach. – Mogłabym sobie pożyczyć je na jutro? Wieczorem ci oddam. Proszę! Proszę!

– Są mi potrzebne do pracy – odpowiada Cyn, lecz zaraz dodaje: – Choć nie bardzo wiem, do jakiej. W każdym razie jutro do niczego mi się nie przydadzą. Okej, jak chcesz, to sobie weź. Tylko ich nie zgub.

Showman:
Widzieliście twarz prezydenta?
Peekaboo777:
Tak, jak ją stracił.

Wtorek

– Chcielibyśmy uczynić Google trzecią połówką twojego mózgu – deklamuje Zero. Jego twarz przyjmuje rysy Sergeya Brina, jednego ze współtwórców Google.

– Brin naprawdę tak powiedział?! – woła Cyn, przysuwając krzesło bliżej Charly'ego i Jeffa, żeby lepiej widzieć wideo.

– Minęło już parę lat od tamtego czasu – mówi Jeff. – To było chyba wtedy, gdy prezentował Google Instant czy jakoś tak.

Oblicze Zero staje się kolażem twarzy Sergeya Brina i Larry'ego Page'a. Czaszka rozrasta się, wydyma jak balon.

– Właściwie mogłoby być naprawdę super mieć półtora mózgu, prawda? – terkocze Zero. – Może tylko ból głowy byłby bardziej nieznośny. A głowa zaczyna mnie boleć, kiedy obserwuję wizję Google. Za dziesięć głów! Co ja mówię! Za miliardy! Za was wszystkich! Ale jak to się powiada? Nie martw się za innych.

Ponadwymiarowa czaszka rozpada się na tysiąc kawałków. Tuż potem z kołnierzyka wyrasta nowa głowa i trajluje dalej:

– Znam niemało ludzi, którzy uznają już swoje smartfony za własny zewnętrzny mózg. Gdy tylko czegoś nie wiedzą: pyk, zaglądają do Google. Albo do Wikipedii. Albo, albo. – Jego głos przyjmuje zjadliwy ton. – A może byś tak jeden z drugim zadał sobie pytanie, po co masz mózg. No właśnie: do myślenia! Mógłbyś przynajmniej spróbować. Zastanówmy się teraz przez chwilę wspólnie, co to jest Google. Najlepiej korzystając z naszej trzeciej półkuli mózgowej. – Zero klika na swoim smartfonie. – Co. To. Jest. Google. Ups! Ponad dwa miliardy trafień? Jak dla mnie to za dużo odpowiedzi na jedno pytanie. Spróbujmy wobec tego inaczej. Co mówi sam Google? „Celem Google jest skatalogowanie światowych zasobów informacji i uczynienie ich powszechnie dostępnymi i użytecznymi". – Twarz Zero wykrzywia się w gniewie, gdy kontynuuje: – Gówno prawda! Ile użytecznych informacji jest na świecie? Dziewięćdziesiąt procent tego, co dostaję codziennie, wszystko jedno od kogo, to sam szajs! Wiadomości z Facebooka czy komunikatora WhatsApp, nowinki ze świata show-biznesu, reklamy, spam, polecenia mojego szefa! Tego rodzaju informacje można skatalogować według jednego kryterium: kosz na śmieci! Ale nie! Google chce, jak widać, zamienić ten syf w mój mózg! Drogi Google, w tej sytuacji wolałbym jednak pozostać przy swoich dwóch półkulach mózgowych. – Przerywa na chwilę i pochyla się do przodu. – A wy zachowajcie sobie tę trzecią. Katalogujcie informacje, jak wam się żywnie podoba, przesuwajcie to gówno z lewej na prawą i z powrotem, byle nie do mojego mózgu! On już i bez tego waszego pieprznika ma dość roboty. Poza tym co wam w ogóle do mojego mózgu? Czego szukacie? Jak już raz się w nim znajdziecie, to kto mi zagwarantuje, że będziecie się tam zachowywać, jak należy? W j a k i s p o s ó b skatalogujecie „światowe zasoby informacji"? K t o o tym decyduje? Kto ustanawia zasady? Formułuje algorytmy? Jeden z waszych programistów? W m o i m mózgu? Oczywiście w proces kodowania nie mogę mieć wglądu, tak? Choć odbywa się w moim mózgu. Ależ oczywiście, tajemnica firmowa. A Big Brother jest przecież sierotką! – Zero wybucha głośnym śmiechem. – I w ogóle! Google jest trzecią półkulą nie tylko mojego mózgu, lecz także mózgu mojego sąsiada: to jest dopiero kretyn, i to jaki! A niech to szlag, akurat z nim muszę dzielić swoją trzecią półkulę mózgową jak jakiś bliźniak syjamski? I z miliardami innych półgłówków na świecie? Syjamskie miliardy? – Chwyta się za czoło. – Chyba zaraz zacznie mnie znowu boleć głowa. Tak na marginesie jestem zdania, że ośmiornice karmiące się danymi osobowymi powinny zostać zniszczone.

– Podsumujmy może, co wiemy o Zero – proponuje Cyn i opiera się wygodnie na krześle. – Charly?

– Tu jest lista trzydziestu ośmiu wideo, które udostępnił od dwa tysiące dziesiątego roku.

Cyn przelatuje wzrokiem po tytułach: *Mały Wielki Brat*, *Wielkie przewartościowanie*, *Agencja ratingowa ludzi*, podczas gdy Charly mówi dalej:

– Krótkie dowcipne kazania o sferze prywatnej, rozmiarach inwigilacji i innych zagrożeniach wynikających z dygitalizacji i usieciowienia. Oprócz tego dokumentacja kilku drobnych akcji sabotażowych. Aktywiści ozdabiali na przykład kamery monitoringu umieszczone w miejscach publicznych kolorowymi wstążkami albo maskami szefów rządów. Do wczoraj te filmiki obejrzało zaledwie kilka tysięcy ludzi. Od akcji w Dniu Prezydentów na polu golfowym – miliony.

– Także *The Citizen's Guerrilla Guide to the Surveillance Society* od wczoraj cieszy się o wiele większym zainteresowaniem – dodaje Jeff.

– Chodzi o rady, jak zaszyfrować dane, żeby uniknąć ich obserwacji, tak? – wtrąca Anthony.

Jak zawsze, gdy akurat przebywa w redakcji, zamiast kadzić właścicielom albo radzie nadzorczej, nieoczekiwanie wystrasza swoich pracowników niczym kiepski pies pasterski pilnujący stada. Zanim Cyn czy ktokolwiek inny zdąży otworzyć usta, by mu odpowiedzieć, zadaje kolejne pytania:

– Wiadomo już coś więcej o tej grupie? Kto za nią stoi? Gdzie oni rezydują? Ilu ich jest?

– Nikt nie ma pojęcia – odpowiada Charly. – Do tej pory skutecznie się kryli.

– Są tajemniczy, cudownie! – wykrzykuje Anthony, klaszcząc w dłonie. – Z tego można zrobić superhistorię! Jak wygląda oglądalność naszej relacji?

– Żaden materiał internetowego wydania „Daily" nie miał tyle wejść co artykuł Cyn – informuje Jeff. – To gorący temat.

– To powinniśmy wycisnąć z niego wszystko – stwierdza Anthony, podczas gdy Cyn dalej studiuje listę filmików wideo.

Nie zna się na tych wszystkich wskaźnikach, na szczęście mają od tego Jeffa.

– Może moglibyśmy zrobić serię artykułów – proponuje. – Codziennie pokazywalibyśmy jeden z tych klipów i w odpowiednim artykule dostarczalibyśmy pogłębione informacje.

– No właśnie przed chwilą to powiedziałem – odzywa się Anthony, poprawiając sobie okulary.

„Ciekawe, kiedy te staromodne oprawki wyjdą z mody" – zastanawia się Cyn, bo Anthony wygląda w nich śmiesznie.

– Tylko żeby nie było za dużo tekstu – dodaje i rzuca ku Cyn wymowne spojrzenie. – Chcę widzieć atrakcyjne grafiki, najlepiej animowane. I musicie też wkleić własne filmiki. Na początek weźmiemy ten o Google, który właśnie oglądaliście. To dobre wprowadzenie w temat. Po południu chcę mieć to u siebie na e-mailu. I wymyślcie jakąś sexy zajawkę – wydaje polecenie, po czym odmaszerowuje.

Cyn i Jeff wymieniają spojrzenia.

– Sexy – powtarza Cyn drwiąco, wzruszając ramionami.

– Ale przynajmniej szybko się zdecydował.

– To jest laboratorium techników – wyjaśnia Marten Carson. W jego szarych oczach widać zmęczenie. Przez najnowszy przypadek był całą noc na nogach.

Jonathan Stem podchodzi do jednego ze stołów, na którym starannie posegregowane elementy drona leżą jak zebrane szczątki rozbitego samolotu w hangarze rekonstrukcyjnym. W pomieszczeniu znajduje się w sumie siedem stołów roboczych. Przy każdym z nich kobiety i mężczyźni w białych kitlach pracują pochyleni nad drobnymi fragmentami.

– Na razie wszystko wskazuje na to, że ludzie Zero zachowali wyjątkową ostrożność – relacjonuje Marten. – Nie udało nam się jeszcze zabezpieczyć żadnych śladów DNA, odcisków palców czy innych śladów człowieka.

– Oni dobrze wiedzieli, na co się porywają – zauważa Jon.

Marten za pomocą pęsety chwyta wyjątkowo mały detal i pokazuje Jonowi.

– Jeśli chodzi o karty SIM, posunęliśmy się o krok dalej. Dzięki numerowi seryjnemu ustaliliśmy, że zostały kupione pięć lub sześć miesięcy temu w Lynchburgu i Richmond w Wirginii. Dotarliśmy do sklepów. Według wstępnych informacji były to karty pre-paid, które nabywa się anonimowo. W obu sklepach są kamery monitoringu, personel udostępni nam rachunki. Dwa zespoły jadą już na miejsce.

Marten prowadzi Jona do następnego pomieszczenia, w którym siedzi czterech mężczyzn, a przed każdym z nich jest po kilka monitorów. Jeszcze w nocy na polecenie Jona zorganizował centralne biuro dochodzeniowe. W celu znalezienia sprawców kompromitującej prezydenta akcji Jon Stem dał mu pełną swobodę. Marten zdaje sobie sprawę, że Jon musi mieć na to zielone światło z samej góry, prawdopodobnie od kogoś stojącego jeszcze wyżej niż sam dyrektor FBI. Powinien się cieszyć.

Wystarczająco często bowiem w swojej dwudziestosiedmioletniej karierze w FBI był zmuszony pracować, mając do dyspozycji niewystarczające środki.

– To są nasi cyfrowi detektywi. Pomagają im koledzy z NSA. Luis – zwraca się do postawnego trzydziestolatka – nad czym teraz pracujecie?

– Nad trzema rzeczami jednocześnie – wyjaśnia Luis, pocierając czarny zarost na brodzie. – Po pierwsze, badamy konto Zero na YouTube oraz stronę internetową, na której Zero załadował wczorajsze filmiki. Konto na YouTube zostało zarejestrowane z adresu zero@taddaree.com. To adres jednorazowy. Mimo to próbujemy do niego dotrzeć. Dosyć ciekawe jest to, że nazwa „Zero" jest używana w adresie e-mailowym. Chłopaki z NSA sprawdzają za pomocą swoich programów, czy takie albo podobne adresy pojawiały się w przeszłości w sieci. To samo dotyczy panopticon@fffffff.com, kolejnego adresu jednorazowego, który posłużył do zarejestrowania strony.

– Szukają też tematycznie pokrewnych nazw i adresów, jak jeremybentham, bentham et cetera – uzupełnia Marten. – Seryjnych wariantów, jak panaopticont, dwa, trzy… anagramów i wersji pisanych od tyłu.

– Ile czasu to zajmie? – chce wiedzieć Jon.

– Nasze programy są dosyć szybkie – mówi Luis. – Jeśli coś znajdą, a znajdą na pewno, w najbliższych godzinach dostaniemy pierwsze wyniki.

– To było wciąż „po pierwsze", tak? – upewnia się Jon.

– Tak – odpowiada Luis. – Oprócz tego badamy wszystkie filmiki wideo zrobione dawniej przez Zero. Jest ich w sumie trzydzieści osiem. Sprawdzamy adresy IP serwerów, metadane, użyty software, zdradliwe materiały ilustracyjne, fragmenty filmów, wykorzystane twarze i głosy, odgłosy z sieci i tak dalej.

– Odgłosy z sieci?

– Na urządzenia rejestrujące minimalny wpływ mają drobne wahania częstotliwości w ogólnodostępnej sieci energetycznej. Także na urządzenia zasilane przez baterie. Ten wpływ da się odtworzyć. Jeśli zatem wiadomo, do jakich wahań częstotliwości doszło w określonym czasie, można na tej podstawie ustalić, kiedy dokonano nagrania, a może nawet gdzie.

– No a znamy te wahania?

– Zdążyliśmy już stworzyć bank takich danych za ostatnie lata. Inne kraje też się do tego zabrały, gdy w dwa tysiące dziesiątym Brytyjczycy udowodnili w ten sposób morderstwo.

Jon jak przez mgłę przypomina sobie tamten przypadek.

– Czy mamy jakieś wnioski?

– Na razie nie. Aby wykonać wiele zadań, musimy najpierw zmodyfikować odpowiednie programy albo napisać nowe. W przypadku niektórych pomogła nam opinia publiczna.

– Jak to?

– Aż do przedwczoraj Zero nie był szczególnie znany, miał jednak niewielką grupę fanów w sieci. Niektórzy z nich już wcześniej przekazali wszystkie twarze i maski, jakich Zero używa w swoich filmikach, za pośrednictwem programów do wyszukiwania obrazów i do rozpoznawania twarzy. Co najmniej dwadzieścia procent twarzy i niemal sto procent masek zostało w ten sposób zidentyfikowanych. Pozostałe twarze są całkowicie sztucznie stworzone, zbyt zniekształcone lub składają się z wielu innych, których fragmenty nie dają się jednak niczemu przyporządkować. Dobra robota. Potem weryfikacji dokonało kilkuset ochotników. Crowdsourcing w najlepszym wydaniu – śmieje się Luis.

– Czy wiadomo już, jakiego programu używają do animacji?

– 3D Whizz – odpowiada Marten. – Zażądaliśmy już danych rejestracyjnych wszystkich użytkowników. Tyle że są ich miliony, jeśli uwzględnimy też wersje testowe i odchudzone wersje gratisowe.

– Ale w połączeniu z adresami e-mailowymi i innymi wybranymi danymi można znacznie zredukować ten zbiór.

– Oczywiście – przyznaje Luis.

– A po trzecie? – dopytuje Jon.

– Po trzecie, jest jeszcze ten *Guerrilla Guide*. Od lat prowadzony w sieci i na bieżąco aktualizowany. Dziecinada. Ale i tam rozglądamy się za adresami e-mailowymi, IP i podobnymi rzeczami.

Jon kiwa głową i poklepuje Luisa po ramieniu, jakby chciał powiedzieć: „Tak trzymać!".

W małym przeszklonym boksie, z którego Marten ma oko na cały swój zespół, Jon spogląda na zegarek – drogi model prestiżowej szwajcarskiej marki; dostał go od żony w prezencie z okazji ostatniego awansu.

– Kiedy nasi ludzie dotrą do sklepów, gdzie zostały kupione karty SIM?

– Mniej więcej za półtorej godziny – mówi Marten. – Dam znać, gdy tylko czegoś się dowiemy.

– Zero myśli, że jest sprytniejszy od nas, podobnie jak wielu tych zarozumiałych internetowych aktywistów. Ale my mamy władzę i wciąż jeszcze więcej możliwości, niż im się wydaje. Proszę je wykorzystać – dodaje Jon i wychodzi.

W niskim popołudniowym słońcu pobłyskują kosmyki włosów, okulary i kolczyki rzucają refleksy, cienie padają na morze ludzkich głów. Ludzie poruszają się tam i z powrotem, powoli lub pospiesznie, jedni mają ponure miny, inni są odprężeni, gadają, śmieją się, dyskutują, telefonują.

Czerwone i zielone kwadraty otaczają twarze przechodniów. Mniejsze lub większe, w zależności od tego, jak daleko znajduje się dana osoba; niektóre nakładają się na siebie na ułamek sekundy, inne znikają, pojawiają się nowe; psychodeliczny taniec abstrakcyjnych wzorów. W ciągu kilku sekund czerwone kwadraty robią się zielone.

– Wow, ale odlot! – wykrzykuje Vi.

Niespiesznie obraca głowę to w jedną, to w drugą stronę. Nowe twarze, nowe kwadraty.

– Ja też chcę – jęczy Bettany.

– Zaraz, poczekaj – broni się Vi. – Przecież i tak wszystko widzisz w swoim telefonie.

– Ale chcę zobaczyć, jak to jest!

Bettany ponownie opuszcza wzrok na swój smartfon, na który inteligentne okulary przenoszą to, co widzi Vi. Podobnie jak na tablety Sally, Adama i Edwarda.

– No, zrób coś! – ponagla ją Adam.

Vi kieruje spojrzenie na Bettany, po czym pociera zausznik okularów. Dwie sekundy później obok twarzy przyjaciółki pojawia się wyświetlony tekst i kilka zdjęć. Oglądane oczami Vi zdają się szybować w powietrzu.

Cowndry, Bettany
Londyn
Urodzona: 25.06.1997
Więcej: >

– Kurczę, ale super – śmieje się Vi.

– Poczekaj! – woła Bettany. Rozwiązuje kucyk i zasłania twarz długimi włosami. – A teraz? Jestem rozpoznawalna?

Na krótką chwilę Bettany rozbroiła opcję rozpoznawania twarzy. Ale program służący do identyfikacji przełącza się na ruchy ciała i ponownie wgrywa swoje dane na okulary.

– Totalne science fiction! – wyrywa się Vi.

– Totalna teraźniejszość! – przypomina jej Eddie.

– Teraz ja! – domaga się Bettany.

– No dobra, masz. – Vi podaje koleżance okulary, śledząc na własnym smartfonie, co widzi Bettany.

Podczas gdy ramki wokół głów na wyświetlaczu Vi pobłyskują zielono i znikają, jedna uparcie pozostaje czerwona.

– O co chodzi? – pyta Bettany.

– Nie do zidentyfikowania – odpowiada Adam. – Nie spuszczaj go z oka. Może uda nam się dowiedzieć, dlaczego tak jest.

Zdecydowanym krokiem podchodzi do wątłego mężczyzny około trzydziestki o ciemnej skórze i brązowych, lekko zażółconych oczach.

„Bengalczyk albo ktoś z Bangladeszu" – zastanawia się Vi.

Adam zagaduje go:

– Dzień dobry. Przepraszam pana, przeprowadzamy ankietę…

Mężczyzna mierzy go nieufnym wzrokiem. Idzie dalej, dopóki Adam nie zastępuje mu w końcu drogi.

– Czy mógłbym zadać kilka pytań…

Przechodzień bez słowa kręci głową, wymija Adama. Ten zaś znowu zabiega mu drogę.

– Czy zechciałby pan zdradzić swoje nazwisko, sir?

Vi zerka na iPhone'a. Ramka wciąż jest czerwona.

– Sir?

Nagabywany wymachuje teraz ramionami, chce odegnać Adama jak natrętną muchę. Jednak bezskutecznie.

– Sir, czy to możliwe, że przebywa pan w Wielkiej Brytanii nielegalnie?

Mężczyzna otwiera szeroko oczy, nieruchomieje na moment, po czym szybko go wymija.

– Sir…!

Adam pozwala mu odejść. Tamten nerwowo ogląda się jeszcze raz, po czym znika w mrowiu ludzi.

– Zdaje się, że niechcący trafiłem – śmieje się Adam.

– Albo opcja rozpoznawania twarzy nie zadziałała – wtrąca Eddie. – I wtedy byś go bezpodstawnie oskarżył.

– A dlaczego miałaby nie zadziałać? – oburza się Adam.

– Trochę to makabryczne – mówi Sally, spoglądając na Eddiego.

Kiedy smartfony w ich rękach odzywają się świdrującym jak syrena policyjna dźwiękiem, Vi o mało nie upuszcza swojego z ręki.

– O rany! – woła Adam, po czym dodaje szeptem: – Bądźcie cicho i nie dajcie nic po sobie poznać!

Ostrożnie zdejmuje Bettany okulary z nosa, starając się jak najmniej zmienić kąt ustawienia minikamery, i nakłada je sobie.

– Hej… – protestuje Bettany, ale Vi zaraz ją ucisza:

– Pssst!

W swojej komórce zobaczyła już, co wywołało ten alarm. Czyjaś twarz w niebieskim obramowaniu. Krępy mężczyzna zmierza w ich kierunku, jest jeszcze siedem, osiem metrów od nich. Idzie, kołysząc się z boku na bok, z wykręconymi jak u goryla ramionami i zwróconymi do przodu grzbietami dłoni, które z każdym krokiem wydają się większe i szersze. Na głowie ma bejsbolówkę, na nosie przeciwsłoneczne okulary; dolna warga i podbródek wyraźnie wysunięte, a na szyi błyszczy złoty łańcuch.

Obok ramki pokazuje się zdjęcie z listu gończego.

Poszukiwany
Lean, Trevor

Londyn
Urodzony: 17.04.1988
Przestępstwo: włamanie, kradzież, ciężkie uszkodzenie ciała
Więcej >

– Cholera – syczy Eddie przez zęby obok Vi. – Co robimy?

– Wzywamy policję, a co? – oznajmia cicho Adam. – Tylko nie róbcie nic głupiego. Numer alarmowy – wydaje cicho polecenie.

Vi czuje, że jej puls wariuje. Nie ma odwagi nawet spojrzeć na tego typa, który prawie już do niej doszedł. Uparcie wpatruje się w telefon, nawet trochę odwraca się w bok. Adam natomiast wciąż nie spuszcza wzroku z obcego, dzięki czemu ona może śledzić całą scenę na swoim wyświetlaczu.

Przed oczami Adama pojawia się ikonka telefonu i numer alarmowy.

Lean ogląda się za siebie. Patrzy prosto w oczy Adamowi, który próbuje uciec spojrzeniem. Za późno. Tamten przyspiesza kroku.

Vi słyszy w smartfonie, że zgłasza się i przedstawia jakaś kobieta z Metropolitan Police. Adam bez tchu wyjaśnia jej, kogo i gdzie odkrył. Zachowując pewną odległość, idzie za poszukiwanym, nie traci go z oczu. Vi i pozostali ruszają szybkim krokiem, żeby podążyć za Adamem. Vi czuje się trochę nieswojo. To nie jest już wcale zabawne.

Do wszechobecnych kamer, które przez całą dobę obserwują wszystko, co dzieje się na ulicach Londynu, ludzie już dawno się przyzwyczaili. Oswojona z nimi jest też grupka młodych osób przemierzających szybkim krokiem Mare Street. Nawet już nie zauważają kamer zamontowanych tu od lat dziewięćdziesiątych. Ani tej znajdującej się około stu metrów za nimi, ani drugiej, trzysta metrów w górę ulicy. Zdjęcia pstrykane są niemal z prędkością światła. A ponieważ żadna policja świata nie może posadzić przed trzydziestoma tysiącami monitorów trzydziestu tysięcy funkcjonariuszy, aby sprawdzali ujęcia z trzydziestu tysięcy kamer monitorujących, robotę tę wykonuje za nich nowoczesny program komputerowy. Jeśli coś wyda mu się podejrzane, podnosi alarm i transmituje konkretne zdjęcia dalej. Do innego monitora. Przed którym siedzi żywy policjant. Albo policjantka. Lub zatrudniony operator – w tym przypadku ktoś z jednostki nadzorującej Closed Circuit Television w Lambeth. Z tej zamkniętej sieci monitoringu wizyjnego wolno korzystać wyłącznie policji. Teoretycznie. Jest to jedna z central dowodzenia londyńskiej Metropolitan Police Service. Jeśli ktoś z CCTV zobaczy na swoim monitorze podejrzane obrazy, zawiadamia od razu zespół w głównym pomieszczeniu obok.

W tej sali siedzą dziesiątki pracowników i policjantów w cywilu skupionych przed niezliczonymi ekranami komputerów, przyjmują i weryfikują zgłoszenia alarmowe, w razie potrzeby wysyłają jednostki operacyjne na miejsce i koordynują ich działanie. Szmer i gwar ich pełnych skupienia przytłumionych głosów wypełnia pomieszczenie.

Powyżej ich głów ciągną się gigantyczne ściany ekranów z nieustannie zmieniającymi się obrazami z kamer monitoringu. Budynki, ciągi ulic, widoki ogólne, zbliżenia, różne perspektywy, mknące samochody, spacerujący lub przeciskający się przechodnie zlewają się w podzieloną na fragmenty panoramę miasta, w migające panoptikum, zasilają wciąż zmieniający się kalejdoskop. Można zwariować od tego ciągłego migotania i ruchu, jeśli nie jest się do tego przyzwyczajonym.

Operator słyszy w słuchawkach zgłoszenie Adama Denhama, podczas gdy na jego monitorach pokazują się obrazy kolegi z jednostki CCTV.

Operator natychmiast orientuje się w sytuacji. Jakiś człowiek pędzi przez ruchliwą ulicę, cztery osoby biegną za nim w pewnej odległości i z różnym zapamiętaniem. Ten na samym początku to z pewnością ów Trevor Lean, którego podobno rozpoznał dzwoniący. Operator powiększa obraz z kamery, do której przybliża się cała piątka. Twarz podejrzanego osłonięta jest daszkiem czapki. Ma na sobie ciemny dres. Ścigający go to nastolatki, w wieku około siedemnastu, osiemnastu lat. Pierwszy jest rosłym chłopakiem w okularach. Operator nie zauważa telefonu w jego ręce. Z czego wobec tego dzwoni? Drugi chłopak jest nieco niższy i szczuplejszy, ale wydaje się bardziej zręczny. Kilka metrów za nimi biegną dwie dziewczyny.

– Okej, mam cię – szepcze operator, po czym mówi głośno do małego mikrofonu tuż przy ustach: – Panie Denham, widzimy pana przez CCTV. Jest pan bezpieczny.

Tymczasem ścigany odchyla głowę do tyłu i łapczywie chwyta powietrze. W tym momencie operator widzi jego twarz. Korzysta z okazji i zapisuje obraz. Jego jakość jest jednak zbyt kiepska, aby móc skorzystać z opcji rozpoznawania twarzy.

– Sprawdź mi tego Trevora Leana – prosi swojego sąsiada z prawej.

Korzystając z jednego z monitorów, kolega wywołuje bank danych, podaje nazwisko. W odpowiedzi otrzymuje informacje i zdjęcia. Operator zerka z boku. Trevor Lean rzeczywiście jest poszukiwany z powodu różnych wykroczeń, między innymi za pobicie z poważnym uszkodzeniem ciała. Uciekający mężczyzna przypomina tego ze zdjęć.

– Panie Denham, słyszy mnie pan?

Brak odpowiedzi.

Ktoś potrzebuje pomocy. Niezależnie od zamieszania, jakie wywołuje ten pościg, który on musi zakończyć jak najszybciej, aby nie doszło do paniki. Informuje więc przez zestaw słuchawkowy jednostki w pobliżu: „Zajście na Mare Street, na wysokości Richmond Road. Kilka osób. Jedna z nich prawdopodobnie poszukiwana przez policję i niebezpieczna".

Po chwili otrzymuje odpowiedź jednego z radiowozów: „Jedziemy. Będziemy na miejscu za dwie minuty".

Ludzie ustępują na bok przed pędzącym Leanem, który w pewnym momencie rzuca gorączkowe spojrzenie na swojego prześladowcę.

– Co ty robisz, Adam? – pyta operator. – Mamy go już na oku. Pozwól mu biec. Zaraz go dopadniemy.

Vi pędzi dziesięć metrów za Adamem i Eddiem. Sally tuż obok niej, ledwie łapie oddech. Bettany zgubiła się gdzieś po drodze. Jedynie od czasu do czasu udaje jej się zerknąć na swój telefon, na rozchwiane obrazy przekazywane z okularów matki.

„Stop! Przerwać pościg!".

Ten pulsujący czerwony tekst musi być widoczny także w okularach Adama. Dlaczego mimo to biegnie on za tamtym gościem? Wcześniej nigdy by nie zdobył się na nic takiego.

Vi trochę zwalnia, zostaje z tyłu. Nagle widzi, że Lean wyciąga zza paska jakiś przedmiot. Czuje się jak porażona prądem. Spogląda na wyświetlacz smartfonu. Mimo niewyraźnego obrazu od razu rozpoznaje pistolet.

– Adam! – piszczy. – On ma broń!

– Fuck! – syczy operator i wali w przycisk alarmowy. – Uzbrojony osobnik na Mare Street! – wrzeszczy do mikrofonu, włączając do akcji swój zespół, czyli trzech kolegów przy sąsiednich monitorach. – Wszystkie jednostki w okolicy Mare Street! – przekazuje. – Uzbrojony osobnik na ulicy. Biegnie w kierunku Richmond!

Widzi na monitorach, jak ludzie pierzchają na boki, rzucają się na ziemię, szukają kryjówki. Nie słyszy odgłosów z ulicy, paniczna reakcja przechodniów jest jednak jednoznaczna: Lean strzelił.

– Uzbrojony strzela! – ostrzega patrole. – Wszystkie wolne radiowozy, udać się na Mare Street na wysokości Richmond!

Na monitorach operatora i jego dwóch sąsiadów drżą obrazy z siedmiu kamer. Na trzech pędzą samochody policyjne. Znikają z jednego ekranu i po chwili pojawiają się na innym. Mniejsze, większe, w innym kierunku, pod innym kątem. Nie tak łatwo zachować orientację.

Pierwsze radiowozy są już na miejscu. Podają swoje pozycje. Hamują kilka metrów przed Leanem. Dwoje mundurowych wyskakuje z wozu. Operator słyszy w słuchawkach, jak wrzeszczą: „Trevorze Lean! Stać! Jest pan aresztowany!". Przechodnie zatrzymują się przerażeni albo uciekają w popłochu.

Lean i funkcjonariusze unoszą wyżej broń. Operator słyszy strzały i widzi, jak policjantka w zwolnionym tempie osuwa się na kolana i po chwili upada do przodu. Jednocześnie Lean przewraca się do tyłu. Przy upadku pistolet wyślizguje mu się z ręki, on zaś leży wyciągnięty na plecach z rozrzuconymi w bok ramionami. Pod jego tułowiem rozlewa się coraz szersza kałuża.

Ze wszystkich stron nadjeżdżają radiowozy z pulsującym niebieskim światłem na dachu. Funkcjonariusze wypadają z samochodów, chowają się za nimi z bronią gotową do strzału.

Kilku policjantów rzuca się do Leana, kopnięciem odtrącają na bok jego pistolet, sprawdzają mu puls. Inni zajmują się postrzeloną koleżanką. Operator nie potrafi stwierdzić, czy jest poważnie ranna. Trzech mundurowych pochyla się nad nią. Ze zgiełku słyszalnego w jego słuchawkach wnioskuje, że kobieta jest nieprzytomna. Kilka metrów dalej dwaj policjanci wykonują masaż serca i sztuczne oddychanie, walcząc o uratowanie Leana. Operator gorączkowo omiata wzrokiem monitory, aby się upewnić, czy nie ma ofiar wśród przechodniów.

– Gdzie jest tamten chłopak, który go gonił? – pyta swojego kolegę. – Gdzie się podział drugi chłopak i dwie dziewczyny? Przecież widziałem więcej postrzelonych osób!

Ponad głowami trzech współpracowników siedzących przy niedużym stole konferencyjnym Will Dekkert patrzy na dachy Brooklynu aż po panoramę Dolnego Manhattanu. Jako czterdziestopięciolatek jest najstarszy w tym gronie, ale bynajmniej się tak nie czuje. Pierwsze siwe nitki w jego włosach i zarysy pierwszych zmarszczek być może rzucają się innym w oczy, on sam jednak ich nie zauważa.

Jego spojrzenie prześlizguje się po One World Trade Center, gdy czerwone migotanie tuż przed oczami zakłóca mu obraz.

Kod 705, Londyn, GB

Trzej inni przy stole także prostują plecy i przewracają oczami za szkłami okularów, jakby groził im kolektywny atak epilepsji.

– Rzucić na monitor! – poleca Will.

Kod 705 jako jeden z nielicznych jest równoznaczny z alarmem także dla niego jako członka zarządu odpowiadającego za komunikację we Freemee.

Na podzielonym ekranie zajmującym całą ścianę jego biura pokazują się przekazy online z dwóch kamer monitoringu. Ludzie biegają tam i z powrotem, na ziemi leżą nieruchomo trzy osoby, inne zwijają się z bólu.

„Mare Street, Londyn, UK", wyjaśnia tekst w dolnej części ekranu; podane są też nazwy obu sklepów, których kamery przemysłowe bez przerwy przesyłają obrazy do sieci. Obok widoczna na planie miasta dzielnica Hackney. Fioletowe trójkąty z małymi ikonkami kamer symbolizują zasięg wszystkich zarejestrowanych prywatnych kamer monitoringu na tym obszarze i praktycznie pokrywają go całkowicie. Po ulicach porusza się wiele czerwonych punktów. Jeden z nich miga. Will aktywuje go ruchem ręki odebranym przez niewidoczny sensor na ścianie z wideo. Na miejscu czerwonego punktu otwiera się okienko ze zdjęciem młodego chłopaka i z tekstem:

Użytkownik Freemee:
Adam Denham, 18, Londyn, GB
Funkcje życiowe ustały

– F… – połyka przekleństwo Will. Oszczędnym gestem aktywuje wezwanie telefoniczne swojego działu. – Cały wydział komunikacji do mojego biura – wydaje polecenie. – Mamy nasz pierwszy kod 705.

Przed ogromnym monitorem w gabinecie Willa Dekkerta tłoczy się co najmniej dwudziestu współpracowników. Na ekranie w licznych okienkach widoczne są – częściowo nieostre – ujęcia z kamer monitoringu na Mare Street. Lekarze z ambulansów uciskają klatki piersiowe rannych, sanitariusze klęczą obok i trzymają wysoko kroplówki. Gapie stoją jak zwykle dookoła i przeszkadzają, policjanci biegają tam i z powrotem.

Obok plan miasta i wgrane informacje personalne z profilu Freemee Adama Denhama.

– Kod 705 pojawił się pięć minut temu – wyjaśnia Will.

Na niektórych twarzach dostrzega konsternację. Również jego poruszają te obrazy, mimo to stara się pozostać rzeczowy.

– W Londynie osiemnastoletni Adam Denham został śmiertelnie postrzelony, ponieważ za pomocą inteligentnych okularów zidentyfikował na ulicy poszukiwanego przestępcę. Według wstępnych informacji cztery inne osoby zostały ciężko ranne.

Wskazuje na profil Freemee Adama Denhama przypominający profile serwisów społecznościowych: portret, zdjęcia, informacje, komentarze, do tego mnóstwo diagramów i symboli.

– O Adamie wiemy dosyć dużo, to zarejestrowany i intensywny użytkownik Freemee. Na swoim koncie gromadzi wszystkie z mierzalnych danych: ze smartfonu, z komputera, z kart bankowych i kart klienta. Ponadto ze smartwatcha i opaski monitorującej sen. Dzięki temu znamy jego profile poruszania się, wzorzec komunikacji oraz aktywności lifestyle'owe. Oprócz tego Denham korzysta z wielu naszych programów poradnikowych służących samodoskonaleniu.

Will prezentuje obrazy zarejestrowane z okularów Adama w momencie identyfikacji Leana. W polu poniżej odtwarza jego rozmowę z policją. Trzy kolejne paski pokazują wykres pulsu, tempa i oporu skóry.

– Za pośrednictwem okularów przekazał zapis pościgu na swoje konto Freemee.

Rejestracja dochodzi do miejsca, gdy Lean strzela do Adama. Sam strzał jest prawie niezauważalny, ujęcie jest rozchwiane. A potem widać tylko niebieskie niebo.

– Gdy nasze automatyczne programy trackingowe i analityczne stwierdziły nagłe przerwanie funkcji fizycznych Adama Denhama, to mimo że wciąż miał jeszcze inteligentny zegarek, który nie zareagował, podniosły alarm.

Will zwraca się w stronę przekazywanych na żywo obrazów z kamer monitoringu. Dwóch sanitariuszy wpycha do ambulansu nosze na kółkach, na których leży martwe ciało.

– Lekarz już na miejscu stwierdził śmierć chłopaka, co było zgodne z analizą naszych programów.

– Boże drogi! – wybucha Alice Kinkaid. – Biedny dzieciak! I biedni rodzice!

Jako szefowa public affairs we Freemee podlega bezpośrednio Willowi i odpowiada za zewnętrzny wizerunek firmy. Na tyle rozgarnięta, by skończyć computer science na Uniwersytecie Stanforda, prawo na Yale, oraz na tyle ładna, by zdobyć tytuł wicemiss Wirginii.

– To będzie pierwsza ofiara korzystania z okularów i opcji rozpoznawania twarzy Freemee – stwierdza Will. – Ta historia wywoła dużo hałasu w mediach. Musimy coś wymyślić.

– Cynik powiedziałby, że trzeba to powtórzyć – odpowiada Alice, ale szybko się opanowuje. – Od wczorajszej akcji Zero liczba naszych członków rośnie w zawrotnym tempie. Ludzka ciekawość jest najwyraźniej silniejsza od strachu przed dostępnością danych. Dyskusja, jaka zaraz znowu wybuchnie, przysporzy nam masę kolejnych klientów. Nasze programy mogą to stosunkowo jasno wyliczyć.

– To podobna prawidłowość jak po masakrze w szkole w Newtown pod koniec dwa tysiące dwunastego roku – zauważa Piotr. Dwa metry wzrostu, długie nieuczesane włosy, zarost muszkietera, brzuszek pod T-shirtem z napisem „Hard Rock". Szef działu statystycznego we Freemee. – Można by przypuszczać, że po takiej tragedii spadnie sprzedaż broni. A stało się wręcz odwrotnie.

– Wspaniałe porównanie – stwierdza Will z ironią. – Ktoś ma coś jeszcze do dodania?

– Zostawmy cynizm na boku. Jesteśmy przygotowani na takie draźliwe scenariusze i mamy w szufladzie specjalne strategie komunikacyjne – mówi Alice, wiodąc wzrokiem po wszystkich wokół. – Wiemy, co mamy robić. Wyrazimy współczucie bliskim, wskażemy zalety naszego rozwiązania, przypomnimy jego poprawne zastosowanie, ostrzeżemy przed nadużyciami, zdystansujemy się od nich i tak dalej. Będzie tak jak w przypadku ofiar mobbingu na Facebooku. Najdalej po dwóch dniach media tradycyjne porzucą temat i przejdą do następnego. A jeśli chodzi o media interaktywne, w nich żywotność informacji wynosi tak czy inaczej kilka godzin. Maksymalnie. Istotne jest, żebyśmy je odpowiednio wykorzystali. Argumentów mamy dość. – Przechyla głowę lekko na bok. Will nie może się oprzeć i wpatruje się w nią uparcie, podczas gdy Alice kontynuuje niewzruszenie: – Będziemy na przykład podkreślać zalety naszych programów bezpieczeństwa. Gdyby Adam Denham miał do dyspozycji konsumencką wersję programu *pre-crime*, dowiedziałby się dzięki niej, że istnieje duże prawdopodobieństwo, iż Lean nosi przy sobie broń i może zrobić z niej użytek. Być może wówczas nigdy nie znalazłby się w takiej sytuacji.

– Zaczną się dyskusje o rozpoznawaniu twarzy w czasie rzeczywistym – zwraca uwagę Will. – I odżyją postulaty, aby cofnąć tę opcję do stanu wcześniejszego, gdy możliwe było rozpoznawanie jedynie osób z kręgu znajomych danego użytkownika.

– Przecież nie jesteśmy ich jedynym oferentem – wtrąca Carl Montik, jeden z założycieli Freemee, prezes zarządu odpowiedzialny za badania, rozwój i programowanie. Ma dwadzieścia osiem lat, ale wygląda starzej, i jest atletycznej, mocnej budowy. Jak zawsze trzyma się w tle. – Od kiedy Meyes cztery miesiące temu wszedł na rynek i nie dał się kupić jak Face w dwa tysiące dwunastym przez Facebooka, obecnie dostępne są co najmniej dwadzieścia cztery różne programy. Poza tym ten chłopak mógł zobaczyć zdjęcie tamtego gościa w internecie i potem rozpoznać go na ulicy. W dzisiejszych czasach listy gończe nie tylko wiszą w komisariatach policji, lecz także krążą w sieci. Nie zapominajmy o tym, że bardzo często właśnie w ten sposób ujmowano sprawców różnych przestępstw. – Odchyla się na krześle; jego gładko ogolona czaszka lśni w promieniu światła, który na nią pada. – Reasumując: ani okulary, ani rozpoznawanie twarzy nie są winne temu, co się stało. Adam Denham z własnej inicjatywy pobiegł za podejrzanym. Program kilkakrotnie wzywał go, aby przerwał pościg.

– Dlaczego go nie posłuchał? – pyta Alice.

Carl unosi brwi.

– Wzmożony wyrzut adrenaliny? Tej wartości nie jesteśmy na razie w stanie zmierzyć. Ale pracuję nad tym.

Alice przelotnie spogląda na Willa, a zauważywszy jego dyskretne przyzwalające skinięcie, znowu zabiera głos:

– Na dobrą sprawę problem wcale nie polega na tym, jak przetrwamy te dyskusje, nie ponosząc szkody, bo one wcale nam nie zaszkodzą, wręcz przeciwnie, lecz raczej na tym, jak je dłużej podtrzymać. I to w taki sposób, aby nie znużyły ludzi. Jak wspomniałam, cynik powtórzyłby całą akcję. Ale przecież my nie możemy każdego dnia kazać umierać ludziom, nieprawdaż?

– Gdybyś wiedział – mamrocze Henry Emerald pod nosem.

Należy do mężczyzn, którzy nawet mimo siwizny zachowują chłopięce rysy twarzy. Zarówno jego garnitur, jak i koszula są szyte na miarę, a jedwabny krawat został wykonany ręcznie w pewnej włoskiej wiosce w górach. Przez sięgające sufitu szklane drzwi z delikatnymi drewnianymi listwami w ścianie południowej wpada światło dnia jak na obrazie Jana Vermeera. Za nimi rozciąga się wymuskany trawnik, który delikatną falą ograniczoną po lewej i po prawej stronie lasem ciągnie się aż do jeziora oddalonego o dwa kilometry. Salon jest tak obszerny, że inni pomieściliby w nim całe domy, a nie tylko jedno z dziewięćdziesięciu pomieszczeń całej posiadłości Gilded Age. We wnętrzu utrzymanym w oryginalnym stylu i wśród cennych antyków nowoczesny monitor na ciężkim ciemnym biurku wygląda jak jakiś egzotyczny owad. Henry Emerald siedzi w głębokim skórzanym fotelu i zamyślony czeka na swojego rozmówcę. Kod 705. Rozważyli wcześniej wszelkie możliwe scenariusze. Najbardziej krytycznym nadali kody decydujące o tym, które z odpowiedzialnych osób mają być w razie czego powiadamiane. 705 znajduje się na samej górze listy skonstruowanej według hierarchii ważności wydarzeń i oznacza śmierć użytkownika Freemee powiązaną z przestępstwem, rozpoznaniem twarzy, inteligentnymi okularami – i z eksperymentem.

Na monitorze pokazuje się Carl Montik, który siedzi już w swoim gabinecie. Ma na nosie inteligentne okulary i przez nie prowadzi rozmowę. Henry wciąż woli tradycyjny ekran. Albo osobisty kontakt. Nie musi wcale korzystać z najnowocześniejszych technologii tylko dlatego, że w nie inwestuje. Oczywiście z wyjątkiem połączeń zabezpieczonych przed podsłuchem i najnowszych technik szyfrowych.

– Co się stało z tym chłopakiem? – pyta Henry.

Carl wyświetla na monitorze profil Adama Denhama wraz z serią zdjęć. Na pierwszym z nich Henry widzi otyłego nastolatka, którego fryzura jest z pewnością dziełem jego matki. Na kolejnych zmienia się w atrakcyjnego, sprawiającego wrażenie pewnego siebie młodzieńca. Poniżej fotogalerii Henry ma standardowy przegląd z symbolami, grafikami i tabelami. Nad tym wszystkim obraca się biało połyskująca piłka. „Kryształowa kula" – tak nazywają ją we Freemee. Ich cudowna broń, ich *killer application*. Tajemnica sukcesu Freemee, wielokrotnie kopiowana, jednak wciąż niepowielona choćby w przybliżeniu.

– Od losera do kogoś, kogo można by nazwać Mister Cool – stwierdza Henry. – W ciągu zaledwie sześciu miesięcy. To aż za bardzo cool.

– Siódmy stopień w hierarchii eksperymentu – komentuje Carl. – Najwyższa wartość zmiany.

– Wcześniej ten chłopak na pewno nie ścigałby gangstera. Myślałem, że mamy nad tym kontrolę.

– On jest pierwszy od miesiąca – wtrąca Carl. – W odpowiednich grupach eksperymentu liczba nienaturalnych zgonów spadła do średniej krajowej od dwudziestu ośmiu i pół dnia. Adam Denham jest wyjątkiem. Nie dało się przewidzieć spotkania z Leanem. Również my wciąż jeszcze znamy coś takiego jak przypadek.

– Ale jego zachowanie w takiej sytuacji było mimo wszystko łatwe do przewidzenia – argumentuje Henry. – Tak samo jak w przypadku innych osób objętych eksperymentem, które się przeceniły, wpadły w depresję albo po prostu zwariowały. Trzy tysiące zmarłych! Tyle ile jedenastego września. Ten przeklęty eksperyment jest jak miecz Damoklesa, który wisi nad nami!

– Pozwolisz, że ci przypomnę, iż ty także go chciałeś – odpiera zarzut Carl, nadal niewzruszony.

– Jeśli kiedykolwiek to wypłynie i opinia publiczna się dowie, do czego doprowadziły te algorytmy, będziemy mogli zwijać interes. W najlepszym razie znajdziemy się za kratkami.

– Algorytmy nic złego nie narobiły. To nie one strzelały do Adama Denhama – oburza się Carl. – Podobnie w przypadku pozostałych. Ci ludzie sami nacisnęli za mocno na pedał gazu albo skoczyli z mostu.

„Ale twoje algorytmy ich do tego doprowadziły – myśli Henry. – Przy czym trzeba przyznać, że dobrze wiedzieć, do czego jesteśmy zdolni".

– Poza tym te trzy tysiące przypadków ginie w liczbie stu siedemdziesięciu milionów aktualnych użytkowników Freemee – uzupełnia Carl. – Z pięciu milionów podmiotów objętych eksperymentem nie żyje dużo poniżej promila.

– Joszef je zauważył – przypomina mu Henry.

– Na szczęście. Bo w przeciwnym razie być może odkrylibyśmy to zbyt późno. Ale Joszef był geniuszem. A jako członek kierownictwa działu statystyki miał dostęp do odpowiednich danych, które od tamtej pory są zablokowane. Tak więc teraz, ktokolwiek chciałby je zdobyć, pozyskać by je mógł tylko z innych źródeł. Ale aby mu się udało, musiałby bardzo dokładnie patrzeć, poprawnie myśleć i znać się trochę na statystyce.

Henry nie wydaje się przekonany.

– Dlaczego programy zaznaczają tę dwójkę z Londynu: Edwarda Brickle'a i Cynthię Bonsant? Ucznia i zacofaną dziennikarkę?

– To proste – stwierdza Carl. – Zdrowy ludzki rozsądek podpowiada, że oni są nieszkodliwi. Na szczęście my nie musimy się na nim opierać. Dane przemawiają jasnym językiem.

A Carl ufa nowoczesnym zbiorom danych bardziej niż on ludzkim uczuciom i logice. Henry dobrze o tym wie. Ludzie bowiem starają się dotrzeć do sedna rzeczy i często znajdują fałszywe prawdy, ponieważ mają zbyt mało informacji. Uważają na przykład, że on jest wściekły z powodu wczorajszej dyskusji, a tymczasem rano pokłócił się z żoną. Albo po prostu kiepsko spał. Tylko że oni o tym nie wiedzą.

Co prawda Carl także w nowoczesnych zbiorach danych nierzadko nie znajduje żadnych przyczyn. Ale po co miałby ich szukać, skoro algorytmy od razu podsuwają mu rozwiązania?

– Problem jest mniej więcej taki jak ze środkiem chwastobójczym, cukrem pudrem i ropą naftową – ciągnie Carl. – Każdy z osobna jest nieszkodliwy. Ale w połączeniu ze sobą stają się skrajnie wybuchowe.

Carl wchodzi na profil Edwarda Brickle'a.

– Edward Brickle był przyjacielem Adama Denhama i świadkiem jego śmierci. Też uczestniczy w eksperymencie, faza czwarta. Przeciętna zmiana około sześćdziesięciu procent jego parametrów.

– To znaczy, że on mógł zauważyć raptowną zmianę Denhama – zastanawia się na głos Henry. – Nie można zatem wykluczyć, że coś podejrzewa.

Carl potakuje ruchem głowy.

– Gdyby tylko wiedział, że coś się za tym wszystkim kryje, jest wielce prawdopodobne, że próbowałby do tego dojść.

– Byłby w stanie?

– Brickle to as IT. Prawdopodobieństwo, że zdoła do czegoś dotrzeć, niestety istnieje. Niemałe znaczenie ma tu też wpływ Cynthii Bonsant, która jest jego bliską znajomą. Poza tym Brickle kocha się w jej córce. Za każdym razem, kiedy jest w pobliżu niej, jego parametry jednoznacznie się zmieniają: puls się podnosi, opór skóry maleje et cetera.

Carl ściąga informacje na temat Cynthii Bonsant.

– Nie jest użytkowniczką Freemee, ale ogólnie dostępne dane są wystarczające do naszych celów. Z zawodu dziennikarka, co nie jest zbyt dobre, bo ona ciągle goni za jakimś tematem. Przed urodzeniem córki pracowała jako freelancer-ka i zajmowała się głównie dziennikarstwem śledczym. Pod względem niektórych parametrów zdecydowanie przewyższa swoich kolegów po fachu; mam tu na myśli ciekawość, wytrwałość, szczerość, przejrzystość, poczucie odpowiedzialno-ści, pasję. Ta kobieta kocha sprawiać trudności i sama pakować się w tarapaty. Jak się do czegoś przyczepi, szybko nie popuści. Wychodzi mi, że w przypadku dociekliwej Bonsant w drużynie z rozgarniętym Brickle'em prawdopodobieństwo odkrycia przez nich problematycznych przypadków wynosi dziewiętna-ście i trzydzieści osiem dziesiątych procent. To znacznie wyższa wartość niż u wszystkich dotąd.

Henry czuje, jak narasta w nim niepokój.

– Twój plan?

– Zmienię nastawienie Brickle'a i córki Bonsant. Ona też korzysta z Freemee. Jak wynika z danych, nie jest co prawda zakochana w Eddiem, ale może uda mi się doprowadzić do tego, żeby zniechęciła Brickle'a i żeby w konsekwencji przestało mu się chcieć węszyć.

Otwiera stronę zapełnioną szeregami kodów, z których Henry nic nie rozumie. Carl w mgnieniu oka zmienia niektóre z nich, inne usuwa, dodaje nowe.

– Programy doradcze, począwszy od tej chwili, będą im aplikować sugestie sterujące ich w odpowiednim kierunku, ale w taki sposób, by oni sami nie byli w stanie rozpoznać zmiany swoich postaw – wyjaśnia. – Poza tym zwiększę im wymagania, aby aplikacje zasypały ich zadaniami także w innych sferach i doprowadziły do skrajnego wyczerpania. Zanim jednak te zmiany zaskoczą, może minąć kilka ładnych dni. Dlatego dodatkowo spróbuję wpłynąć na Cynthię Bonsant poprzez córkę. Tyle że tutaj mam istotnie ograniczone możliwości.

– Najwyższy czas zakończyć ten eksperyment, żebyś takie drobiazgi mógł przekazać innym – zwraca mu uwagę Henry. – Przez te nieprzewidziane okoliczności cierpią twoje właściwe zadania.

– Wiem – przyznaje Carl. – Końcowe rezultaty eksperymentu przedłożę za dwa tygodnie, a wynik wyboru burmistrza w Emmerstown za cztery dni. Już teraz widzę, że efekty będą sensacyjne. Potem przejdziemy do wdrożenia.

Henry się rozłącza. Tej sprawy nie może pozostawić wyłącznie Carlowi. Dlatego wykonuje jeszcze krótki telefon i zaprasza rozmówcę do swojej posiadłości. Do jego przybycia zamierza wykonać stałe ćwiczenia na koncentrację. Opuszcza więc pomieszczenie i przez środkowe z siedmiorga drzwi wychodzi na miękki trawnik.

Cyn opiera plecy o krzesło. Na monitorze leci najnowszy filmik Zero. Powoli zaczyna czuć sympatię do tego gościa.

– No cóż, panie prezydencie, tak to właśnie jest, kiedy człowiek jest przez cały dzień monitorowany, a tak naprawdę chciałby mieć święty spokój – oznajmia nieokreślony głos z osobliwym zaśpiewem, komentując obrazy szalejących ochroniarzy. Na ekranie pojawia się twarz prezydenta, po czym przez wyrafinowaną animację przechodzi płynnie w twarz ministra spraw wewnętrznych, a następnie w oblicza szefów FBI, CIA i NSA, podczas gdy Zero kontynuuje: – Złożyliśmy panu prezydentowi nieoczekiwaną wizytę podczas jego urlopu, chociaż musieliśmy ponieść koszty kilku sympatycznych niedużych urządzeń. Nasze wideo znajdziesz wszędzie w sieci – mówi głos ze śmiechem. – Dobrej zabawy z panem prezydentem! My natomiast zachowamy naszą prywatność! Uważamy zresztą, że ośmiornice karmiące się naszymi danymi powinny zostać zniszczone!

– Filmik o kulisach tamtego nagrania Zero wrzucił dziś w południe do internetu – mówi rozbawiony Jeff.

– On to musi mieć nerwy ze stali – mamrocze Charly. – Przecież na pewno ma świadomość, że Amerykanie wypruwają sobie teraz żyły, żeby go znaleźć. A widzieliście wyniki giełdy za oceanem? Po akcji Zero kursy poszły nieźle w dół.

– Amerykańska paranoja – zauważa Jeff.

Cyn potrzebuje jeszcze trochę czasu, żeby oswoić się z bezpośrednimi sąsiadami w pracy, a także z ciągłym poszumem w newsroomie. Jeff i Charly po prostu plotą ponad jej głową, co im ślina na język przyniesie, mimo że Cyn akurat pracuje nad jakimś tekstem.

– Pasuje do artykułu, który właśnie piszę – bąka.

– Dlaczego ty znowu tworzysz teksty?

Tuż za jej plecami wyrasta nagle postać Anthony'ego. Wziąwszy się pod boki, stoi ze wzrokiem utkwionym w monitorze Cyn.

– Mówiłem przecież, że chcę widzieć nowoczesne projekty! Animowane grafiki, wideo! Co to…

Rozlega się dzwonek smartfonu Cyn, do którego podłączona jest staromodna słuchawka.

– W newsroomie wszystkie komórki mają mieć wyłączony sygnał! – upomina ją redaktor naczelny tonem sierżanta.

Cyn wycisza dzwonek.

Na wyświetlaczu pojawia się twarz Vi. Cyn chce już odrzucić połączenie, gdy Anthony wspaniałomyślnym gestem daje jej do zrozumienia, że może spokojnie odebrać rozmowę.

Zanim Cyn zdąży otworzyć usta, słyszy szloch Vi w słuchawce. W pierwszej chwili w ogóle nie rozumie, o czym jej córka mówi, z potoku słów przerywanego płaczem wychwytuje jedynie słowa „zastrzelony" i „ciężko ranni". Cyn czuje, jak każdą komórkę jej ciała opanowuje panika. Chwyta się mocno oparcia krzesła, aby powstrzymać drżenie, które nią wstrząsa.

– Uspokój się, skarbie!

– Jak mam się uspokoić! – krzyczy Vi przez szloch. – Jak mam się uspokoić, kiedy Adam… Adam nie żyje!

Z twarzy Cyn odpływa krew. Adam – czy to nie jest jeden z przyjaciół Eddiego? Pyta ochrypłym głosem:

– Co się z tobą dzieje? Gdzie ty jesteś?

Vi wyjaśnia jej wszystko, po czym Cyn rzuca:

– Już jadę.

Trzęsącymi się rękami odkłada komórkę. Serce o mało nie wyskoczy jej z piersi.

– Moja córka… Zdaje się, że znalazła się w środku jakiejś strzelaniny. Muszę iść.

– Strzelaniny? – pyta Anthony zdenerwowany. – Gdzie? Weź swoje okulary i zrób relację! Najlepiej nadawaj na żywo! Wrzucimy to potem na naszą stronę!

Cyn podnosi już ramię, by dać mu w twarz, w ostatniej chwili jednak się powstrzymuje. Chwyta torbę, komórkę i dosłownie wypada z newsroomu.

Za taśmą odgradzającą rozciągniętą w poprzek Mare Street tłoczą się gapie. Policjanci pilnują, aby nikt nie przemknął się na miejsce przestępstwa. Nad głowami terkocze helikopter, który krąży w kółko. Mundurowi w odblaskowych kamizelkach kręcą się między ludźmi lub przepytują świadków. W oczach Cyn pojawiają się łzy, gdy widzi Vi całą i zdrową. Oddycha z ulgą. Obok niej dostrzega Eddiego rozmawiającego z policjantem. Przeciska się do młodej funkcjonariuszki.

– Nie może pani tędy przejść – oświadcza kobieta.

Cyn spokojnie wskazuje na Vi.

– To jest moja córka.

Podaje jej swój dowód.

Policjantka sprawdza go, potem mamrocze coś do krótkofalówki. Po otrzymaniu odpowiedzi unosi taśmę i wpuszcza Cyn do odgrodzonej strefy.

Vi nie widzi jej z daleka, ale gdy w końcu odkrywa, że mama stoi tuż obok, zaciska napuchnięte powieki i przygryza wargi. Cyn obejmuje ją, a córka, po raz pierwszy od wielu lat, odpowiada jej takim samym gestem – Cyn czuje uścisk jej ciepłego, drżącego ciała. Funkcjonariuszka, z którą Vi właśnie rozmawiała, czeka cierpliwie.

– Muszę dokończyć – wyjaśnia Vi i odsuwa się nieco. Ze wzrokiem utkwionym w ziemi przyznaje: – Policja zabrała twoje okulary.

Cyn głaszcze ją po ręce.

– Nie zawracaj sobie teraz tym głowy.

Podczas gdy Vi rozmawia dalej z policjantką, Cyn rozgląda się wokół. Nieco dalej z tyłu technicy kryminalni w kombinezonach klęczą na ziemi i zbierają dowody. Cyn rusza w ich stronę, lecz po chwili zatrzymuje ją jakiś mundurowy.

Wyjaśnia mu, dlaczego jest tutaj:

– Ten zabity chłopiec miał okulary, które należą do mnie.

– Otrzyma je pani z powrotem – odpowiada mężczyzna – gdy technicy sporządzą ekspertyzę.

Cyn słyszy dziwne buczenie; dopiero po chwili orientuje się, że to smartfon wibruje w jej torebce.

Szef.

– Z twoją córką wszystko w porządku? – pyta.

– Tak.

– Świetnie! Bardzo się cieszę! Czy można tam zrobić jakąś relację? Nasza konkurencja jest też na miejscu? Mogłabyś przeprowadzić kilka wywiadów z policją albo z córką i przekazać je przez okulary. Puścilibyśmy je na żywo!

– Okulary nie działają – próbuje uratować się Cyn. – Muszę kończyć.

„Ale będzie wesoło, kiedy się dowie, co tak naprawdę się z nimi stało" – myśli Cyn.

Rozgląda się dyskretnie, szuka śladów, robi zdjęcia smartfonem. Natrafia na kilka plam krwi. Leana? Czy… Adama?

Przełyka nerwowo ślinę. Zadaje sobie pytanie, w jaki sposób Vi i jej przyjaciele wplątali się w tę historię. I jak ona poradzi sobie teraz z tym, co tu się stało.

W końcu Vi jest wolna.

– Chcę do domu – mówi. Ma zmęczony głos.

Także Eddie może już iść.

– Cześć, Cyn – pozdrawia ją cicho.

On i Vi przyjaźnią się jeszcze od przedszkola. Chodzą do tej samej szkoły, chociaż do różnych klas. Eddie jest dla Vi jak brat. Kim zaś ona jest dla niego, tego Cyn od kilku miesięcy nie jest pewna.

Dołącza do nich jeszcze jedna dziewczyna. Ma mokre od potu włosy, oczy opuchnięte od płaczu. „To Sally" – przypomina sobie Cyn. Była u nich kilka razy.

– Nie mogę dodzwonić się do swoich rodziców – mówi Sally.

– Pojedziecie wszyscy do nas – postanawia Cyn.

Eddie, wpatrując się w swój smartfon, wzdycha:

– Nie, ja nie mogę. Muszę jechać do domu. Mam coś do roboty.

Kątem oka Cyn dostrzega na jego wyświetlaczu jakiś tekst.

– Co masz na myśli? – usiłuje się dowiedzieć.

– Muszę się uczyć.

– Uczyć? Po tym wszystkim?

Podsuwa jej swoją komórkę.

Powinieneś wrócić do domu, Edwardzie, i się uczyć; matematyka, fizyka, geografia, saksofon.

– Kto ci to napisał? Twoja mama?

– Mój... telefon.

– Twój telefon? Co za absurd! Chyba nie pozwolisz na to, żeby telefon dyktował ci, co masz robić! No już, idziemy!

– Ale wtedy obniżą się moje parametry – skarży się Eddie.

– Jakie znowu parametry? – dopytuje Cyn. – Masz cukrzycę? Albo niskie ciśnienie?

– Nieważne – odpowiada, machając ręką.

Przy taśmie odgradzającej pojawiają się pierwsi koledzy po fachu Cyn i głośno domagają się informacji na temat zdarzenia. Zna niektórych z nich z widzenia. Na szczęście nie zdążyli jej zauważyć. Zdecydowanym ruchem popycha Eddiego i Vi w przeciwnym kierunku. Przypadkowo dostrzega, że także jej córka nieustannie sprawdza wyświetlacz swojego telefonu, na którym też widać wiele komunikatów. Sally idzie za nimi. W mało widocznym miejscu Cyn przemyka z całą trójką pod taśmą na drugą stronę i znika między gapiami.

Vi ze wzruszeniem stwierdza, że jej matka przywołuje taksówkę, żeby zawieźć ich wszystkich do domu, chociaż tak naprawdę jej na to nie stać. Wciska się na tylne siedzenie razem z Eddiem i Sally.

Gdy taksówka rusza, Vi, jąkając się, zaczyna opowiadać, co się stało. Mówi o zabawie z okularami, odkryciu przestępcy, o telefonie Adama na policję. Podczas gdy Eddie i Sally rozmawiają przez komórki z rodzicami, jej myśli ciągle krążą wokół jednego obrazu: gdy lekarz pochylił się nad leżącym na asfalcie Adamem i stwierdził już wtedy, że nie żyje.

– Chcieliśmy go zatrzymać – mówi – ale on po prostu pędził dalej, zaraz za tym Leanem.

– Adam ostatnio często robił takie rzeczy – wtrąca Sally, pociągając nosem. – Nie sposób było go pohamować.

– Miał sporo do nadrobienia – rzuca Vi.

– Co masz na myśli? – pyta Cyn.

– Jeszcze kilka miesięcy temu należał do tych kompletnie wyautowanych – wyjaśnia Sally. – A potem zrobił się naprawdę super.

– Prawdopodobnie chciał udokumentować interwencję policji – próbuje znaleźć wytłumaczenie Eddie.

– A zamiast tego pokazał na żywo w internecie własną śmierć – wzdycha Vi, a do oczu znowu napływają jej łzy. – Mogliśmy to oglądać na swoich smartfonach. A teraz pewnie to samo leci we wszystkich programach informacyjnych.

Vi czuje na sobie świdrujący wzrok mamy. Odwraca się w drugą stronę i wpatruje w szare londyńskie ulice przesuwające się za szybą taksówki.

– Ho! – woła Henry, celuje i pociąga za spust.

Sto metrów dalej rzutek rozpada się na kawałki. Zamiast marynarki od garnituru ma teraz na sobie lekko ocieploną kamizelkę z kawałkiem skóry na prawym ramieniu.

– Ho!

Następny rzutek roztrzaskuje się w powietrzu.

Na wzniesieniu za strzelnicą dostrzega zbliżającego się mężczyznę, na którego czeka. Henry zdejmuje ochraniacze z uszu oraz okulary, zawiesza strzelbę w zgięciu łokcia i wita przybysza skinieniem głowy.

Joaquim Proust był kiedyś ochroniarzem Henry'ego, dzisiaj jest szefem globalnej firmy bezpieczeństwa, która pod jego kierownictwem powstała kilkadziesiąt lat temu z zespołu osobistych ochroniarzy Henry'ego. Joaquim jest od niego wyższy o głowę, a jego twarz ma ostre patrycjuszowskie rysy byłego żołnierza elitarnych jednostek wywodzącego się z dobrego domu.

W swojej posiadłości oddalonej o godzinę lotu helikopterem od Manhattanu Henry czuje się całkowicie odizolowany. W obliczu ostatnich wydarzeń w Dniu Prezydentów Joaquim powinien przemyśleć na nowo środki służące realizacji kilku scenariuszy jego ochrony.

Henry wtajemniczył go jako jedynego w projekt Freemee. Od początku zdawał sobie sprawę, że musi za wszelką cenę chronić tę inwestycję. Gdyby bowiem konkretne podmioty poznały potencjał Freemee, niewątpliwie od razu obudziłyby się zakusy, a także krytyka z różnych stron. Aby zapewnić sobie lojalność Joaquima, Henry dał mu dwuprocentowy cichy udział w przedsięwzięciu, o którym Carl nie miał pojęcia. Opowiedział mu także o eksperymencie, gdyby pojawiły się nieoczekiwane przypadki śmiertelne, a o nich przecież nikt nie mógł się dowiedzieć.

Joaquim nie potrzebuje żadnych długich wstępów.

– Domyślam się, że chodzi o Eddiego Brickle'a, przyjaciela zmarłego Adama Denhama, i o tę angielską dziennikarkę.

– Głównie o nich – odpowiada Henry. – Wasze programy zaalarmowały nawet mnie. A jednocześnie oni oboje wyglądają tak samo nieszkodliwie jak wszyscy inni. Skoro jednak algorytmy mówią…

– To są podobne systemy do tych, jakie już od wielu lat stosujemy w EmerSecu do zwalczania przestępstw i terroryzmu, ewentualnie do ich przewidywania. Dobrze wiesz, że są niezawodne. Brickle jest sterowany przez Carla za pomocą Freemee, a my dodatkowo mamy na niego oko. Bonsant też depczemy po piętach.

– Chciałbym uniknąć powtórki z historii z Joszefem – mówi Henry.

– Wszystkim na tym zależy – odpowiada Joaquim. – Na razie nie ma powodu do interwencji. W przypadku Joszefa musieliśmy działać natychmiast, ponieważ z algorytmów wynikało, że z ponaddziewięćdziesięcioprocentowym prawdopodobieństwem zacznie gadać. Jeśli chodzi o Brickle'a i Bonsant, jest to ledwie dwadzieścia procent.

– A co, jeśli jednak dotrą do tego?

– Jeżeli Brickle i Bonsant faktycznie odkryją trzy tysiące ofiar, zastosujemy po kolei standardowe środki. Najpierw odwrócenie uwagi. Gdyby to nie wystarczyło, zaoferujemy im pakiet akcji Freemee, dzięki któremu staną się bogaci.

– Czyli spróbujemy ich kupić – podsumowuje Henry.

– Tak. Eliminacja wchodzi w rachubę jedynie w razie skrajnej konieczności lub przy wyjątkowo korzystnych warunkach. Takie rozwiązanie zawsze wiąże się z ryzykiem zdemaskowania.

– W porządku. Jeszcze ktoś?

– Nieszczególnie. Jeden gość z Toronto, dwóch w LA, dwóch w Berlinie i jakaś kobitka w Sydney mają ponad trzy procent. Spekulują na blogach i w artykułach. Nie przedstawiają jednak żadnych faktów. Nie są więc bardziej niebezpieczni niż przeciętni autorzy teorii spiskowych. Nikt nie przytoczył żadnych nadających się do zaprezentowania konkretów. Dotąd nie natrafiliśmy na ani jedną osobę, która by chociaż spróbowała.

Henry ładuje swoją strzelbę.

– To dobrze.

Ponownie nakłada okulary i ochraniacze na uszy, żegna Joaquima skinieniem głowy, odwraca się i unosi broń.

– Ho!

Cyn sprząta razem z dziećmi talerze, na których tkwią jeszcze resztki makaronu. Kuchnię wciąż wypełnia swojski zapach spaghetti bolognese. Nagle rozlega się dzwonek u drzwi.

Annie Brickle niemal dusi Cyn w powitalnym uścisku, po czym wpada do pokoju. Eddie zręcznie unika pełnych troski przejawów macierzyńskiej miłości. Przyjechała prosto z butiku, w którym pracuje, i z wdzięcznością przyjmuje zaproszenie na łyczek czegoś mocniejszego. Ona i Cyn przyjaźnią się od czasu spędzonego na placu zabaw ze swoimi dziećmi. Ojciec Eddiego odszedł od Annie dwa lata po tym, jak ojciec Vi opuścił Cyn. Ten zmył się niemal zaraz po przyjściu córki na świat. Na szczęście.

Annie zagania dzieci z powrotem do kuchni, sama zaś opada na krzesło i każe im opowiedzieć wszystko od początku. Tym razem cała trójka jest bardziej opanowana niż w taksówce. Pierwszy szok minął. Cyn czuje, że Vi i jej przyjaciół ogarnia teraz smutek i złość.

Eddie pozwala opowiadać dziewczynom, sam zaś znowu sprawdza na smartfonie jakąś wiadomość, która zdaje się go martwić. Chwilę później również Vi przerywa swoją relację i patrzy krytycznie na własny telefon. Zdenerwowana wstukuje coś na klawiaturze. Cyn irytuje to niegrzeczne zachowanie obojga, ponieważ i Eddie, i Vi dają w ten sposób do zrozumienia, że komórki są dla nich ważniejsze niż ludzie, z którymi rozmawiają. Już ma coś powiedzieć na ten temat, gdy w jej telefonie pokazuje się numer kolegi z konkurencyjnego pisma. Cyn wychodzi do przedpokoju i odbiera połączenie.

– Podobno twoja córka tam była! – słyszy po zdawkowym powitaniu. – Jak się czujesz? Masz wyrzuty sumienia?

Cyn zawsze uważała go za całkiem atrakcyjnego. Gdyby bez przerwy nie podkreślał, że jest szczęśliwym mężem, mógłby się jej nawet spodobać. Ale tym pytaniem doprowadził ją do furii.

– A niby dlaczego miałabym je mieć? – wybucha.

– Bo twoja córka zajmuje się takimi rzeczami?

– Jakimi r z e c z a m i?

– Czyli nie wypowiesz się?

– Oczywiście, że nie – rzuca i natychmiast się rozłącza.

Wraca myślami na miejsce przestępstwa. Czy któryś z kolegów ją tam jednak zauważył? Albo może policja podała nazwisko Vi? Gdy rusza w stronę kuchni, odzywa się dzwonek u drzwi. Spodziewając się, że to mama Sally, Cyn otwiera. Ale zamiast niej w progu stoją dwaj mężczyźni – jeden z niedużą kamerą wideo przed oczami.

– Cześć, Cynthio – ryczy ten drugi. – Zapewniamy ci wyłączność. Czy twoja córka jest w domu?

– O ile w ogóle się orientujesz, co właściwie wyprawia twoja pociecha – wypala ten od kamery. – Chcielibyśmy z nią porozmawiać.

Cyn zna obu. Pracują we dwóch w plugawych brukowcach. Próbuje zamknąć im drzwi przed nosem, ale jeden z nich wpycha stopę między drzwi a futrynę.

– Z tobą też, skoro już tu jesteśmy. Jesteś wyrodną matką, jak twierdzi Zero w swoim filmiku w związku ze śmiercią Adama Denhama?

Wyrodną matką?

– W jakim filmiku?

– Jeszcze go nie zna – stwierdza jeden z mężczyzn.

– Najwyraźniej – skrzeczy drugi jak koza.

– No to jak: matka czy córka, która najpierw?

Z mocnym „Spieprzajcie!” zatrzaskuje drzwi. Rozdzierający krzyk, z jakim jeden z facetów cofa nogę, daje jej przynajmniej cień satysfakcji.

– Hieny! – syczy przez zęby, opierając się plecami o drzwi.

– To są twoi koledzy – zwraca jej uwagę Vi, która wraz z resztą stoi w przedpokoju. – Myślisz, że w ten sposób się ich pozbędziesz?

Z korytarza dochodzą podniesione głosy, słychać walenie w drzwi.

– Kur… – przeklina Cyn. – Nie dadzą nam spokoju. A to jest pewnie dopiero początek. O jakim wideo gadał ten typ?

Eddie podsuwa jej swój smartfon.

– Chyba o tym.

Dziwna, zmieniająca się wciąż twarz Zero przewija się przez ujęcia z prywatnych kamer monitoringu przy Mare Street, jakby on sam znalazł się jako reporter na miejscu zdarzenia.

– No i dobrnęliśmy do tego punktu – oświadcza Zero. – Dziś w Londynie zastrzelono dwie osoby, a kilka zostało ciężko rannych, ponieważ jakiś znudzony nastolatek urządził sobie polowanie na człowieka.

Podczas gdy obraz w tle zastyga w bezruchu, Zero porusza się dalej, aż w końcu zatrzymuje się przy… Adamie Denhamie!

– Za pomocą szykownych inteligentnych okularów skanował mijanych na ulicy ludzi – wyjaśnia Zero, a na ekranie pokazuje się potok przechodniów widziany z perspektywy jednego z nich.

Cyn domyśla się, że jest to obraz z jej okularów na nosie Adama. Nagle widać Vi i Eddiego!

– Cholera – wyrywa się Vi. – To my.

– A to wszystko rejestrował na swoim profilu Freemee – kontynuuje Zero. – Halo, rodzice? Czy wiecie, czym się zajmują wasze pociechy? – woła, podczas gdy wokół twarzy mężczyzny w bejsbolówce pojawia się niebieski prostokąt.

Obok ukazuje się zdjęcie poszukiwanego i tekst:

Poszukiwany
Lean, Trevor
Londyn
Urodzony: 17.04.1988
Podejrzany o: włamanie, kradzież, ciężkie uszkodzenie ciała
Więcej >

– Jak na złość chłopak demaskuje poszukiwanego przestępcę. Nie wiedząc o nim nic więcej, to znaczy czy został już oskarżony albo skazany i uciekł, postanawia go ścigać. Na swoje nie-
szczęście. Ponieważ to odkrycie oznacza jego śmierć.

Obrazy szybko migają dalej, do momentu gdy Lean wyciąga pistolet i celuje w swojego prześladowcę. W tym miejscu
nagranie się urywa. Bogu dzięki.

– Co uczyniło z tego miłego młodzieńca samozwańczego
szeryfa z bożej łaski? Marzenie czy chęć wyróżnienia się? To
akurat mu się udało – stwierdza Zero, przyjmując teraz postać
starego mężczyzny, po czym wraca do swojego melodyjnego za-
śpiewu i mówi dalej: – Okazuje się, że nie można mu niczego
zarzucić. Ostatecznie dzisiaj wszyscy uprawiają polowanie na
ludzi: banki, instytucje kredytowe, supermarkety, producenci
samochodów, producenci odzieży, wszyscy. Niektórzy internetowi giganci nazywają się nawet „wyszukiwarkami".

Przez ułamek sekundy Cyn ma wrażenie, że dostrzega
w twarzy Zero rysy szefa Google, po czym niemal zaraz zmienia się w twórcę Facebooka.

– Facebook, książka twarzy, tak określa się całkiem otwarcie inny z tych gigantów – oznajmia Zero, kontynuując swoje
metamorfozy. – Oni przecież też już zaliczyli skandale i problemy. A mimo to mają miliardy użytkowników. – Zero przerywa na chwilę. – To połknijcie teraz i tę żabę! Każdy z was! Ty!

Tak, tak, właśnie ty, który oglądasz to wideo! Gówno cię obchodzi, co oni o tobie wiedzą albo do czego wykorzystują tę wiedzę! Ale biada, jeśli coś się stanie! Wtedy zaczynasz lamentować! „Jak to się mogło wydarzyć? Dlaczego im tyle wolno? Nie zdawałem sobie sprawy!". Nieprawda! Ty po prostu nie chciałeś tego wiedzieć! Dopóki koncerny internetowe oferują ci jakieś śmieszne przywileje, nie odpuścisz. Najważniejsze, żeby było wygodnie! Jak długo chcecie jeszcze na to się godzić?! Brońcie się! Mnie nie dopadniecie, wy oligarchowie danych! Moja dusza nie jest na sprzedaż! A tak w ogóle uważam, że ośmiornice karmiące się danymi osobowymi powinny zostać zniszczone.

„Halo, rodzice, czy wiecie, czym się zajmują wasze pociechy?".

Cyn czuje, jak zaciska się jej gardło. To o to chodziło tamtym dwóm chamom! Cały świat może zobaczyć i rozpoznać jej córkę na tym filmiku!

– Jasna cholera – odzywa się Eddie. – Jesteśmy na wideo zrobionym przez Zero…

– Uważaj na język, młody człowieku! – upomina go matka. – A kto to jest ten Zero?

– Mamo! – wzdycha Eddie.

Nim pada odpowiedź, ponownie dzwoni telefon Cyn. Dobrze znany numer.

– Cześć, Cynthio – zaczyna Anthony. – Jak się czuje twoja córka? To ci dopiero historia! Napisałaś już coś? A może jakieś wideo? Wywiad z córką? Na wyłączność „Daily"?

Cyn bez słowa przyciska klawisz z czerwoną słuchawką.

„Powinnam napisać materiał o waszych reakcjach!".

Niemal jednocześnie odzywają się komórki Eddiego i Sally.

– Nie odbierajcie – ostrzega ich Cyn.

Na korytarzu tamtych dwóch opryszków znowu dobija się do drzwi, wykrzykują nazwisko Cyn, która unosi bezradnie ramiona i mówi:

– Przykro mi. Przepraszam was za moich kolegów.

– To ja powinnam przeprosić – wtrąca Vi i dodaje zrezygnowana: – To wideo… Nie mieliśmy pojęcia, że coś takiego może się zdarzyć.

Cyn powstrzymuje się od wygłoszenia uwagi o nadużywaniu różnych urządzeń. Zamiast tego pociesza córkę:

– Nikt z nas sobie tego nie wyobrażał. Chodźmy lepiej do pokoju.

Raban za drzwiami coraz bardziej się nasila, Cyn ma wrażenie, że przybyły nowe głosy. Spojrzenie przez judasz potwierdza jej obawy.

Świetnie. Jest ich już pięciu.

– Rany boskie – jęczy Annie. – To jak oblężenie! Jak mamy teraz stąd wyjść? Nie mogłabyś jakoś z nimi porozmawiać, jak z kolegami po fachu?

– Zapomnij. Dla nich liczy się tylko ich story.

Na jej komórce znowu pokazuje się numer Anthony'ego. Cyn go ignoruje.

– To może zadzwonić po policję?

– Jak usłyszą, że sama jestem dziennikarką, najwyżej uśmieją się do łez.

– Czyli jesteśmy uwięzieni?

– Niekoniecznie – stwierdza Eddie, pochylony nad swoim smartfonem, na którym coś gorączkowo wystukuje i usuwa.

– Czy któraś z twoich aplikacji nie daje ci żadnej rekomendacji? – pyta go Sally, również przebierając błyskawicznie palcami po klawiaturze. – Może nawet jest jakaś specjalna przeznaczona na takie sytuacje. Dlaczego nas nie ostrzegła?

– Właśnie to zrobiła – odpowiada Eddie. – Myślisz, że jak bym inaczej na to wpadł?

– Mnie też ostrzegła – potwierdza Vi. – Nawet podniosła nasze parametry z powodu większej rozpoznawalności.

– No super! – wykrzykuje Sally.

Cyn w ogóle nie rozumie, o czym mówią Vi i jej przyjaciele.

– Co wy, do jasnej cholery, robicie? – pyta matka Eddiego.

– Uważaj na język, młoda damo – kpi Eddie, nie unosząc wzroku znad telefonu.

– Posłuchajcie – wtrąca Vi. – Żeby się ich pozbyć, nie potrzebujemy żadnej aplikacji. Przecież oni chcą tylko, żebyśmy się wypowiedzieli, tak? No to się wypowiemy. A dziś niepotrzebni są już dziennikarze, żeby zająć stanowisko w jakiejś sprawie.

„Cudownie – przemyka przez głowę Cyn. – Własna córka pozbawia mnie chleba".

– Wobec tego zrobimy tak… – zaczyna Vi.

Przedstawiwszy swój plan, staje razem ze wszystkimi obok drzwi wejściowych. Każdy trzyma w ręku uniesioną komórkę. Łańcuch zabezpieczający jest zatknięty, wskutek czego drzwi mogą uchylić się jedynie na szerokość dłoni.

Na znak Vi Cyn otwiera drzwi. Reporterzy przekrzykują jeden drugiego. Cała piątka wyciąga przez szparę komórki i pstryka zdjęcie za zdjęciem.

Zły nastrój Carla rozchodzi się po sali konferencyjnej jak nieprzyjemny zapach. Już drugi raz tego dnia Will jest zmuszony zwołać swój zespół.

– Jeszcze tylko tych nam brakowało – irytuje się Carl, gdy na monitorze na ścianie pokazuje się ostatnie ujęcie z filmiku Zero. – Są naprawdę wkurzający. Za kogo oni się uważają? Za Savonarolę? Howarda Beale'a?

Will słyszy czyjś szept pod monitorem:

– Kto to jest Savonarola?

Udziela głosu Alice. Nawet w tak drażliwej sytuacji może całkowicie polegać na jej profesjonalizmie.

– Przyjrzyjmy się pozytywnym aspektom tej akcji – zaczyna. – Piotr – przekazuje pałeczkę szefowi statystyki.

– Jak wspomniano wcześniej, niedawne relacje z Londynu wychodzą nam na korzyść – oświadcza Piotr na wstępie. – Zwłaszcza na rynkach zachodnioeuropejskich odnotowujemy ogromne przyrosty: efekt Newtown. To samo dotyczy krytyki Zero. Tu liczby są podobne. – Wyświetla wykres z kolorowymi liniami. – Istnieje ścisła korelacja między zwiększeniem się widowni filmików Zero a pomnożeniem liczby naszych użytkowników. Począwszy od wczorajszej akcji w Dniu Prezydentów, obie liczby po prostu poszybowały w górę. Jedynie w ciągu ostatnich dwudziestu czterech godzin pozyskaliśmy ponad jedenaście milionów nowych użytkowników! Czegoś takiego nie udało nam się osiągnąć za pomocą żadnej kampanii marketingowej. Krytyczne wobec Freemee nagrania Zero zapewniły nam ogromne powodzenie i wzrost zaufania.

– A czego oni mogą od nas chcieć? – pyta oburzony Carl. – Co im się nie podoba?

– Nazywają nas agencją ratingową ludzi, wytykają możliwości wywierania wpływu, to co zawsze.

– Krytykują nas i to nam służy? – nie dowierza Carl.

– Znowu efekt Newtown – mówi Alice.

– Na szczęście nie są tego świadomi – śmieje się Will. – W przeciwnym razie zachowywaliby się chyba inaczej.

– A może jest im to obojętne.

– Popularność Zero szybko jednak wygaśnie, jeśli niedługo nie odpalą czegoś równie spektakularnego. – Piotr pokazuje na krzywą, która niemal pionowo wznosi się ku górze, a potem równie raptownie opada. – Tak wygląda prawdopodobny dalszy rozwój.

– Szkoda – wyraża żal Will. – Popularność Zero spadnie. A kiedy coraz mniej ludzi będzie oglądać jego filmiki, zredukuje się też ich pozytywny efekt dla nas.

– Zgadza się – potwierdza Alice. – Na dobrą sprawę powinniśmy aktywnie zabiegać o to, żeby Zero był jak najbardziej popularny. – Daje wszystkim trochę czasu, aby ta myśl do nich dotarła, po czym kontynuuje: – Mam pewien pomysł.

– Zero zalicza nas do złych, a ty chcesz go wspierać? – pyta Carl.

– Chyba widziałeś wyliczenia Piotra – odpowiada Alice.

Carl kiwa głową.

– No dobrze, to jak chcesz to osiągnąć?

– Te histeryczne nagrania Zero wyraźnie dowodzą jednego: polowania na ludzi nas fascynują! Zwłaszcza gdy ścigani dzielą społeczeństwo. Przypomnijcie sobie nagonkę na Edwarda Snowdena. Podawane małymi porcjami szczątkowe informacje, zgadywanie, gdzie otrzyma azyl, co będzie dalej. Można by pomyśleć, że jego ucieczka została rozpisana przez jakiegoś scenarzystę.

– Coś takiego działa co najwyżej przez kilka dni – zauważa Will.

– Niekoniecznie. Można przez cały czas podtrzymywać letnie zainteresowanie i regularnie je podgrzewać – odpowiada Alice. – Każdy serial opiera się na takiej zasadzie.

Szybko wstukuje coś w komórce i transmituje na duży monitor plakat do filmu *Ścigany*.

– Stary film z lat dziewięćdziesiątych. Remake serialu telewizyjnego z lat sześćdziesiątych. Jeśli jeszcze w ogóle wiecie, co to jest telewizja.

Kilka osób kwituje śmiechem jej żart. Will nagle czuje się staro.

– I serial, i film opowiadają o lekarzu niesłusznie oskarżonym o morderstwo swojej żony i poszukiwanym przez policję. Widzowie telewizyjni śledzili serial przez cztery lata. Powtarzam: cztery lata! Byle tylko oglądać ściganego faceta!

– Zamierzasz zainscenizować podobną historię w epoce internetu? – pyta Will z niedowierzaniem.

– Mamy idealne składniki. Najpotężniejszy polityk świata podejmuje wściekły pościg za Zero. Równocześnie Zero cieszy się sympatią, ponieważ występuje przeciwko wszechobecnej inwigilacji.

– Ceną jest głowa albo głowy Zero? – dodaje Will.

– Prawdopodobnie głowy – odpowiada Alice. – Nie wiadomo, ile osób kryje się za Zero.

– Potęga ściga upośledzonego – rozmyśla głośno Will, coraz bardziej przekonany do pomysłu Alice. – To była recepta na sukces już we *Wrogu publicznym*, w serialu *Running Man* i w filmie *V jak Vendetta*.

– Oraz w wielu innych – uzupełnia Alice. – Ta pogoń będzie skrajnie kontrowersyjna! Urzędnicy do spraw ochrony danych i nałogowi obrońcy sfery prywatnej z całego świata podniosą krzyk, dołączą do nich politycy różnych maści. Trudno o lepszą reklamę! Jedni przystąpią do poszukiwań Zero, inni będą go wspierać. Pojedynek między polującym a ściganym przerodzi się w walkę światopoglądów. To będzie wielkie kino, tyle że rzeczywiste!

– Ale skoro do tej pory nawet FBI nie znalazło Zero…

– Przecież my wcale nie musimy go znaleźć. Chodzi o szukanie! Im dłużej będzie trwało, tym lepiej dla nas! Byle tylko było spektakularne.

– Jest tylko jeden haczyk – wtrąca Will. – W takiej sytuacji powszechna sympatia tłumu kieruje się zawsze ku ściganemu, czyli ścigając go, z pewnością nie możemy liczyć na to, że będziemy lubiani.

– Wszystko zależy od tego, jak to przedstawimy – zauważa Alice. – U nas, w Stanach, Bradley Manning czy Edward Snowden dla wielu są zdrajcami. Ale w tym przypadku przecież nie o to chodzi. Naszym celem jest jedynie podniesienie popularności Zero, bo to napędza nam użytkowników. Choć oczywiście masz rację w tym sensie, że zorganizowanie polowania musimy powierzyć komuś innemu.

– A komu? – pyta Will.

Rozgląda się po wszystkich, czekając na propozycje.

Nikt nic nie mówi, Carl zaś postukuje palcem w usta, jakby poważnie się zastanawiał. W końcu się odzywa:

– Poczekajcie chwilę, spróbuję przebudować jeden z naszych algorytmów poszukiwania.

Siada ze swoim tabletem za biurkiem Willa i zaczyna oszałamiająco szybko pisać.

– Sprawdźmy, kto by się najlepiej nadawał – mówi przy tym. – Potrzebne jest nam właściwe medium i odpowiednia osoba. Taka, która jest obecna w sferze międzynarodowej i umożliwi identyfikację z naszymi grupami docelowymi w najbliższych miesiącach, zdominuje komunikację. Im bardziej znana, tym lepiej – wylicza. – Poza tym musi być dyspozycyjna. I powinna mieć motywację do tego, by szukać Zero.

Will nie jest pewny, czy Carl wziął na poważnie propozycję Alice. Sam wybrałby bardziej klasyczną drogę, kusi go jednak, by pozostawić Alice więcej pola do działania. Ta kobieta ma potencjał, co do tego nie ma wątpliwości.

Carl pracuje dalej nad tabletem niczym opętany.

– No – odzywa się. Wreszcie z rozmachem uderza palcem w jeden z klawiszy, kończy wyliczenia i z wyraźnym zadowoleniem wiedzie po wszystkich wzrokiem. – Mam kogoś.

Cyn podoba się zdjęcie kolegów po fachu przed drzwiami jej mieszkania. Gdy z zajadłymi minami wyciągają niczym broń swoje kamery i mikrofony naprzeciw aparatów fotograficznych w komórkach. I nie może się nadziwić zuchwałości córki, która postanowiła opublikować to zdjęcie na wszystkich swoich profilach w internecie. A w fotografię wmontowała tekst złożony dużą czcionką:

Spoczywaj w pokoju, Adamie?
Nasz przyjaciel Adam Denham właśnie został na naszych oczach brutalnie pozbawiony życia. Składamy wyrazy bezgranicznego współczucia jego Najbliższym. My też opłakujemy go z całego serca. Niestety, mediom bulwarowym obca jest żałoba i szacunek. Mimo to zwracamy się z prośbą, aby pozwoliły zmarłym spoczywać w pokoju, a żywym w spokoju opłakiwać tych, którzy odeszli. Przekażcie, proszę, to przesłanie swoim przyjaciołom, jeśli chcecie dać „reporterom" i ich zleceniodawcom określony znak.

Vi umieściła pod zdjęciem nazwiska reporterów, a także tytuły, dla których pracują. Cyn z podziwem obserwowała, z jaką zręcznością i jak szybko jej córka i Eddie zmontowali zdjęcie i tekst.

„Dzisiaj każdy jest reporterem".

– Nie minęło jeszcze piętnaście minut, a już jest ponad dziesięć tysięcy lajków, favów i pozytywnych komentarzy w mediach społecznościowych – stwierdza z zadowoleniem Vi.

– Na moich kontach wygląda to podobnie – informuje Eddie.

– U mnie też – potwierdza Sally.

– Chodź, mamo, teraz ty – zachęca ją Vi.

Cyn jednak wzbrania się przed opublikowaniem tej informacji na swoich i tak nielicznych profilach. Media rzeczywiście powinny dać im spokój, zgodnie z żądaniem Vi zawartym w liście. Ale oni sami też powinni pozostać niemi, wyłączeni w żałobie. Co prawda dziennikarze czyhający przed jej drzwiami i atakujący przez telefon nie zdobyli żadnych wywiadów, w końcu jednak doprowadzili do tego, że Vi i inni się wypowiedzieli. Czy tylko ona odbiera to jako klęskę?

Jej telefon brzęczy po raz kolejny. Wyjątkowo ukazuje się nie numer Anthony'ego, który dzwonił już x razy. Cyn rozpoznaje pierwsze cyfry – należą do dużego nadawcy telewizyjnego. Waha się przez moment, po czym odbiera. Kobieta po drugiej stronie zna Cyn przelotnie. Zobaczyła w internecie zdjęcie i liścik wstawione przez Vi. Pyta, czy Vi wzięłaby udział jeszcze dzisiejszego wieczoru w jej talk-show. Cyn również. Rola rodziców w całej tej historii zasługuje przecież na dyskusję. Zwłaszcza biorąc pod uwagę filmik Zero. Czyli ona też już go widziała. Cyn dziękuje za zaproszenie i odmawia.

Vi wygląda przez judasz.

– Miejmy nadzieję, że to poskutkuje.

– Może znajdę jeszcze jedną aplikację, która nam dodatkowo pomoże – rzuca Eddie, przesuwając palcem po wyświetlaczu swojego smartfonu.

– Czy moglibyście mi wreszcie zdradzić, jakiej pomocy spodziewacie się po waszych komórkach? – pyta Cyn opryskliwie. – W końcu to nie jest żaden doradca życiowy.

– No właśnie, ja też chętnie bym się dowiedziała – wtrąca Annie.

Eddie i Vi wymieniają między sobą spojrzenie, które Cyn dobrze zna od ich dziecięcych lat. „Zostaliśmy przyłapani!" – mówi ono. Potem następuje krótkie rozważenie – czy wyparcie się jeszcze coś da? Nie, tym razem ona chyba nie odpuści.

I rzeczywiście Cyn nie ma zamiaru odpuścić.

– No cóż, telefony komórkowe stały się ostatnio dosyć pomocne – odpowiada Vi.

Obawiała się tego dnia. Mama pewnych rzeczy, które teraz musi jej wyjaśnić, raczej i tak nie będzie mogła ani chciała zrozumieć. Najrozsądniej więc byłoby zdradzić jej jak najmniej. Oby tylko Eddie, który wszystko wie najlepiej, nie wypalił czegoś ni z tego, ni z owego.

– Aplikacje ActApps to są indywidualne programy doradcze opracowane przez Freemee dla różnych sfer życia, od odżywiania, przez sport, po matematykę. – Już wystrzelił. – To coś w rodzaju coacha albo korepetytora czy mądrego przyjaciela. I jak widzisz, działają naprawdę bezbłędnie! Jak myślisz, skąd Vi ma takie dobre stopnie w ostatnich miesiącach?

– Super, Eddie, wielkie dzięki! – obsztorcowuje go Vi. – A może po prostu dlatego, że się uczyłam?

„Co za kretyn!". Vi próbuje zmusić go spojrzeniem do milczenia, Eddie jednak nie daje się powstrzymać.

– Po co w ogóle się uczyłaś? I to jeszcze z takim efektem.

– A ty po co? Twoje dobre stopnie biorą się niby z powietrza? – odparowuje Vi.

– Nie mam zielonego pojęcia, o czym wy mówicie – wtrąca Cyn. – Czy to znaczy, że wasze smartfony udzielają wam korepetycji? To byłaby chyba pierwsza naprawdę przydatna funkcja.

– Dokładnie! Czy to nie jest genialne? – potwierdza ochoczo Vi.

Rzuca przelotne spojrzenie na swoją komórkę, która znowu dzwoni. Dobrze, że wcześniej wyciszyła dźwięk.

– Viola! – upomina ją mama, podczas gdy ona odrzuca połączenie. – Nie zbaczaj z tematu, okej? Jak to niby ma funkcjonować? Przecież te programy w ogóle cię nie znają. Więc jak miałyby ci indywidualnie doradzać? – Nagle urywa. – Rany boskie! To oni tyle wiedzą o nas przez kradzież danych…?

Eddie rzuca ostrożne spojrzenie na swoją mamę, która równie uważnie się przysłuchuje, po czym westchnąwszy, kontynuuje:

– Nie, tu nie chodzi o kradzież danych. Po prostu przeszedłem do ataku za pomocą ich własnej broni. Sam gromadzę dane na swój temat. Tyle że w efektywniejszy sposób niż dotychczasowi złodzieje tożsamości. Niektórzy usługodawcy umożliwiają coś takiego, zwłaszcza z ruchu Quantified Self.

– Z jakiego ruchu?

Po sposobie, w jaki matka nabiera powietrza w płuca, Vi poznaje, że ona niemal dusi się od tych nowinek.

– Tak nazywa się ludzi, którzy obserwują się maksymalnie dokładnie i ciągle dokonują pomiarów, na bieżąco odnotowują swoje funkcje fizyczne i przyjmowane jedzenie. To nasilająca się tendencja.

– Kiedyś nazwano by to hipochondrią – wtrąca Cyn.

– Jak to? – dziwi się Eddie. – Przecież w ten sposób można bardzo prosto udoskonalić swoje życie. Fitness, dieta, kontrola zdrowia, edukacja: całość mieści się w jednej aplikacji. Ale także dane z innych źródeł: serwisów społecznościowych, komórki, kart kredytowych i kart klienta, nawet współrzędne GPS twojego auta mogą w niej być. I wtedy masz wszystko razem dostępne z komórki. Freemee i inni opracowali systemy, dzięki którym możesz na bieżąco wgrywać dane na swoim koncie. – Wyciąga ku niej nadgarstek z opaską z displejem. – To dotyczy też danych z mojego smartwatcha, który mierzy mi kroki, puls, opór skóry, kontroluje sen…

– Quantified Self…

– To ty zapisujesz nawet puls i kroki? – pyta mama Eddiego z niedowierzaniem, najwyraźniej słysząc o czymś takim po raz pierwszy.

– No tak, mamo – odpowiada jej syn, przewracając oczami. – To nic innego jak kolejna, bardziej zaawansowana odmiana pulsomierza, stosowanego przez joggerów już od lat. Ten wskaźnik pokazuje mi na bieżąco moje parametry. I tak na przykład dzięki niemu dokładnie wiem, czy już mi wystarczy ruchu, czy uzyskałem równowagę…

– Żeby to wiedzieć, nie potrzebuję zegarka – wtrąca Cyn.

– Ale tą drogą uzyskuję o sobie samym o wiele lepsze dane, niż ci wszyscy szpiedzy razem wzięci byli w stanie kiedykolwiek wykraść. I mogę sam zrobić to, co do tej pory możliwe było jedynie w wielkich koncernach: przez zbieranie, analizowanie i interpretowanie danych osobowych potrafię wyliczyć i skorygować szanse i ryzyka dotyczące swojej przyszłości. Dlaczego moje perspektywy mają znać tylko banki, supermarkety, domy wysyłkowe czy marki odzieżowe? Przecież taka informacja jest najważniejsza chyba dla mnie, tak czy nie?

– Tu akurat zgoda – przyznaje Cyn.

– Freemee, dokonując analizy danych i projekcji szans, nie przestał myśleć – wyjaśnia Vi. – Pomaga nam nie tylko wyliczyć nasze szanse i zagrożenia, lecz także podpowiada, jak te szanse wykorzystać i jak uniknąć zagrożeń. Tym samym pomaga doskonalić nasze życie. A ty, mamo, chcesz dla mnie chyba tego samego, prawda?

Cyn nie udaje się nic powiedzieć, ponieważ Eddie szybko wtrąca:

– Dlatego przy pomocy psychologów, socjologów i innych fachowców z różnych dziedzin opracowali mnóstwo niedużych programów pomocniczych, tak zwanych *action applications*, w skrócie ActApps, które dla wielu sfer życia podają odpowiednie rekomendacje.

– I wy ich słuchacie? – pyta Cyn oszołomiona. – Ty też, Vi?

– Tak – przyznaje jej córka. – I jak sama widzisz, to działa. Swoją drogą ty też mogłabyś się zarejestrować. Słyszałam, że mają sporo programów towarzyskich, i to o wiele lepszych niż tradycyjne.

Cyn ignoruje ten prztyczek.

– Jak długo już je stosujesz?

– Dziewięć, dziesięć miesięcy?

Vi wzrusza ramionami. Zdaje się, że zaraz nastąpi koniec odpytywania.

Cyn zrozumiała od razu.

– Adam też? – pyta od niechcenia.

– Oczywiście – potwierdza Sally.

– Czyli to oni z maminsynka zrobili z niego kozaka?

– Możliwe – odpowiada Vi. – Przecież on zawsze chciał być cool. Programy prawdopodobnie mu w tym pomogły. Tak jak zrobiłby to być może psychiatra, coach czy przyjaciel.

– Tyle że chyba trochę przestrzelili – zauważa Cyn, a gdy słyszy własne słowa, gryzie się w język.

– Nie ma to jak trafić w sedno, mamo. Serio. Szacunek.

– Przepraszam. Chyba wszyscy jesteśmy wytrąceni z równowagi.

W jej telefonie pojawia się esemes od Charly'ego: „Szef autentycznie wściekły. Powinnaś się odezwać".

Należało się tego spodziewać. Ale przecież Anthony powinien zrozumieć, że jako osoba zaangażowana w sprawę nie może napisać o niej obiektywnie. Tak czy inaczej jutro czeka ją pewnie awantura w pracy. Na razie jednak stara się o tym nie myśleć.

– Teraz już rozumiem, dlaczego te programy tyle o was wiedzą – mówi. – Bo wy wciąż karmicie je informacjami o sobie. Tyle że na ich podstawie mogłyby w najlepszym razie udzielać wam bardzo ogólnych i mało konkretnych rad. Jak to więc możliwe, że są dostosowane indywidualnie do danego człowieka?

Vi wzrusza ramionami.

– Nie mam pojęcia. Ale najważniejsze, że to działa.

– W tej dziedzinie wciąż mnóstwo się zmienia – poucza ją Eddie wyniośle. – Trudno za tym nadążyć.

„Na przykład komuś takiemu jak mnie" – myśli Cyn i zerka ukradkiem na Annie.

– A co konkretnie się zmienia? – pyta nagle, chociaż ton Eddiego ją irytuje.

Vi przewraca oczami, on jednak nie daje się zbić z tropu.

– Przez bardzo długi czas programy komputerowe to były maszyny do liczenia. Karmiono je maksymalnie dużą liczbą informacji, a one wyprowadzały z nich wynik. W gruncie rzeczy to było tylko gigantyczne i w dużej mierze bezskuteczne gromadzenie i pobieranie.

Ku irytacji Cyn wzrok Eddiego podczas tych wywodów raz po raz zatrzymuje się na wyświetlaczu smartfonu, podczas gdy kciuk przesuwa go w górę i w dół. Jednoczesne sprawdzanie otrzymywanych wiadomości w najmniejszym stopniu nie spowalnia potoku jego słów.

– Toteż opracowano zupełnie nowy rodzaj programów. Mówiąc w skrócie, teraz wypróbowują one jedną z dwóch możliwości i mierzą wynik. Jeśli jest dobry, postępują następnym razem tak samo, jeżeli był zły, wybierają inną możliwość. Można porównać to do dziecka, które dotknęło gorącej płyty na kuchni i uczy się na własnych błędach. Tyle że w przeciwieństwie do człowieka programy nie potrzebują lat, jedynie ułamków sekundy. Jednocześnie tworzą własne reguły i założenia pomagające im sprawdzić się we własnym otoczeniu. W zależności od tego, na jakim polu zastosujesz taki program, rozwinie on różne strategie i dostarczy odpowiednich wyników. Pewnie słyszałaś, że komputery odnoszą już zwycięstwo w pojedynkach z mistrzami szachowymi i nie dają człowiekowi najmniejszej szansy w grze va banque.

Cyn kiwa głową. Przedstawiona wizja wydaje się jej niepokojąca.

– Chcesz mi powiedzieć, że te ActApps poznają mnie w taki sam sposób, jak robią to ludzie? To znaczy „spotykają" mnie, a potem na podstawie mojej reakcji dokładnie wiedzą, czy poprawnie mnie oceniły, czy nie?

– W zasadzie tak. I na podstawie analiz typu Big Data, jak rozpoznawanie wzorców zachowań i korelacji, w którymś momencie będą znać cię lepiej niż ty sama.

– Ty to potrafisz uspokoić człowieka – stwierdza Cyn lakonicznie. Usiłuje zrozumieć, co Eddie jej powiedział. – Jak głęboko to sięga? I czy dotyczy wszystkich sfer życia? Czy programista jest w stanie potem odtworzyć, w jaki sposób program doszedł do swoich rozstrzygnięć?

– To zależy. Istnieje coraz więcej programów, przy których nie jest to możliwe.

– Czy to znaczy, że później nikt nie będzie wiedział, dlaczego program rekomendował na przykład zestrzelenie podejrzanego samolotu pasażerskiego albo zamordowanie rzekomego terrorysty przez drony? I że szef amerykańskiego wywiadu stanie przed senatem i powie: „Nie wiemy. Nikt nie wie"?

– On na pewno tak nie powie – mówi Eddie. – Choć na dobrą sprawę powinien.

Cyn kręci się w głowie. Najchętniej wyklikałaby się z tego świata. Niestety, nie jest to możliwe.

– Mamy setki komentarzy pod naszym postem – stwierdza z zadowoleniem Vi wpatrzona w telefon. – I praktycznie wszyscy nas popierają.

– Wobec tego możemy chyba mieć nadzieję, że te typy za drzwiami niedługo znikną – wzdycha Eddie.

Cyn postanawia już o nic nie wypytywać. Może potem sama spróbuje dowiedzieć się więcej na ten temat. Czuje głęboki wewnętrzny opór przeciwko temu wszystkiemu, co tu słyszy. Nie chce uwierzyć, że rzeczywistość już dawno prześcignęła opowieści science fiction z jej młodości, a ona nawet tego nie zauważyła! Musi jednak przyznać, że te programy doradcze chyba nawet są skuteczne. W każdym razie na Vi miały jednoznacznie pozytywny wpływ. Mimo to Cyn jest sceptyczna. Coś ją w tym wszystkim niepokoi, choć nie potrafi stwierdzić, co dokładnie. Poza tym odnosi wrażenie, że Vi i jej przyjaciele nie powiedzieli wszystkiego. Znowu brzęczy jej telefon. Anthony. Zirytowana odbiera połączenie.

– Dostaniemy w końcu jakiś reportaż czy nie?! – warczy na nią.

– Na pewno nie teraz.

– To jest odmowa wykonywania obowiązków zawodowych! – ujada. – Jesteś zwolniona! Jutro rano możesz przyjść tylko po wymówienie i po swoje rzeczy!

Cyn się rozłącza. W tej chwili ma ważniejsze sprawy na głowie niż „Daily".

Za drzwiami zrobiło się cicho. Cyn lekko uchyla zasłonkę w kuchennym oknie. Również na ulicy w świetle latarni nie widzi żadnego z natarczywych kolegów. Mimo wszystko nie może uwolnić się od myśli, że Anthony mówił poważnie. Przecież ona nie może pozwolić sobie na utratę pracy. Czuje, jak ogarnia ją panika.

Eddie grzebie w smartfonie.

– Ponad sto tysięcy lajków i innych akceptacji – informuje. – Pierwsze relacje w różnych mediach.

Cyn jest rozdarta. Jedno zdjęcie, kilka wierszy tekstu… ci osiemnastolatkowie zachowują się równie arogancko i rutynowo jak doświadczeni reporterzy, których pokonali ich własną bronią i spłoszyli sprzed jej drzwi.

– Chyba możemy już wyjść – stwierdza matka Eddiego. – Po drodze podrzucimy cię do domu – zwraca się do Sally.

Wszyscy opuszczają kuchnię. Przechodząc obok stołu, Cyn rzuca okiem na leżącą na nim komórkę Vi.

Uściskajcie się serdecznie na pożegnanie, Violu. To dobrze wam zrobi. Wszystkim. Edward potrzebuje tego szczególnie.

Doradza telefon. Cyn czuje ciarki na plecach. Skąd ten elektroniczny mentor wie, że Eddie i Sally właśnie wychodzą?

Vi obejmuje Sally, a Cyn zauważa, że Eddiego ściska wyjątkowo długo. Jej córka stosuje się do wskazówek telefonu.

Po wyjściu przyjaciół Vi od razu szuka w kieszeniach spodni smartfonu. Wreszcie znajduje go w kuchni. Zerknąwszy na wyświetlacz, oznajmia:

– Teraz muszę się trochę pouczyć.

– Czy te rady zawsze są takie ckliwe? – pyta Cyn.

Vi podtyka jej pod nos komórkę.

Daruj sobie dziś matmę. I tak nie czas już na to. Pomogę ci nadrobić zaległości w najbliższych dniach. Poucz się jeszcze trochę fizyki, to pójdzie ci teraz najłatwiej i zajmie ci myśli.

Poniżej tytuł podręcznika, numery stron i linki internetowe.

– Coś podobnego – mówi Cyn. – A może jednak powinnaś trochę odpocząć? – sugeruje, sama wciąż jeszcze poruszona wydarzeniami dnia i oszołomiona komunikatami w komórce córki. – Po tym wszystkim? Na pewno poradzisz sobie…? – pyta z troską. – Mam na myśli Adama, twojego przyjaciela…

– Przecież nie cofnę czasu, jak będę siedzieć bezczynnie – odpowiada Vi. – Zajęcie myśli czym innym to idealne rozwiązanie dla mnie.

Cyn zastanawia się, czy Vi zaczerpnęła te mądrości także z komórki. Ale nie chce jej już męczyć pytaniami.

– No dobrze. W razie gdybyś czegoś potrzebowała, powiedz.

– Dzięki, mamo.

Cyn obejmuje córkę, całuje ją w czoło, po czym odprowadza wzrokiem, gdy Vi idzie do swojego pokoju.

Stoi zamyślona w przedpokoju i patrzy na zamknięte drzwi. Przez głowę przemykają jej obrazy minionego dnia. W kieszeni spodni wibruje komórka. Znowu. Odrzuca połączenie, nie sprawdzając nawet, kto chciał z nią rozmawiać.

Na biurku Anthony'ego dzwonią cztery smartfony jednocześnie. Już od kilku godzin wszyscy chcą się dowiedzieć czegoś o Cynthii Bonsant i jej córce. Jego konto e-mailowe za chwilę eksploduje, a on sam gotuje się z wściekłości! Dosłownie wszędzie widać zdjęcia policji na miejscu przestępstwa – a oprócz nich zdjęcia Cyn z młodymi ludźmi pstryknięte przez innych dziennikarzy zza taśmy odgradzającej. Równie częste jest migawkowe ujęcie zaskoczonej twarzy Cyn widocznej w szparze uchylonych drzwi jej mieszkania. Wszędzie też można natknąć się na zrzuty ekranowe z konta Freemee Adama Denhama z identyfikacją Leana, a także na wizerunek Adama ze wzrokiem utkwionym w lufie pistoletu Leana. A oni w „Daily" muszą korzystać ze zdjęć agencyjnych, mimo że pracownica ich redakcji znajdowała się na miejscu, a jej własna córka była nawet świadkiem zdarzenia! W Wielkiej Brytanii i większości krajów Europy Zachodniej śmierć Adama Denhama wyparła już z pierwszych stron gazet akcję w Dniu Prezydentów. Nowy filmik Zero miał oglądalność na poziomie kilkudziesięciu milionów wejść. Rany boskie, przecież „Daily" mógłby bić rekordy rozpoznawalności na całym świecie, gdyby tylko Cyn była łatwiejsza we współpracy!

Anthony już sam nie wie, co go bardziej wpienia – utracona szansa czy niesubordynacja Cyn odbierana przez niego jako osobisty policzek. Za kogo ona właściwie się uważa? Jutro może zabierać swoje papiery!

Mel, szef działu reklamy, puka w wielką szybę, przez którą redaktor naczelny ma na oku cały newsroom. Anthony daje mu znak ręką, aby wszedł.

– Przed chwilą dostałem ofertę, o której musimy szybko porozmawiać – oznajmia Mel.

– Dlaczego szybko? Myślisz, że nie mam co robić?

– Bo wiąże się z całym tym hałasem wokół Zero i z naszą koleżanką Bonsant.

– Ona już nie jest naszą koleżanką. Właśnie ją wylałem.

– Chyba powinieneś to jeszcze przemyśleć.

– Niby dlaczego?

– Ponieważ potencjalny klient chce wyłożyć cztery miliony funtów na promocję w naszej gazecie. Stawia tylko warunek, żeby Bonsant napisała zapowiedziany cykl artykułów o Zero, ale w zmodyfikowanej formie.

– Nie słyszałeś nigdy o tym, że dział reklamy i redakcja nie powinny w ogóle mieć wspólnych interesów? – pyta Anthony drwiąco.

Mel wybucha śmiechem.

– Dobre!

Anthony śmieje się razem z nim. Gdy w końcu się opanowuje, pyta:

– Dlaczego Bonsant?

– Bo w następstwie śmierci Adama Denhama, a także przez swoją córkę i filmik Zero stała się znaną twarzą...

– Piętnaście minut sławy...

– ...które klient chce wydłużyć i wykorzystać do swoich celów.

– Czy mówimy teraz o cyklu artykułów Jeffa i Cynthii, czy o promocji?

– To jedno i to samo.

– Nie rozumiem. Kim jest ten klient?

– Sheeld, solidnie finansowany start-up, opracowuje oprogramowanie do aplikacji dla prywatnych użytkowników.

Anthony wchodzi na stronę firmy.

– Sheeld – powtarza, pomijając skąpą prezentację na pierwszej stronie.

– To na podobieństwo „shield" – wyjaśnia Mel. – Oni nie chcą ani umieszczać żadnych własnych reklam, ani nie domagają się podania swojej nazwy.

– To już w ogóle nic nie rozumiem. To co oni będą z tego mieli?

– Ten gość wytłumaczył mi to w taki sposób: po akcji Zero w Dniu Prezydentów popyt na produkty ze sfery ochrony prywatnej po prostu jest kosmiczny. Ponieważ Sheeld przoduje na rynku w swoim segmencie, automatycznie najbardziej korzysta z tego podwyższonego zapotrzebowania. W tej sytuacji wystarczy im, jeśli dyskusja wokół Zero zostanie podtrzymana i nie wygaśnie. Ma to spowodować nasz zmodyfikowany cykl napisany przez Bonsant.

– Cztery miliony – bąka Anthony. – Mogłyby się nam przydać. Powiedziałeś „zmodyfikowany". Czyli? Co Cynthia miałaby zrobić?

Cyn przez lekko uchylone drzwi rzuca okiem na śpiącą już Vi – oddycha spokojnie i regularnie. Po cichu zamyka je z powrotem. Wydarzenia dzisiejszego popołudnia jeszcze długo będą prześladować jej córkę.

Potem siada z laptopem przy stole w kuchni. Po takim dniu zasłużyła na kieliszek wina, mimo że ma tylko jakąś tanią butelkę z supermarketu. Nalewa sobie jednak i wychyla spory łyk.

Gdy widzi pierwsze nagłówki przy swoim zdjęciu, zachłystuje się nagle. Pod wpływem kaszlu do oczu napływają jej łzy. Z niedowierzaniem przebiega wzrokiem teksty, w których jest wymieniana równie często jak Adam Denham, tyle że na drugim miejscu i mniejszą czcionką.

„Rodzice, czy wiecie, czym zajmują się wasze pociechy?".

Z jej twarzy widocznej w uchylonych na szerokość dłoni drzwiach media uczyniły symbol niczego nieświadomych rodziców. Rozwścieczona zastanawia się, czy nie powinna napisać jakichś komentarzy, ale w końcu daje spokój. Skrzynka e-mailowa pęka od wiadomości. Mnóstwo redakcji z kraju i zagranicy prosi ją o wypowiedź. Kilka listów pochodzi od zatroskanych przyjaciółek i przyjaciół, którzy nie mogą się do niej dodzwonić. W kilku słowach Cyn dziękuje im za zainteresowanie.

Na stronach informacyjnych rozgorączkowani przechodnie, oburzeni politycy i zirytowani komentatorzy dyskutują o okularach i rozpoznawaniu twarzy, a także o tym, czy należy ich zakazać albo przynajmniej wycofać je z użycia. Krytycy jak zwykle ubolewają, że dziesiątki tysięcy kamer monitoringu rozmieszczonych w Londynie po raz kolejny nie zapobiegło zbrodni.

Przytaczany jest życiorys Adama Denhama, jego bezpieczne dzieciństwo i młodość jedynego potomka nauczycielki i urzędnika bankowego.

„Jedyne dziecko!" – myśli Cyn, czując ściskanie w gardle.

Na ostatnich zdjęciach zawartych w materiałach Cyn dostrzega metamorfozę Adama dokonaną w ciągu ostatnich miesięcy. Natychmiast przypomina sobie przemianę Vi i osobliwe rady w komórkach córki i jej przyjaciół. Nieoczekiwanie nienaganne, poprawne zachowanie Vi nie wydaje się teraz zjawiskiem korzystnym, lecz podejrzanym. No bo jak to możliwe, żeby po czterech latach przekory i buntu prawie z dnia na dzień stać się ugodową i ujmującą osobą? Przypomina też sobie dziwną wymianę spojrzeń między Vi a Eddiem, zanim oboje niezbyt chętnie zaczęli opowiadać o programach doradczych. „Oby tylko nie znalazła się w szponach jakiejś sekty!" – przemyka Cyn przez głowę. Musi koniecznie się dowiedzieć, kto udziela rad jej córce i kogo ona słucha. Czy to nie są przypadkiem te same programy, które Adama Denhama zmieniły z zahukanego chłopca w chojraka? Czy on nie stał się przypadkiem zbyt dużym chojrakiem?

Wchodzi na stronę główną Freemee. Na początku rzuca się w oczy motto koncernu złożone ciemnozieloną czcionką:

„Naszym najwyższym celem jest umożliwienie każdemu człowiekowi optymalnego rozwoju jego indywidualnych zdolności i przyczynienie się tym samym do pokojowej, szczęśliwej i owocnej dla wszystkich koegzystencji na całym świecie".

Proszę, proszę, co za szczytne zamiary! Cyn przewija stronę dalej.

Wiele radosnych twarzy ilustruje to, co już udało się osiągnąć ludziom dzięki aplikacjom stworzonym przez Freemee: jedni mają lepsze stopnie i zrobili świetne dyplomy, inni nauczyli się grać na pianinie, znaleźli partnera, zapewnili sobie przyzwoity dodatkowy dochód, zdobyli pracę…

Dodatkowy dochód?

Klika w ikonkę odpowiedniego filmiku, w którym uszczęśliwiona młoda kobieta opowiada: „Teraz rozumiem, dlaczego Google i spółka stały się najbogatszymi firmami na świecie. Od kiedy sama gromadzę swoje dane na Freemee, dostaję za to co miesiąc trzycyfrową kwotę w dolarach! To naprawdę się opłaca! Ty też możesz już od dzisiaj zacząć samodzielnie zbierać i wykorzystywać własne dane, zamiast dawać się szpiegować i wyzyskiwać! Po prostu zarejestruj się na Freemee – i już!".

Trzycyfrowa kwota? Cyn nerwowo szuka profilu córki. Przypomina profile w innych portalach społecznościowych, tyle że tutaj Vi sporo upubliczniła ze swojego życia. Liczne zdjęcia dokumentują jej metamorfozę z ostatnich miesięcy. Na samym dole Cyn zauważa okienko „Professional". Jak to brzmi! Klika w nie i widzi coś w rodzaju termometru do mierzenia gorączki, na którym Vi prawdopodobnie zaznacza, ile z jej osobistych danych można nabyć i w jakiej jakości. Jeśli te nędzne próby interpretacji są słuszne, oznacza to, że córka wystawia na sprzedaż swoje portfolio ze zgromadzonymi danymi osobowymi.

Jak to działa? Co te dzieciaki wyprawiają? Rzut oka na profile Eddiego i Sally potwierdza, że oni też tkwią w tym po uszy. Cyn wpatruje się osłupiała w ekran. Cały świat burzy się przeciwko wykradaniu danych i inwigilacji, tymczasem te dzieci bez namysłu spieniężają informacje o sobie! To dlatego tak wzbraniali się dzisiaj, żeby broń Boże nie zdradzić nic więcej! A więc dobrze przeczuwała, że za tym wszystkim musi się coś kryć.

„No, młoda damo, poczekaj tylko! Jutro z samego rana skończy się okres ochronny! Parę rzeczy musisz mi wyjaśnić!".

Eddie siedzi w piżamie przykryty kołdrą, trzyma laptop na kolanach. Zimny blask monitora jest jedynym źródłem światła w pokoju i rzuca na jego twarz i dłonie niebieskawe refleksy. Eddie nie może zasnąć. Gdy tylko zamyka oczy, atakują go obrazy minionego popołudnia. Spojrzenie Adama. To niewiarygodne spojrzenie, gdy – jakby zatrzymany w biegu przez niewidzialną ścianę – odwraca się do niego i osuwa bezwładnie, jak gdyby jakaś istota pozaziemska nagle wyssała z jego ciała kości.

Eddie szeroko otwiera oczy, aby pozbyć się tego obrazu i spojrzenia. Wciąż jeszcze się wstydzi, że zanim dobiegł do martwego ciała przyjaciela, w pierwszym momencie się zatrzymał… jeśli nawet ta reakcja była tylko odruchem silniejszym od niego, ale przecież również odruchy mogą być złe, tchórzliwe, słabe.

Nie może też zapomnieć ciepłej krwi Adama na swoich dłoniach, gdy próbował zatrzymać krwotok z rany na jego piersi. Niezależnie od tego, ile razy by je mył. Pokryte niewidzialnymi czerwonymi plamami palce drżą nad klawiaturą.

Przesuwa wzrokiem po profilu Adama, który Freemee zaledwie kilka godzin po jego śmierci przekształcił w stronę wspomnieniową. W niezliczonych komentarzach ludzie wyrażają smutek i przerażenie. Jak mogło do tego dojść? Niektórzy przypisują winę okularom i opcji rozpoznawania twarzy. Co oczywiście jest bzdurą. Bo okulary ostrzegały go i nawet wzywały, aby się zatrzymał. Zastanawiające jest raczej, dlaczego ich nie posłuchał. W ostatnim roku zwykle stosował się do wskazówek podawanych przez aplikacje. Zmienił swój image, fryzurę. Wprowadził dane do aplikacji fitnessowej i następnie zaczął trenować rugby, ponieważ ta dyscyplina odpowiadała jego sylwetce i stymulowała jego trochę lękliwą naturę. Eddie znajduje w profilu Adama liczne tabele i zdjęcia, za pomocą których ten dokumentował swoje postępy – coraz lepsze parametry w zakresie sprawności fizycznej, wytrzymałości, siły. Zdjęcia podczas joggingu, podnoszenia ciężarów, selfie ukazujące napięte bicepsy czy sześciopak. Dwa miesiące temu został przyjęty do drużyny szkolnej – to wydarzenie także jest udokumentowane. Nagle zaczął też mieć powodzenie u dziewczyn, podczas gdy wcześniej był wyśmiewany jako prawiczek. Adam z szerokim uśmiechem, w nowych ciuchach, z nową fryzurą, z każdej strony po dwie laski, Adam z jedną dziewczyną i jeszcze z jedną, i z kolejną.

ActApps pomogły Adamowi stać się cool. Jak powiedziała dzisiaj Cyn: od maminsynka do chojraka.

Eddiemu przypomniało się też jeszcze jedno jej zdanie.

„Tyle że chyba trochę przestrzelili".

I reakcja Vi jak salwa w odpowiedzi:

„Nie ma to jak trafić w sedno, mamo".

Taka jest Vi. Dowcipna, błyskotliwa, mądra, odważna. I od kiedy dała sobie spokój z tymi czarnymi ciuchami i całą resztą, wygląda naprawdę dobrze. Ona też bardzo się zmieniła w ostatnich miesiącach. Szkoda, że nie ma jej tu teraz przy nim. Sam nie wie, kiedy to się stało. Znają się już całą wieczność i zawsze byli dla siebie jak brat i siostra. Ale od kilku tygodni – bum, grom z jasnego nieba! Obawia się jednak, że wyłącznie z jego strony. Wciąż jeszcze nic jej nie powiedział. Kilka dni temu zaczął używać aplikacji randkowej, która daje mu dobre rady, ale wymaga cierpliwości.

W galerii Adama natrafia na jego zdjęcie z Vi. Oboje śmieją się prosto do obiektywu. Adam przyciska ją do siebie, ona też go obejmuje. Eddie czuje ukłucie zazdrości. Nie, między nimi nic nie było. Chociaż mieli sporo wspólnego, łączyło ich choćby to, że oboje tak bardzo się zmienili w tym samym czasie. I oboje to uwielbiali!

Również Eddie się zmienił. Chociaż zdecydowanie nie w takim stopniu jak Adam i Vi. Ale tak naprawdę w ich wieku zmieniają się wszyscy, ciągle, raz bardziej, raz mniej. Jemu też pomagają te programy doradcze, jak niemal każdemu, kogo zna. Od rodziców rzadko dostają przydatne wskazówki.

Oni potrafią tylko narzekać, że ich dzieci godzinami przesiadują nad komputerami czy komórkami, podczas gdy sami bez przerwy tkwią przed telewizorem. No może poza Cyn, o ile się orientuje. Chociaż Vi przez całe lata wciąż nadawała na swoją matkę, Eddie w skrytości ducha miał więcej zrozumienia dla Cyn niż dla jej mrocznej córki. To ciekawe, że teraz nie komentuje nagłej metamorfozy Vi równie uszczypliwie jak zmiany Adama. Zdaje się, że całkiem jej odpowiada. Ale Vi nadal żyje, Bogu dzięki! A jego najlepszego przyjaciela już nie ma.

Raptem ogarnia go wściekłość. Wściekłość na tamtego bandziora, który z zimną krwią wypalił do Adama. Przynajmniej jemu też się dostało! Sprawiedliwa zapłata. Lecz nie przywróci Adamowi życia. Eddie już nigdy go nie zobaczy. Już nigdy nie zrobią rundki po knajpach, żeby upić się z radości albo smutku, nie będą dyskutować po nocach, bawić się w programowanie albo grać, słuchać muzyki i robić wszystko to, co robi się z najlepszym przyjacielem! Do oczu napływają mu łzy. Jest też wściekły na Adama. Dlaczego mu tak odbiło i pędził za tym bandziorem, chociaż paliły się wszystkie lampki alarmowe!

„Tyle że chyba trochę przestrzelili".

„Raczej nie" – myśli Eddie. Chociaż… Wychodzi z łóżka i staje przy oknie. Wpatruje się w ciemną noc. W bladej poświacie miasta rozpoznaje kontury kilku nędznych krzaków w małym ogródku za domem.

Czy to możliwe, by ActApps doprowadziły do tego, że Adam stracił kontrolę nad sobą? Bzdura. Choć i Adama, i jego, i wielu ich przyjaciół doprowadziły do mnóstwa innych rzeczy. Lepsze stopnie, lepsze perspektywy zawodowe, lepsze rozeznanie, co chciałoby się robić w życiu, jakie ma się predyspozycje, lepsze zdrowie, lepszy sen i tak dalej. Poza tym często dużo od niego wymagały, stawiały tak wysoko poprzeczkę, że znajdował się na granicy własnych możliwości. Czy chodziło o sport, naukę, ćwiczenia na saksofonie, czy o relacje z mamą, nauczycielami albo mało sympatycznymi kolegami ze szkoły. Czasami się wściekał, buntował, chciał się poddać, w końcu jednak za każdym razem dawał radę. To one popychały go dalej. I to było naprawdę wspaniałe uczucie! Przesuwać własne granice, osiągać coś nowego, robić rzeczy, które wydawały się zupełnie nieosiągalne! Nigdy jednak nie zepchnęły go w przepaść. Czy w przypadku Adama tak się stało? Ale dlaczego miałby to być akurat wpływ aplikacji? To mógł być jakikolwiek inny bodziec.

A jeśli jednak? Bzdura! W końcu człowiek sam decyduje, co robi. Eddie odrywa zaciśnięte palce od parapetu. Zaczyna łazić tam i z powrotem po swoim małym pokoju – trzy metry w jedną stronę, trzy metry w drugą. Robi się jeszcze bardziej niespokojny.

Jeśli się przyjmie taki punkt widzenia, Adam nie byłby jedyną ofiarą. Ponieważ aplikacje Freemee mogłyby spowodować, że wielu innych użytkowników nabrałoby takiej pewności siebie jak Adam. Właściwie nawet powinno się tak stać. Byleby nie zrobili się z b y t pewni siebie. Poza tym powstaje pytanie: czy ActApps mogą też wywołać skutek odwrotny, choćby niezamierzenie? Załamanie, rozpacz, depresję, wręcz samobójstwo z powodu nieosiągnięcia celów lub przeciążenia? To chyba zbyt śmiały wniosek. Na dobrą sprawę użytkownicy takich programów samodoskonalących powinni być szczęśliwsi i odnosić większe sukcesy. I to powinno znaleźć odbicie w statystykach. Ludzie bardziej zadowoleni z życia i spełnieni są zdrowsi, rzadziej popełniają samobójstwa. Czy ma to swoje odzwierciedlenie we współczynniku śmiertelności? Może znajdzie te wskaźniki na stronach Freemee, w końcu setki milionów ludzi udostępnia im swoje dane.

Eddie wpisuje kilka haseł. Otrzymuje jedynie kilka ogólnych statystyk dotyczących kont Freemee, które po śmierci użytkownika zostały przekształcone w strony wspomnieniowe. Porównuje te liczby ze współczynnikami zgonów w Wielkiej Brytanii, Stanach Zjednoczonych i innych krajach europejskich, które szybko znajduje przez wyszukiwarkę. Nie zauważa żadnych rozbieżności.

W małym okienku pulsuje komunikat Freemee.

Aby jutro być w formie, powinieneś już spać, Eddie.

„Okej, okej, jakbym słyszał własną matkę".

Zamyka komputer i idzie do kuchni po jakąś drobną przekąskę. Właściwie nie powinien jeść o tej porze, to źle wpływa na formę, sen i układ pokarmowy. Dzisiaj jednak może zrobić wyjątek, ma w nosie przemądrzałe rady ActApps! Chipsy, ciastka i batony czekoladowe mama trzyma w tej samej szafce co między innymi makaron i mąkę. Gdy jego spojrzenie pada na niedużą papierową torbę, na której widnieje wizerunek ziemniaków, nagle w głowie coś mu zaskakuje. Zagląda do środka i widzi bulwy podobnej wielkości.

Szybko wraca do pokoju i otwiera komputer.

Czy liczba użytkowników Freemee zmarłych inaczej niż śmiercią naturalną nie powinna mieścić się w liczbie takich przypadków odnoszącej się do całego społeczeństwa? Według danych Freemee tak nie jest.

„Przyczyn tego może być kilka" – zastanawia się Eddie. Otwiera nowy dokument tekstowy i pisze:

✓ Jedne i drugie wskaźniki są niedokładnie policzone.
✓ Freemee nie jest na tyle skuteczny, by uzyskać pod tym względem statystycznie wykrywalną różnicę.
✓ Freemee istnieje zbyt krótko, by móc wykazać w statystykach zauważalne zmiany.
✓ Albo rzecz ma się tak jak z workiem pełnym ziemniaków.

W dwukilogramowym opakowaniu może być dwadzieścia mniej więcej jednakowej wielkości ziemniaków albo trzy bardzo duże i dziesięć mniejszych. Dopóki nie zajrzy do środka, nie będzie wiedział, jak jest naprawdę. Podobnie jest ze statystyką zmarłych.

Ale co może zrównoważyć mniejszą liczbę zmarłych?

Eddie po zastanowieniu dochodzi do wniosku, że przyczyna może być tylko jedna: być może mniej zmarłych było w niektórych grupach użytkowników Freemee. A więcej w innych.

Wpisuje kolejne hasła w okienku „szukaj" banku danych Freemee. Serwer wypluwa interesującą odpowiedź:

„Z szacunku dla zmarłych nie podajemy informacji o przyczynach śmierci".

Eddie dowiaduje się zatem jedynie, że pewna część użytkowników Freemee nie żyje. Nie może natomiast uzyskać informacji, kim oni byli, gdzie mieszkali, kiedy i w jaki sposób zmarli. A tylko dzięki nim byłby w stanie zweryfikować swoją tezę. Innymi słowy: nie może zajrzeć do worka ziemniaków, co go irytuje, bo nie pozwala posunąć się dalej. „Gdzieś w internecie muszą być te dane" – myśli w końcu. Tyle że prawdopodobnie nie są do znalezienia ot tak, po prostu. Szukanie na własną ręką nie ma sensu, ponieważ danych jest zbyt dużo. Ale niewielki skrypt wyszukiwania powinien już dać sobie z tym radę – przejrzy banki danych otwartych i inne źródła. Eddie spogląda na zegarek. Trzecia nad ranem!

Pięć tysięcy kilometrów dalej na zachód od kilku minut sygnalizowany jest alarm w okularach Joaquima Prousta.

– Daj spokój, chłopcze – szepcze Carl sam do siebie.

Kilka minut temu automatyczne systemy alarmowe i trackingowe zwróciły mu uwagę na poszukiwania Edwarda. Najpierw Carl nerwowo stuka palcami o blat biurka, zaczynając od lewego rogu – to taki odruch warunkowy – i podczas gdy palce przesuwają się stopniowo w prawą stronę, a potem wracają do punktu wyjścia, on śledzi poszukiwania Edwarda za pomocą prototypowych inteligentnych soczewek zaprojektowanych przez Freemee we współpracy z Institute of Technology, które już za kilka lat zastąpią okulary. Za oknem płoną światła nocy, do środka przenikają odgłosy miasta, w oddali jarzy się nocna panorama Manhattanu. Palce Carla natrafiają na pudełko urządzenia testowego, jego wewnętrzne napięcie rośnie, a gdy Eddie wciąż nie przestaje grzebać, Carl z nerwową dokładnością zaczyna porządkować przedmioty na biurku, nie zdając sobie nawet z tego sprawy. Ustawia i układa je według wielkości w szeregu – lampkę, etui okularów inteligentnych, tablet, wydruki i resztę drobiazgów, przesuwa trochę to i owo, żeby odstępy były równe, i potem zaczyna od nowa. Program wyliczył prawdopodobieństwo na poziomie siedemnastu i ośmiu dziesiątych procent. Z takim właśnie prawdopodobieństwem młody Edward Brickle z Londynu może stać się niewgodny. A prawdopodobieństwo, że nie stanie się kłopotem dla nikogo – ani dla nich, ani dla siebie – wynosi osiemdziesiąt dwa i dwie dziesiąte procent. Jednak Brickle wybrał siedemnaście i osiem dziesiątych procent. Carl nienawidzi, kiedy ludzie decydują się nie na większe prawdopodobieństwo, tylko na mniejsze, są nieobliczalni i wprowadzają w swój świat niepewność. Lampka stoi za bardzo na prawo, plik papierów leży trochę nierówno, trzeba go poprawić – teraz jest dobrze. Z kierunku poszukiwań Brickle'a wynika, że jest na właściwym tropie. Kiedy Eddie robi sobie małą przerwę, Carl dopiero wtedy zauważa osobliwy szyk na swoim biurku. Wywołuje to w nim jeszcze większą wściekłość na tego chłopaka. Nagle znowu jest dwuletnim brzdącem, który po zapaleniu ucha środkowego zrobił się prawie głuchy. Wprawdzie aparaty słuchowe pozwalały mu potem słyszeć głosy – słowa docierały do jego uszu, mózg formował je w zdania, nadawał im sens – mimo to on nie rozumiał ludzi. Jakby mieli co innego na myśli, niż mówili. Nie pomagał mu ani matematyczny talent, z powodu którego wkrótce uznano go za cudowne dziecko, ani to, że w wieku dwunastu lat sprzedał swój pierwszy samodzielnie napisany program. Wciąż wydawał się innym równie podejrzany jak oni jemu. W końcu pogodził się z tym, że w oczach pozostałych jest aroganckim odludkiem. Nauczył się odczytywać z mimiki i gestów ludzi podstawowe przekazy. To przypominało matematykę. Uniesiona brew oznaczała powątpiewanie. Albo bezradność. Sporządził nawet na własny użytek katalog mimiki, gestów i sposobów zachowania, aby zrozumieć i porównać. Aż pewnego dnia pojawiła się w klasie tamta dziewczynka. Nauczyciel posadził ją w pierwszej ławce i traktował inaczej niż resztę uczniów. Nie mówiła dużo, a jeżeli już się odezwała, była rzeczowa i konkretna. I wkrótce uznano ją za arogancką – tak jak jego. Kiedyś ktoś rzucił: „Pasujesz idealnie do Carla".

Do tamtego momentu nie zamienili ze sobą ani słowa. I prawdopodobnie tak by zostało, gdyby któregoś ranka dziewczynka nie podeszła do niego i nie spytała: „Ty też jesteś asperger?".

– Nazywam się Carl Montik – odpowiedział, nic nie rozumiejąc.

Do dziś uważa, że zachował się wtedy jak Forrest Gump. W domu sprawdził, co to znaczy.

Już pierwsze zdania opisu zespołu Aspergera były dla niego niczym objawienie. Godzinę później był nowym człowiekiem. Po rozmowie z rodzicami i teście u specjalisty wszystko stało się prostsze. Do dziś ma trudności ze zrozumieniem oraz z interpretacją uczuć innych i z tego powodu woli przebywać sam. Zdaje sobie sprawę, że dla jego poprawnego funkcjonowania ważny jest porządek i stałe procedury. Ale tylko gdy jest zdenerwowany, wpada w gorączkowe zaprowadzanie ładu wokół siebie, co pomaga mu w zachowaniu kontroli nad wybujałymi emocjami. Czego zresztą nie zawsze od razu jest świadom. Na przykład teraz. Gwałtownie wstaje i przyciska dłonie do blatu stołu.

Brickle jest dosyć inteligentny i wystarczająco zna się na programowaniu. W ciągu kilku dni jest w stanie napisać odpowiedni program do wyszukiwania, który wygrzebie mu z internetu potrzebne dane. Dokładnie tyle czasu ma Carl, aby powstrzymać Eddiego, przenosząc jego zainteresowania na coś innego. Niewiele czasu. Freemee jest potężnym narzędziem, ale niezbyt szybkim. Tak zasadniczych zmian nie wywołuje się w ciągu kilku godzin, do tego potrzeba tygodni albo miesięcy. Dlatego Carl musi zyskać na czasie za pomocą innych środków.

Otwiera konto chłopaka przez sekretne tylne drzwi i zmienia niektóre ustawienia, aby ActApps wzięły Eddiego jeszcze mocniej w cugle. Do tej pory zawsze przestrzegał rekomendacji Freemee.

„I rób tak dalej – myśli Carl. – To leży w twoim interesie".

Z Eddiem już się uporał. Teraz kolej na matkę jego przyjaciółki, tę irytującą dziennikarkę. Przy zadaniu, które wymyśliła dla niej Alice, będzie potrzebowała pomocy. Tym razem Carl nie musi uruchamiać żadnego programu do wyszukiwania, żeby znaleźć kogoś odpowiedniego. Korzystając z okularów, wywołuje kontakt, który wydaje mu się odpowiedni do tej operacji. Co prawda przebywa akurat na wakacjach w Europie, czyli u niego jest środek nocy, mimo to zgłasza się szybko i najwyraźniej nie jest wcale zaspany.

– Tak bardzo za mną tęsknisz, że dzwonisz o tej porze – pyta z drwiącym uśmiechem rozmówca Carla – czy masz taką ważną sprawę?

Palce Erbena przesuwają się po zaparowanej powierzchni szklanki z koktajlem. Lubi to doznanie wilgotnego chłodu na swojej skórze, z jakim najpierw pozostawia ślady na szkle, zanim nieprzejrzystość stopniowo, muśnięcie palca za muśnięciem palca, ustąpi i pozwoli mu wyraźnie zobaczyć wszystko także od zewnątrz. Pobrzękiwanie szklanek i kieliszków, podzwanianie naczyń, głosy we wszelkich możliwych tonacjach oraz muzyka przędą w ekskluzywnym klubie gęstą zasłonę dźwięków, skazującą każdą próbę podsłuchu na niepowodzenie.

Erben Pennicott stoi na pozór nonszalancko przy barze, raz kiwnie temu, raz innemu. Zna niemal wszystkich z obecnych, podobnie jak oni znają jego. Członkowie klubu to sami doborowi goście, Erben nie potrzebuje tu osobistej ochrony. Jest świadom tego, że jego wizyta w tym miejscu po akcji Zero w Dniu Prezydentów jest równie znacząca jak wybór rozmówcy, który właśnie usiadł obok niego przy barze. Jego obecność sygnalizuje: nie trzeba brać wszystkiego nazbyt poważnie. I umacnia pozycję tego mężczyzny, z którym Erben ma jeszcze coś do zrobienia. Ale najpierw muszą omówić parę spraw.

– Prezydent chciałby wiedzieć, czy nowy filmik Zero dał jakiś trop prowadzący do tamtych gości – zaczyna Erben.

Nienawidzi tego tematu. Zajmowanie się tak zwanymi aktywistami uważa za zwykłą stratę czasu. „Oni demonstrują, my reagujemy" – kiedyś ujął to trafnie jeden z niemieckich polityków. Akcją w Dniu Prezydentów zapewnili sobie piętnaście minut światowej sławy równoznacznej z zaspokojeniem popędu, z samozadowoleniem słabych. Gdyby prezydent nie był taki sam, a do tego jeszcze ponad miarę próżny i osobiście zraniony, Erben już dawno zakończyłby tę sprawę. Zwłaszcza że zainteresowanie nią już opadło. Nikt nie zginął? To nie terroryści? Kolej na następny temat. Mimo to musi przynajmniej spytać.

– Na razie nie – odpowiada Jonathan Stem. – Naszą największą nadzieją były karty SIM z dronów. Nigdzie nas jednak nie doprowadziły. Analiza śladów cyfrowych ukazuje już wprawdzie pierwsze tendencje, ale wciąż jeszcze jesteśmy daleko od zidentyfikowania konkretnych osób.

– Stworzyliśmy najpotężniejszy system monitoringu i nadzoru wszech czasów, zamieniliśmy cały świat w jedno panoptikum i mimo to nie jesteśmy w stanie znaleźć tych tchórzy?

Jon z ubolewaniem unosi brwi.

– Fakt, że możemy wszystko zobaczyć i usłyszeć, jeszcze nie znaczy, że rzeczywiście wszystko widzimy i słyszymy. Przecież znasz słabości systemu. Cała masa danych znika na zawsze w brzuchach komputerów.

– A ty wiesz, jak ważna jest ta sprawa dla prezydenta.

Jon potakuje głową.

– Ale tak naprawdę nie o tym chciałem rozmawiać – kontynuuje Erben. – To już historia. Freemee. Co ci wiadomo na ten temat?

– Udany start-up zajmujący się zindywidualizowanym gromadzeniem danych osobowych i ich wykorzystywaniem. Jeśli dalej będą się tak rozwijać, kiedyś dołączą do gigantów.

Erben mierzy swojego rozmówcę surowym wzrokiem, przez chwilę pozwala, aby zgiełk klubu przeniknął do ich rozmowy, chcąc się upewnić, że to, co zaraz powie, trafi wyłącznie do uszu Jona.

– Musimy mieć kontrolę nad tym przedsiębiorstwem.

Oczy Jona są prawie tak samo mało czytelne jak Erbena, mimo to szef sztabu wie, co jego rozmówca teraz myśli. Jon jest inteligentny, pracowity, lojalny i umie utrzymać porządek. A wizje są w jego przekonaniu czymś, z czym należy iść raczej do lekarza. Dlatego nie pojmuje, co Freemee może dla nich zrobić. Dla Erbena Pennicotta. I także dla Jonathana Stema. Gdy już zrozumie. Właśnie rozpaczliwie szuka w myślach przyczyny tego dziwnego żądania Erbena.

– My? – pyta.

Unik, żeby zyskać czas na zastanowienie. Erben zdaje sobie z tego sprawę.

– Ty. Ja. Prezydent. My. No przecież wiesz. – Oczywiście ze względu na lojalność Jona musiał wymienić prezydenta. Mimo że on nie ma z tym nic wspólnego. Zupełnie nic, a nawet wręcz przeciwnie. – Jedna okoliczność utrudnia zadanie. Ale inna ułatwia.

– Czyli to się wyrównuje.

– Ważne jest, żeby nasza kontrola pozostała niezauważona – wyjaśnia Erben. – To utrudnia sprawę. Na zewnątrz nie powinno się nic zmienić. Kierownictwo, a zwłaszcza Carl Montik, musi na razie pozostać. To mózg Freemee. Również inwestorzy powinni nadal zarabiać swoje. Oficjalnie jest to ponad dziesięć spółek kapitałowych podwyższonego ryzyka, których prawdziwi właściciele nie wszyscy są znani. Zresztą to nie ma znaczenia. W każdym razie oni nie mogą się o niczym dowiedzieć.

Ku uciesze Erbena przez ułamek sekundy Jon nie potrafi do końca ukryć zakłopotania.

– I to jest właśnie ten punkt, który ułatwia sprawę: tak naprawdę potrzebna jest nam kontrola tylko nad Carlem Montikiem. To on zaprojektował i stworzył ten system. Opracował podstawowe algorytmy i je napisał. I także on koordynuje programistów i nimi kieruje.

Jon chyba zaczyna rozumieć, o co w tym wszystkim może chodzić. Wskazuje na to jego ograniczona niemal do zera mimika.

– Potrzebujemy jakiegoś dojścia do Montika – ciągnie Erben. – Bezpośredniego. Niezawodnego. Bezpiecznego. Tajnego. Kogoś, komu on jest bezwarunkowo oddany. Znajdź jakąś drogę. Im szybciej, tym lepiej.

LotsofZs:

To było trochę spudłowane. Te dzieciaki nie miały być skompromitowane.

ArchieT:

Przecież same to sobie zawdzięczają. Transmitowali na żywo własną śmierć!

Submarine:

A matka?

ArchieT:

No właśnie dokładnie o to chodzi: w tym świecie będącym jedną wielką siecią zawsze we wszystkim uczestniczysz, chcesz czy nie.

Snowman:

Jeśli o mnie chodzi, spadam na resztę wieczoru. Ciao!

Środa

Pora spać, Eddie. Oto kilka cudownych rad, jak szybciej zasnąć:

Aplikacja już któryś raz z kolei upomina Eddiego. Wkurza. Poza tym przecież nie może wiedzieć wszystkiego. Czy to możliwe, żeby dała mu właściwe wskazówki w tak wyjątkowej sytuacji? Jego najlepszy przyjaciel nie żyje. Zamordowany. Jak często zdarza się coś takiego w Wielkiej Brytanii w porównywalnym otoczeniu? Chyba nie na tyle często, by oprogramowania mogły wyciągnąć optymalne wnioski i udzielać rekomendacji. Tego Eddie jest pewny. Aplikacja widzi tylko, że jest już prawie rano, a on jeszcze nie zasnął. Może także w przypadku Adama się pomyliła.

Eddie otwiera swoje konto Freemee i dezaktywuje opcję doradczą. Na razie żadnych dobrych rad. Co prawda nie przysłuży się to jego parametrom, najważniejsze jednak, żeby się teraz skoncentrował. Przez chwilę czuje się dziwnie, jest trochę zagubiony, gdy uświadamia sobie, że zmusił do milczenia swoich cyfrowych mentorów – choćby nawet przejściowo – i został całkowicie sam. Zdany na siebie.

Wchodzi z powrotem do programu kodującego skupiony bardziej niż kiedykolwiek. Kilka razy musi szukać instrukcji na specjalnych forach. Potrzebuje jak najwięcej zbiorów otwartych danych, w których być może znajdzie to, czego szuka. Oczywiście nie może szukać ich wszystkich sam, musi to za niego zrobić program. Źródłami będą nie tylko liczby i statystyki, lecz także teksty. Dlatego program musi być w stanie wykrywać odpowiednie związki semantyczne, aby pozyskiwać informacje z materiałów pisanych. Choć Eddie ma pewne doświadczenie w tym zakresie, mimo wszystko szuka jeszcze na forach dalszych wskazówek i narzędzi, aby wyposażyć swój program w odpowiednie sprawności. Skorzysta też ze strony Wolfram Alpha. Musi zainstalować jakościowe śluzy bezpieczeństwa, które będą sensownie kojarzyć dane i wychwytywać niektóre detale statystyczne.

Gdy w końcu zadowolony i zmęczony opiera się na krześle, stwierdza, że nie opłaca mu się już wracać do łóżka. Spróbuje się otrzeźwić zimnym prysznicem. Zamaszystym ruchem naciska odpowiedni klawisz komputera i uruchamia program. Przeciągając palcami po włosach, usuwa z pulpitu wszystko, co niepotrzebne. Na dole wyskakuje mu okienko z jego kontem Freemee, na którym wyłączył funkcję doradczą. Aby ją przywrócić, musiałby się zalogować. Ale nie ma wcale ochoty wiedzieć, jakie zarzuty będą mu stawiać ActApps po nieprzespanej nocy. Najpierw prysznic, a potem zobaczy.

– Ty się po prostu sprzedajesz – oburza się Cyn.

„Było do przewidzenia, że ona wcześniej czy później na to wpadnie" – myśli Vi.

Z niewzruszonym spokojem smaruje sobie bułkę i odpowiada:

– Lepiej, żebym to była ja niż ktoś inny. Spójrz na to trzeźwo. Sprzedaję nie siebie, tylko swoje dane. No i co z tego? Już nie wiadomo, od jakiego czasu rolują nas wszystkich, i ciebie też, nie myśl sobie! Rocznie dostarczasz im danych za ładnych parę tysięcy funtów w zamian za to, że możesz za darmo wysyłać e-maile i korzystać z wyszukiwarek! Ode mnie nikt nie dostaje takiego kompletnego zbioru danych osobowych. Zbieram je sama, i to znacznie więcej, niż kiedykolwiek udałoby się ukraść złodziejom tożsamości. I dlatego moje dane są cenniejsze niż te pochodzące od handlarzy danych osobowych.

– Ty też masz taki… – Cyn wskazuje na rękę Vi.

– Smartwatch. Albo smartzegarek, albo inteligentny zegarek itepe. Żebym więcej o sobie wiedziała.

– Taki sprzęt musi chyba kosztować majątek.

– Nie jest taki drogi. Ten na przykład kosztuje w sklepie około osiemdziesięciu funtów.

– Słucham? I to według ciebie nie jest drogo?

– Wyluzuj. Nie musiałam wydawać na niego ani pensa. Za swoje dane dostaję od Freemee tak zwane frees. To są takie punkty bonusowe, z których mogę skorzystać, kiedy chcę coś kupić. Nie tylko u Freemee, ale gdziekolwiek w sieci. – Vi odgryza kęs bułki, po czym mówi dalej: – Poza tym to nie są wydatki, tylko inwestycje. Mój pakiet danych staje się dzięki temu obszerniejszy, precyzyjniejszy i nabiera na wartości. – Śmieje się krótko. – A dorośli na przykład mogą sobie te frees kazać przelać na konto w postaci gotówki.

– To jest… to jest…

– Genialne, owszem – zauważa Vi.

– A ile tych frees dostajesz przeciętnie?

„Ojej".

– To zależy od wysłanych danych. W ostatnim miesiącu otrzymałam około dwustu czterdziestu frees.

– Ile to pieniędzy?

– Mniej więcej sto sześćdziesiąt funtów – mówi Vi specjalnie od niechcenia, aby suma wydała się mniejsza. Co oczywiście się nie udaje.

– Sto sześć-dzie-siąt fun-tów! – Cyn akcentuje każdą sylabę, a na jej twarzy odbija się niewiarygodne zdumienie. – W tej sytuacji nie potrzebujesz już kieszonkowego!

– A co to za kieszonkowe! Tych nędznych parę funtów miesięcznie. – Gdy Vi widzi spojrzenie Cyn, natychmiast żałuje swoich słów. – Sorry, to było słabe.

Przecież wie, ile wysiłku kosztuje jej matkę, aby co miesiąc odłożyć dla niej tych kilka funtów.

– W jaki sposób oni to wyceniają?

– Wszystko jest na ich stronie. Zasadniczo to jest suma, jaką mam do dyspozycji co roku na własne wydatki, na jedzenie, ubranie, rozrywki, poza tym jako młoda dorosła mogę wywierać duży wpływ na decyzje zakupowe swoich rodziców. Oczywiście minus koszty operacyjne Freemee, ich zysk, inne koszty itepe… Pomyśl tylko, ile ty sama wydajesz miesięcznie na jedzenie. Każda sieć handlowa robi wszystko, żeby tylko wyszarpnąć od ciebie jak najwięcej kasy.

– A zastanowiłaś się nad tym, co oni robią z tymi danymi? – pyta Cyn, starając się panować nad sobą. – Gdzie twoja prywatność? Całkiem ją straciłaś.

– Prywatność! – śmieje się Vi. – A co powiesz o swoich kolegach po fachu, którzy nas wczoraj oblegali we własnym domu? A o kamerach o szerokim zasięgu w każdym punkcie Londynu i w wielu miejscach kraju? Nie mówiąc już o totalnej inwigilacji przez służby. Google, Facebook i wszyscy inni zbieracze danych? Prywatność! – Vi znowu się śmieje, tym razem głośniej. – Mamo, przecież od dziecka wiem, że wszędzie są kamery. Że jest rejestrowane, kiedy i gdzie płacisz swoją kartą kredytową albo kartą klienta. Że nasze smartfony odnotowują każdy nasz ruch i przekazują tę informację dalej, podobnie jak adresy i numery telefonów naszych przyjaciół. Że służby wywiadowcze, banki, supermarkety, a ostatnio nawet ekspresy do kawy tworzą nasze profile osobowościowe. – Wzrusza ramionami. – My po prostu w tym wyrastaliśmy. Telefony komórkowe i internet pojawiły się, jeszcze zanim się urodziłam. To w a s z e pokolenie zmajstrowało nam taki świat. Nie nasze. Więc się tak nie oburzaj.

– Moje pokolenie? Co ty mówisz? Ja swój pamiętnik zamykałam na kłódkę.

– A co w nim było takiego wyjątkowego? – odpowiada Vi drwiąco. – Nie miałaś przyjaciółek, przed którymi mogłabyś się wygadać?

– Miałam, ale nie robiłam tego publicznie.

Typowe, matka znowu jej nie rozumie. Jeszcze rok wcześniej wpieniłoby to Vi maksymalnie, ale ActApps nauczyły ją, że do dinozaurów trzeba podchodzić na luzie.

– Skoro i tak wszyscy próbują stworzyć sobie mój wizerunek, to chyba lepiej, żebym ukształtowała go sama. – Wzdycha. – Już starożytni Grecy wkurzali się na młodych za to, że posługiwali się pismem. Jesteś taka sama.

Vi zauważa, że jej matka mimo woli rozkrusza między palcami kanapkę.

– Ty mogłabyś wykorzystać swoje dane osobowe na pewno o wiele lepiej ode mnie – kusi ją Vi. – W końcu masz znacznie więcej możliwości niż ja: karty kredytowe, konto w banku, wszystkie karty stałego klienta. Na pewno przydałyby ci się pieniądze. A sądząc po dzisiejszych tytułach, twoje dane na pewno sporo zyskały na wartości.

– O czym ty opowiadasz, o jakich tytułach?

– No nie mów mi, że jeszcze ich nie widziałaś.

Vi sięga po swoją komórkę, wyszukuje najświeższe wiadomości i podtyka Cyn telefon pod nos.

Zdjęcie Adama nadal jest jako pierwsze, ale pod nim widać migawki z Cyn na miejscu przestępstwa i w szparze uchylonych drzwi.

„Okulary należały do niej" – obwieszcza jeden z nagłówków.

– „Policja wyjawiła, od kogo Adam miał to urządzenie" – czyta na głos Vi. Przechodzi na kolejne strony. – Popatrz, popatrz, przez jedną noc stałaś się bardzo znana. Twoja twarz reprezentuje wszystkich rodziców, którzy nigdy tak naprawdę nie interesowali się ani nami, ani nowymi technologiami, ponieważ uważają, że starsi i tak są zawsze mądrzejsi od nas.

– Pokaż – domaga się Cyn, biorąc od niej komórkę.

Przesuwa palcem po dotykowym wyświetlaczu i robi się blada.

– Tylko nie tragizuj – pociesza ją córka. – Twoja rozpoznawalność podnosi też moją wartość. Czyli jednak na coś się przyda. Poza tym może mimo wszystko zaczniesz wreszcie iść z duchem czasu.

Vi zabiera komórkę.

– Wyślę ci zaproszenie. Jeśli się zdecydujesz, zarejestruj się przeze mnie. Wtedy dostanę bonus za wprowadzenie nowej osoby.

Znowu widzi to pełne konsternacji spojrzenie.

– Witaj w teraźniejszości, mamo.

Spotkanie z Anthonym, na które Cyn właśnie jedzie, szczerze ją niepokoi. Co zrobi, jeśli on rzeczywiście ją zwolni? Aby zapanować nad paniką, cofa się myślami do porannej dyskusji z Vi. Poruszona i zdenerwowana swoim odkryciem o sprzedawaniu przez córkę danych osobowych całkowicie zapomniała poczytać trochę wczoraj wieczorem o tym przedsiębiorstwie. Kto tak naprawdę kryje się za jego szyldem? Na stronie prezentującej

zarząd znajduje pięć twarzy. Will Dekkert, czterdziestokilku-
latek z pierwszymi oznakami siwizny, krótko obciętymi włosami i trzydniowym zarostem, odpowiada za marketing i komunikację. Zawsze jej się wydawało, że miliarderem w branży
dot-comów można zostać jedynie grubo poniżej trzydziestki.
Z CV Dekkerta wynika, że wcale nie należy do założycieli firmy. Podobnie zresztą jak inny członek zarządu, Kim Huang.
Freemee została powołana do życia przez troje innych, właśnie
dwudziestokilkulatków – Jennę Wojczewski, Carla Montika
i Joszefa Abberidana. Czyli dobrze myślała! Ten trzeci już nie
jest w spółce i pewnie tego żałuje, biorąc pod uwagę prawdopodobne kosmiczne zyski osiągane przez Freemee. Cyn szuka
bliższych informacji o nim – ludzkie historie zawsze bardzo ją
interesowały. Nie, on już niczego nie żałuje. Joszef Abberidan,
były członek zarządu odpowiedzialny za statystykę i strategię,
dwa miesiące wcześniej zginął w wypadku samochodowym.

„Miliarderzy też umierają" – myśli Cyn.

Chce dowiedzieć się więcej o historii firmy i grzebie dalej.
Znajduje mnóstwo artykułów na jej temat. Na młodym rynku oprogramowań do gromadzenia danych i zarządzania nimi
Freemee ze swoimi stu siedemdziesięcioma milionami użytkowników wydaje się niekwestionowanym liderem. Niektórzy
przepowiadają mu przyszłość na miarę Facebooka albo wręcz
Google. Ale biorąc pod uwagę wszystko, co Cyn w ostatnich
latach słyszała o tej branży, wielu już prorokowano coś takiego, a najczęściej wróżby te okazywały się czystym PR.

Gdy Cyn wchodzi do komputerowni, szmer nieustannie
mamroczących kolegów na chwilę przycicha. Udaje, że nic nie
zauważa, zbiera się w sobie i rusza w stronę swojego biurka.
Nie zdążywszy dotrzeć na miejsce, słyszy już głos Anthony'ego
wrzeszczącego przcz całą salę:

– Cynthio, do mnie!

Po drodze do jego biura musi przecisnąć się między rzędami stołów na oczach wszystkich kolegów. Odruchowo wciska głowę w ramiona. Obawia się o swoją posadę. Ledwie przymknęła za sobą drzwi w biurze szefa, znowu zaczęła się szeptanina.

Anthony bez słowa wskazuje na krzesło dla gości przed biurkiem. W drugiej ręce trzyma jej okulary.

– Dziś rano dostarczyła je policja – wyjaśnia z obojętną miną.

Mierzy ją wzrokiem, wyraźnie czeka na odpowiedź.

Ma ochotę trochę się nią pobawić. Cyn jednak milczy. I tak nie może sobie darować, i ma potworne wyrzuty sumienia, że dała okulary córce. Nie ze względu na tego bufona Anthony'ego. Gdyby Vi ich nie zabrała, nigdy nie doszłoby do tamtego pościgu. Adam wciąż by żył. Poza tym równie dobrze mogło się też dostać Vi.

– No dobrze – wzdycha szef. – Powierzonej ci własności firmowej użyłaś niezgodnie z przeznaczeniem albo wręcz pozwoliłaś, aby korzystali z niej inni. W wyniku tego doszło do śmiertelnego wypadku, który wywołał powszechną sensację. Producent okularów grozi nam sądem!

Cyn w tym momencie wybucha:

– To chyba jakiś żart! Bardzo przepraszam, a kto umożliwił w ogóle wdrożenie tego cudu? Chyba właśnie oni, ci przeklęci asekuranci! I teraz chcą się wyłgać od odpowiedzialności? – Zniża nieco głos, stara się opanować. – Co nie znaczy, że nie jestem gotowa ponieść częściowej odpowiedzialności.

Anthony wzrusza ramionami.

– Zostawmy to. Jeszcze cięższym przewinieniem z twojej strony było to, że odmówiłaś wykonania swoich obowiązków.

– Co proszę? Moja córka znalazła się w wyjątkowej, niebezpiecznej sytuacji! Ona…

– Chłopak, któremu przekazałaś okulary, nie żyje. Twojej córce nic się nie stało. Nie ulega wątpliwości, że mogłaś zrobić relację. Nie dość, że nie wywiązujesz się ze swoich obowiązków, to jeszcze pozwalasz na to, aby córka wystawiała naszą grupę zawodową na pośmiewisko i obrzucała ją błotem.

– Te cholerne hieny są same sobie winne! Mogli zachowywać się przyzwoicie, a nie jak sępy! Obwiniasz posłańca złej wiadomości zamiast tych, którzy do niej się przyczynili. Moja córka jedynie wszystko udokumentowała i upubliczniła. Dzisiaj każdy jest reporterem, to twoje własne słowa.

Cyn czuje, że się gotuje. Ale woli już się wściekać niż dławić tą trującą mieszaniną poczucia winy i egzystencjalnego lęku.

– No właśnie – odpowiada Anthony. – I dlatego właściwie niepotrzebni są nam już tacy reporterzy jak ty. Już wcześniej dostałaś kilka upomnień. A z powodu wymienionych przed chwilą punktów mam prawo zwolnić cię natychmiast. I to bez jakiejkolwiek odprawy. – Macha okularami. – A w przypadku wniesienia oskarżenia przez producenta będziemy się oczywiście domagać od ciebie roszczenia zwrotnego.

Cyn jest bliska płaczu.

– Żaden sąd tego nie uzna!

Oczami wyobraźni widzi już siebie w pośredniaku. Dziennikarka po czterdziestce bez szczególnych referencji i umiejętności posługiwania się nowymi mediami. I bez żadnych oszczędności. Życie w Londynie jest zbyt drogie. Raczej nigdy nie znajdzie już pracy w swoim zawodzie. Jak długo będzie otrzymywać zasiłek dla bezrobotnych? A co potem? Jak zza jakiejś kotary słyszy głos Anthony'ego:

– Nasz prawnik widzi to inaczej. Mówiłem ci przecież: jesteś na mojej liście.

Cyn najchętniej wstałaby i wyszła, lecz nogi w ogóle nie chcą jej słuchać. Jest tak zajęta sobą i swoimi uczuciami, że w pierwszej chwili nie rozumie, co mówi szef.

– Ale chcę ci dać jeszcze jedną szansę.

Gdy w końcu słowa docierają do niej, nabiera głęboko powietrza, żeby odzyskać równowagę. Ma nadzieję, że Anthony odczyta powstałą w ten sposób pauzę jako oznakę opanowania. Nie może znieść myśli, że miałaby się przed tym karierowiczem poniżyć i pokazać mu swoją słabość.

– Jeśli tu w ogóle ktoś komuś daje szansę, to chyba raczej ja wam – oznajmia, unosząc głowę.

– To miło z twojej strony – rzuca drwiąco szef. – Może nie licytujmy się, Cyn. Po prostu dajmy nam obojgu szansę.

Cyn podejrzliwie zadaje sobie pytanie, dlaczego nagle zrobił się taki ugodowy. Nie ma jednak czasu zastanawiać się nad tym, ponieważ po chwili słyszy:

– Chciałbym, żebyś zrobiła ten cykl, o którym rozmawialiśmy wczoraj. Od wczoraj jesteś jak świat długi i szeroki twarzą rodziców nienadążających za postępem cyfrowych technologii…

– Wspaniale! Co mam napisać? Artykuł pod tytułem: „Rodzice, czy wiecie, czym zajmują się wasze pociechy"?

Anthony patrzy na nią oniemiały, po czym wybucha głośnym śmiechem.

– Dobre! Smakowite! Serio, naprawdę!

– Super, że chociaż jedna osoba dobrze się tym bawi.

– Można by pomyśleć, że zrobiłaś to specjalnie, aby z góry zapewnić sobie promocję cyklu – śmieje się Anthony. – Zróbmy użytek z twojej rozpoznawalności z korzyścią dla ciebie.

– Dla mnie? Czy dla „Daily"?

– Niech będzie, że i dla ciebie, i dla „Daily".

Cyn zastanawia się przez chwilę.

Anthony jest chytry jak lis. Ale ona woli być pismakiem w „Daily" niż w ogóle przestać być dziennikarką. Poza tym potrzebuje pieniędzy.

– Okej – zgadza się. – Rzeczywiście jest o czym pisać. Wczoraj na przykład odkryłam, że dzieci opylają swoje dane osobowe! Za pieniądze! Trzeba koniecznie to poruszyć! To jest…

– To żadna rewelacja, wiadomo o tym od dawna. Musiało ci to jakoś umknąć. To jest swego rodzaju model biznesowy, którego celem jest oddanie konsumentom władzy nad swoimi danymi. Jak grzyby po deszczu powstają firmy internetowe…

– Nie mogę znać każdego barana pędzonego przez globalną wioskę – odcina się Cyn.

– Te najważniejsze jednak wypada – odpowiada chłodno Anthony. – Dlatego koncepcje, jak podejść do tych tematów, opracują inni. Musimy myśleć szerzej. Być bardziej atrakcyjni, kontrowersyjni. Jesteśmy dziennikarzami. Dziennikarzami śledczymi!

„Ty w szczególności" – myśli Cyn. Ale hamuje się, byle tylko nie wybuchnąć.

– Musimy docierać do sedna, demaskować. Toteż nie wolno nam jedynie pisać na temat Zero, my musimy Zero znaleźć, porozmawiać z nim!

– Dlaczego?

– Bo dzisiaj samo informowanie czytelników już nie wystarczy. Trzeba ich aktywizować!

– Chciałeś powiedzieć: dostarczać im rozrywki.

Cała ta tyrada Anthony'ego wydaje się sztuczna, może nawet wyćwiczona przed lustrem.

– A co w tym złego, jeśli ludzie przy okazji uzyskania informacji trochę się zabawią? – odpowiada. – Dajmy czytelniczkom i czytelnikom możliwość wsparcia nas w poszukiwaniach Zero albo udzielenia mu pomocy. Wszystko jedno. Najważniejsze, żeby się włączyli! Wtedy poczują się emocjonalnie wciągnięci w całą tę historię.

Cyn nie ma pojęcia, jak on to sobie wyobraża.

– Mogę się założyć, że Zero tropią wszystkie amerykańskie służby wywiadowcze. Choć oficjalnie się do tego nie przyznają, próbując uratować twarz. I teraz my mielibyśmy też robić to samo?

– Ale my poszukujemy Zero jako rozmówcy, a nie przestępcy.

– I nie mamy najmniejszej szansy, by go znaleźć – stwierdza Cyn. – Nie dysponujemy żadnymi środkami. Chodzi ci jedynie o pozorowaną akcję, która ma posłużyć jako siła napędowa sprzedaży gazety.

– Która płaci ci pensję – przypomina jej Anthony. A po chwili dodaje: – O ile ci na niej zależy.

Jasne, że zależy.

– Szukamy Zero. Kropka – oznajmia zdecydowanym tonem redaktor naczelny.

Cyn przypomina sobie ostatni filmik Zero. „Rodzice, czy wiecie, czym zajmują się wasze pociechy?". Od minionej nocy z tymi słowami kojarzona jest jej twarz. W skrytości ducha przyznaje, że propozycja Anthony'ego, by znaleźć Zero, trochę ją nęci. Choćby dlatego, żeby odpłacić mu pięknym za nadobne – skompromitować go tak samo, jak on skompromitował ją.

– Zaczniemy od ankiety wśród czytelników, czy chcieliby znaleźć Zero, czy go wesprzeć – oznajmia Anthony. – O naszych własnych działaniach będziemy mówić tylko tyle, ile będzie konieczne. Kto chce, może się przyłączyć. Albo nas sabotować.

– Za nim może kryć się cała grupa, niewykluczone, że ze wszystkich stron świata – poddaje pod rozwagę Cyn.

– Możliwe.

Wciąż jeszcze się waha. Miotana między złością na szefa, który ma ją w garści, a swoim odwiecznym uzależnieniem od pieniędzy, które powoduje, że musi się ugiąć, aby zapewnić sobie i Vi środki do życia. Między pomysłem Anthony'ego a tym, że być może ona sama mogłaby nawet na nim coś zyskać. Szuka argumentów przeciwko jego koncepcji.

– Musielibyśmy przeanalizować kilkadziesiąt filmików wideo. Pod względem treści. Pod względem techniki. Prześledzić ślady cyfrowe. Ja nie mam o tym zielonego pojęcia. Kto miałby to zrobić? Jeff? Charly? Ludzie z IT? Czy są do tego przygotowani? Nie sądzę.

– Mamy od tego specjalistę – odpowiada Anthony i podnosi się z krzesła.

Anthony daje znać Cyn, aby poszła za nim do salki konferencyjnej za jego gabinetem. Przy dużym stole w chłodnym i oszczędnie wyposażonym pomieszczeniu siedzi mężczyzna pochylony nad laptopem. Cyn zapiera dech, gdy nieznajomy obrzuca ją wzrokiem. Ten gość wygląda po prostu obezwładniająco.

– To jest Chander.

Przodkowie Chandera musieli chyba pochodzić z Indii. Cyn nie potrafi odczytać niczego w jego ciemnych oczach, wcale jej jednak na tym nie zależy. Pragnęłaby się w nich zatopić. Jego skóra lśni barwą wiecznego lata. Czarne włosy poskromione są kilkoma kroplami oliwy. Cyn ocenia go na dwadzieścia osiem, dziewięć lat. Sprawdzi to przy najbliższej okazji w internecie.

– Miło mi. – Chander uśmiecha się do niej promiennie i wyciąga dłoń o długich, smukłych palcach.

„Mnie bardziej!".

Jego uścisk jest równie ujmujący jak uśmiech.

– Chander jest naszym Q – wyjaśnia Anthony. – Z zawodu jest informatykiem śledczym.

„Mógłby być też gwiazdą filmową" – przemyka Cyn przez głowę. Ten cukiereczek musi zostać schrupany.

– Pracował już dla FBI, Interpolu, Europolu i dla największych firm świata – kontynuuje Anthony.

Chander przewraca oczami, uśmiechając się skromnie.

– Wielkie słowa – odpowiada aksamitnym głosem. – Wolę trzymać się w tle.

– Chander to chyba hinduskie imię – zauważa Cyn.

– Moi rodzice mieszkają w Bombaju – wyjaśnia młodzieniec angielszczyzną rodem z najszlachetniejszych brytyjskich uniwersytetów. – Studiowałem w Bombaju, na Uniwersytecie Stanforda i w Oksfordzie.

„I jeszcze do tego mądry".

Wskazując głową na jego komputer, mówi:

– Już na… – urywa z zawstydzeniem, ponieważ jej głos zabrzmiał kompromitująco piskliwie. Odchrząkuje. Co to za nastoletnie wybryki? Zaczyna jeszcze raz, tym razem głos nie robi jej psikusa: – Już na tropie Zero?

– Chander został przeze mnie szczegółowo poinstruowany – pyszni się Anthony.

„Jakżeby inaczej".

– No i jak? Czy w ogóle mamy szansę znaleźć Zero? – zwraca się Cyn do Chandera.

– Dlaczego nie? – odpowiada jej pytaniem. – Może nie dysponujemy takimi środkami jak FBI czy NSA, za to jesteśmy bardziej kreatywni i elastyczni.

– Wobec tego nie traćmy czasu – oznajmia Anthony i znowu klaszcze w dłonie. – Trzeba wykorzystać moment! Nakręćmy krótki filmik na inaugurację naszej akcji! – Wciska Cyn do ręki okulary. – Proszę, przydadzą ci się.

Cyn niemal ciska je na stół.

– Chyba nie mówisz poważnie! Przecież one wczoraj…

Przypomina sobie swoją dyskusję z dziećmi. Oni nie upatrywali w okularach przyczyny śmierci Adama. Według nich to tylko zwykłe narzędzie, którego można używać do dobrego lub złego – to już zależy od człowieka. Mimo to…

– Nie mamy przypadkiem jeszcze jednych, które nie… – pyta.

Anthony unosi jedną brew, powstrzymując się od komentarza, po czym mówi:

– Myślę, że to da się załatwić…

Następnie znika w swoim biurze i wkrótce potem wraca z dwoma pudełkami w ręce.

– Proszę, inne okulary. A skoro masz już pisać o tym wszystkim, jeszcze jeden drobiazg.

Ten „drobiazg" przypomina smartzegarek Vi.

– A po co mi on?

– Pasuje do tematu. Chyba nie zamierzasz mówić o czymś, o czym nie masz pojęcia, prawda?

Anthony postanowił sam wystąpić w filmiku, dlatego wypożyczył maskę i strój. Cichym szeptem powtarza wyuczony na pamięć tekst i przybiera odpowiednią postawę przed lustrem, podczas gdy młoda kobieta przypudrowuje mu czoło i nos. Szef wykręca głowę na wszystkie strony, aby się upewnić, że nic nigdzie nie błyszczy. Obok niego przygotowywani są też Chander i Cyn. Specjalista IT sprawia wrażenie wyluzowanego, ma zamknięte oczy. Cyn natomiast mruga powiekami, jakby zobaczyła diabła.

– Czy ja naprawdę muszę wystąpić w tym wideo? – pyta. „Ta kobieta wciąż tylko rzuca kłody pod nogi!".

– Specjalnie robimy z tobą potrójną konferencję, żebyś nie musiała sama stać przed kamerą – odpowiada Anthony.

– Co za bezinteresowność – bąka Cyn pod nosem.

W doskonałym nastroju szef zrywa się z krzesła i ciągnie za sobą ją i Chandera przed kamerę. Stoją w greenboksie; na miejsce zielonego obszaru kadru zostaną później podłożone filmiki Zero.

– Uśmiech proszę! – upomina Anthony, patrząc na nią z boku.

– Swoją akcją w Dniu Prezydentów Zero narobił sobie potężnych wrogów – zaczyna Anthony prosto do kamery.

– Ale zyskał też wielu przyjaciół – zauważa Cyn obok niego.

– Masz rację, Cynthio, w ciągu jednej nocy Zero stał się supergwiazdą – mówi dalej. – Dlatego my, dziennikarze „Daily", bardzo chętnie byśmy z nim porozmawiali.

– O tak, a ja szczególnie – wtrąca Cyn ze zjadliwym uśmieszkiem.

– Wyobrażam sobie.

W kadrze pojawia się Chander, podpis na dole przedstawia go jako eksperta IT.

– Dlatego postanowiliśmy go poszukać.

– Ale jak go znaleźć? Kim jest Zero? Dlaczego chowa się za różnymi twarzami?

– Z ostrożności, ponieważ szuka go amerykański wywiad? – sugeruje Cyn. „Musimy go sprowokować, żeby popełnił błędy" – stwierdził Anthony, prezentując scenariusz spotu. – Albo może on po prostu się boi?

– Przecież ukrywał się już wcześniej – kwestionuje Chander.

– Moim zdaniem Zero chowa się, ponieważ jest bezgranicz-
nie próżny! – grzmi Anthony. – Bo właśnie chce być gwiazdą.
Kiedyś gwiazdami stawali się tylko ci nieliczni, którym udało się przebić na ekran. Dziś natomiast każdy niemowlak ma
własny kanał na YouTube.

– Tak jak przepowiadał Andy Warhol: pewnego dnia każdy
będzie miał swoje pięć minut sławy… – dodaje Cyn.

– No właśnie. Tyle tylko że właśnie ta okoliczność wszystko wywróciła do góry nogami. Ktoś, kto dziś pojawia się na
ekranie, stanowi część masy. A gwiazda powinna odróżnić się
od masy. Aby więc być w niej zauważonym, trzeba pozostać
niewidzialnym.

– Prawdziwymi gwiazdami są dziś zatem ci nieliczni, których twarzy jeszcze nie znamy… – zastanawia się głośno
Chander.

– W tej sytuacji Zero staje przed dylematem – wyjaśnia
Anthony. – Bo owi niewidzialni są przecież próżni, i to jak!
Nie cierpią pozostawać nieznani. Dlatego mimo wszystko się
pojawiają i wkraczają na scenę. Tyle że przebrani. Ukryci. Za-
maskowani.

Za nimi podłożony zostaje końcowy fragment filmiku Zero,
gdy zmieniająca się twarz woła: „Mnie nie złapiecie!".

– Mnie nie złapiecie – powtarza Anthony. – On nie chce być
widziany, a mimo to się pokazuje. Czysta kokieteria i show.

– Albo ostrożność? – sugeruje po raz kolejny Cyn.

– Kim jest Zero? Czy to próżne gwiazdy, czy tchórzliwi aktywiści? – pyta Anthony, zwrócony prosto do kamery. – Proszę
głosować! Pomóżcie znaleźć Zero! Albo go obronić. Przy okazji
możecie wygrać cenne nagrody! Na żywo w „Daily"! – Mru-
ży jedno oko. – Do zobaczenia. W „Daily". Z tobą też, Zero?

– No brawo – stwierdza Carl. – Epoka ekonomii uwagi ledwie się rozpoczęła, a wy już ją znowu mordujecie. Nieznajomy jako ostatnia gwiazda? Dosyć wyrafinowana koncepcja.

– Ależ skąd! – odpowiada Alice. – To sprawdzona strategia. Tajemnicza postać w masce od niepamiętnych czasów jest magnesem przyciągającym uwagę: od człowieka w żelaznej masce, przez Zorro, po wszystkich przebranych superbohaterów.

– Dopiero kiedy zostanie pokazana ostatnia twarz, zauważycie, że uwagi nie da się jeść.

– Tak jak w tej historii o… – kontynuuje Alice, ale urywa. Carl zwraca się do Willa:

– Rozumiem. Nieznane jako archetyp…

– I Zero pojmie to doskonale – potwierdza Will. – Jak myślisz, dlaczego jego filmiki są zawsze takie? On bawi się tą rolą od swojego pierwszego występu. To jest dokładnie przekalkulowana strategia marki.

– Wobec tego Cynthia Bonsant i Anthony Heast to są chyba jedynki, tak? Ale wasza koncepcja tego spotu, bo to przecież wy go wymyśliliście, przyznajcie, jest nietrafiona – zauważa Carl. – Za Zero może kryć się ktoś, kto już dawno został zidentyfikowany.

– I to jest jeden z pięknych paradoksów w tej historii, i tylko potęguje jej urok – wtrąca Alice. – No bo o rozwiązanie jakiej tajemnicy tu chodzi? Nieistnienia nie możesz udowodnić.

– Chcesz teraz zacząć dyskusję o tożsamości? – pyta Will Carla. – Przecież to jest tylko spot promocyjny, a nie rozprawka filozoficzna.

– Nie, nie chcę. Jestem jedynie ciekaw, czy osiągnięcie w ten sposób to, co zamierzyliście.

– Ja też – śmieje się Will.

– To jakiś żart? – pyta Marten. – Zmasowane siły amerykańskiego wywiadu szukają tamtych gości, a teraz ta cyrkowa tru-
pa ma znaleźć Zero? Powodzenia!

– Heast ma całkiem oryginalny życiorys – stwierdza Luis. –
Jako student dziennikarstwa wziął udział w jednej z pierwszych edycji brytyjskiego *Big Brothera* i wyleciał dopiero jako
trzeci od końca. Potem dosyć szybko wyrobił sobie nazwisko
w różnych mediach, choć bardziej zawdzięczał to swojemu zachowaniu niż sukcesom.

– Cynthię Bonsant znamy już z wczorajszego filmiku Zero –
wtrąca drugi. – Wcześniej mówiły za nią raczej jej artykuły.
Co prawda nigdy nie zajmowała się tematami, o które teraz
chodzi. Dwadzieścia lat temu pisała wysoko oceniane teksty do
czasopism. Interesujące artykuły o prawach człowieka, o indywidualnych losach. Potem jej kariera się załamała z przyczyn
osobistych. Później wylądowała w „Daily”.

– I ten duet chce być lepszy od największej machiny wy-
wiadowczej i inwigilacyjnej na świecie? – pyta Marten. – Chyba że będzie im sprzyjać szczęście głupców.

– Uważam, że pomysł wciągnięcia ludzi z zewnątrz do poszukiwań jest interesujący – stwierdza pierwszy technik.

– Z kolei ten Chander Argawal to gość zupełnie innego kalibru – zauważa trzeci technik. – To wybitny programista i informatyk śledczy. Pracował dla największych, także dla nas.
Jak on się znalazł w tej wesołej kompanii?

– Dowiedz się u kolegów z NSA – prosi go Marten. – Po co
oni rejestrują całą komunikację elektroniczną na świecie?

Jeden telefon i już wiedzą, że Argawal rzeczywiście był
ostrożny.

– On stosuje zakodowane kanały komunikacji, do których
nie może się dostać nawet NSA – mówi trzeci technik. – Ale są

rzeczy, których nie udało mu się ukryć. To niektóre fragmenty jego życiorysu. Kiedy i gdzie chodził do szkoły, co studiował i gdzie pracował, kogo tam poznał, metadane niektórych fragmentów jego komunikacji, zwłaszcza tej starszej, kiedy jeszcze nie przywiązywał wagi do maskowania się. Koledzy już nad tym pracują.

– Dajcie mi znać, jeśli na coś natrafią – prosi Marten i zaraz dodaje: – Właściwie to dla nas dobrze, że ktoś taki jak Argawal bierze w tym udział. Co nam szkodzi założyć podsłuch, gdyby ci łowcy głów z bożej łaski faktycznie mieli szczęście. Może rzeczywiście pomogą nam znaleźć Zero. Nigdy nie wiadomo.

– A jak chcesz naprawdę znaleźć Zero? – pyta Cyn Chandera.

Razem z Anthonym, Jeffem, Charlym, młodą projektantką stron internetowych i praktykantką siedzą przy jednym ze stołów w obszernej kuchni redakcji „Daily". Również tutaj wszędzie wiszą monitory z telewizyjnymi i internetowymi serwisami informacyjnymi. Każdy – jeśli tylko wie jak – może za pomocą swojej komórki sterować nimi i oglądać treści, które go akurat interesują.

– To będzie połączenie naszych własnych poszukiwań i crowdsourcingu – odpowiada Chander z promiennym uśmiechem.

Cyn najchętniej zaciągnęłaby go zaraz do schowka na szczotki. Ale zamiast tego powtarza nieco naiwnie: „Crowdsourcingu".

– Każemy wykonać robotę za nas czytelniczkom i czytelnikom „Daily" – śmieje się Anthony. – To tańsze rozwiązanie, przynosi lepsze rezultaty, jeśli się wszystko odpowiednio zorganizuje, no a poza tym daje uczestnikom więcej przyjemności niż tylko nudne czytanie czy oglądanie.

– Kimberley i Frances – odzywa się Jeff, spoglądając na obie młode kobiety przy stole – na zlecenie Anthony'ego stworzyły już forum, na którym ludzie mogą się wymieniać informacjami. Frances, nasza praktykantka, będzie to moderować.

– Programy do wyszukiwania przesieją wszystkie napływające meldunki pod względem ważności, wiarygodności, zaangażowania za lub przeciw Zero i pod względem jeszcze kilku innych czynników – wyjaśnia Frances.

– Wasze wideo sprawdza się nawet całkiem dobrze – mówi Kimberley z pełną pewności siebie nonszalancją typową dla młodych ludzi, tak dobrze znaną Cyn z domu, na jaką ona, będąc w tym wieku i w takiej sytuacji, nigdy by się nie zdobyła. – Jest w sieci niecałą godzinę, a już mamy kilkaset wpisów.

– I pozytywne jest to – dodaje Frances, uśmiechając się do Anthony'ego – że te wpisy są z siedemnastu krajów z całego świata. Czyli akcja ma wymiar międzynarodowy. Dokładnie jak chciał szef.

– I co jest w tych wpisach? – chce wiedzieć Cyn.

– Dużo śmieci. – Praktykantka się uśmiecha. – Ale też trochę rzeczy przydatnych. Już po kilku minutach różni ludzie rzucili się na adresy e-mailowe i IP, przez które zostały zarejestrowane konto YouTube i strona akcji w Dniu Prezydentów. Poza tym oczywiście jest masa protestów albo wyrazów sympatii. Paru typków podających się za aktywistów Anonymous nawet grozi „Daily" atakiem, jeśli na poważnie będzie kontynuować poszukiwania.

– Cudownie – rozpływa się Anthony. – To da nam jeszcze większą popularność.

– Wasi technicy powinni być na wszelki wypadek przygotowani, gdyby Anonymous rzeczywiście zaatakował – upomina Chander.

– Już się tym zajmują – uspokaja Charly.

– Na czym teraz polega twoje zadanie? – pyta Cyn jeszcze raz Chandera.

– W zasadzie robię to samo co ci ludzie, do których się zwróciliśmy. Czyli za pomocą specjalnych programów przeszukuję internet. I mam coś w zanadrzu. Ale nie jestem jedyny. Mogę się założyć, że paru hakerów też się w to włączy, ciekawe tylko, po czyjej będą stronie. Prawdopodobnie po stronie Zero. Być może kilku pomoże także nam.

– I co macie nadzieję znaleźć?

– Błędy. Jeśli chcesz anonimowo surfować po internecie, możesz używać na przykład sieci TOR albo Virtual Private Networks. W przypadku TOR-u, czyli The Onion Router, podczas otwierania stron między internautę a daną stronę włączają się setki serwerów, które maskują jego adres IP. Trzeba jednak uważać. Po pierwsze, służby specjalne mogły to już częściowo rozpracować, poza tym niektóre rodzaje dokumentów, na przykład wideo, pozostawiają ślady przez twoją przeglądarkę. W przypadku Virtual Private Networks, w skrócie VPN, też możesz ukryć swoje pochodzenie, ponieważ jesteś przekierowywany na obcą sieć. Tyle że w USA oferenci VPN-u mogą być zmuszeni przez służby wywiadowcze i FISC do wydania danych. – Chander opiera się wygodnie na krześle. – Zero opisał to w zarysie w swoim *Guerrilla Guide*. Wiadomo jednak, że każdy, kto chciałby anonimowo poruszać się po internecie, popełnia kiedyś błąd. Najczęściej zrobił go już lata temu, kiedy jeszcze nie przywiązywał wielkiej wagi do anonimowości, nie orientował się tak dobrze, był nieważny i tak dalej…

– Chcesz powiedzieć, że jeśli dziś nie mam powodu, żeby się ukrywać, bo wydaje mi się na przykład, że nie jestem wystarczająco interesująca, by musieć zacierać swoje ślady, popełniam tym samym wielki błąd, nie myśląc o jakimś nieokreślonym

„jutrze", gdy wszystko może wyglądać całkiem inaczej... – zastanawia się Cyn. – I właśnie w ten sposób będziesz próbował dopaść Zero. Po starych śladach, których już dzisiaj nie da się zatrzeć.

– Tak. Istnieją tysiące możliwości, żeby nawarzyć piwa. Musimy je tylko odkryć.

– Będziesz musiał mi to jeszcze dokładniej wyjaśnić – mówi Cyn z nieśmiałym uśmiechem.

– Chętnie – odpowiada Chander z błyszczącymi oczami.

– A co z filmikami Zero z przeszłości? – wtrąca Anthony.

– Trzeba je ponownie uważnie obejrzeć – informuje Chander. – Sprawdziliśmy je już na metadane, ale ważne detale, takie jak producent, informacje o programie i tego rodzaju rzeczy, Zero zawsze starannie usuwał. Może znajdziemy coś w wykorzystanych fragmentach filmów.

– A treść? Wydaje mi się, że chyba chodzi głównie o nią – zauważa Cyn.

– Treść ludzie poznają tak czy inaczej, kiedy oglądają te filmy – wtrąca Anthony. – Lecz jeśli masz ochotę, możesz napisać kilka zdań na ten temat. Jeśli znajdziesz jeszcze jakieś interesujące filmiki. W każdym razie żaden z nich nie jest nowy.

„Dla ciebie może nie – myśli Cyn. – Ale ja nie wszystko wiedziałam".

Anthony wstaje i będąc już prawie za drzwiami, rzuca:

– Muszę iść. Dacie sobie radę beze mnie!

Klaszcze w dłonie i znika.

– Moja córka gromadzi dane o sobie i je upłynnia – wyrywa się Cyn ni z tego, ni z owego.

Obie młode kobiety wzruszają ramionami i patrzą na nią zdziwione.

– No i co z tego? Ja też to robię – oznajmia Kimberley.

– Ja też – wtrąca Jeff. – Ale jeśli ciebie coś takiego denerwuje, to zaraz ci pokażę odpowiedni filmik Zero.

– Uwielbiam rankingi! – oznajmia zwycięzca olimpijski z me-
dalem zawieszonym na szyi, po czym staje się długonogą mo-
delką na wybiegu. – Kto jest najpiękniejszy, najszybszy, naj-
silniejszy, najinteligentniejszy, najbogatszy? – Zamienia się
w gościa odhaczającego pozycje na liście. – Rankingi pomagają mi w ocenie. I nie tylko mnie. Wszyscy oceniamy – mówi jakiś sprzedawca, kładąc odważnik na szali wagi. – Nieustannie.
Świadomie lub nieświadomie. Oceny czynią twoje życie prost-
szym, umożliwiają ci podejmowanie decyzji. Kierując się nimi,
szukasz sobie partnera życiowego, przyjaciół, wrogów i swojego smartfonu. Im lepiej potrafisz oceniać, tym lepsze podej-
mujesz decyzje. I tym lepsze jest twoje życie. Oceniasz książki, hotele, urządzenia elektryczne, sklepy internetowe i w ten
sposób współtworzysz rankingi. – I siup: sam sprzedawca zostaje ciśnięty na gigantyczną szalę wagi! Z wysiłkiem podciąga
się po ściance, usiłując się wydostać, ale ześlizguje się i spada
na dno. – Oczywiście ty t e ż jesteś oceniany. Agencje reklamowe szacują cię według twojej siły nabywczej, twoich nawyków
zakupowych oraz twojego upodobania do konkretnych marek.
Wywiadownie kredytowe oceniają cię od dziesięcioleci. Nie dostajesz kredytu, płacisz wysokie odsetki albo masz niekorzyst-
ne warunki płatności w sklepie internetowym? Za tym kryje
się wywiad kredytowy. Banki i firmy ubezpieczeniowe klasyfi-
kują cię według dochodów, miejsca zamieszkania, posiadane-
go samochodu, płci i wielu innych kryteriów. Google zarabia
pieniądze między innymi na tym, że zna wartość swoich użytkowników i sprzedaje tę wiedzę specom od reklamy. Na podstawie Online Reputation Score firmy oceniają twoją aktywność

w sieci. Portale randkowe żyją z kojarzenia członków o podobnych wartościach. Do niektórych portali społecznościowych dopuszczane są tylko „ładne osoby" – oceniane na podstawie zdjęć przez zarejestrowanych już użytkowników. W społecznościach ratingowych otrzymujesz od innych informację, w jakim stopniu jesteś atrakcyjny, inteligentny czy seksowny w ich oczach. Większość firm stosuje specjalne systemy oceny swoich pracowników, począwszy od zegarów kontroli czasu pracy, przez *balanced scorecards*, po inteligentne zegarki. „Forbes" sporządza listę najbogatszych ludzi. A teraz właśnie powstała nowa lista! – Deszcz kartek spada na mężczyznę we fraku, aż w końcu znika on pod nimi całkowicie. Po chwili, prychając i fukając, wyłania się znowu z kartką w ręce i patrzy na nią rozbawiony. – Wśród tysięcy nowych usług pojawiła się nowa: teraz możesz sam wyceniać swoje dane osobowe! Spójrz, ile jesteś wart! Tak, ty! Właśnie ty!… Ojej, twoje dane można kupić już po jednym cencie? A dane twojego sąsiada dopiero od siedmiu centów? Co jest, do cholery, czy ja jestem mniej wart od niego? No cóż, jeśli już koniecznie chcesz wiedzieć: Sprawdź! W sympatycznym niedużym programie ManRank. Za jego pomocą sprytny programista z Freemee segreguje ceny danych osobowych wszystkich ludzi według ich wartości. Za pośrednictwem Freemee i innych wy sami je upubliczniacie. I w konsekwencji znamy nie tylko stu największych miliarderów świata, nie: dzisiaj znamy też miliardy biedaków kryjących się za nimi! Lista „Forbesa" dziewięćdziesięciu dziewięciu procent. Do przeszłości należą już czasy, gdy istniały tylko agencje ratingowe dokonujące oceny przedsiębiorstw i państw! ManRank – pierwsza ogólnie dostępna agencja ratingu ludzkiego! – Jego frak wygląda nagle na oberwany i niechlujny, spojrzenie i głos stają się poważne. – Ale przecież ja wcale nie muszę wyceniać swoich danych osobowych, powiesz. I wtedy nie pojawię się w rankingu. Sprytnie! Bardzo sprytnie! Tyle że każda wywiadownia kredytowa od razu ci wyjaśni: nieszczęściem jest kiepski rating, ale jeszcze większym nieszczęściem jest nieposiadanie żadnego ratingu! Niezależnie od tego, czy chodzi o kredyt, pracę, czy partnera: wyższa wartość oznacza większą szansę, niższa wartość jest równoznaczna z mniejszymi szansami, a żadna wartość równa się szansie zerowej. – Skubie swoją muszkę, po czym jego mina się zmienia: on sam promienieje i również frak wygląda znowu lepiej. – Na szczęście możesz podnieść swoje parametry przy pomocy całego mnóstwa drobnych cyfrowych trenerów, którzy udzielą ci dobrych rad. Czy to nie wspaniałe uczucie obserwować, jak pniesz się w rankingu?! Zrobisz wszystko, aby nie spaść niżej! Albo wspiąć się jeszcze wyżej! Bo to podnosi twoje szanse. Na lepszą posadę. Na znalezienie lepszego partnera. Na jeszcze większy sukces, na pieniądze, władzę, miłość. „W dzisiejszych czasach ludzie znają cenę wszystkiego, ale nie znają wartości niczego", zażartował kiedyś Oscar Wilde. Cóż, czasy się zmieniają. I Wilde bardzo by się zdziwił. Obecnie znamy cenę każdej wartości! Spytaj Acxiom. Spytaj Google. Spytaj Apple. Spytaj Facebooka. Spytaj Freemee. Czy znasz swoją…? A tak w ogóle jestem zdania, że ośmiornice żywiące się danymi osobowymi powinny zostać zniszczone.

– O czym oni mówią? – rzuca Cyn. – Agencja ratingu ludzkiego?
    Jeff otwiera stronę w internecie.
    – Istnieje od kilku miesięcy. Ta jest największa. Coś w rodzaju kontynuacji i integracji wcześniejszych list wymienionych przez Zero. Ponad cztery miliardy ludzi sklasyfikowanych według wartości ich danych osobowych!

154

– To jest po prostu… – mamrocze Cyn z osłupiałym wyrazem twarzy.

– …nic innego niż to, co od dawna robią firmy gromadzące dane, sprzedające je i przetwarzające. Tyle że w tym serwisie każdy może je zobaczyć. Można powiedzieć, że mamy tu do czynienia z demokratyzacją wyceny.

– Z demokratyzacją, dobre sobie!

Cyn nie jest pewna, czy właściwie interpretuje znaczenie tego narzędzia, ale myśląc o nim, czuje się wstrząśnięta do głębi. Tak jak w niektórych ważnych momentach swojego życia. Gdy dostała pierwszy okres. Pod koniec szkoły. Po narodzinach Violi. Po zniknięciu Gary'ego. Po śmierci mamy. Instynktowne przeczucie, że od tej chwili wszystko będzie inaczej.

– Chcesz poznać swoją ewaluację?

Nim Cyn udaje się zaprotestować, Jeff wklepuje już jej nazwisko.

Wykres pokazuje rozwój Cyn w postaci zygzakowatych krzywych, jakby to były kursy akcji. Pośrodku linia nagle się wznosi, niemal pionowo idzie w górę, a potem biegnie płasko. Na końcu wielocyfrowa liczba co sekunda zmienia wartość.

– Obecnie jesteś na pozycji między 1 756 385 884 a 1 861 305 718 w zbiorze obejmującym ponad cztery miliardy.

„Tak źle? – Cyn zirytowana przywołuje się do porządku: – Chyba nie będziesz brała tej wyceny na poważnie!".

– Widzisz ten skok w górę od wczoraj? – Jeff przesuwa kursorem po linii; wyskakujące okienko pokazuje różne pojęcia, jak stopień rozpoznawalności, popularność, sympatia… – Od kiedy w mediach pokazały się twoje zdjęcia, stopień rozpoznawalności wzrósł gwałtownie. A to podniosło też twoją wartość ogólną. Filmik zrobiony przez Zero dodał jeszcze turboprzyspieszenia. Wcześniej plasowałaś się na granicy między

trzema a czterema miliardami, czyli na dolnym krańcu środkowego pola.

– Poza tym możesz porównać swoje parametry z wynikami innych – wyjaśnia z zapałem Frances. – Jak na stronach
finansowych czy w programach giełdowych.

„I ona mówi to bez cienia ironii" – stwierdza w duchu Cyn.

– Ale to są przecież ludzie, a nie papiery wartościowe! – protestuje głośno. – Tylko tego by jeszcze brakowało, żeby można
było we mnie inwestować albo robić zakłady. Jak na giełdzie!

– Możesz się śmiać, lecz wiele firm pracuje już nad takimi
koncepcjami – dodaje sucho Jeff.

– To znaczy, że zostaliśmy definitywnie wbudowani w system kapitalistyczny jako wyliczalne wielkości, jako czytelne wykresy i krzywe. I co daje na przykład suma wykresów
wszystkich Brytyjczyków? Wszystkich Niemców, wszystkich
jednookich Japończyków po sześćdziesiątce, bezdzietnych kobiet, paryżan, nigeryjskich dzieci?

– Cyn, posłuchaj, jesteś tą wielkością już od lat, od dziesięcioleci! Niezliczone firmy zajmują się tym, żeby cię skatego-
ryzować, zaszufladkować. Przecież Zero właśnie o tym mówił
w swoim filmiku – przypomina jej Jeff. – Tylko teraz masz to
jasno pokazane za pomocą wykresu. Freemee i ManRank to
jedynie największe z ogólnie dostępnych list. Ale jest ich więcej. Te firmy tak czy inaczej mają dane osobowe, muszą je tylko odpowiednio opracować.

„Pewnie Vi też zna tę listę" – uświadamia sobie Cyn. To jest
fantastyczny bodziec dla użytkowników Freemee, aby słuchać
rekomendacji podsuwanych przez aplikacje! Perfekcyjny system nagradzania! Kolejna konstatacja sprawia, że Cyn czuje ciarki na plecach: Google, Facebook i inne serwisy wprawdzie filtrują informacje i są w stanie w ten sposób kształtować

zachowania ludzi, ale ActApps dają wskazówki, jak postępować! A to znaczy, że oferenci programów doradczych, tacy jak Freemee, mają bezpośredni wpływ na zachowanie ludzi. A ci dobrowolnie stosują się do otrzymywanych rad, bo chcą podnieść swoją wartość. Co oczywiście otwiera tym firmom wprost niewyobrażalne możliwości manipulacji!

– Skąd ja się tam w ogóle wzięłam? – pyta wzburzona. – Przecież nie jestem użytkowniczką żadnego z tych serwisów.

– Oni mają na twój temat wystarczająco dużo informacji, żeby mimo wszystko móc dokonać przybliżonych ewaluacji – wyjaśnia Frances. – Oczywiście miałabyś znacznie wyższą pozycję, gdybyś sama je gromadziła – dodaje jeszcze.

– A jeżeli ja nie chcę być na tej liście: co wtedy?

– To możesz się wypisać – odpowiada Jeff. – Istnieje możliwość wycofania swojego nazwiska. Ale jak to powiedział przed chwilą Zero? „Nieszczęściem jest kiepski rating, ale jeszcze większym nieszczęściem jest nieposiadanie żadnego ratingu!". Wtedy dosłownie nie masz żadnej wartości.

– Albo jesteś podejrzana – uzupełnia Frances. – Jak ludzie, którzy nie mają własnego profilu w serwisach społecznościowych albo nie instalują w swoich domach inteligentnych liczników prądu.

– To jest przerażające – bąka Cyn.

– Czy ja wiem – mówi Frances. – Kto chciałby być całkiem bezwartościowy?

Cyn patrzy na nią oniemiała.

– A kto jest pierwszy na tej liście? – pyta, gdy jest już w stanie wydusić z siebie cokolwiek.

Jeff przewija listę wyżej, jednak nazwiska na początkowych pozycjach zmieniają się tak szybko, że nie da się ich odczytać. Zmienia więc kryterium czasu ze „śledzenia na bieżąco" na „jeden tydzień". Nowa lista ukazuje wynik statystyczny. Widoczne nazwiska nic nie mówią Cyn.

– Czy ona się pokrywa z listą „Forbesa"?

– Nie – odpowiada Kimberley. – ManRank uwzględnia nie tylko majątek, ale także wszystkie inne kategorie wartościujące.

– Możesz zobaczyć też listy szczegółowe – proponuje Jeff. – Na nich masz wyszczególnione kryteria, od majątku, przez wpływ, po miłość, odwagę czy kreatywność. Dlatego ta klasyfikacja nie do końca się zgadza z rankingiem sporządzonym z czysto kapitalistycznego punktu widzenia. Te inne wartości są też ujęte w twoim zestawieniu. I każda z nich ma wagę, jaką nadaje jej całe społeczeństwo. Tak więc miłość czy pokój mogłyby osiągać bardzo wysoki kurs i mieć silny wpływ na listę, o ile ludzie zachowywaliby się odpowiednio.

– Ale się nie zachowują, tak? – pyta szeptem Cyn.

Jeff wzrusza ramionami.

– Właśnie w tym problem. Klasyfikowane i oceniane są czyny, a nie puste słowa.

– Na ziemi żyje przecież więcej ludzi niż cztery miliardy – wtrąca Cyn.

– Na liście brakuje głównie mieszkańców krajów najbiedniejszych, niemających dostępu do internetu ani komórek – wyjaśnia Jeff. – Ale oni też są stopniowo uwzględniani. Za kilka lat niemal każdy człowiek będzie miał dostęp do sieci.

Cyn, kręcąc głową, wpatruje się tępo w wyświetlacz. Nigdy dotąd nie zdawała sobie sprawy, że aż do tego stopnia jest włączona w potężny system. Z którego nie ma odwrotu.

– A jak opracowywane są te wartości?

– Są ciągle wyliczane na nowo na podstawie postępowania ludzi – kontynuuje wyjaśnianie Jeff. – Gdy ambicja czy miłość albo władza stają się dla kogoś ważniejsze i ten ktoś odpowiednio zmienia swoje zachowane, wówczas zmieniają się też konkretne parametry i uzyskują większy wpływ na wartość ogólną. System jest w ciągłym ruchu.

Przechodzi do graficznych ilustracji. Cyn musi przyznać, że robią wrażenie. Wyglądają jak nieustannie migoczące kolorowe sieci pajęcze – miliardy linii łączą miliardy żywych punktów w gigantyczny organizm. Jeśli dobrze się domyśla, ten system odzwierciedla wszystkie relacje i poczynania miliardów ludzi. W czasie rzeczywistym! Dopiero w tym momencie uzmysławia sobie, czym od wielu lat zajmują się ogromne firmy internetowe za zamkniętymi drzwiami. Któryś z tych nieprzebranych punktów monstrualnej sieci wzajemnych związków i zależności przedstawia ją, nierozerwalnie wplecioną w całość. Jak samotna mucha w sieci.

– Muszę koniecznie o tym napisać – stwierdza zdecydowanie.

– Wielu już to zrobiło. Lepiej nakręć fajne wideo! – radzi jej Frances. – Chociaż… filmików na ten temat też już nie brakuje.

Cyn powstrzymuje się od komentarza. Ta młoda kobieta mówi już jak Anthony. Zwracając się do wszystkich, pyta:

– Wy także używacie tych programów doradczych?

– Ja tak, jasne – potwierdza Jeff.

– My też – odzywają się Frances i Kimberley.

– Żeby podnieść swoje parametry?

– Oczywiście, między innymi – mówi Jeff. – Bo ManRank daje też świetne rozeznanie. W końcu człowiek uzyskuje ogólny obraz, jak funkcjonuje nasze społeczeństwo.

– Czyli mam pierwszy temat do mojego cyklu – stwierdza Cyn z ciężkim westchnieniem.

– Wodospady? – pyta zniecierpliwiony Jon. – Co to ma być?

Na monitorze technika wszystko płynie. Mozaika kilkudziesięciu małych kadrów wideo ukazuje zbliżenia różnych ujęć wody, piany i światła.

„Zanurz się w relaksie" – głosi u góry napis kursywą.

Technik klika w jeden z kadrów i powiększa go, wypełniając nim cały ekran. Niebieskozielone strumienie spadają pionowo w dół, otoczone chmurą delikatnej białej wodnej mgiełki.

– Jak dotąd to jedyna ekstrawagancja – odzywa się Marten. – Strona główna, która pozwala wpatrywać się w zdjęcia albo nagrania na żywo wodospadów i medytować.

– A co to ma wspólnego z Zero?

Jon nie lubi, gdy inni trwonią jego czas. Albo są o krok przed nim. I nie są precyzyjni.

– Koledzy z NSA między innymi sprawdzili adresy e-mailowe i IP, za których pośrednictwem zostały zarejestrowane konto na YouTube i strona akcji w Dniu Prezydentów. Oprócz tego dodatkowo weryfikują najrozmaitsze odmiany nazwy i wszystkie miejsca w sieci, w których pojawiają się te adresy, i ewentualne warianty, z kim są wymieniane i tak dalej – wyjaśnia Marten bez pośpiechu. – Oba adresy są jednorazowe, a adresy IP zostały zlokalizowane w anonimowej sieci TOR. Kiedy Zero rejestrował konto na YouTube w dwa tysiące dziesiątym roku, użytkownicy TOR-u czuli się jeszcze bardzo bezpieczni. Podczas tej samej sesji, kiedy zakładał konto na YouTube, używając innego adresu e-mailowego, zarejestrował się na całkiem normalnej stronie informacyjnej, żeby brać udział w dyskusjach na forum. Ten sam adres zaczął pojawiać się nieco później na forach ezoterycznych, zawsze z podobnymi wpisami, na przykład: „Niedawno natknąłem się na stronę *fall-in-meditation*. Co o niej sądzicie? Czy to działa?".

Podczas gdy Marten kontynuuje wyjaśnianie, technik na drugim ekranie ściąga komunikat.

– To jest klasyczna promocja online, zwykły marketing wirusowy. Nie byłoby w tym nic niezwykłego, gdyby nie to, że oprogramowania natychmiast podniosły alarm, ponieważ – technik wyświetla pod komunikatem drugi, podobny – wodospady reklamował również inny adres: Mucitponap89@sedjak.com. Jak nietrudno zauważyć, jest to zlatynizowana forma innego adresu e-mailowego, tylko pisana od tyłu. Nie pytajcie mnie, w jaki sposób, ale nasi chłopcy z NSA doszli do wniosku, że należy ona do rodziny adresów, która została wprowadzona przez tego samego użytkownika albo tych samych użytkowników co adres panopticon, z którego zarejestrowano główną stronę Dniu Prezydentów.

– Czyli Zero w wolnym czasie reklamuje strony ezoteryczne. No i co z tego? To pasuje do niego! Więcej nic nie mamy? – pyta Jon, unosząc brwi.

– Zawsze to jakiś początek – odpowiada Marten. – Sprawdzamy właśnie wszystkich odwiedzających tę stronę. Chociaż są ich setki tysięcy. Może ona służy Zero jako miejsce spotkań. Albo niektórzy członkowie Zero właśnie tam się poznali.

– A skąd wiadomo, że ich jest więcej?

– Takiej akcji jak w Dniu Prezydentów nie byłaby w stanie odpalić jedna osoba. To niemożliwe. Poza tym według kolegów z NSA niektóre symptomy zachowania badanych rodzin e-mailowych wskazują na wielu użytkowników.

Jon przygląda się w zamyśleniu wodospadowi wypełniającemu cały ekran. Chociaż na rozedrganym obrazie nie ma ani jednego nieruchomego piksela, już po kilku sekundach Jon czuje, jak się odpręża.

– Zastanawiające jest też to – wyjaśnia dalej Marten – że większość odwiedzających tę stronę nie jest anonimowa. Tylko niewielki procent korzysta z anonimizowanych adresów IP i nie da się wytropić albo można to zrobić z dużym trudem.

„Czy ta strona wywierająca usypiające działanie jest swego rodzaju tajną bronią psychologiczną?" – zadaje sobie pytanie Jon, z trudem odrywając się od migoczących obrazów.

– Kto zarządza tą stroną?

– Kolejna ciekawostka – mówi Marten. – Ona też została zarejestrowana anonimowo.

– Też bym tak zrobił, gdybym puszczał w świat takie dziadostwo – rzuca Jon, po czym nagle zbiera się do wyjścia. – Dajcie mi znać, jeśli rzeczywiście na coś wpadniecie.

Droga do redakcji, a potem z redakcji do domu przez wiele lat była dla Cyn cudowną okazją do wyłączenia się i zanurzenia we własnych myślach. Od pojawienia się jednak telefonów komórkowych, internetu i smartfonów coraz częściej wykorzystywała ten czas na komunikację i zdobywanie informacji. Również teraz, ledwie wsiadła do metra, sięga po nowe okulary, które dał jej Anthony. Przez moment się waha, lecz w końcu zakłada je na nos. To dziwne, że nie ma przeciw nim tak wielu zastrzeżeń tylko dlatego, że to nie jest ten sam egzemplarz, którego używał Adam.

Dzisiaj nie zamierza szpiegować pasażerów. Szukanie materiałów za pomocą okularów jest po prostu znacznie wygodniejsze niż na smartfonie. Wchodzi na stronę ManRanku. Otwiera często zadawane pytania i odpowiedzi na nie. Zaczyna czytać. Potrzebuje informacji do swojego artykułu. Potem wraca na stronę główną i wpisuje nazwisko Vi. Ku jej zaskoczeniu córka jest dosyć wysoko w rankingu, na pozycji między 575 946 335 a 493 551 091. Cyn znajduje także niektóre z przyjaciółek Vi: Sally, Brendę, Bettany. I dawną koleżankę Ashley. Na swoim profilowym zdjęciu wciąż jeszcze jest gotką, którą tak długo była też Vi. Cyn czuje przez chwilę irytację, choć nie do końca wie dlaczego. Szuka dalej. Natrafia na kilkoro własnych znajomych. Najwyższą wartość ma znajomy posiadający jakąś specjalistyczną firmę techniczną – jest na miejscu 8 500 000. Najgorzej wypada jedna z koleżanek, oscylująca gdzieś w rejonach 2,3 miliarda. Anthony! Jasne, że musi go sprawdzić. Plasuje się całkiem nieźle, na poziomie plus minus 15 milionów. A Chander Argawal nawet w okolicy 4 milionów! Jeff jest trochę wyżej niż Cyn, podobnie jak młode koleżanki: Kimberley i Frances.

Tak więc wszyscy młodzi ludzie korzystają z porad tych programów. Czy żeby móc o tym napisać, powinna sama to wypróbować? Cyn czuje przemożne obrzydzenie. Niechęć starzejącej się kobiety wobec nowego? Starzy Grecy przeciw młodym, jak wyraziła to Vi? Nie chciałaby stać się taka!

Z ociąganiem wchodzi na stronę Freemee, korzystając z zaproszenia Vi.

Uruchamia się wideo, przy akompaniamencie miłej muzyki pokazuje się tekst powitalny.

„Witaj, Cynthio, miło, że nas odwiedziłaś! Odkryj Freemee i przekonaj się, jak łatwo możesz uczynić swe życie przyjemniejszym!".

Cięcie i widok budzika pokazującego godzinę szóstą rano. Kobieta w wieku Cyn wstaje rześko z łóżka i przeciąga się z uśmiechem na twarzy. Tekst powitalny:

„Czy chcesz, aby twój dzień był lepszy?

Chcesz obudzić się wyspana? Wypróbuj naszą aplikację Słodkich snów".

Szczupła młoda kobieta miesza chrupiącą świeżą sałatę, Cyn zaś zadaje sobie pytanie, dlaczego te potrawy zawsze tak pysznie wyglądają, a ona mimo to nie ma na nie apetytu.

„Chcesz jeść zdrowo i jednocześnie smacznie? Zajrzyj do aplikacji Jedz dobrze, a naprawdę się zdziwisz!".

Następnie kobieta ukazana jest podczas joggingu. W tak dobrym humorze jak ona Cyn nigdy nie jest, gdy biega. Jeśli w ogóle to robi. Byłoby miło, gdyby ktoś kiedyś jej powiedział, jak się do tego zmotywować.

„Chcesz być sprawna i wysportowana? Nasze aplikacje fitnessowe podpowiedzą ci mnóstwo pomysłów! I zdradzą też właściwą technikę, aby ćwiczenia i sport wreszcie sprawiały ci przyjemność!".

Jakby autorzy filmiku czytali w jej myślach!

„Oczekujesz powodzenia w pracy? Dobrze trafiłaś! Nasza aplikacja Kariera na pewno ci pomoże!".

Kobieta energicznym krokiem idzie z salonu obuwniczego, niosąc w obu rękach pełne torby.

„A może przydałby się jakiś dodatkowy dochód? Sprawdź, w jaki sposób możesz swoje dane osobowe zamienić na pieniądze. Oczywiście nie musisz! W końcu one są twoje i tylko twoje!".

Dobra, dobra, wystarczy! Ci spece od marketingu doskonale wiedzą, jak owinąć sobie człowieka wokół palca.

Jeszcze raz ogląda filmiki reklamowe i wyjaśniające, czyta teksty dotyczące aplikacji.

Mimo krytycznego podejścia musi przyznać, że pogodni, zadowoleni ludzie, których ogląda, nie mają nic wspólnego z prezenterami z telewizyjnych kanałów sprzedażowych, ponieważ wydają się autentyczni. Na YouTube Cyn znajduje kolejne pozytywne wizualizacje. Czy to możliwe, żeby taka firma jak Freemee to wszystko jedynie symulowała?

Cyn przyznaje, że najgorszą rzeczą byłoby to, gdyby te aplikacje działały tak, jak obiecywano. Wtedy musiałaby wyzbyć się swojego sceptycyzmu! Poza tym, jeśli ma być szczera, wizja sukcesów w pracy i szczęśliwej miłości jest nęcąca. Dotychczasowe strategie nie zapewniły jej ani jednego, ani drugiego.

Miotana wątpliwościami klika w końcu w okienko logowania. Jej oczom ukazuje się strona zgłoszeniowa.

Imię, nazwisko… Wszystko już wypełnione!

Czy naprawdę powinna? Dobrze wie, czego się obawia. Że jak już raz w to wejdzie, to nie wycofa się z własnej woli, powodowana wygodą albo nawet przekonaniem. Tłumaczy się sama przed sobą: robi to wyłącznie ze względów zawodowych. Jeśli nic to jej nie da albo będzie miała zastrzeżenia, w każdej chwili może zrezygnować.

Rejestracja przebiega szybko i zaskakująco łatwo. Wszystkie niezbędne fakty są Freemee już znane, Cyn musi jedynie wyrazić zgodę na ogólne warunki umowy i rejestracji.

Ponownie się waha. Warunki umowy jak zawsze składają się z długiej litanii punktów drobnym druczkiem. Ale nawet gdyby je przeczytała, i tak nie zrozumiałaby nic z tej prawniczej chińszczyzny i nie byłaby ani trochę mądrzejsza. A gdyby nawet zrozumiała i miała zastrzeżenia – nie musi korzystać z usługi, jeżeli się na nią nie zgadza.

No więc o co chodzi?

– Okej – szepcze.

„Witaj w świecie całkowicie nowych możliwości, Cynthio! Możesz teraz uzupełnić informacje na swoim koncie. Dane pochodzące z ogólnie dostępnych źródeł już wstawiliśmy. Nie zdziw się tylko, że jest ich tak dużo!".

A jednak Cyn nie kryje zaskoczenia, gdy widzi, ile Freemee już o niej wie. Adres zamieszkania, adresy e-mailowe (prywatny i służbowy), numery telefonów, w tym także komórki – wszystko się zgadza. Okej, tego ostatecznie można było się spodziewać. Sklepy i supermarkety, w których robi regularnie zakupy albo była tylko raz. Środki komunikacji – kiedy i jak często z nich korzysta. Zachowanie w sieci. Im głębiej wchodzi, tym bardziej jest przerażona, że tyle informacji o niej jest w powszechnym obiegu. Wszystkie artykuły, jakie kiedykolwiek napisała, nawet te opublikowane tylko w wersji papierowej. Ocena wiarygodności kredytowej. Jej obecne miejsce pobytu. Nowoczesne oprogramowania analityczne, wyjaśnia krótki tekst, rozpoznają właścicielkę, właściciela telefonu komórkowego po sposobie chodzenia. Na jego podstawie są w stanie opracować relatywnie wyczerpujący profil osobowości. Cyn przebiega go wzrokiem. Większość punktów w miarę się zgadza. Ale nie wszystkie.

„Chcielibyśmy poznać cię jeszcze lepiej, Cynthio – głosi dalej tekst. – Dlatego prosimy cię o udzielenie odpowiedzi na poniższe pytania. Jest ich ponad trzysta. Oczywiście nie musisz na nie odpowiadać. Albo wybierz tylko te, które ci się podobają".

Cyn zna to z portali randkowych.

„Pragniemy być wobec ciebie szczerzy, Cynthio. Te ankiety służą głównie temu, aby skonfrontować twoje wyobrażenie o sobie z twoim zachowaniem – w jakich sytuacjach i sferach życia właściwie oceniasz własne postępowanie, a w jakich fałszywie (nie wiedząc o tym)".

„A czy ja tak naprawdę chcę wiedzieć, kiedy sama siebie oszukuję?" – zastanawia się Cyn.

Łatwiej wypełnia jej się ankietę w swoim smartfonie z ekranem dotykowym niż za pomocą okularów. Jak zwykle zaczyna od pytań wielokrotnego wyboru i stawia krzyżyki w odpowiednich kratkach. Zauważa, że na niektóre pytania odpowiada inaczej niż zazwyczaj. „Co najchętniej robisz wieczorem po powrocie do domu z pracy? Pracujesz dalej. Uprawiasz sport. Oglądasz telewizję. Przygotowujesz kolację...". Myśli, co rzeczywiście lubi i czym rzeczywiście się zajmuje. Czy już zmienia swój obraz? Czy Freemee już przystąpił do manipulacji jej osobowości? W duchu robi sobie notatki do swojego artykułu.

Okulary przypominają jej o przesiadce. Cyn przerywa więc wypełnianie formularza i wysiada z metra.

– Witamy, pani Bonsant – szepcze pod nosem Carl, jadąc windą na czterdzieste ósme piętro.

A więc jednak potwierdziło się, że ciekawość jest jej charakterystyczną cechą. Dobrze, że Carl będzie teraz mógł nad nią popracować i ją obrobić. W przypadku jej córki widać jednoznacznie, że to zadziałało. Mała Bonsant została wybrana podobnie jak wszystkie inne osoby testowe przez eksperymentalne oprogramowanie opracowane przez Carla. Ale przecież trudno sobie wyobrazić, aby miał własnoręcznie selekcjonować te wszystkie miliony. Osobiście zajmuje się tylko szczególnie drażliwymi przypadkami. Na przykład Cynthią Bonsant. Już on ją okiełzna, najmocniej jak potrafi. Tyle że będzie musiał być ostrożny, ponieważ Bonsant pozostanie sceptyczna. Dotykając lekko zausznika i mrugając powiekami, otwiera jej nowo założone konto i zanurza się w rzędach kodów, w których czuje się jak w domu.

Dojechawszy na miejsce, wychodzi z windy i kończy swoją pracę we foyer, a dopiero potem rusza dalej. Na tym piętrze mieści się serce administracji imperium Henry'ego. Gustowny, ale nie pretensjonalny wystrój przypomina nowoczesną wersję pewnego szacownego europejskiego prywatnego banku, pozbawiony jest jednak nowobogackiego przepychu jego amerykańskiego odpowiednika. W sekretariacie Henry'ego siedzi od trzydziestu pięciu lat ta sama dama. Carl rzadko tu bywa. Co prawda wizyty u inwestorów nie są dla kogoś takiego jak on czymś niezwykłym, ponieważ jednak oficjalnie Henry ma jedynie nieznaczny udział we Freemee, obaj maksymalnie ograniczają swoje spotkania w tym miejscu.

Jeśli wziąć pod uwagę majątek Henry'ego, jego biuro jest stosunkowo skromne. Na Carlu zawsze jednak robi wrażenie oszałamiający widok na Midtown i Central Park. Henry jest jak zwykle nienagannie ubrany i uczesany. Odkłada na bok papiery, które studiował przed wejściem gościa.

Papiery! Jak w dwudziestym wieku! Carl wciąż nie może się nadziwić, jak to możliwe, że swego czasu Henry od razu rozpoznał potencjał Freemee.

Henry zaprasza go do kącika ze skórzanymi fotelami. Na szklanym stoliku stoi karafka z wodą i dwie szklanki. Carl zwraca uwagę na podkładki z motywem myśliwskim. Coś mu w nich przeszkadza.

– Eksperyment zbliża się do końca – oznajmia Henry bez żadnych wstępów. – Następny krok oznacza pewne ryzyko, zwłaszcza w fazie początkowej, gdy już zakomunikujesz nowości swoim kolegom z zarządu. Wprawdzie twoje programy monitorują ich i sterują nimi na razie bardzo skutecznie, nie chciałbym jednak narażać się na żadne ryzyko. Freemee to niezwykle potężny, ale mało elastyczny instrument. I w przypadku tych, którzy są świadomi własnej siły, może okazać się nieskuteczny. W pewnych sytuacjach należy reagować szybko i w sposób zindywidualizowany. Poza tym dobrze będzie, jeśli w końcu uwolnisz się od tej operacyjnej dłubaniny. Dlatego pozwoliłem sobie zorganizować ci wsparcie. Jak wiesz, w skład mojej grupy wchodzi globalna firma do spraw ochrony. Jej szef i wtajemniczony zespół wiedzą wyłącznie to, co powinni, żeby móc wykonać swoją robotę. Nic ponadto.

Na niewidzialny znak otwierają się drzwi i do środka wchodzi długi jak tyczka sześćdziesięciolatek o atletycznej budowie
Iron Mana, krótko ostrzyżony jak były żołnierz.

– Pozwól, że ci przedstawię Joaquima Prousta. Joaquimie,
to jest Carl Montik, mózg Freemee.

Uśmiech Prousta miał być prawdopodobnie ujmujący, przypuszcza Carl, gdy obaj ściskają sobie dłonie.

– Mój pomysł polega na tym, że zespół Joaquima przejmie
specjalne zadania dotyczące bezpieczeństwa Freemee, którym
oficjalnie nie będzie mógł ani nie powinien sprostać wasz wdro-
żony i sprawdzony system zabezpieczeń. Chodzi o takie rzeczy
jak staranna obserwacja niektórych krytyków, ale także, przynajmniej w najbliższym czasie, wzmożone skupienie uwagi na
twoich kolegach z zarządu, dopóki nie nabierzemy do końca
pewności co do ich lojalności w nowych okolicznościach. To
wszystko możesz przekazać mu od zaraz. Joaquim będzie otrzy-
mywał od programów te same powiadomienia alarmowe co ty
i ja i będzie mógł podejmować odpowiednie działania. Chciałbym cię prosić, abyś począwszy od tej chwili, dezaktywował
swoje powiadomienia w sprawie kodów od 703 do 708, tak byś
mógł skupić się całkowicie na swoich właściwych zadaniach.

– Z wielką przyjemnością – mówi Carl. Wreszcie wydajniej
wykorzysta swój czas. Musi jednak zadać jeszcze jedno pytanie: – A co zrobimy, jeśli nie będziemy pewni ich lojalności?
Jeśli dziennikarze będą chcieli opublikować szkodliwe materiały? Na przykład ta Angielka?

– O Cynthię Bonsant chyba właśnie się pan osobiście zatrosz-
czył, jak zdążyłem zauważyć. – Miękki głos Prousta zaskakująco
kontrastuje z jego wyglądem. – Miejmy nadzieję, że to poskutkuje.
Zasadniczo pracujemy podobnie jak Freemee: staramy się zapo-
biegać i działać konstruktywnie. W gruncie rzeczy chodzi o to,

by w porę rozpoznać niebezpieczne sytuacje. Jeden przykład: pańscy koledzy są intensywnymi użytkownikami Freemee. Oprogramowanie wie zatem niemal zawsze, gdzie oni przebywają i z kim. Potrafi także z dużym prawdopodobieństwem przewidzieć ich postępowanie. My natomiast chcemy zagwarantować maksymalne bezpieczeństwo. Nietypowe zachowanie, jak odłożenie na dłużej terminali dotykowych, Freemee zawsze melduje. W tym czasie kontrolę przejmują inne autonomiczne systemy, na przykład od niedawna dość szczelna, przynajmniej w niektórych rejonach świata, sieć prywatnych kamer monitoringu i nowoczesnego rozpoznawania twarzy, lokalizacja GPS pojazdów, dronów i innych. A jeśli nawet te rozwiązania nie zadziałają, wszędzie są nasi ludzie. Jeżeli jeden z członków zarządu będzie spotykać się z osobami, co do których zachodzi podejrzenie, że mogą zdradzić tajemnicę, bądź wejdziemy w posiadanie jednoznacznych nagrań, wtedy możemy interweniować. Przy użyciu prostych środków, takich jak doraźne odwrócenie uwagi, irytacja i inne. W konsekwencji da nam to możliwość odbycia z kolegą lub koleżanką ponownej rozmowy w cztery oczy.

Carl jest ubawiony tym, jak Proust stara się za wszelką cenę totalną inwigilację i kontrolę opakować w retoryczną watę.

– Podobnie postępujemy z osobami zbyt ciekawskimi – kontynuuje spec od bezpieczeństwa. – Henry opowiedział mi też o ostatnich zajściach w Londynie. To też przejmujemy.

Carl domyśla się, o kim on mówi. O Edwardzie Brickle'u, małym geniuszu IT.

– Nie jestem tym zachwycony – dodaje po chwili. – Rozumiem jednak konieczność.

Henry i Proust wymieniają spojrzenia.

– Podejmujemy te środki tylko na tak długo, na ile jest to niezbędne – dopowiada Henry.

W tej chwili do Carla dociera, co mu nie odpowiadało w podkładkach na stole. Dwoma oszczędnymi ruchami rąk poprawia je tak, aby leżały równolegle do kantów kwadratowego blatu. Następnie wstaje i żegna się lekkim skinieniem głowy w kierunku Henry'ego i Joaquima.

Po przesiadce do drugiej linii metra Cyn odpowiada dalej na pytania Freemee, choć wiele z nich omija. Może je przecież uzupełnić później. Gdy kończy, okulary znowu przypominają jej o kolejnej przesiadce. Kiedy przechodzi podziemnym tunelem na inny peron, Freemee dziękuje jej. Doszedłszy na miejsce, czyta:

„A teraz: popraw swoje parametry! Dzięki naszej praktycznej aplikacji Datenabo możesz otrzymać dane osobowe, które do tej pory tylko inni zbierali na twój temat. Dane te są całkowicie zabezpieczone i należą wyłącznie do ciebie, dopóki nie wyrazisz zgody na ich przetwarzanie".

Pojawia się lista wszystkich wchodzących w rachubę firm. Już bez zaskoczenia Cyn przyjmuje do wiadomości, że Freemee zna jej bank, karty stałego klienta, konta w serwisach społecznościowych, operatora komórkowego i dostawcę internetu, urządzenia przenośne. Nad listą widnieje wytłuszczony tekst:

Abyś wiedziała, co firmy wiedzą o tobie!
I jeszcze więcej!

Obok nazwy każdej firmy i każdej usługi mrugające okienka z napisami „OK" lub „Info" zapraszają Cyn do kliknięcia w nie.
Cyn się ociąga.
„Abyś wiedziała, co firmy wiedzą o tobie! I jeszcze więcej!".
Cyn wsiada do metra. Jeszcze raz czyta listę. Niech będzie, przy danych wygenerowanych przez jej konto na Faccbooku

ma mniej obaw. Nie może ich być raczej wiele, ponieważ rzadko na nie wchodzi.

OK.

Podobnie z rozmaitymi danymi z telefonu komórkowego. I z kart stałego klienta. Przecież to są jej dane. Dlaczego mają je posiadać tylko inni.

OK. OK. OK…

Bank. Hm. Tych może jednak nie.

„Twoja zdolność kredytowa jest poniżej przeciętnej" – taki tekst rozbłyskuje przed jej oczami, jakby Freemee znowu czytał w jej myślach. „Optymalizacja zarządzania twoimi pieniędzmi może ją znacznie poprawić. Nasze aplikacje Money Manager pomogą ci w tym. Nie wymaga to od ciebie publikacji twoich danych".

Creepiness effect. Czy nie tak nazwał to Jeff?

Nie wiadomo jednak dlaczego, Cyn nie wydaje się to teraz tak bardzo przerażające. Niczemu się już nie dziwi.

Okulary zapowiadają stację, na której powinna wysiąść. Palec wskazujący wisi nad wyświetlaczem, w końcu opada w odpowiednim miejscu.

OK.

„Dziękujemy, Cynthio. Bezzwłocznie zajmiemy się ściągnięciem twoich danych. Od niektórych instytucji otrzymasz w najbliższych godzinach formularze. Wypełniając je, możesz natychmiast zażądać swoich danych osobowych i poświadczyć to własnoręcznym podpisem. Po odesłaniu podpisanych formularzy twoje dane zostaną załadowane na twoim koncie Freemee".

Cyn nie może uwierzyć w to, co zrobiła. Pokonując na piechotę ostatni odcinek drogi do domu, wkłada smartfon do kieszeni. Słońce już zniknęło, na ulicę kładzie się cień. Ciepły wiatr muska jej twarz i włosy. Co za niesamowity dzień!

Idąc do domu, z myślą o artykule po kolei odtwarza w pamięci wydarzenia i je porządkuje.

Ledwie przekracza próg i zdejmuje buty, okulary zwracają jej uwagę: „Twoja procedura rejestracyjna we Freemee nie została jeszcze zakończona. Czy chcesz ją kontynuować, Cynthio?".

Cynthia pada na kanapę.

Okej.

Skoro muszę.

Freemee chce wiedzieć, czy nosi urządzenia do pomiaru parametrów fizycznych. Cyn przychodzi na myśl smartzegarek, który przed południem wcisnął jej Anthony. Ma go w torebce.

Nie, dziękuję. Na razie woli zrezygnować z takich cudów. Przy obecnym stanie Freemee ocenia jej maksymalny uzysk na dwieście dwadzieścia frees lub na sto trzydzieści dwa funty miesięcznie!

„Zwiększ własne korzyści! Jeśli włączysz swoje parametry fizyczne, podniesie to aktualną miesięczną wartość twojego konta do trzystu trzydziestu frees/stu dziewięćdziesięciu ośmiu funtów".

Prawie siedemdziesiąt funtów więcej za samo noszenie zegarka? Kusząca propozycja. Cyn przypomina się radosna kobieta z filmiku wychodząca ze sklepu z nowymi butami. „Nie daj się nabrać na ich triki! – przywołuje samą siebie do porządku. – Przecież chcesz tylko zrobić reportaż. Tak czy nie? W razie czego możesz później spróbować". Odmawia, choć nie przychodzi jej to wcale łatwo, co odnotowuje w głowie znowu z myślą o artykule.

Ale Freemee ma jeszcze więcej w zanadrzu. Następna oferta to mierniki domowe. Wystarczy umocować je na lodówce, ekspresie do kawy, w łóżku, na fiolkach z lekarstwami, aby przypominały ci o wzięciu tabletek albo upominały, że dzisiaj wypiłaś już cztery kawy. Nie są za darmo, ale kosztują niewiele. Poza tym można je nabyć za frees. Jasne. Również wypróbowanie tego rozwiązania Cyn odkłada na później. Bardzo ciekawa natomiast jest – co musi przyznać – opcja kryształowej kuli: spojrzenia we własną przyszłość. Oczywiście nie wierzy w coś takiego. Co najwyżej tak jak w horoskopy: dobrą przepowiednię chętnie przyjmie. Złej nie potraktuje poważnie. Z całą pewnością.

Gdy najeżdża kursorem na kulę, pojawia się tekst:

„Halo, Cyn! Korzystasz z bezpłatnej wersji naszej kryształowej kuli, która nie udostępnia wszystkich jej możliwości. Czy chcesz skorzystać z pełnej wersji?

Pełna wersja: 7 frees/4 funty miesięcznie".

„Oczywiście, jakżeby inaczej" – myśli Cyn trochę otrzeźwiona. Na razie zadowoli się wersją gratisową. Choć rzecz jasna wie, że również ta w istocie nie jest darmowa.

Po pierwszym kliknięciu wyskakuje wesoły ludzik i ostrzega ją tekstem w chmurce: „Twój profil jest jeszcze bardzo niepełny, Cynthio. Dokładność analizy wynosi sześćdziesiąt siedem procent".

„No i dobrze – myśli Cyn. – Tym łatwiej będzie mi zbyć te wyniki jako bzdurę, jeśli nie będą pasować do reszty".

Klika w kulę, która zaczyna wirować, a potem rozpryskuje się i rozpada na mnóstwo narysowanych w komiksowym stylu Cynthii. Każda ma na sobie T-shirt w innym kolorze ze specjalnym napisem: „Zdrowie", „Kariera", „Miłość", „Majątek", „Hobby"… – jak w horoskopie!

„Propozycja: zawsze miałaś ochotę nauczyć się grać na saksofonie. Zacznij jeszcze dzisiaj, z FreeSax to nic trudnego" – pisze Cyn-Hobby w dymku. Poniżej pulsuje złocisty saksofon.

„O tym moim pragnieniu wiedzą tylko nieliczne z przyjaciółek" – myśli zaskoczona. Widocznie inni też.

Ale przecież na hobby i tak nie ma czasu. „Dowiedzmy się więc, co kula ma do powiedzenia na temat miłości". Cyn klika w Cynthię w czerwonym T-shircie. Tuż obok niej ukazuje się przejrzysta męska postać, niczym duch. W dymku marionetka Cynthia komunikuje jej: „Twoja szansa na miłość w najbliższych dwunastu miesiącach wynosi trzynaście procent".

Superwiadomość! Może lepiej od razu iść do klasztoru! Obie liczby są kolorowe. A poniżej świeci różowy tekst: „Popraw swoje szanse za pomocą odpowiednich aplikacji! Wybierz jedną spośród Love-ActApps!".

Cyn widzi szereg symboli różnych aplikacji miłosnych, rzekomo najlepiej dostosowanych do jej potrzeb. Niektóre są darmowe, za inne musiałaby wybulić do dwudziestu funtów. Co miesiąc! Możliwa też opłata za pomocą danych Freemee. Najkorzystniejsza cenowo spośród pierwszej dziesiątki kosztuje dziesięć frees albo siedem funtów miesięcznie.

„Wow!".

Ale wszystkie mają trzydziestodniową wersję testową.

Istnieje możliwość uporządkowania tej listy także według ceny. Kiedy Cyn chce kliknąć w odpowiednie menu, wyskakuje małe okienko: „UWAGA! Aplikacje zostały uszeregowane specjalnie dla ciebie, Cynthio! Rekomendujemy skorzystanie z nich w podanej kolejności. Informacja: Być może brakuje ci typowych na takich stronach opinii klientów. Freemee poleca każdemu klientowi indywidualną listę aplikacji. Coś, co jest dobre dla jednego, nie musi być dobre dla ciebie, Cynthio. Z tego powodu oceny aplikacji przez klientów nie mają sensu".

Cyn zastanawia się przez chwilę, po czym klika w „przerwij". Jej głowa jest pełna wrażeń, które najpierw musi przetrawić. Zdejmuje okulary.

Eddie siedzi blady w swoim pokoju przed laptopem. Jest zlany potem. Jak to było w tym filmie? To, że masz paranoję, nie znaczy jeszcze, że nie mają cię na celowniku? Co prawda nikt go nie ściga, ale jeżeli liczby jego skromnego programu do wyszukiwania danych widoczne na monitorze są prawdziwe, mogłyby wpędzić go w paranoję.

Czy popełnił po drodze jakiś błąd? W interpretacji? W skrypcie? To są dopiero pierwsze rezultaty. W którym miejscu mógłby ewentualnie się pomylić? Czy da się inaczej odczytać te liczby? Musi istnieć jakieś rozsądne wytłumaczenie różnic. Statystyka to przecież podstawa działalności Freemee i pewnie oni sami już dawno by na to wpadli.

Eddie kolejny raz zawiesił swoje aplikacje, żeby nie przeszkadzały mu nieustannymi upomnieniami. Nie znaczy to wcale, że jest mu łatwiej, ponieważ raz po raz uświadamia sobie, że przez niekorzystanie z nich jego parametry spadną, co nie jest dobre, a myśl o tym wywołuje w nim niepokój i go dekoncentruje.

A jeżeli jednak nie popełnił żadnego błędu? Jeżeli podejrzenie jest uzasadnione? Wówczas konsekwencje byłyby…

Eddie opada na krzesło, w głowie ma kłębowisko myśli. Po chwili wstaje, wygląda przez okno, na krzewy widoczne w zmroku, patrzy na granatowe wieczorne niebo nad Londynem.

Dopóki nie będzie miał jasności…

Z ociąganiem spogląda na smartwatch na przegubie ręki, bawi się zamkiem. Otwiera. Kładzie zegarek na parapecie, nakrywa go dłonią.

Następnie wraca do laptopa; czuje się rozdarty. Wchodzi na swoje konto Freemee. Zawiesza abonament zbierania danych.

W okienku dialogowym pojawia się pytanie, czy na pewno tego chce.

OK.

„Nie zapomnij, Eddie, aby wkrótce z powrotem aktywować swój abonament – upomina go Freemee. – Czy zechciałbyś nas krótko poinformować, dlaczego zdecydowałeś się go zawiesić?".

Nie jestem zadowolony z porad ActApps.
Mimo korzystania z Freemee nie osiągnąłem swoich celów.
Mam wątpliwości związane z ochroną danych osobowych.
Z innych powodów.

Eddie nie odpowiada na pytanie.
Na razie jeszcze nie wycofa się definitywnie. Musi to zweryfikować. Jeśli się okaże, że się pomylił, odnowi abonament. Ale dopóki nie będzie pewny… W pierwszej kolejności musi sprawdzić skrypt. Linijka po linijce. Gdzie może się kryć błąd w rozumowaniu? A może chodzi po prostu o zwykłą pomyłkę w kodach? Otwiera plik i zaczyna czytać.

– Chłopcze, chłopcze – szepcze Joaquim pięć tysięcy kilometrów na zachód od niego, mając okulary na nosie. – Stąpasz po cienkim lodzie. Po bardzo cienkim lodzie.

– Moim zdaniem to dobrze, że zarejestrowałaś się we Freemee. – Vi wita się z matką i stawia dwie torby z zakupami na stole. – Gadka Zero o nieodpowiedzialnych rodzicach aż tak bardzo cię dotknęła?
    – Tak – śmieje się Cyn. – Do tego stopnia, że będę o tym pisać.
    – O rany!
    – Zarejestrowałam się wyłącznie po to, żeby zrobić solidny research.
    – Tak, jasne. – Vi uśmiecha się drwiąco. – Nawiasem mówiąc, widziałam wasze wideo promocyjne. Jest takie sobie.

– To nie mój pomysł. Tak czy inaczej na szczęście ta historia zapewnia mi jeszcze pracę.

Wspólnie przygotowują kolację. Vi nakupowała samych zdrowych rzeczy.

– Słyszałaś może o czymś takim jak ManRank? – pyta Cyn od niechcenia, rozkładając sałatę na talerzach.

– Pewnie – odpowiada Vi i siada za stołem.

– Twoja dawna przyjaciółka Ashley ma podobne parametry do ciebie. Mimo że ciągle jeszcze jest gotką. Nie wydaje ci się to dziwne?

Vi wzrusza ramionami.

– Jesteś zła, że posłuchałam aplikacji, a nie ciebie?

– Nie, dlaczego? Jestem tylko ciekawa, jak są opracowywane rekomendacje, które mają poprawić twoje wartości.

– Nie mam pojęcia. To wylicza oprogramowanie. Obejrzyj sobie filmiki Freemee: tam wszystko jest dokładnie wyjaśnione. Pewnie to się odbywa podobnie jak optymalizacja w Google, kiedy czegoś szukam, albo katalogowanie osi czasu na Facebooku.

– Cudowne przykłady, już wszystko wiem… A kto ci gwarantuje, że Google porządkuje ci poszukiwania rzeczywiście według twoich indywidualnych preferencji, a nie według swoich własnych?

Vi patrzy na nią, nie bardzo rozumiejąc. Nabija na widelec kawałek pomidora.

– No Google, wiadomo. A kto inny?

– No właśnie. Kto inny?

– Błagam, mamo! Czy ty masz jakąś paranoję? Ta dyskusja jest już dawno nieaktualna! O co wam wszystkim chodzi? Czy stało się coś złego? – pyta Vi. – Czy Google, Facebook albo Freemee wyprały mi mózg? No chyba nie. No to o co biega?

– Najważniejszą oznaką prania mózgu jest to, że delikwent niczego nie zauważa.

– Przepraszam cię bardzo, a ty jak robisz swój research w internecie? Czy przypadkiem nie przez Google?

– Ale Freemee cię zmienił, to musisz przyznać.

– Nie, mamo. To ja się zmieniłam. Freemee tylko mi w tym pomógł. I jest okej. Jestem lepsza w szkole. My obie się dogadujemy. Przynajmniej dopóki nie zaczynasz tych dyskusji. Odżywiam się zdrowiej, mam więcej przyjaciół, fajniejszych niż ci wcześniej. Czuję się o wiele lepiej i bardzo się z tego cieszę. A ty nie? Jaki masz z tym problem?

No właśnie, na czym polega jej problem, zadaje sobie pytanie Cyn.

– Aha – odzywa się znowu Vi. – Po kolacji idę uczyć się do Sally i zostanę u niej na noc.

Rok temu Cyn bardzo by się denerwowała, natomiast dzisiaj przyjmuje taką informację z całkowitym spokojem.

– Okej. Ale wyjaśnij mi jeszcze jedno… jak to było? Zajrzałaś do kryształowej kuli?

– Nie – odpowiada Vi. – Miałam bardzo kiepskie parametry i po prostu zadałam pytanie, jak mogłabym je poprawić. ActApps podsunęły mi różne propozycje i od razu mi wyliczyły, jak to się przełoży na moje wyniki.

Cyn dobrze pamięta dni, kiedy Vi po powrocie ze szkoły bez słowa zaszywała się w swoim pokoju. Oczywiście nie czuła się z tym dobrze, ale nie potrafiła wyciągnąć córki z przepaści.

– A jak wyglądały te propozycje? – chce wiedzieć. – Czy były na tyle przekonujące, że od samego początku miałaś ochotę się do nich dostosować?

– Jedne bardziej, inne mniej. Niektóre w ogóle do mnie nie przemawiały. Ale tak naprawdę to było całkiem proste.

Wiadomo, że dla każdego ucznia najważniejsze są stopnie. Aplikacja wyjaśniła mi, że choćbym nie wiadomo jak była dobra, dopóki będę gotką, większość nauczycieli będzie mi stawiać gorsze oceny niż moim kolegom.

Cyn odkłada widelec.

– Czyli dobre parametry były dla ciebie ważniejsze niż twoja tożsamość?

– Daj spokój! Jaka znowu tożsamość? Wczoraj byłam gotką, a dzisiaj już nie jestem. No i co z tego? Przecież za twoich czasów było tak samo. Przypomnij sobie Madonnę: co roku nowy wizerunek.

Cyn nie może temu zaprzeczyć.

– Zmieniłam fryzurę, prawie całkowicie zrezygnowałam z piercingu, używam innej szminki. I to od razu wyszło na dobre moim parametrom.

– Nauczyciele tak szybko zaczęli stawiać ci lepsze stopnie?

– Nie, parametry oblicza Freemee. Na podstawie moich zdjęć, pomiaru funkcji fizycznych.

– Ale przecież mogłaś ściemnić, na przykład zmienić fryzurę i całą resztę tylko do zdjęcia, które potem wrzuciłaś na swoje konto.

– A potem któraś z moich koleżanek załaduje moje zdjęcie z piercingiem i dredami i z hukiem wylecę z Freemee?

– Nie wydaje ci się to dziwne? Że boisz się, że cię wyrzucą? Przecież to oznacza, że właściwie ty wcale nie chciałaś się tak zachowywać, tylko po prostu czułaś się kontrolowana?

– Daj spokój, mamo! W ogóle nie czuję się kontrolowana. Co najwyżej przez ciebie, ale to też zmieniło się na lepsze. Według mnie widzisz potwory tam, gdzie ich nie ma.

– No to dlaczego Ashley mogła zostać gotką, skoro to tak źle działa na nauczycieli?

Vi wzrusza ramionami.

– Nie mam pojęcia.

Zaczyna sprzątać ze stołu. Nie zjadły dużo.

– Nie rozmawiałaś nigdy o tym z Ashley? Jakie rady ty dostajesz? A jakie ActApps dają jej? Dlaczego są tak różne?

– Nie.

– Ale chyba musiała być zaskoczona twoją zmianą?

– Wtedy nie widywałyśmy się już tak często. Od któregoś momentu w ogóle przestałyśmy się spotykać. Sama wiesz, jak to jest. Ludzie się zmieniają. Przyjaźnie się kończą. Masz coś przeciwko temu, że Freemee popiera różnorodność?

Cyn rozsiadła się wygodnie na kanapie. Vi po kolacji pojechała do Sally. Oczywiście wolałaby spędzić wieczór z córką, jak dawniej. Ale w końcu Vi jest dorosła. A ona też ma jeszcze sporo do roboty.

Jej skrzynka e-mailowa pęka od pytań, komentarzy i niezbyt eleganckich epitetów. Przeczytawszy kilka z nich, usuwa wszystkie wiadomości, których nadawców nie zna. Nie ma ochoty dawać się obrażać obcym ludziom.

Zastanawia się, co dokładnie ma napisać na temat ManRanku, wciąż jednak nie ma właściwego klucza. Zagląda na forum redakcyjne stworzone specjalnie w celu poszukiwania Zero. Tam też trwa burzliwa dyskusja. Cyn dosyć szybko traci orientację. Główny nurt debaty rozpada się na wiele pobocznych wątków, a te z kolei też stają się zaczątkiem nowych. Częściowo są to tematy techniczne, z których Cyn nie rozumie ani słowa. Inne wydają się jej bardziej interesujące, lecz być może tylko dlatego, że jest w stanie prześledzić ich treść. Jeden wciąga ją na dłużej. Chodzi w nim o to, co chce osiągnąć Zero i czy jest to słuszne, czy nie. Cyn czyta opinie, które w większości zgadzają się z krytyką wyrażoną przez Zero. „Jakbym słyszała siebie w dyskusji z Vi" – przemyka jej przez głowę. Jednocześnie zwraca uwagę, że przedkładane argumenty nierzadko rzeczywiście brzmią staroświecko i lękliwie. Jak wtedy, gdy rodzice Cyn ostrzegali ją przed zagrożeniami wynikającymi z oglądania telewizji albo słuchania walkmana. Kanciaste oczy. Ogłupienie. Alienacja. Nic z tego się nie sprawdziło. Mimo to wciąż krytycy wydają się jej bliżsi niż zwolennicy. „Czy ja istotnie chcę poznać inne poglądy, czy tylko szukam potwierdzenia dla własnej nieprzychylnej postawy?".

– Człowiek nie słyszy własnego głosu – stwierdza Jon, zataczając ręką łuk w ciemności, w której rozbrzmiewa szczebiot świerszczy i cykad.

– To dobrze – odpowiada Erben. – Wtedy inni też nic nie rozumieją.

Choć on tutaj nie musi się specjalnie o to martwić. Jego posiadłość nad Potomakiem jest kontrolowana co najmniej raz dziennie przez kilka niezależnych firm ochroniarskich. Nabył tę willę z rozległym parkiem jeszcze przed przeprowadzeniem się do Waszyngtonu, aby dzieci miały bliski kontakt z naturą. Teraz już śpią, podobnie jak dwie córeczki Jona, podczas gdy ich żony w drugim końcu zadaszonej werandy plotkują i śmieją się przy butelce wina. Obie mają narzucone na ramiona kurtki, ponieważ od lasu i łąk ciągnie chłodne nocne powietrze. Na niemającym końca trawniku w świetle księżyca rysują się ciemne kontury stuletniego dębu. Nad ich głowami zaznacza się szeroka wstęga Drogi Mlecznej.

Erben wiedzie palcem po oszronionej szklance z martini.

– Wodospady – bąka pod nosem, kręcąc głową. – Co za nędza. Może powinniśmy obciąć NSA budżet, skoro to wszystko, co są w stanie znaleźć.

Również Jon kręci głową. Następnie unosi swoją szklankę i mówi:

– Jeszcze raz dziękuję za zaproszenie.

– Ty i Samantha jesteście tutaj zawsze mile widzianymi gośćmi – odpowiada Erben.

– Henry Emerald – rzuca Jon.

Erben przenosi spojrzenie na gwiazdy.

– Co z nim?

– Znasz go.

– Jasne, że znam. Emerald należy do dwusetki najbogatszych ludzi w tym kraju, ma ogromne udziały w firmach najrozmaitszych branż, począwszy od energetyki, przez oprogramowania, po bezpieczeństwo, i jest ważnym doradcą prezydenta. A co chodzi?

– Ostatnio wspominałeś, że powinniśmy uzyskać wpływ na Carla Montika. Bo chcesz mieć kontrolę nad Freemee.

– A co Emerald ma z tym wspólnego?

– On ma udziały w tej firmie, cztery procent.

– Wobec tego jego wpływ na Montika może być raczej skromny.

– Oficjalnie – odpowiada Jon i pociąga łyk brandy. – Przyjrzeliśmy się dokładniej strukturze udziałowców. Akcje Freemee są w posiadaniu w sumie ponad czterdziestu różnych inwestorów. Większość z nich to spółki offshore i nie ujawniają swoich struktur własnościowych.

– Na razie nie widzę w tym nic nienormalnego. – Erben wiedzie wzrokiem za spadającą gwiazdą.

– Pogrzebaliśmy trochę głębiej. Swoimi metodami.

– O których raczej nie chciałbym wiele wiedzieć. I na co wpadliście?

– Pięćdziesiąt jeden procent Freemee znajduje się w rękach założycieli albo ich spadkobierców.

– Spadkobierców?

– Jeden z założycieli zginął kilka miesięcy temu w wypadku samochodowym. Zostawił partnerkę życiową, z którą miał dwójkę dzieci.

– A pozostałe czterdzieści dziewięć? Minus cztery procent należące do Emeralda?

– Też należą do niego.

Erben usuwa palcem resztkę wilgoci ze swojej szklanki.

– Czy Emerald nie jest potężnym zleceniobiorcą rządu? Przecież jego firma ochrony i bezpieczeństwa EmerSec dostaje od nas miliardy, tak czy nie?

– Zgadza się. Godny zaufania partner. Od dziesięcioleci.

Erben wypija swojego drinka jednym haustem, a gdy odstawia szklankę na stolik o żelaznych nogach, powietrze przecina głośny brzęk kostek lodu.

Wpół do trzeciej w nocy! Cyn powinna już dawno spać! Jej myśli jednak niemal obsesyjnie krążą wokół wydarzeń ostatniej doby.

Aby trochę się odprężyć, wchodzi na swoje konto w portalu randkowym. Trzy nowe wiadomości, nikt jednak nie jest w jej guście. Wzdycha. Jej najbardziej odpowiadałby Chander, mimo że jest o ładnych parę lat młodszy od niej. A może właśnie dlatego? Taka mała przygoda mogłaby jej dobrze zrobić. Od ostatniej bowiem upłynęło już zbyt wiele czasu.

Zaczyna szukać o nim informacji w sieci. Notatka w Google potwierdza to, co Anthony mówił o jego doświadczeniach zawodowych. Szczegółów na temat życia prywatnego znajduje niewiele. Czy ma przyjaciółkę? Po kolei sprawdza jego profile w portalach społecznościowych. Każdy jednak jest dostępny wyłącznie dla jego przyjaciół. Niczego się nie dowiaduje.

184

A gdyby tak spytała jedną z tych aplikacji Love, które tak wychwalała Vi?

Cyn bierze do ręki okulary i przywołuje listę zaproponowaną jej przez Freemee. Darmowe testowanie przez trzydzieści dni. Pierwsza ActApps z szeregu nie nosi żadnej udziwnionej nazwy typu Lovematch czy Datequeen, tylko nazywa się po prostu Peggy.

Cyn się waha. Co ona wyprawia? Jednak trochę ją kusi, żeby sprawdzić, jak działają te rzekomo „dostosowane indywidualnie" aplikacje.

Upewnia się jeszcze raz, czy za ofertą trzydziestodniowego darmowego testowania nie kryją się jakieś nieprzyjemne finansowe pułapki, po czym aktywuje Peggy.

Wydaje się sobie sama trochę żałosna.

W następnej sekundzie w ciasnym pokoju nagle staje przed nią przejrzysta kobieta w jej wieku w typie atrakcyjnej sprzedawczyni z salonu mody; blondynka, szczupła.

– Witaj, Cynthio – mówi głosem przypominającym mniej więcej głos z systemu nawigacyjnego w samochodzie, rozgląda się naokoło i wskazując na fotel obok kanapy, pyta: – Czy mogę usiąść na sofie, czy na fotelu?

Cyn tkwi oniemiała nie tylko dlatego, że jest zszokowana perfekcyjną animacją, lecz także z tego powodu, że ta zjawa czuje się całkiem swobodnie w jej mieszkaniu. A to oznacza, że okulary nagrywają obrazy i wklejają na żywo lokalizację do programu! Powinna natychmiast wszystko wyłączyć!

– Cieszę się, że mogę cię poznać – kontynuuje Peggy, uśmiechając się do niej.

Trudno, niech się dzieje, co chce.

– Proszę, siadaj! – wydusza wreszcie z siebie Cyn i wskazuje na fotel. Lepiej, żeby ta Peggy nie zbliżała się do niej za bardzo!

Przyłapuje się na tym, że patrzy na projekcję Peggy tak, jakby miała naprzeciw siebie autentycznego człowieka. Włosy. Rysy twarzy. Ciało. Buty.

– W czym ci mogę pomóc, Cynthio?

Cyn musi sobie przypomnieć, że rozmawia z programem. Ale to wydaje jej się mniej kłopotliwe niż wywnętrzanie się ze swoich niemal nastoletnich uczuć kobiecie z krwi i kości.

„Wciąż tylko zbierasz materiały do artykułu" – powtarza sobie. Może warto się przekonać, co ta Peggy ma do powiedzenia.

– Chander Argawal – mówi szybko, żeby się nie rozmyślić. – Podoba mi się. Czy można z tym coś zrobić?

– Ten Chander? – pyta Peggy i wyświetla przed Cyn obraz młodego Hindusa.

– Tak.

– Interesujący mężczyzna. Atrakcyjny – stwierdza Peggy. – Nie dziwię się, Cynthio, że ci się podoba.

To wszystko wydaje się Cyn niesamowite. Tak czy inaczej iluzję rozmowy z żywym człowiekiem zakłóca mechaniczny głos. Spróbuj się trochę rozluźnić, rozkazuje sobie. Potraktuj to jak zabawę.

– Moje rady będą oczywiście tym trafniejsze, im więcej będę o tobie wiedziała – kontynuuje Peggy. – W przypadku relacji międzyludzkich istotną rolę odgrywają czynniki fizyczne. Aby precyzyjniej je określić, przydatny byłby któryś z mierników dotykowych. Chciałabyś z któregoś skorzystać?

Po czym prezentuje jej listę, którą Cyn widziała już przy rejestracji. Odkrywa na niej inteligentny zegarek, który wciąż przecież leży w jej torebce. Po chwili wahania wstaje z kanapy, idzie po omacku do przedpokoju, gdzie na niedużej komodzie stoi torebka, i przynosi zegarek. Jest z jakiegoś tworzywa sztucznego i ma niewielki wyświetlacz. Kajdanki elektroniczne, myśli Cyn. Ale jednocześnie ciekawość pcha ją do tego, żeby to wypróbować. Co tak naprawdę może się stać? W przeciwieństwie do prawdziwych kajdanków smartwatch może zdjąć w każdej chwili. Zresztą teraz to już nie ma znaczenia. Bo skoro się zdecydowała na tę zabawę, to do końca! Przecież to tylko żart. Poza tym potrzebuje więcej informacji. Więc musi brnąć dalej. Po drodze do pokoju wkłada zegarek na rękę.

Okulary pytają ją, czy to urządzenie ma rejestrować dane i gromadzić je na koncie we Freemee. Gdy Cyn potakuje, informacje o jej aktualnym pulsie, ruchach, krokach, oporze skóry i innych wartościach, o których istnieniu Cyn nawet nie wie, są transportowane na jej indywidualne konto.

„To jest po prostu niewiarygodne!".

„Łączna wartość twoich danych właśnie wzrosła o dwadzieścia jeden procent" – komunikuje wyświetlacz zegarka.

– Wspaniale! – cieszy się Peggy. – Jak szybko! Daj mi, proszę, kilka sekund… Okej – oznajmia rzeczywiście po upływie zaledwie paru sekund. – Co mogę ci powiedzieć o Chanderze i tobie? Ten przystojniak jest o dwanaście lat młodszy od ciebie.

„Jestem tego świadoma" – myśli Cyn. Ale co ta mechaniczna Peggy może wiedzieć o mistycznym przyciąganiu się dwojga ludzi?

– W każdym razie ty uważasz wasz ewentualny romans za znacznie bardziej interesujący niż druga strona.

Aby Cyn mogła szybko i jednoznacznie zrozumieć ten mało krzepiący, chociaż spodziewany komunikat, projektanci Peggy sprowadzili Cyn i Chandera do małych figurek, które nie są – dosłownie – sobie bliskie. Chander bowiem w niebieskiej poświacie miga na lewym marginesie jej pola widzenia, Cyn natomiast pulsuje ciepłym różem po prawej.

– Predylekcja Chandera w tym kierunku wynosi zaledwie dwadzieścia procent – mówi Peggy, wskazując na niebieskiego ludzika. – Ale zawsze to coś...

No właśnie. Zawsze to coś!

– Czy chcesz dowiedzieć się czegoś o związanych z tym statystykach? – pyta Peggy. – Czy też wolisz od razu poznać rozwiązania?

To dopiero jest prawdziwa przyjaciółka! Cyn nie może powstrzymać drwiącego uśmieszku. Żadnego wyklinania na mężczyzn w ogóle ani tym bardziej w szczególe. Tylko zakasuje rękawy i proponuje rozwiązania.

Mimo wszystko miałaby ochotę trochę przetestować tę Peggy. W końcu nic za to nie płaci.

– Podaj mi podsumowanie powodów – poleca. – Tylko krótko.

– Powody czy przyczyny takiego stanowiska nie są mi znane – poucza ją Peggy. – Ja zajmuję się statystykami. Moje wnioski opierają się wyłącznie na porównaniu licznych danych osobowych innych ludzi. Nie wiem, d l a c z e g o dane relacje są takie, jakie są, wiem jedynie, ż e takie są.

– Wobec tego podsumuj mi swoje w n i o s k i – mówi Cyn.

– Przy potencjalnych parach takich jak wasza różnica wieku jest jedną z najmniejszych przeszkód. Większy problem stanowią ogromne różnice waszego tła społecznego.

Figurki Cyn i Chandera jeszcze bardziej się oddalają, a Cyn zadaje sobie pytanie, co w tym przypadku może oznaczać „tło społeczne". Peggy mogłaby popracować trochę nad precyzją swoich sformułowań.

– Niezbyt dobrze wygląda też wspólna baza kulturowa w podobnych zestawieniach par.

Baza kulturowa. Kolejne ciekawe pojęcie. Nie mówiąc już o „zestawieniu par". Czy Peggy robi to specjalnie?

– Tak czy inaczej on uważa inteligentne kobiety za pociągające.

– Dziękuję za komplement.

– Trudno może być z niektórymi biologicznymi parametrami – stwierdza Peggy – które mogą spowodować, że on nie będzie mógł dosłownie znieść twojego zapachu. Ale to przynajmniej częściowo da się zmienić.

Cyn nie wierzy własnym uszom. Albo kościom czaszki, które przenoszą głos Peggy.

– Jego wszystkie dotychczasowe przyjaciółki były w zupełnie innym typie niż ty. Wysokie, szczupłe i kobiece blondynki.

Cyn czuje w sobie ukłucie babskiej zazdrości. „Ale jednak są «byłe»" – dodaje sobie otuchy w myślach. Wniosek Peggy, jakoby ten mężczyzna nie nadawał się dla niej, prowokuje ją. Sposób, w jaki dzisiaj Chander spojrzał na nią w salce konferencyjnej, mówił zupełnie co innego. „Udowodnię ci jeszcze, że się mylisz! Przecież ty jesteś tylko oprogramowaniem! Co ty możesz wiedzieć o uczuciach!".

– Co wobec tego radzisz? – pyta.

– Jedz mniej mięsa albo w ogóle z niego zrezygnuj, za to spożywaj więcej warzyw.

To pewnie ma wpłynąć na zmianę parametrów biologicznych, domyśla się Cyn. Hasło: zapach. Może to nie takie głupie. Nie takie głupie? Czy kompletnie porąbane?

Peggy ma w zanadrzu jeszcze kolejne równie błyskotliwe rady. Cyn słucha cierpliwie. Powinna zostać wegetarianką, wyłamywać sobie kości na ćwiczeniach jogi, chodzić na koncerty muzyki poważnej i wypróbowywać odgrywanie określonych ról przy komputerze. Poza tym zaleca jeszcze używanie mydeł i perfum o określonych bukietach. Jeśli Cyn dostosuje się do tych rekomendacji, być może prawdopodobieństwo romansu z Chanderem wzrośnie z dwudziestu do pięćdziesięciu jeden procent.

Peggy chętnie powiedziałaby też coś jeszcze o stylu ubierania się Cyn, ma jednak do dyspozycji zbyt mało danych – wirtualna blondyna skarży się niemal urażona.

– Gdybyś zrobiła sobie filmik przed lustrem, miałabym się na czym oprzeć – proponuje.

– Nic z tego!

– Rozumiem. Wobec tego tak też sobie poradzimy. Nawiasem mówiąc, ta blizna, którą ukrywasz, nie przeszkadza Chanderowi.

Przez ułamek sekundy Cyn stają przed oczami strzępy obrazów z wypadku. Języki ognia. Ból. Tygodnie spędzone w szpitalu. Strach i wściekłość, że została tak oszpecona.

Cyn nie zdradziła tego Freemee. Skąd Peggy o tym wie? Saksofon był nieszkodliwym drobiazgiem. Ale wypadek i blizny! *Creepiness effect*. Naprawdę! Cyn ma ochotę to przerwać. Wyłączyć wszystkie bez wyjątku urządzenia, wszystkie kamery monitoringu i cokolwiek, co węszy w jej prywatnych sprawach. Wie jednak, że to niemożliwe. Może zdjąć smartwatch. Wyrejestrować się z Freemee. I co potem? Ze swojej całkowicie prześwietlonej codzienności nie zdoła przecież uciec. Może tylko dalej prowadzić tę grę… i w decydującym momencie być mądrzejsza.

ArchieT:
My i próżność!

LotsofZs:
Czujesz się dotknięty? ☺

ArchieT:
Widzieliście tego naczelnego? Przy całej skromności – ja już mu pokażę, co to jest próżność!

Czwartek

Gdy następnego ranka Cyn wchodzi do newsroomu, natychmiast zatrzymują ją Jeff i Frances.

– Mamy pierwsze wyniki od naszych czytelniczek i czytelników – mówi Jeff podekscytowany.

Wszyscy razem idą do salki konferencyjnej, którą Anthony przeznaczył na miejsce pracy Chandera i centrum sterowania akcją poszukiwania Zero.

– Dzień dobry – Chander wita Cyn promiennym uśmiechem, jakby byli tylko we dwoje.

Chander, któremu nie przeszkadzałaby jej blizna. Gary'emu przeszkadzała.

Podczas jazdy metrem Cyn używała okularów i wciąż jeszcze ma je na nosie. Wypowiadając szeptem krótkie polecenie, aktywuje Peggy, podczas gdy Chander pyta ją, jak się miewa. Jasnowłosa mentorka pozostaje niewidoczna, jedynie mechaniczny głos dzięki przewodnictwu kostnemu wlewa jej do ucha wskazówkę za wskazówką. Postawa, mimika, gesty. Cyn chyba przypisała Peggy zbyt dużą rolę i teraz nie jest w stanie skupić się na Chanderze. Przypuszcza, że tak właśnie musi czuć się schizofrenik.

– Dzięki… wszystko w porządku… – bąka. – Przepraszam, zaraz wrócę.

Dosyć tego. W toalecie przestawia Peggy, tak by dawała jej tylko takie rady, które gwarantują co najmniej osiemdziesięcioprocentową skuteczność.

Gdy wchodzi znowu do salki, zastaje Chandera, Jeffa i Frances skupionych przed jednym z monitorów.

– O, jesteś już – zauważa ją Chander.

Znowu ten uśmiech!

– Jestem. A co oglądacie?

Peggy odzywa się już tylko od czasu do czasu, a jej rady płynnie włączają się w potok myśli. Cyn może teraz bez kłopotu skupić się na rozmowie z Chanderem, tyle że on jest już całkowicie pochłonięty pracą.

– Czytelniczki i czytelnicy zidentyfikowali program, którego Zero używa w swoich filmikach do animacji – oznajmia Chander. – To 3D Whizz. Tu jest wpis od checkmax98, w którym podane są przykłady mające potwierdzić to przypuszczenie.

Jeff otwiera na monitorze post, pod nim znajduje się wiele komentarzy.

– W dyskusji, jaka się wywiązała, coraz więcej osób przychyla się do tej tezy, przytaczane są też kolejne dowody.

– Czy ten program jest popularny? – pyta Cyn.

– Używają go miliony na całym świecie – odpowiada Chander.

– No, to przynajmniej kilka miliardów mamy wykluczonych – drwi Cyn.

„Nie żartuj sobie z pracy Chandera!" – upomina ją Peggy. „Wow, ona potrafi wychwycić nawet takie niuanse semantyczne!" – myśli Cyn z uznaniem. Musi jej jednak przyznać rację: swoim sarkazmem niejednego już spłoszyła.

– Ale ty pewnie i tak jesteś w stanie wyciągnąć z tego jakieś konkluzje, prawda? – zwraca się bezpośrednio do Chandera.

„Co za wazelina" – myśli o sobie z niechęcią, podczas gdy on natychmiast udziela jej odpowiedzi:

– Owszem, ale tylko w połączeniu z językiem używanym przez Zero. Jest on tak perfekcyjny, że nie może być wyłącznie cyfrowego pochodzenia. Najpierw ktoś musi mówić te teksty na żywo, a dopiero potem są poddawane elektronicznej obróbce i przepuszczane przez filtry. A to oznacza, że osoba czy osoby mówiące władają doskonałym angielskim.

– Czy nasi czytelnicy są w stanie dojść także do tego, kto to jest?

– Zobaczymy – mówi Chander. – Nie można wykluczyć, że lista zarejestrowanych użytkowników 3D Whizz już krąży gdzieś po internecie, bo ktoś na przykład wykradł ją z zasobów firmy.

– Na razie nic takiego się nie pojawiło – oznajmia Jeff. – Czyli chyba sami musimy zacząć szukać. Do roboty!

W ciągu najbliższych godzin Cyn pracuje nad swoim artykułem o ManRanku, sprawdza reakcje po pierwszej prezentacji wideo cztery miesiące temu i to, jak zmieniły się od tamtego czasu. Podczas gdy na początku tradycyjni krytycy głośno protestowali i wieszczyli definitywny upadek kultury, sam program szybko znalazł wśród swoich użytkowników wielu obrońców. Cyn domyśla się, że w ich odczuciu wprowadza on porządek w chaotyczny i nieprzejrzysty świat. Mimo to niektóre kwestie pozostają dla niej wciąż niejasne. Stwierdza, że to świetna okazja do rozmowy z Chanderem. Konsultuje się z Peggy.

„Chander również prywatnie bardzo chętnie mówi o internecie i postępie technologicznym – oznajmia mentorka. To akurat nie wydaje się Cyn szczególnie frapujące. – Inne sfery jego zainteresowań to w ostatnim czasie kreatywne gotowanie i sport, w szczególności indyjska sztuka walki kalaripayattu".

„Dobrze wiedzieć" – myśli Cyn. Chociaż dawniej urok rozmowy z przedstawicielem płci przeciwnej nie polegał na tym, aby uprzednio wyszukiwać takie rzeczy.

Chander siedzi w salce konferencyjnej. Patrzy trochę zdezorientowany w swoje okulary i jednocześnie pisze coś na tablecie.

– Masz chwilkę? – pyta Cyn.

Z obezwładniającym uśmiechem zaprasza ją, aby usiadła obok.

– Co tam?

– Nie daje mi spokoju jedna uwaga z filmiku Zero. Skąd mogę mieć pewność, że wyniki Google i spółki rzeczywiście pokazują to, czego szukam, a nie to, co administrator danej wyszukiwarki chce mi pokazać? Skąd mogę wiedzieć, że rekomendacje ActApps faktycznie służą mojemu dobru? A nie są korzystne dla programującego te aplikacje?

– Odpowiedź jest bardzo prosta. Nigdy nie możesz mieć pewności, dopóki nie poznasz leżących u podstaw tych sugestii algorytmów.

Cyn kiwa głową. Tak właśnie myślała.

– Pod adresem wyszukiwarek wciąż kierowane są zarzuty, że manipulują wynikami – kontynuuje Chander. – Google groził już miliard euro kary. Chodzi raczej o to, gdzie ta manipulacja się zaczyna.

Cyn spogląda na niego bezradnie, próbując go w ten sposób zachęcić, aby wyrażał się jaśniej.

– U źródeł każdego software'u leżą zasadnicze założenia dotyczące funkcjonowania świata reprezentowane przez programistów. Te założenia znajdują potem swój wyraz w oprogramowaniu. Czy na przykład są oni zwolennikami kooperacyjnej, czy niekooperacyjnej teorii gier. Oznacza to, że w ostateczności program odzwierciedla światopogląd jego autorów. Jeżeli zlecisz napisanie go ludziom o innych zapatrywaniach, będzie to już inny program, w którym wyszukiwarka wyrzuci inne wyniki, różniące się być może tylko niuansami. Czy to jest już manipulacja?

W odpowiedzi Cyn jedynie unosi brwi.

– Poza tym wyszukiwarki dokonują indywidualizacji – kontynuuje Chander swój wykład. – Jeśli ty i ja wpiszemy w oknie wyszukiwania Zero albo jakiekolwiek inne hasło, oboje otrzymamy całkiem inne wyniki. Czy to jest manipulacja? Według jakich kryteriów przebiega ta indywidualizacja? Administratorzy wyszukiwarek wpływają jednak na wyniki wyszukiwania także świadomie. Choćby w przypadku pornografii czy podburzania mas do buntu. Albo gdy świadczą usługi w krajach rządzonych przez dyktaturę czy w dalekowschodnich monarchiach. Tam usuwają z indeksu wszelkie linki do obraźliwych dla potentatów czy monarchów stron, ponieważ są one prawnie zakazane. To tylko kilka przykładów. Mówiąc krótko, nie istnieje coś takiego jak neutralne wyniki wyszukiwania. To samo dotyczy większości wyników i rekomendacji w internecie. Dlatego nie mówimy o swobodzie informacji, ale o filtrowaniu informacji. Tu też trudno o neutralność. A dlaczego? Bo internet nie jest przecież nowym światem, tylko kolejnym elementem składowym naszego dotychczasowego. Tak więc również w nim, tak samo jak gdzie indziej, kombinuje się i oszukuje, zataja, demaskuje i obnaża, manipuluje i snuje intrygi, czci i wyszydza, nienawidzi i kocha. – Wzrusza ramionami. – Tyle tylko że znacznie szybciej i w większej skali niż dotychczas. Korzystanie z usług oferowanych w internecie można przyrównać do sytuacji, gdy znalazłszy się w obcym mieście, prosimy taksówkarza, żeby zawiózł nas do dobrego hotelu. Gdy będziemy mieli szczęście, rzeczywiście to zrobi. Przy mniejszej dozie szczęścia zawiezie nas do takiego, który on uważa za dobry, tyle tylko że jego wyobrażenie „dobrego hotelu" jest zupełnie inne niż nasze. Najczęściej jednak zdarza się tak, że lądujemy w hotelu jego kuzyna. – Chander uśmiecha się szeroko. – Ale do czego zmierzałaś?

Peggy podpowiada, żeby Cyn podchwyciła jego dowcip, ona jednak jest zbyt głęboko zatopiona w swoich myślach, by w tym momencie flirtować.

– Czyli przez filtrowanie informacji wszystkie te firmy wpływają na nasze myślenie i na nasze działanie – stwierdza.

Chander robi kwaśną minę.

– Jesteś dziennikarką, nieufność to w twoim wypadku choroba zawodowa.

– Utrata zaufania to nie jest żadna choroba zawodowa, tylko nasza nowa kultura – odpowiada Cyn w zadumie.

– Witamy w krainie paranoi! – mówi Chander ze śmiechem.

– Moje słowa!

– Oczywiście, że te firmy mają wpływ na nasze poglądy i nasze działanie, czy tego chcą, czy nie. I to jest chyba decydujący punkt. Czy one świadomie odgrywają taką rolę? A jeżeli tak, to w jakim stopniu tego chcą? Następne pytanie zaś brzmi: czy użytkownicy są poinformowani o tym, w jakim kierunku powinien zmierzać ten wpływ?

– Ale…

– Co to znowu jest? – przerywa jej Chander, wskazując na niewielkie pole w prawym górnym rogu ekranu.

„Nowe wideo!" – pulsuje napis. A pod spodem widoczna jest sekwencja obrazów w okienku wielkości paznokcia.

– To wygląda na…

– Zero – wykrzykują chórem oboje.

W tej samej chwili do salki wpada Anthony, a tuż za nim Jeff.

– Zero wrzucił nowe wideo!

– Właśnie zauważyliśmy – odpowiada Chander. – I to bezpośrednio na nasz serwer!

– Możesz ustalić skąd? – pyta Anthony eksperta IT.

– Już to robię.

Jego palce śmigają nad klawiaturą tabletu.

Jeff powiększył już obraz na cały ekran. Cyn nieruchomieje.

Z filmiku szczerzy do niej zęby ona sama! I oznajmia:

– A więc jeszcze ktoś mnie szuka. – Po chwili jej twarz i głos zmieniają się w twarz i głos Anthony'ego. – Niespecjalnie się tym przejmuję. Radziłbym szanownym państwu złożyć wizytę zupełnie innym ludziom: na przykład Takishy Washington. Takisha mieszka w Filadelfii. Jest matką dwójki dzieci i pracowała w filii regionalnej sieci supermarketów Barner's. – Zero pod postacią otyłego faceta w hawajskiej koszuli spaceruje przed wspomnianym sklepem tam i z powrotem. – Niestety, ostatnie lata nie były dobre dla Barner's. Kilka tygodni temu musiano posłać na zieloną trawkę, jak się to ładnie nazywa, sporą grupę ludzi. Niemal dwadzieścia procent załogi zadawało sobie pytanie: czy to będę ja?

Anthony niecierpliwie przestępuje z nogi na nogę obok Chandera.

– No i co? Doszedłeś już do czegoś?

– Nie tak szybko.

Cyn skupia się znowu na filmiku, żeby znaleźć jakieś punkty zaczepienia.

– Barner's ma wewnętrzny system oceny pracowników uwzględniający różne kryteria. O dziwo, okazało się, że spełnia je prawie dziewięćdziesiąt procent załogi.

Podobnie jak poprzednio Zero porusza się na tle rzeczywistej scenerii. Lecz kiedy opowiada, widać go rzadziej. Cyn odnosi wrażenie, że to wideo jakby różni się od wcześniejszych. Ujęcia przypominają reportaż telewizyjny, gdzie pokazywane obrazy komentowane są przez głos lektora spoza kadru. Formularze, wnętrze supermarketu pełne klientów, archiwalne rozmowy z pracownikami... Przygotowanie go było prawdopodobnie równie pracochłonne jak robienie animacji i fotomontaży stosowanych dotąd przez Zero, mimo to cały filmik wydaje się mniej efekciarski.

– Namierzyłem jeden serwer – bąka Chander, nie odrywając wzroku od tabletu. – W Niemczech. To na pewno tylko stacja pośrednia.

Cyn skupia się na Afroamerykance o bujnych kształtach widocznej teraz na ekranie. Stoi w sukience w kwiatki przed koszem na śmieci. Napis na dole informuje, że to Takisha Washington.

– Pracowałam przez siedem lat w supermarkecie, nad którym znajduje się też główna administracja całej sieci Barner's – wyjaśnia rozwlekłym amerykańskim slangiem.

– Kto zrobił ten wywiad? – pyta Anthony, po czym zleca Jeffowi i Frances, aby jak najszybciej namierzyli Takishę Washington.

– Kończyłam już swoją zmianę – opowiada dalej kobieta – i chciałam wyrzucić coś do śmieci. I wtedy znalazłam tę listę. – Pokazuje do kamery plik pomiętych kartek. – No wie pan, ktoś z kadr wyrzucił wydruk do kosza, zamiast zniszczyć w niszczarce. Po prostu bezmyślność.

– Serwer w Brazylii – rzuca Chander. – Zero zaciera swoje ślady. Albo zostawia fałszywe.

– Przyglądam się jej i widzę na niej swoje nazwisko. To dziwna lista. Niech pan sam popatrzy. – Washington wskazuje na tabelę z nazwiskami i kilkoma kolumnami cyfr.

– Mam ją! – woła Jeff.

Anthony natychmiast staje za nim, wpatruje się w ekran.

– Takisha Washington. Zobacz, ta sama twarz, to ona. I dane kontaktowe.

Anthony już wybiera numer na swoim smartfonie. Cyn nie może skupić się na filmiku, ale teraz chyba wszystko potoczy się szybko.

– Wiedziałam, że grożą nam zwolnienia, więc pomyślałam, że ta lista może mieć coś z tym wspólnego, i dlatego na wszelki wypadek wzięłam ją ze sobą do domu.

Wideo znowu przyjmuje styl reportażu. Ten, kto je kręcił, mógłby dać namiary na Zero. Trzeba koniecznie porozmawiać z Takishą Washington.

– Kilka dni po zwolnieniu dostałam pismo z banku, w którym mam kartę kredytową. – Ciemne palce z polakierowanymi na czerwono paznokciami wyciągają list z koperty. – Obcięli mi kredyt do zera, a większość zadłużenia miałam im spłacić natychmiast. Hello! Właśnie straciłam pracę! To jak mam spłacić długi? Ale nic z tego, moja zdolność kredytowa w wyniku zwolnienia spadła i jeśli nie chcę, żeby w ogóle zablokowali mi kartę, muszę zapłacić. Mam dwójkę dzieci w szkole, których ojcowie nie dają mi ani centa, czynsz do uregulowania. Co miałam robić? Sprzedałam samochód. Świetnie! – Takisha stoi obok wgniecionych drzwi auta. Banknoty przechodzą z męskiej dłoni do jej ręki. – Następny zgłosił się właściciel mieszkania. Bał się, że nie będę mogła za nie płacić. I miał rację. Przyjmowałam każdą pracę, jaką udawało mi się dostać. Wiele ich nie było, bo bez samochodu nie wszędzie mogłam dojechać. Moja karta kredytowa została już dawno zablokowana, a bank groził mi sądem.

– Nie wierzę! – szepcze Chander obok Cyn, lecz nie ma bynajmniej na myśli historii Takishy.

Jego palce jeszcze szybciej śmigają nad ekranem dotykowym.

Cyn jest ciekawa, na co wpadł, ktoś jednak musi śledzić opowieść kobiety.

– Po dwóch miesiącach właściciel wymówił mi mieszkanie. Zostałam z dwójką dzieci bez dachu nad głową. – Takisha stoi na ulicy jakiegoś zaniedbanego amerykańskiego przedmieścia. – Bez pracy, bez kredytu, bez samochodu, bez mieszkania. Znalazłam schronienie u znajomych. Ale tylko na dwa tygodnie. Przy pakowaniu wpadła mi znowu w ręce tamta lista. Zupełnie o niej zapomniałam. Chciałam ją już wyrzucić, w końcu jednak pojechałam autobusem do mojej dawnej firmy i pokazałam listę jednej z urzędniczek w kadrach. Najpierw zrobiła się kompletnie czerwona, a potem spytała, skąd ją mam. Później powiedziała, że to nie jest żaden ważny dokument, ale stanowi własność firmy, dlatego powinnam im go oddać. Rzecz jasna, tego nie zrobiłam, tylko wzięłam sobie prawnika. On od razu wiedział, co to jest. Kolumny z cyframi to były noty z różnych systemów oceny, które stosuje Barner's. Barner's Human Resources, wewnętrzny system oceny firmy dla pracodawców, i podporządkowany mu Barner's Social dotyczący aspektów socjalnych. Na końcu był ManRank. Prawnik wyjaśnił mi, że to jest jakiś taki nowomodny system oceny w internecie. Nie znałam tego. Powiedział mi, że mam szansę z nimi wygrać. Nie dlatego, że korzystali z tego ManRanka, tylko dlatego, że mnie o tym nie poinformowali. I może będą musieli znowu przyjąć mnie do pracy. Przez nich, cholera, wszystko straciłam! Czy oni w ogóle mają pojęcie, jak to jest, kiedy człowiek wyląduje na ulicy?! A trafiłam na nią przez jakąś pieprzoną listę! Wyobraża pan sobie?! Przyznaję, słyszałam, że ludzie przez kretyńskie posty na Facebooku tracili posady albo nie dostawali kredytu czy pracy, bo w Google jeszcze po piętnastu latach można znaleźć stare ogłoszenia o przymusowej licytacji swojego domu. Niech to szlag, na co to w dzisiejszych czasach człowiek powinien uważać?

– No właśnie, na co? – powtarza Zero, przybierając postać zasmuconego klauna. – Utrata pracy z powodu ManRanku, ogólnie dostępnej agencji ratingowej ludzi stworzonej przez Freemee. To pierwszy znany nam taki przypadek. Kończymy naszą relację prawie na żywo z Filadelfii. Żegna się Zero. – Niczym dyrygent macha ręką do taktu. – Powiedzmy to wszyscy razem: uważam, że ośmiornice karmiące się danymi osobowymi powinny zostać zniszczone.

– Fuck! – przeklina Carl. Jego głos niemal przechodzi w falset, gdy kontynuuje swoją tyradę. – Ten materiał znajdzie się we wszystkich wiadomościach jak kraj długi i szeroki! Pieprzona Miss Washington będzie włóczyć się po wszystkich talk-show bez wyjątku i opowiadać w czasie najlepszej oglądalności swoją frapującą historię! W każdym portalu społecznościowym, a nawet u nas są już pierwsze strony poparcia! To jest koszmarna katastrofa!

Will pozwala mu się wykrzyczeć. Kiedy Carl wpada w taki stan, nie sposób do niego dotrzeć.

– Mylisz się – odpowiada Alice jak zwykle niewzruszona. – Poszukiwania Zero jeszcze się na dobre nie zaczęły, a on już przypomina o nas światu.

– Jako o pierwszej agencji ratingowej ludzi!

– Jako o pierwszej ogólnie dostępnej…

– Jakby to stanowiło jakąkolwiek różnicę.

– Bo stanowi – stwierdza Alice, przywołując na monitor jakiś wykres. – Na tym wykresie możesz obserwować na żywo, jak gwałtownie wzrosła liczba użytkowników rejestrujących się u nas podczas relacji. Nie mówiąc już o zainteresowaniu klientów firmowych. – Śmieje się głośno. – Nasze biuro obsługi tonie we wnioskach o rejestrację. Krytyka zwróci się głównie przeciwko Barner's, ponieważ nie poinformowali swoich pracowników.

Carl drżącymi palcami przesuwa nieduży wazonik na kwiaty, długopisy i smartfon po blacie stołu, tak aby wszystkie przedmioty tworzyły perfekcyjny szereg.

– Prawdopodobnie masz rację – przyznaje. – Ale Zero wykorzystuje tę agencję ratingową jako chwytliwe hasło, które na dłuższą metę może nam zaszkodzić.

– Ogólnie dostępne...

– Niech ci będzie...

Poprawia jeden z długopisów, który według Willa już od dawna leży idealnie równolegle do pozostałych.

– Wciąż nie rozumiesz, że Zero znowu wyświadcza nam gigantyczną przysługę. Bo możemy pozostać przy naszej wersji. Freemee nie kryje tego, co inni zatajają. Jest transparentny.

– I dlatego ludzie są wywalani z pracy.

– Za to odpowiada Barner's, nie Freemee – odpowiada Alice.

– Chyba sama nie słyszysz, jak to brzmi: „To nie my. To inni są winni!".

Poprawia jeszcze jeden długopis.

Will miałby ochotę wszystko mu od nowa przemieszać.

– Drodzy państwo, mamy hit! I cieszmy się z tego! Ta historia to prawdziwy strzał w dziesiątkę! Teraz dziennikarze niemal z całego świata będą chcieli wiedzieć, kto tkwi za Zero, i też zaczną go szukać. Nasza koncepcja zaskoczyła.

Okulary Willa sygnalizują nadejście wiadomości. Przebiega ją wzrokiem, słuchając równocześnie jednym uchem odpowiedzi Carla. Ale już w następnej chwili jego słowa w ogóle go nie interesują.

– „Daily" za chwilę nada rozmowę na żywo z Takishą Washington.

– Tylko nie to – jęczy Carl.

Will wchodzi na główną stronę brytyjskiej gazety i przełącza ją na monitor na ścianie.

– Dziękuję, pani Washington, że zgodziła się pani z nami porozmawiać – zaczyna Anthony, kierując ku niej uśmiech, który uważa za ujmujący.

Jeszcze nie ma ich na wizji.

Od pojawienia się filmiku Zero upłynęła niecała godzina. Takisha Washington jest już ubrana w inną sukienkę. Też w kwiatki. Zajęła miejsce przed swoją kamerą i zadbała o dobre oświetlenie.

– Na wideo zmienimy kadr – mówi cicho Anthony. Nerwowo spogląda na ekran przed sobą. – Ponad milion widzów – szepcze. – Fantastycznie!

W pośpiechu zaaranżowali w newsroomie prowizoryczne studio do przekazu na żywo. Razem z Anthonym siedzą Cyn i Chander, natomiast Jeff, Frances oraz Charly stoją nieco dalej w pogotowiu. Każde z nich ma na nosie okulary. Na trójkę przy stole skierowanych jest pięć kamer ustawionych w różnych miejscach. W głębi widać newsroom z redaktorami przy długich stołach. Ogromna ściana wypełniona monitorami stanowi bezpośrednie tło.

– Dasz radę coś wytropić? – pyta Anthony Chandera.

Ten kiwa głową z nieobecnym wzrokiem, wciąż pochylony nad tabletem.

– Może.

Cyn popija łyk wody. Jest zdenerwowana. Dosłownie wszędzie będą mogły ją zobaczyć tysiące obcych ludzi – na monitorach komputerów, w komórkach i okularach.

– Okej – odzywa się Anthony. – Za chwilę wchodzimy na żywo. Prawie na żywo. Czas buforowania mamy ustawiony na dziewięćdziesiąt sekund. Na wypadek, gdyby pojawiły się problemy z transmisją albo gdyby któreś z nas się zaplątało czy wydarzyłoby się cokolwiek, co wymagałoby naszej reakcji. Czyli nie musimy się denerwować.

„Jasne, że ani trochę nie będę się denerwować, wiedząc, że patrzy na mnie milion ludzi, a ja nie mam pojęcia, o czym powinnam mówić" – przemyka Cyn przez głowę.

Będzie widziała Takishę Washington bezpośrednio w swoich okularach. Anthony chce, aby rozmowa była prowadzona przez dwóch moderatorów, tak jak to zwykle się odbywa w programach informacyjnych. Czyli podobnie jak zrobili to w swoim wideo promocyjnym.

– Wszyscy gotowi? – pyta Anthony.

Zgodne kiwnięcie głowami.

Naczelny daje znak. I zaczyna się:

– Pani Washington, witam panią ze studia „Daily", z którego nadajemy na żywo. Dziękuję, że zechciała nam pani poświęcić swój czas. Proszę opowiedzieć, jak doszło do pani kontaktu z Zero.

– Któregoś dnia zadzwonił do mnie jakiś gość i powiedział, że chce zrobić ze mną wywiad – odpowiada Takisha Washington lekko ochrypłym głosem. – Miałam opowiedzieć mu moją historię. Mówił, że przedstawi ją na swoim blogu i na jakimś kanale wideo.

– A skąd on wiedział, co panią spotkało? – pyta Cyn.

– Napisałam o tym na Facebooku. Ale aż do tamtego telefonu nikt na to nie zareagował.

Cyn stwierdza, że zadawanie pytań przychodzi jej łatwiej, niż się spodziewała. Przestaje się denerwować, jest w stu procentach skoncentrowana na swojej rozmówczyni.

– I potem spotkała się pani z nim. To był mężczyzna, tak?

– Tak, mężczyzna.

– Jak się nazywał?

– Przedstawił się jako Don Endress.

– Czy sprawdziła go pani przed spotkaniem? Na przykład zajrzała na jego blog, na którym zamierzał umieścić pani historię?

– No pewnie. Ten blog istniał naprawdę. I robił całkiem porządne wrażenie.

– Czyli przyjechał do pani, żeby zrobić z panią wywiad.

– Tak.

– Jak on wyglądał?

Takisha Washington wyciąga w stronę kamery smartfon. Cyn dostrzega na displeju zdjęcie mężczyzny.

– Tak.

– Wspaniale! Ma pani jego zdjęcie! Czy mogłaby pani pokazać je dokładniej?

Takisha przysuwa telefon jeszcze bliżej kamery.

Chander już zapisał screen i teraz jak oszalały szuka informacji za pomocą funkcji rozpoznawania twarzy.

Mają dziewięćdziesiąt sekund przewagi w porównaniu z resztą świata.

Identyfikacja

– Cudownie. Czyli to ten mężczyzna rozmawiał z panią?

– Tak.

– I o co spytał najpierw?

Kosak, Alvin
Cincinnati, USA
Urodzony: 12.10.1964
Wzrost: 1,81 m

Reszty danych Cyn już nie dostrzega, ponieważ Anthony szepcze do niej:

– Rozmawiaj dalej sama!

On i Jeff spoglądają na siebie porozumiewawczo, po czym obaj po cichu wydają swoim okularom krótkie polecenie. Anthony gestykuluje gorączkowo. Jeff i Frances również próbują skontaktować się z Alvinem.

– Na samym początku spytał, jak się czuję po całej tej historii – odpowiada Takisha.

– A jak się pani czuła? Z pewnością to nie było dla pani łatwe...

– Czułam się podle, wiadomo! Oszukana.

Cyn słyszy obok siebie nerwowy szept Anthony'ego:

– Alvin Kosak?

Powinna skoncentrować się na rozmowie, co wcale nie jest łatwe, ponieważ też koniecznie chce wiedzieć, co inni zdołali ustalić. Anthony szepcze podekscytowany z Charlym i jednym z techników.

– I potem opowiedziała mu pani swoją historię, tak? – kontynuuje Cyn.

W tym czasie w sieci pokazuje się informacja o Alvinie Kosaku.

Cyn nie słyszy, co Washington jej odpowiada, ponieważ Anthony właśnie szemrze jej do ucha:

– Mamy dwa i pół miliona widzów! I Alvin Kosak jest na linii, gotowy wystąpić na żywo!

Cyn patrzy na niego oczami rozszerzonymi przerażeniem.

– To co mam teraz robić? – szepcze.

– Improwizuj – syczy naczelny przez zęby. – Powiedz jej, że mamy niespodziankę dla naszych widzów, rozmowę na żywo z Alvinem Kosakiem.

Cyn powtarza za nim. Takisha Washington nie wydaje się zaskoczona, zresztą ma raczej flegmatyczną naturę. Po chwili obok Afroamerykanki pojawia się Alvin Kosak. Twarz mężczyzny jest niekorzystnie zniekształcona przez kamerę smartfonu.

– Szanowni państwo – zapowiada, wzorując się na moderatorach z telewizji. – Alvin Kosak! Mężczyzna, który jako Don Endress przeprowadził wywiad z Takishą Washington. Alvinie Kosak, czy pan jest Zero?

Kosak marszczy czoło.

– Ja? Skąd. Z Zero nie mam nic wspólnego. Poza tym, że on czy może ona…? Tak czy inaczej ktoś do mnie zadzwonił… Dzień dobry, pani Washington!

– Skąd Zero do pana zadzwonił? – pyta Cyn.

– A skąd mam to wiedzieć?

Chander obok niej jak opętany wystukuje coś na tablecie, podczas gdy Anthony po cichu rozmawia z Takishą.

– Dlaczego Zero zadzwonił do pana?

– Chciał, żebym opowiedział mu swoją historię.

– Pana historię?

– Tak. Rozmawialiśmy ze sobą kilka razy. Ostatnio na dwa dni przed wywiadem z panią Washington. Wtedy Zero mi też powiedział, że pewnie niedługo zgłoszą się do mnie media.

Cyn dębieje na sekundę, po czym dopytuje:

– Media? Zero wiedział, że zadzwoni do pana ktoś z mediów?

– Tak, uprzedził mnie.

Cyn zerka niepewnie na Anthony'ego, który bezradnie wzrusza ramionami i daje jej do zrozumienia, żeby ciągnęła.

– A co… co jeszcze panu powiedział?

– Że mam polecieć do Filadelfii i zrobić wywiad z panią Washington. Przekazał mi pieniądze na bilet i honorarium. Poza tym przysłał e-mail z adresem strony internetowej, na którą miałem potem wrzucić to nagranie. Aha, no i prosił, żebym przedstawił się jako Don Endress.

– I pan wykonał jego polecenia.

– A co innego miałem zrobić? Pieniądze mi się przydały. Poza tym on uważał, że przez to zrobię się znany w całym kraju i szybko znajdę nową pracę. Akurat w to nie za bardzo wierzyłem, ale co miałem do stracenia?

Cyn postanawia posłuchać swojej intuicji. Wprawdzie Kosak nie jest żadnym charyzmatycznym mówcą, coś jednak pociąga ją w jego historii.

– Nową pracę? Czy to znaczy, że pan też stracił posadę?

– No tak, to przecież dlatego Zero się ze mną skontaktował. Zdaje się, że przeczytał mój stary blog. Chyba jako jedyny…

Gdy Kosak mówi dalej, Cyn zaczyna rozumieć plan Zero.

– I on przepowiedział panu, że do pana zadzwonimy?!

Zero liczył się z tym, że Kosak zostanie zidentyfikowany przez każde medium, któremu pośle swoje wideo. Prawdopodobnie właśnie dlatego wysłał go do Takishy Washington. Żeby oni mogli go znaleźć.

– Uważał, że powinienem opowiedzieć swoją historię także wam. Wtedy zobaczy ją więcej ludzi.

Anthony uśmiecha się chytrze i z zadowoleniem kiwa głową. Unosi prawą dłoń i rozstawia wszystkie palce, układając jednocześnie usta w słowo „milionów". Ma szeroko otwarte oczy.

Cyn od razu się domyśla. Mają pięć milionów widzów. Nowiny rozchodzą się lotem błyskawicy.

Szef zaciska pięść w triumfalnym geście.

Rzuca ku niemu pytające spojrzenie: czy ma kontynuować?

Anthony potakuje głową.

– Wobec tego proszę nam opowiedzieć pańską historię.

– No więc prowadziłem taki vintage shop w Cincinnati. Sprzedawałem naprawdę ładne rzeczy, nie jakieś tanie badziewie. U mnie mogła pani kupić same wielkie marki: Prada, Gucci i podobne, prawie nienoszone.

– Czyli sklep z używanymi ubraniami, w którym dobrze sytuowani ludzie mogli sprzedać swoje rzeczy, jeśli potrzebowali pieniędzy? – próbuje uściślić Cyn.

– Nie, ci ludzie nie potrzebują pieniędzy, tylko brakuje im miejsca w szafie na ciuchy z nowej kolekcji letniej albo zimowej. – Drapie się po nosie. – Ja jednak wolę nazwę „vintage shop". Bo to nie była żadna tania klitka, w której zajeżdża kurzem, stęchlizną i naftaliną. Rozumie pani, co mam na myśli?

Cyn oczywiście rozumie, mimo że nie stać jej na designerskie markowe ciuchy nawet z vintage shopu.

– Interes szedł dobrze – opowiada dalej Kosak. – Nawet całkiem dobrze. Mieliśmy masę klientów, ale potem… – Przysuwa lekko pożółkłą twarz z sińcami pod oczami bliżej kamery i kontynuuje: – Mniej więcej rok temu zauważyłem, że klientów jest jakby mniej. Najpierw pomyślałem, że czasami tak bywa, ale po Święcie Dziękczynienia na pewno wszyscy wrócą. Okres przed Bożym Narodzeniem to był zawsze najlepszy czas w roku. Jednak nie wrócili. Obroty leciały na łeb na szyję. W połowie grudnia wpadłem w panikę…

Cyn z trudem koncentruje się na Kosaku. Wolałaby, aby oparł na czymś swój smartfon, dzięki czemu obraz by się od razu uspokoił, nie chce mu jednak przerywać.

– …Sklep miał często odwiedzaną stronę na Facebooku, prowadziłem też blog, twittowałem, wiele tysięcy fanów, żywa interakcja… Poza tym uzbierałem całkiem sporą bazę stałych klientów i codziennie wysyłałem im e-maile. Nic nie pomagało. Nic! W porównaniu z poprzednim rokiem obroty spadły o siedemdziesiąt procent. To może zabić każdy interes. Zastanawiałem się, czy może gdzieś powstała konkurencja. Robiłem więc promocje i obniżałem ceny. Ale to też nic nie dało. Bywały dni, że do sklepu nie zaglądała ani jedna osoba. – Na moment obraz się rozlewa. Po chwili Kosak opowiada dalej: – Tydzień przed Bożym Narodzeniem spotkałem na ulicy jednego z moich stałych klientów. Spytałem go jakby nigdy nic, jak się miewa. Bąknął coś pod nosem i szybko ruszył dalej, a potem jeszcze rzadziej pojawiał się w mojej okolicy. Spotkałem potem kilku innych. Każdy podał jakiś powód, dlaczego już tak dawno do mnie nie zaglądał, i obiecał niedługo wpaść. Nie przyszedł ani jeden. Na wiosnę musiałem zamknąć sklep. I wtedy się zaczęło. Od tamtej pory jestem w podobnej sytuacji jak pani Washington. Moja zdolność kredytowa radykalnie spadła, musiałem przeprowadzić się do kawalerki, ale nie wiem, jak długo będzie mnie jeszcze na nią stać. Może za tydzień czy dwa przeniosę się do samochodu. – Unosi wyżej głowę. – Myślałem, że popełniłem jakiś błąd, zrobiłem coś złego. Aż w końcu któregoś wieczoru natknąłem się w barze na jeszcze innego byłego stałego klienta. Zaczęliśmy gadać i tak od słowa do słowa… Jak mówili już starożytni Rzymianie: *in vino veritas*… Co prawda my piliśmy piwo, ale w końcu powiedziałem mu, że musiałem zamknąć sklep, i spytałem wprost, dlaczego przestał do mnie przychodzić. Początkowo próbował coś ściemniać, potem jednak wreszcie się przyznał. Okazało się, że zaczął korzystać z jakiegoś nowego programu, Freemee, i wydawał się nim zachwycony.

– Wiedziałem! – stęka Carl.

– Też o nim słyszałem – opowiada dalej Kosak, podczas gdy jego twarz ze wszystkimi mało estetycznymi detalami w gigantycznym powiększeniu błyszczy ze ściany wypełnionej monitorami w biurze Willa. – Ale jakoś niespecjalnie się interesowałem.

– A szkoda – mamrocze Carl.

– Krótko mówiąc, wyjaśnił mi, że ten program daje mu wskazówki, jak może poprawić swój styl życia.

Carl na nowo układa długopisy, nie odrywając oczu od monitora.

– ...zdobyć więcej kasy, mieć większe powodzenie u kobiet. Mówił to tak, jakby chciał zostać Misterem Universum. I był bardzo przekonany do całego tego projektu. Mnie przypominało to jakąś sektę.

– Sektę! – śmieje się Carl drwiąco. – My nie potrzebujemy żadnego guru, żadnych pustych sloganów, żadnego terroru psychicznego! – Rozdrażniony lustruje porządek na stole, przesuwa wazonik o kilka centymetrów w lewo. – Struktury – bąka. – One są najważniejsze. Ludziom potrzebne są wyłącznie struktury.

– ...tak czy inaczej ten program poradził mu w którymś momencie, że nie powinien kupować używanych ubrań i starych kolekcji, ponieważ to odbije się w niekorzystny sposób na jego parametrach. Inni ludzie pomyślą sobie, że nie stać go na najświeższe kolekcje i musi oszczędzać. Na parametrach. Jakby był króliczkiem doświadczalnym w laboratorium. Parametry zastąpiły dawny wizerunek albo image. I z tego powodu przestał przychodzić do mojego vintage shopu. Bo moje towary wpłynęłyby negatywnie na jego wskaźniki! Tak kretyńskiego wyjaśnienia w życiu bym się nie spodziewał. – Twarz Kosaka drży. – Proszę poczekać – zwraca się do Cyn – muszę oprzeć o coś telefon, bo zaraz odpadnie mi ręka.

– O czym on jeszcze chce gadać? – rzuca Carl ze złością. – Wszystko jest jasne: masz w nosie, gościu, nowe technologie i dlatego giniesz! Sam jesteś sobie winien.

Obraz się uspokaja. Kosak kontynuuje:

– Następnego dnia pomyślałem, że co mi szkodzi sprawdzić, na czym to polega. Zadzwoniłem więc do kilku moich dawnych klientów. Niby tak towarzysko, no wie pani, bez powodu, ale mimochodem spytałem, co myślą o Freemee. W końcu niektórzy przyznali, że przestali się u mnie pokazywać z tej samej przyczyny co tamten z baru. Bo ten pieprzony program polecił im kupować nowe rzeczy zamiast vintage! Rozumie pani? Oni wszyscy przeszli jakieś cholerne pranie mózgu!

– Wręcz przeciwnie – komentuje Carl. – Oni wreszcie zaczęli używać swojego mózgu.

– Racja, to kompletny obłęd! – wtrąca Takisha Washington, po czym następuje wymiana wyrazów wzajemnego współczucia oraz pomstowanie na nowoczesną technikę.

Anthony, widząc, że liczba widzów spada, żegna się z obojgiem i kończy transmisję.

– Ekstra! Po prostu ekstra! – wiwatuje. – Takiej oglądalności może nam pozazdrościć każdy telewizyjny show!

– Kiedy wy się tak dobrze bawiliście, ja analizowałem filmik Zero – wtrąca Chander. – Nie wiem dlaczego, ale tym razem popełnił kardynalny błąd.

– Dosyć tego! – wybucha Carl. – Ten „Daily" wszystko nam spieprzy! Co za cholerne szambo!

Will pozwala mu się wyżyć. Wie, że zaraz mu przejdzie. I gdy tylko Carl się uspokaja, mówi do niego:

– Nie dramatyzuj. Taki scenariusz też przewidzieliśmy i mamy odpowiedni plan w szufladzie.

– W waszych szufladach możecie mieć co najwyżej gumę do żucia. Najważniejsze rzeczy są na serwerach.

– Oczywiście masz rację – uspokaja go Will. – Ale takie historie musiały wcześniej czy później się zdarzyć. Nie pamiętasz już, jak o tym mówiliśmy?

– Okej, okej – przyznaje Carl. – To jednak wkurzające, że ludzie nie pojmują, iż dzięki naszym aplikacjom uruchamiane są całkiem normalne procesy i interakcje społeczne.

– I po to jesteśmy my – zapewnia Will. – Żeby im to dokładnie wyjaśnić. Żeby zwrócić uwagę na szanse, jakie zyskują. Ten handlarz i tak wcześniej czy później by zbankrutował, kiedy by minęła moda na vintage...

– Na dodatek nie był użytkownikiem Freemee! – wtrąca Carl.

– Otóż to. A gdyby dysponował odpowiednimi instrumentami, mógłby przewidzieć swój upadek i mu zapobiec. I t o będziemy ludziom uświadamiać. Patrzcie do przodu! Wykorzystujcie swoje możliwości! Myślcie perspektywicznie! Poprawiajcie własne szanse! Dzięki Freemee macie wreszcie odpowiednie do tego narzędzia!

– Mimo to Zero nam się nie przysłużył. Powinniśmy wystawić przeciwko niemu kogoś kompetentnego, a nie tych partaczy.

– Chodzi tylko o poszukiwanie – przypomina mu Will.

– Nie – odpowiada Carl. Szybkimi ruchami palców porządkuje długopisy wokół wazonika. – Teraz chodzi o znalezienie go.

– Pozwól nam robić swoje. A kiedy spojrzysz na liczby, przekonasz się, że to był dopiero początek.

– Patrzę na liczby. I widzę, że pokazują wiele.

– Taka jest natura rzeczy – mówi Will. – Lecz prawdopodobieństwo jest po naszej stronie.

– To pilnuj, żeby tak pozostało – rzuca Carl, następnie wstaje i wychodzi.

– No powiedz wreszcie! – ponagla Cyn Chandera. – Co tam
odkryłeś?

Chander udostępnia im obraz ze swoich okularów. Teraz
również ona i Anthony mogą widzieć to samo co on. Cyn jest
nieco zawiedziona: same tabele, szeregi cyfr i rzędy liter. Akty-
wowana na nowo Peggy radzi jej, by obdarzyła Chandera pełnym uznania uśmiechem. Okej, okej.

– Każdy plik, na przykład filmiki Zero, zawiera tak zwane
metadane – zaczyna Chander. – Te metadane mają wady i zalety. Zaletą jest to, że można w nich znaleźć różne informacje,
między innymi to, za pomocą jakiego programu filmiki zostały nagrane, ewentualnie ustalić kod licencyjny oprogramowania, datę powstania pliku i tak dalej. Wada polega na tym,
że przy przekształcaniu na inne formaty wideo informacje te
najczęściej się gubią. Ponadto metadane można usunąć albo
je zmanipulować. A nawet jeśli do nich dotrzemy, nie należy
im całkowicie ufać. Na samym wstępie skupiłem się na szuka-
niu w filmikach Zero owych metadanych. Na każdym wideo
wszystkie były konsekwentnie wyczyszczone. Aż do dzisiaj.
Nie wiem, czy to możliwe, ale mam wrażenie, że w przypadku nagrania z Washington Zero po prostu o nich zapomniał.

– Albo zrobił to świadomie – wtrąca Cyn. – I dane są fałszywe.

„Powinnaś najpierw z uznaniem wyrazić się
o jego pracy i dopiero potem przedstawić swoje
zdanie" – musztruje ją Peggy.

Cyn marszczy czoło. Ma grać słodką kobietkę?

– Nie da się tego wykluczyć – przyznaje Chander. – Uważam to jednak za mało możliwe. Bo metadane akurat w tym przypadku zdradzają masę szczegółów. Po pierwsze, program, za pomocą którego zrobiono wideo. Nazywa się 3D Whizz i został udostępniony przez amerykańską firmę Wonder Vision. Po drugie, jest w nich numer licencyjny, pod jakim została zarejestrowana używana kopia programu. I po trzecie, w metadanych tkwi nawet adres MAC komputera, czyli unikatowy numer karty sieciowej!

„I co nam z tego?". Cyn gryzie się w język i nie pyta, mając w pamięci, że przed chwilą została skarcona przez Peggy. Z pełnym podziwu uśmiechem mówi tylko:

– Wspaniale!

Na co Chander odpowiada jej promienną miną.

– A co dokładnie nam to daje? – docieka.

Brrr! Chander jednak chętnie odpowiada:

– To zdradza nam, moja droga, prawdopodobnie konkretnego użytkownika kopii programu – wyjaśnia z wyrozumiałością. – I jeśli dane nie zostały zafałszowane albo komputer nie pochodzi z kradzieży, może to nas doprowadzić do członka Zero.

– Nadal nie mogę zrozumieć, jak to możliwe, żebyś na podstawie tych kilku cyfr i liczb mógł ustalić coś takiego.

– To bardzo proste.

Oczywiście. Bardzo proste. Cyn nastawia się duchowo na bardzo proste wyjaśnienie specjalisty IT. Ale pewnie i tak nie zrozumie ani słowa.

– Na kilku forach specjalistycznych poczytałem trochę o ewentualnych słabościach 3D Whizz. Podobnie jak większość oprogramowań także to w paru miejscach jest niedopracowane. Ma między innymi jeden słaby punkt, który może nam istotnie pomóc. Przed użyciem programu trzeba zarejestrować się online u producenta za pomocą numeru licencyjnego. Również po zarejestrowaniu wolno korzystać z niego tylko na dwóch urządzeniach.

Cyn kiwa głową. Swoją drukarkę w domu też musiała zarejestrować. Podobno żeby móc w razie czego mieć bezpłatną pomoc.

– W ten sposób producent zapobiega stosowaniu pirackich kopii. Tyle tylko że podczas procesu rejestracji ten akurat program zachowuje się inaczej niż większość jemu podobnych, a mianowicie weryfikuje lokalny adres IP użytkownika, zanim przejdzie on przez ewentualne systemy anonimizujące, i wysyła go do Wonder Vision. Firma robi to prawdopodobnie po to, aby uzyskać więcej informacji o swoich klientach, nawet jeśli oni wcale nie mają ochoty zdradzać na przykład własnego adresu IP czy pochodzenia. Tak więc jeśli ktoś rejestruje swoją kopię 3D Whizz, producent nie tylko to odnotowuje, lecz także wie, gdzie użytkownik tego dokonał. Reasumując: w Wonder Vision znany jest lokalny adres IP, za którego pośrednictwem została zarejestrowana kopia programu wykorzystana przez Zero.

– No to Wonder Vision może się cieszyć – stwierdza Anthony. – Ale co nam z tego przyjdzie?

– Bardzo dużo. Jeśli tylko będziemy odpowiednio sprytni. Zaraz pobawimy się trochę w inżynierię społeczną.

– W jaką inżynierię?

– Wonder Vision ma siedzibę w Stanach – wyjaśnia Chander, kierując uśmiech ku Cyn. – I po prostu zaraz do nich zadzwonię.

Chander umożliwia całej trójce przysłuchiwanie się rozmowie. Po pierwszym sygnale przesadnie miły męski głos recytuje formułkę powitalną.

„Pewnie call center – myśli Cyn. – Sądząc po akcencie mężczyzny, gdzieś w Indiach".

– Dzień dobry – odzywa się Chander równie ugrzecznionym tonem. – Mam ogromną prośbę. Jakiś czas temu zarejestrowałem się w 3D Whizz. Potrzebna jest mi faktura dla urzędu skarbowego, a właśnie stwierdziłem, że musiałem ją gdzieś zgubić. Czy byłby pan tak miły i zechciał przysłać mi kopię? – Zanim tamten zdąży cokolwiek powiedzieć, Chander kontynuuje: – Oczywiście wiem, że w tym celu musi pan mieć numer licencyjny mojej kopii 3D Whizz. Już go panu podaję. – Po czym dyktuje numer znaleziony w metadanych filmiku Zero. – Mój adres e-mailowy ostatnio się zmienił – wyjaśnia jeszcze i podaje konto, które właśnie założył. To chaotyczna kombinacja liter, z której w żaden sposób nie da się wyprowadzić żadnego nazwiska.

Pracownik biura obsługi klienta z pewnością nie pierwszy raz spotkał się z prośbą o dosłanie faktury czy z informacją o zmienionym adresie e-mailowym. Bez najmniejszych obiekcji uprzejmie oznajmia:

– Już znalazłem. Widzę, panie Tuttle, że jest pan wiernym użytkownikiem naszego programu.

– Tuttle? – odnotowuje Chander podniecony. – Mamy nazwisko!

– Już wysyłam panu fakturę. Za chwilę powinien ją pan otrzymać. Czy mogę jeszcze coś dla pana zrobić?

Chander sprawdza swoją skrzynkę odbiorczą. Wiadomość z rachunkiem w załączniku już doszła. Przebiega wzrokiem dokument, uśmiecha się.

– Dziękuję, to wszystko. Życzę miłego dnia.

– Wzajemnie – szczebiocze konsultant po drugiej stronie.

Chander się rozłącza.

– Nazwisko! Mamy nazwisko! – woła z zachwytem Anthony.

Cyn nie może wyjść z podziwu. To było naprawdę proste. Inżynieria społeczna. Pojęcie „inżynieria" kojarzyło jej się z czymś technicznym. Błąd! Chodzi o wykołowanie drugiego człowieka i wyprowadzenie go w pole. Czysto ludzkie działanie. Podoba jej się.

– Nie zadał żadnych dodatkowych pytań w celu sprawdzenia danych? Zupełnie nic? – Nie może uwierzyć.

– A po co? – odpowiada jej pytaniem Chander. – Kto oprócz użytkownika programu mógłby znać numer licencyjny? To tak jakbyś miała pytanie dotyczące twojego rachunku telefonicznego, a oni proszą cię o podanie numeru klienta.

– Rozumiem. A na rachunku jest nazwisko i adres Zero! – mówi podniecona Cyn.

– Myślę, że ludzie Zero nie są aż tak lekkomyślni, żeby zarejestrować program pod prawdziwym nazwiskiem.

Cyn rzuca okiem na przysłany dokument.

– Archibald Tuttle… – czyta głośno. – Skąd ja znam to…?

– Z filmu – śmieje się Chander. – *Brazil*. Tuttle jest dywersantem w policyjnym państwie przyszłości. Niezły żart.

– No to co takiego widzisz na tym rachunku, że się tak cieszysz?

– Dajcie mi kilka minut.

Podczas gdy Chander dalej pracuje nad rachunkiem z Wonder Vision, Cyn, Jeff i pozostali nie nadążają z odbieraniem telefonów.

W okularach Cyn znowu miga ikonka połączenia. Odbiera. Kobieta po drugiej stronie przedstawia się jako przedstawicielka jednej z telewizji, lecz Cyn nie zdołała dosłyszeć jakiej. Rozmówczyni jest tak ożywiona i natarczywa jak sprzedawczyni kanału sprzedażowego. Właśnie oglądała na żywo obu wywiady na stronie „Daily" i chciałaby zaprosić Cyn za trzy dni do talk-show. Cyn dopytuje się o nazwę stacji.

NBC.

– Telewizja amerykańska? – rzuca z irytacją. Okulary wyświetlają jej informacje na temat rozmówczyni. Rzeczywiście jest producentką w NBC. Tyle że w Nowym Jorku. – Nie wiedziałam, że produkujecie swoje programy także w Wielkiej Brytanii.

– Bo nie produkujemy – odpowiada kobieta. – Chciałabym spotkać się z panią tu, w Nowym Jorku.

Cyn nie pyta już o nic więcej. Wszystko jest jasne. Temat programu ma brzmieć: „Czy Big Data czyni nas marionetkami?".

– NBC zaprasza mnie do udziału w talk-show – szepcze do Anthony'ego.

– Ciebie? – Szef wykrzywia twarz, po czym z wymuszonym uśmiechem wykrzykuje: – Super! – Następnie wraca do swojego rozmówcy.

– W Nowym Jorku – dodaje Cyn.

Uśmiech Anthony'ego gaśnie.

– Czy oni nie wiedzą, że to ja kieruję redakcją „Daily"?

– Nie mam pojęcia. Jak sądzisz? Czy powinnam…

– Jeśli nie chcesz, mogę się ostatecznie poświęcić – proponuje łaskawie Anthony.

Cyn przekazuje kobiecie z NBC propozycję swojego szefa.

– Nie, nam chodzi o panią – odpowiada stanowczo producentka. – Świetnie poprowadziła pani ten wywiad. Poza tym pani córka uczestniczyła w pościgu za tamtym przestępcą i była świadkiem śmierci Adama Denhama. No i bardzo zależy nam na obecności kobiety wśród gości – dodaje lakonicznie.

– Oni chcą mnie – informuje Anthony'ego.

Przez ułamek sekundy jego twarz pochmurnieje, ale potem szef podnosi oba kciuki do góry.

– Skarbie, właśnie zadebiutowałaś przed pięciomilionową widownią – syczy ku niej. – I już dzwonią do ciebie telewizje! Wygląda na to, że odwaliłaś kawał dobrej roboty. Oczywiście, że się zgódź. To jest dla nas wspaniała promocja. Spytaj, kto jeszcze tam będzie.

– Profesor socjologii, redaktor naczelny uznanej gazety, możliwe, że także Takisha Washington, Alvin Kosak i członek zarządu Freemee odpowiadający za komunikację – odpowiada producentka.

– Ojej – wymyka się Cyn.

Człowiek z Freemee na pewno nie będzie się z nią obchodził jak z jajkiem. Przez ułamek sekundy przemyka jej przez głowę przerażające pytanie, co on może o niej wiedzieć. Peggy? Chwyta się za głowę. Przecież Peggy to program. A do programu można zajrzeć. Co będzie, jeśli ten gość zdemaskuje ją i skompromituje przed całą widownią? Absurd. Niemożliwe, żeby znał dane każdego z milionów użytkowników. A nawet gdyby tak było, to raczej by się do tego nie przyznał. Ostatecznie Freemee jako hasła reklamowego używa właśnie tego, że dane osobowe są wyłącznie jej własnością, dopóki ona sama nie zdecyduje się ich upublicznić.

Anthony nalega, aby wreszcie się zgodziła.

„Poczekaj, człowieku! Daj mi się zastanowić! W przeciwieństwie do ciebie jeszcze nigdy nie występowałam w telewizji". Szczerze mówiąc, propozycja bardzo jej pochlebia. Mimo że przed chwilą wystąpiła przed pięcioma milionami ludzi na żywo w sieci, jest jednak dzieckiem telewizji. Dla niej telewizja nadal jest ważniejszym medium niż internet. A teraz została zaproszona do udziału w dyskusji w jednej z największych amerykańskich

224

stacji telewizyjnych. Skłamałaby, gdyby powiedziała, że nigdy skrycie o czymś takim nie marzyła. Marzyła, i to od dawna. Poza tym ani razu nie była jeszcze w Nowym Jorku.

– Dobrze, będę.

Dwoma dotknięciami palców dezaktywuje Peggy.

„Lepiej nie ryzykować" – stwierdza w duchu.

– Okej, kochani – woła Chander. – Uwaga! Mamy coś!

Anthony kończy swoją rozmowę. Cyn też nie odbiera już połączeń. W końcu są jeszcze technicy, niech oni na razie się nimi zajmą.

– Mamy Zero? – pyta Anthony.

– To byłoby zbyt piękne – odpowiada Chander. – Nie mamy. Ale na fakturze znajdowało się coś równie cennego jak nazwisko,

– Nie torturuj nas – prosi Cyn.

Chander rzuca ku niej szelmowskie spojrzenie, po czym mówi:

– Na fakturze był adres IP, z którego użytkownik zarejestrował swoją kopię 3D Whizz.

– Czyli wiemy, gdzie mieszka Zero?

– Niezupełnie. Ten adres należy do sieci WLAN dostępnej w wielu lokalach na jednym z placów w centrum Wiednia.

– Wiednia? To znaczy, że siedząc w którymś z nich, można bezprzewodowo połączyć się z internetem?

– Tak. Jak u nas w większości kawiarni.

– Czyli kimkolwiek był ten ktoś, kto zarejestrował kopię 3D Whizz, zrobił to, siedząc w którejś z wiedeńskich knajpek?

– Zgadza się.

– Kiedy to było? Zdaje się, że Zero korzysta z tego programu już od dość dawna?

– Z tej kopii dopiero od dwóch lat.

– Ale możliwe, że Zero był tam tylko ten jeden raz! – zauważa Cyn.

– Dlatego starałem się sprawdzić wszystko. Jak już mówiłem, metadane opisujące filmiki Zero zdradziły mi oprócz programu i numeru licencji także adres MAC komputera, z którego wideo zostało wrzucone do sieci.

– A w czym pomoże ci ten adres?

– Sieci WLAN w takich miejscach jak restauracje czy kawiarnie zazwyczaj nie są szczególnie dobrze zabezpieczone. Bez większego trudu udało mi się włamać do interesującej nas wiedeńskiej sieci, a potem wystarczyło, że przeszukałem logi, czyli protokoły. W nich można znaleźć informacje między innymi o adresach MAC terminali, które za pośrednictwem tej konkretnej sieci WLAN logowały się w internecie, oraz kiedy to robiły i tak dalej. Możesz zgadywać trzy razy, co w ten sposób odkryłem.

– Urządzenie, z którego została wtedy zarejestrowana kopia 3D Whizz – wyciąga wniosek Cyn.

– Doskonale! – Chander patrzy na Cyn rozpromieniony. – Okazuje się, że ten komputer loguje się tam regularnie co kilka dni. Jego właściciel musi być stałym bywalcem tego lokalu. I to by się zgadzało. Bo nie gdzie indziej jak w Niemczech i Austrii mówi się szczególnie głośno o ochronie danych osobowych. Nic więc dziwnego, że właśnie tam mieszkają członkowie Zero.

– Czy ten adres karty sieciowej, czyli po prostu konkretna liczba, nie mógł pojawić się też gdzie indziej? – pyta Jeff.

– Oczywiście, że mógł – odpowiada Chander. – Zaraz uruchomimy odpowiedni program do wyszukiwania.

– A skąd wiadomo, że Zero i w tym przypadku znowu nie wodzi nas za nos? – docieka Cyn.

– Nie da się tego wykluczyć, bo adresami MAC można manipulować. Uważam to jednak za mało prawdopodobne. Informacja o nietypowym oprogramowaniu dla rejestracji 3D Whizz została wprawdzie opublikowana w odpowiednich kręgach, ale nie wywołała sensacji. Nawet po ujawnieniu tego Wonder Vision dała sobie jeszcze pół roku na usunięcie buga. Tak więc do tamtej pory użytkownik nic nie wiedział o tym błędzie. A jeśli jest nim na przykład student szkoły filmowej czy projektant, a nie programista, może nie wiedzieć do dzisiaj.

– Zero ma na pewno niejednego dobrego speca od IT, który go poinformował – zauważa Jeff.

– Ale to też są tylko ludzie i czasami popełniają błędy. Jak dzisiaj z numerem licencyjnym. Albo uważają się za nieomylnych.

– A co to konkretnie znaczy dla nas? – zastanawia się Cyn.

– Że musimy wybrać się do Wiednia – oznajmia Anthony.

– Ale ja mam lecieć do Nowego Jorku! – zastrzega.

– Dopiero za trzy dni – uspokaja ją szef. – A w ostateczności Chander i ja załatwimy Wiedeń bez ciebie.

– Jedziesz ze mną? – pyta go Chander.

– Oczywiście! Nie przepuszczę takiej okazji.

– Ja też chcę jechać z wami – wtrąca szybko Cyn. Razem z Chanderem w Wiedniu? Ona także nie przepuści takiej okazji. – Przydam ci się w razie konieczności przeprowadzenia podwójnego wywiadu.

– W porządku. Przedtem zrobimy szybko jeszcze jedno wideo, w którym zapowiemy, że trafiliśmy na gorący trop Zero. Tak po łebkach. – Anthony zaciera ręce.

– Chcesz wszystko zdradzić? – dziwi się Cyn.

– Skąd! – zaprzecza szef. – Na razie nie sprzedamy żadnych szczegółów. Wspomnimy tylko, że mamy gorący ślad. Trzeba podgrzewać atmosferę.

– Dałbym sobie spokój z tym wideo – wtrąca Chander. – Żeby nie wywoływać wilka z lasu. I tak musimy liczyć na łut szczęścia. Nie można bowiem wykluczyć, że w masie naszych internetowych pomocników znajdą się spece, którzy też odkryją te metadane. I prawdopodobnie buga w 3D Whizz. Można mieć jedynie wątpliwości, czy tak jak my dojdą do adresu IP. Bo jeśli zbyt często będą padać te same pytania, w którymś momencie oprogramowanie odpowiadające za zabezpieczenia w 3D Whizz podniesie alarm. A gdy na forum poświęconym Zero na stronie „Daily" zacznie się na ten temat dyskusja, dla Zero będzie to ostrzeżenie, że gdzieś jest jakiś słaby punkt. I wtedy zacznie unikać tej wiedeńskiej sieci WLAN.

– No dobrze – zgadza się Anthony bez entuzjazmu.

– To kiedy lecimy? – pyta Cyn.

Chander rzuca na nią przelotne spojrzenie, a ona czuje, że się czerwieni.

– Jutro rano pierwszym samolotem – oświadcza szef, patrząc na swój smartfon. – Zaraz zabukuję bilety. Spotkamy się o dziewiątej na Heathrow przy wejściu.

– Interesujące – mówi Luis do Martena. – Kilka minut temu ktoś poprosił przez telefon o rachunek pierwszej rejestracji. Konsultant z biura obsługi klienta wysłał go.

– Do kogo?

– Na zaszyfrowany adres e-mailowy. Nie udało mi się dojść, kto się za nim kryje ani kim był dzwoniący. Wykonał połączenie przez serwisy anonimizujące.

– Ktoś odkrył metadane i ktoś inny wpuścił w maliny biuro obsługi Wonder Vision.

– Przypuszczalnie.

– Poprosimy o pomoc Interpol. Policja austriacka powinna namierzyć tych gości.

– My tymczasem sprawdzimy Archibalda Tuttle'a.

– A co z naszymi wodospadami? – pyta półżartem Marten. Nadal nie mają żadnych poważniejszych tropów.

– Jest ich trzysta siedemdziesiąt cztery – mówi Luis, przewijając na monitorze niezliczone wizerunki spadającej w dół wody. – Trzysta dwanaście zidentyfikowaliśmy, a właściwie zrobiła to wspólnota odwiedzających stronę. Pozostałe ciągle rozgryzają. To stało się dla nich czymś w rodzaju sportu. – Przechodzi do dokumentu tekstowego opatrzonego mapą świata usianą czerwonymi punktami, których większość skupia się w dużych miastach. – Znaczna część odwiedzających nie ukrywa się, ich adresy IP można łatwo ustalić i konkretnie przyporządkować. Zaledwie pięć procent ruchu odbywa się przez sieci anonimowe, takie jak TOR czy VPN. Ale kolegom z NSA udało się namierzyć tych z TOR-u. Do tej pory jednak programy nie wypluły nic podejrzanego. Około jednego procenta wchodzi albo wchodziło na stronę przez dostawców VPN. Pracujemy nad nimi. Dwaj z nich mają siedzibę w Stanach Zjednoczonych. Złożyliśmy wniosek o udostępnienie danych. Gdy tylko zostanie zaakceptowany, dostawcy będą musieli je nam przekazać. Może coś z tego wyniknie.

– No dobrze – mówi Marten. Potem zastanawia się i wreszcie wzdycha. – A jeśli chodzi o Wiedeń: koledzy z Langley też mają tam kogoś posłać.

Eddie wpatruje się zmęczony i niewyspany w ekran. Dziesiątki razy sprawdzał już skrypt wyszukiwania. Jego założenia. Interpretacje. Nie odkrył żadnego błędu. W tym czasie program dostarczył kolejne wyniki. Są podobne do wczorajszych.

Natychmiast nasunęło mu się zasadnicze pytanie: czy Freemee wie o problemie? Może powinien się z nimi skontaktować. Wchodzi więc na główną stronę firmy z danymi kontaktowymi, ale od razu uderza go kolejna myśl: podstawą działania Freemee są dane statystyczne i ich interpretacja. Kto, jeśli nie oni, powinien odkryć takie odstępstwa od reguły? Następna konstatacja sprawia, że puls mu przyspiesza: Freemee blokuje te i wyłącznie te dane – rzekomo ze względu na szacunek dla zmarłych – ponieważ każdy, kto się trochę na tym zna, może wyciągnąć takie same wnioski jak on. I jeszcze jedno go dręczy: na razie znalazł dane dotyczące niewielkiej części użytkowników Freemee. Nie można jednak wykluczyć, że to zjawisko ma o wiele większy wymiar. Wówczas konsekwencje byłyby przerażające!

Eddie stara się zachować chłodny umysł. Lecz coraz bardziej nabiera przekonania, że Freemee tuszuje gigantyczny skandal! Straszliwą tajemnicę!

„Chyba oglądam za dużo filmów o spiskach. Na pewno istnieje jakieś proste wyjaśnienie".

Nie ma pojęcia, co ma począć ze swoimi wynikami wyszukiwania.

Mógłby powiedzieć o wszystkim Vi, w końcu to jej narzekania na gadanie Cyn w ogóle naprowadziły go na tę sprawę. Ale jego opowieści na temat IT nie robią na niej wrażenia, dobrze o tym wie. Nudzą ją. Cyn natomiast, jako dziennikarka, powinna by się zainteresować. Pytanie tylko, czy cokolwiek by zrozumiała. Bo wobec najważniejszej technologii współczesności jest taką samą ignorantką jak dziewięćdziesiąt dziewięć procent społeczeństwa. Mógłby po prostu opublikować swoje odkrycia i poddać pod dyskusję we własnym profilu Freemee – co byłoby dosyć pikantne. Albo na innych platformach, na których się pojawia. Na coś takiego czuje się jednak zbyt mało pewny. Wolałby najpierw omówić te liczby z paroma ekspertami i dać im je do sprawdzenia. Nie ma ochoty ani się skompromitować, ani zostać oskarżony przez Freemee o zniesławienie i być bankrutem do końca życia.

Na początek postanawia przygotować niewielką prezentację. Komu ją pokaże, zdecyduje później.

Nikt w sali konferencyjnej nie dostrzega, że uwaga Joaquima nie jest skupiona na dużym monitorze, tylko na zabezpieczonym przed podsłuchami telefonie tuż przed jego nosem. Właśnie wysyła z niego wiadomość składającą się z krótkiego kodu cyfrowego. Odbiorca wie, co znaczy ta zaszyfrowana informacja. Joaquim patrzy znowu na mówcę obok monitora.

Snowman:

I znowu we wszystkich tytułach na całym świecie ^ ^

Peekaboo777:

Jak to było z tą próżnością? ;-)

Puchacz:

Może teraz wreszcie ludzie zdadzą sobie sprawę z tego, co oznacza niezależność i kontrola nad własnymi danymi!

ArchieT:

Niezależność danych to też tylko model biznesowy.

Peekaboo777:

Każdy z nas jest tylko modelem biznesowym.

Snowman:

A ja wolałbym być częścią modelowego biznesu.

Piątek

W drodze do szkoły Eddie ma zawsze słuchawki w uszach. Jego matka nie uznaje wprawdzie za muzykę tego, czego właśnie słucha, ale on musi się skoncentrować. A najbardziej pomaga mu w tym rap. Powłócząc nogami, człapie w kierunku stacji metra. Prawie w ogóle nie spał. Przez całą noc walczył z myślami i przewracał się z boku na bok.

Podjął decyzję. Choć wie, że jest jeszcze za wcześnie, żeby dzwonić, musi jednak porozmawiać z kimś o tym, co odkrył. Wyjmuje smartfon, wyłącza muzykę i wkłada go z powrotem do kieszeni. Rozgląda się za budką telefoniczną. O dziwo, znajduje ją całkiem blisko, tuż przy wejściu do metra. Wchodzi do środka i wybiera numer stacjonarnego telefonu Cyn.

Zgłasza się po trzecim sygnale.

– Eddie! Co tak wcześnie! O co chodzi? Chcesz rozmawiać z Vi?

Słysząc imię Vi, Eddie ma wrażenie, że jego serce lekko podskakuje. Bierze się w garść.

– Nie, z tobą. Jako z dziennikarką.

– O tej porze? Okej. Czy to bardzo pilne? Bo spieszę się na lotnisko.

– Odbierasz kogoś?

– Nie, lecę do Wiednia.

– Aha.

– No więc o co chodzi?

– Odkryłem coś ważnego. Pamiętasz, po śmierci Adama rozmawialiśmy o różnych rzeczach, między innymi o Freemee.

– Pamiętam.

– Miałbym ci coś do opowiedzenia. Ale to zbyt skomplikowane na telefon. Muszę się z tobą spotkać.

– A możemy odłożyć to, jak wrócę? Będę z powrotem za dwa, trzy dni.

„W tym czasie mógłbym to jeszcze raz sprawdzić" – myśli Eddie.

– Okej. A po co lecisz do Wiednia? Vi wspominała mi coś o Nowym Jorku.

– Na razie nie mogę zdradzić. A Nowy Jork to dopiero pojutrze.

– Wobec tego udanej podróży dookoła świata.

Eddie opuszcza budkę i znowu włącza muzykę. Na zatłoczonym peronie metra podkręca ją głośniej, żeby nie słyszeć zgiełku wokół siebie. Ktoś go trąca. Eddie odwraca się zirytowany. Obok niego stoi mężczyzna w średnim wieku, w przydymionych okularach i kapeluszu.

– Dzień dobry, Eddie.

Eddie cofa się odruchowo, niechcący wpada na kogoś, przystaje. Nie zna tego człowieka, którego głos dociera do niego przez muzykę.

– Chciałbym z tobą porozmawiać – oznajmia nieznajomy, wskazując głową na słuchawki w uszach Eddiego.

– A kto powiedział, że ja chcę z panem rozmawiać? – odpowiada i odsuwa się na bok.

Peron jest tak zatłoczony, że prawie nie można się na nim ruszyć. Mężczyzna wydaje mu się jakiś dziwny. Eddie mimo to się nie boi, ponieważ wie, że wszędzie wiszą kamery. W tej sytuacji chyba nikt nie odważy się go napastować.

Nieznajomemu znowu udaje się przysunąć bliżej.

Po poruszających się ustach Eddie poznaje, że tamten coś mówi. W końcu wyłącza muzykę.

– Czego pan chce?

– Złożyć ci propozycję. Taką, która zdarza się tylko raz w życiu. Eddie milczy, on zaś ciągnie:

– Przepraszam, jeśli byłem wobec ciebie nieuprzejmy. Nazywam się William Bertrand i jestem z firmy zajmującej się danymi osobowymi. Nie będę owijał w bawełnę. Jesteś cholernie utalentowany, jeśli chodzi o komputery. Mógłbyś otrzymać bajeczne posady. Zarabiać dużo pieniędzy. Bardzo dużo. Chciałbym ci zaproponować właśnie taką pracę.

– Tutaj? – pyta Eddie, rozglądając się po zatłoczonym peronie. – Śledził mnie pan? Co to ma być? Ja jeszcze chodzę do szkoły.

– I możesz chodzić dalej. Jeśli chcesz: w Nowym Jorku.

– Niech mi pan da spokój. Jeżeli ma pan do mnie jakiś interes, to niech pan zadzwoni albo wyśle wiadomość. A nie czatuje na mnie w metrze.

Wjeżdża kolejka. Tłum zaczyna się ruszać.

– Wobec tego będę bardziej precyzyjny – stwierdza mężczyzna i idzie tuż za nim aż do środka wagonu. – Natrafiłeś na coś, co jest niezwykle ważne. I warte wielkich pieniędzy. Które należą się tobie.

Eddie czuje, jak puls mu przyspiesza. Czy ten facet mówi o tym samym, o czym on myśli? Nie odzywa się, usiłuje zachować spokój i pozwolić wygadać się tamtemu. Najchętniej ukradkiem uruchomiłby w smartfonie nagrywanie, próbuje po omacku, ale w metrze i tak jest za głośno.

– Wiesz, o czym mówię – dodaje Bertrand.

Serce Eddiego wali jak oszalałe. Mimo że starał się pracować anonimowo i nie zostawiać śladów, obserwowali go i wyśledzili! I teraz jeden z nich stoi przed nim. Zaledwie kilka godzin po dokonaniu odkrycia!

239

„Niech to szlag!".

Mimo paniki, która go ogarnia, stara się zachować obojętny głos, gdy odpowiada:

– Nie mam pojęcia. Niech mi pan powie.

Bertrand się uśmiecha.

– Oferujemy ci dwadzieścia milionów dolarów, płatnych bezzwłocznie, jeżeli się zobowiążesz, że zachowasz swoją wiedzę dla siebie – mówi tak cicho, że słyszy go tylko Eddie. – Poza tym świetną posadę w Nowym Jorku. O ile masz ochotę. Bo tak naprawdę nie będziesz musiał pracować aż do końca swojego życia.

Eddie ściska kurczowo uchwyt do trzymania się podczas jazdy, podczas gdy nogi uginają się pod nim. Dusi się.

Bertrand przygląda mu się z chytrym uśmiechem.

– Przyjemna sumka, nieprawdaż?

Pieniądze. Jakby o nie mu chodziło!

– Czyli… czyli to prawda – wycedza wreszcie.

Bertrand nie odpowiada.

Eddie czuje, jak strużki potu spływają mu za uszami. Swędzi go skóra na głowie. Nerwowo oblizuje wargi. Zaczyna drżeć od środka i nie jest w stanie nad tym zapanować.

– Chcecie… mnie kupić.

– Chcemy zabezpieczyć dla siebie twój talent i know-how – odpowiada tamten.

– Nie wiem… co mam powiedzieć.

– Tak. Powiedz po prostu „tak". Zgódź się na wspaniałą przyszłość.

W oczach Eddiego pojawiają się łzy, co wprawia go w największe zakłopotanie. Ta sytuacja całkowicie go przerasta.

– A jeśli nie będę chciał?

– Wtedy podniesiemy naszą ofertę – mówi Bertrand nadal przyjaźnie.

Z głośnika pada nazwa najbliższej stacji.

– Dacie więcej niż dwadzieścia milionów? – pyta Eddie z niedowierzaniem.

– Wymień sumę.

Żołądek Eddiego zaciska się w supeł. To jakiś surrealizm. Stoi w przepełnionym wagonie metra, obok niego jakiś nieznajomy, który szeptem składa mu kompletnie absurdalne propozycje. „Fuck! – przeklina w duchu. – Ja i ta moja cholerna ciekawość!".

Wjechali na stację. Ludzie zaczynają się przepychać.

– Przesiadasz się tutaj – przypomina mu Bertrand.

Eddie z wysiłkiem rusza się z miejsca, nogi nie chcą go w ogóle słuchać. Mężczyzna cały czas nie odstępuje go ani na krok. Wraz z tłumem ludzi przesuwają się po peronie, podczas gdy pociąg znika z hałasem w tunelu.

– A skąd będziecie mieć pewność, że dotrzymam umowy? – pyta Eddie.

– Bo jesteś uczciwym człowiekiem. Ale ty chyba wiesz to najlepiej. Jeśli nie wierzysz, sprawdź w swoim profilu Freemee. Twoje dane są dosyć jednoznaczne.

– Jeżeli przyjmę waszą propozycję, przestanę być uczciwy – zauważa Eddie.

– Nie – sprzeciwia się Bertrand. – Wobec nas pozostaniesz uczciwy.

W milczeniu jadą schodami ruchomymi w górę. Eddie nie musi szukać drogi do Circle Line, zna ją na pamięć, bo chodzi tędy codziennie.

Nabiera głęboko powietrza.

– Pięćdziesiąt milionów. Funtów.

„Ciekawe, czy ten typ na to pójdzie?".

Bertrand ściąga brwi i lustruje go uważnie.

– W porządku – mówi. – Mamy twoje słowo.

– Tak – odpowiada Eddie. Z grymasem dodaje: – I tak będziecie mieć na mnie oko. Zawsze i wszędzie.

Joaquim obojętnie ogląda na monitorze obrazy z okularów mężczyzny o nazwisku Bertrand. Na dwóch ekranach obok widoczne są analizy sensorów ze smartfonu Eddiego i z małego mikrofonu wyglądającego jak guzik przy kurtce Bertranda. Szkoda, że nie mogli usłyszeć rozmowy chłopaka z Cynthią Bonsant. Wiedzą jedynie, że do niej dzwonił. Powinni byli założyć w jej mieszkaniu pluskwy i podsłuch w telefonie stacjonarnym. Szkoda ze względu na Cynthię Bonsant.

Nerwowe linie i krzywe na monitorach skaczą i wychylają się, świecą sygnalizatory alarmowe.

Wkrótce po przełomie tysiącleci opracowano pierwsze programy, które z głosu potrafią wyczytać, czy ktoś mówi prawdę. Od tamtej pory są nieustannie doskonalone i już od dawna należą do standardowego wyposażenia profesjonalnych służb bezpieczeństwa. W połączeniu ze wskaźnikami innych reakcji fizycznych dostarczają niezwykle miarodajnych danych, nawet gdy delikwent jest świadomy, że poddawany jest badaniu. Dawne wykrywacze kłamstw znane z filmów sensacyjnych są dziś jak maczuga z epoki kamiennej. Freemee wykorzystuje te techniki z dużym sukcesem w swoich aplikacjach randkowych. Według nich prawdopodobieństwo kłamstwa w przypadku Eddiego wynosi ponad osiemdziesiąt procent.

– On kłamie – stwierdza Joaquim, zadając sobie jednocześnie pytanie, jak ten chłopak zamierza się z tego wszystkiego wywinąć, mimo że doskonale zdaje sobie sprawę z powagi sytuacji.

Pięć tysięcy kilometrów na wschód od niego mężczyzna o nazwisku Bertrand słyszy w mikroskopijnym guziku w swoim uchu kod podany przez Joaquima i wie, co ma zrobić.

W drodze na lotnisko Cyn jest tak zdenerwowana, że nie może skupić się na okularach. Patrząc przez okno pociągu, uzmysławia sobie, że opuszcza wyspę pierwszy raz od ośmiu lat. Wtedy był to wyjazd do południowej Hiszpanii na supertanie wakacje last minute, które zafundowała sobie i córce. Dla Vi była to jak dotąd jedyna podróż samolotem. Sportowa torba z ubraniami na dwa dni i z laptopem leży na półce nad jej głową. Gorączkowo grzebie w torebce – paszport, portfel, smartfon. Z trudem powstrzymuje się, by nie zadzwonić jeszcze do Vi i upewnić się, czy wszystko w porządku. Przecież wiadomo, że wszystko jest w porządku, bo dlaczego by nie? Poza tym Vi i tak siedzi na lekcji i nie mogłaby odebrać.

Odprawę zrobiła za nią poprzedniego wieczora przez internet asystentka Anthony'ego. Ponieważ Cyn nie musi nadawać swojego skromnego bagażu, po przybyciu na lotnisko idzie od razu do kontroli bezpieczeństwa.

Potem spotyka szefa i Chandera, którego spojrzenie powoduje, że robi się spięta. Brakuje jej rad Peggy. Czuje się niepewna, jakby podczas jazdy autem przez obce miasto wysiadła jej nawigacja. Postanowiła jednak, że do występu w telewizji z członkiem zarządu Freemee nie będzie korzystać ze wskazówek swojej nowej przyjaciółki.

– No jak, gotowa na nową przygodę? – pyta ją z promiennym uśmiechem Chander.

– Nie mogę się doczekać!

– Pozwól, że wezmę od ciebie tę ciężką torbę.

Dżentelmen w każdym calu.

243

– Dziękuję.

Stawia jej niekształtny tobołek na swojej walizeczce na kółkach.

– Widzę, że wziąłeś jeszcze mniej rzeczy niż ja – stwierdza Cyn.

– Resztę nadałem na bagaż.

Anthony wita ją przelotnie, po czym odwraca się i kontynuuje rozmowę telefoniczną przez okulary.

– Mamy jeszcze czas na kawę – stwierdza Chander.

Siadają więc w najbliższym barku na wysokich stołkach i zamawiają latte. Anthony wciąż rozmawia.

Cyn musi w końcu zapanować nad swoim rozedrganiem.

– Jak tam dyskusja na forum „Daily"? – pyta.

– Zsynchronizuj się z moimi okularami – mówi Chander.

Cyn wykonuje jego polecenie, a gdy ma już przed oczami to samo co on, jej towarzysz zaczyna wyjaśniać:

– Jak należało się spodziewać, metadane zostały szybko odkryte. Potem ktoś wpadł też na błąd w 3D Whizz. Na szczęście poruszono ten temat jedynie jako wątek poboczny. Większość użytkowników w ogóle się nim nie zainteresowała. Bo chyba wydawał się zbyt techniczny.

– Ale wiedeński adres IP nie pojawia się już nigdzie – stwierdza Cyn po chwili poszukiwania. – Czyli Zero mógł zostać ostrzeżony.

– Możliwe, choć niekoniecznie. Wszystko zależy od tego, na ile wnikliwie ludzie Zero śledzą tę dyskusję. W końcu to są tysiące wpisów.

Ruszają w kierunku bramek. Anthony nadal rozmawia, Chander zaś zdejmuje okulary. Jego oczy błyszczą.

– Z powodu Zero i paru innych spraw też muszę być w Nowym Jorku – oznajmia. – Chyba polecę prosto z Wiednia. Znasz Nowy Jork?

Cyn czuje, że się czerwieni.

– Nie, nigdy jeszcze tam nie byłam.

– To bardzo chętnie ci go pokażę – mówi z entuzjazmem. – Wspaniałe miasto, naprawdę! Może zostaniesz kilka dni dłużej.

– Zobaczymy, czy to będzie możliwe.

„Mamy sporo roboty, Peggy" – przemyka jej przez głowę.

W samolocie przeciskają się na swoje miejsca.

– Klasa ekonomiczna – wzdycha ciężko Anthony. – Co za bezczelność! Ale co zrobić. Cięcia oszczędnościowe właścicieli...

Panowie ustępują Cyn miejsca przy oknie. Chander siada na fotelu pośrodku.

Anthony wciąż jeszcze nie skończył rozmowy. Wreszcie stewardesa prosi go o wyłączenie telefonu. „Ważniak". Rozźlony podnosi okulary na czoło i patrzy na głowy pasażerów w rzędzie przed sobą. Palcami bębni nerwowo w podłokietnik. Maszyna przyspiesza, odrywa się od ziemi. Minuty ciszy, wszyscy wciśnięci w fotele odchylają się do tyłu, Cyn zaś zerka przez okno. Świat w dole staje się coraz mniejszy.

– A co zrobimy, jak rzeczywiście znajdziemy Zero? – pyta cicho Cyn, gdy za oknem pojawiły się już chmury.

– Zrobimy z nim wywiad, i tyle – odpowiada równie cicho Anthony.

– Albo z nią – uzupełnia Cyn. – Przecież nie można wykluczyć, że tam są kobiety.

– Albo z nią.

– A jeśli nie będą chcieli rozmawiać?

– To zrobimy film i puścimy go do sieci. Na żywo.

– Ale przecież... oni są poszukiwani przez Stany!

– Już na nic się nie poważą, kiedy ludzie będą patrzeć im na ręce.

245

– Uprzedzam z góry, że nie chcę brać w czymś takim udziału – syczy przez zęby Cyn. – Wywiad, okej. Wydanie: nie.

– No dobrze, dobrze – rzuca Anthony. – I tak będziemy musieli podjąć decyzję w zależności od sytuacji.

Rozlega się głos pilota podającego informacje o czasie lotu i pogodzie w Wiedniu. Słonecznie z lekkim zachmurzeniem.

Następnie po raz nie wiadomo który wspólnie szukają jakichś punktów zaczepienia w filmikach Zero, oglądając je na laptopie Anthony'ego. Szczególnie starsze z nich wydają się dziś przestarzałe pod względem treści albo wręcz przeciwnie – okazały się prorocze.

– …dane osobowe są nie tylko nową ropą naftową – oznajmia człowiek o wysmarowanej twarzy pod brudnym kaskiem – jak niektórzy próbują przedstawiać to obrazowo, ale w niektórych dziedzinach od dawna wręcz zastąpiły klasyczny pieniądz jako walutę. Są firmy, takie jak Cycoin, Freemee czy BitVaIU, które zaczynają w innowacyjny sposób czynić z tego podstawę swojego modelu biznesowego. *Frees make the world go round.* – Zero śpiewa i tańczy jak Liza Minnelli w *Kabarecie*. – Tylko poczekajcie, niedługo ktoś wpadnie na pomysł obłożenia danych podatkiem, pojawi się inflacja i deflacja danych, powstaną wyrafinowane instrumenty finansowe i bańki spekulacyjne. Które od czasu do czasu pękają…

– Ciarki przechodzą mi po plecach – odzywa się Cyn. – Czy naprawdę nie zostanie nam chociaż resztka prywatności?

– Daj spokój, Cyn – wtrąca z wyrazem politowania Anthony. – Wcześniej czy później wszyscy będziemy musieli nauczyć się żyć ze świadomością, że świat wie o nas to i owo. Na dobrą sprawę zawsze tak było. Dorastałem w Sussex w prawdziwej dziurze zabitej deskami. Tam każdy znał każdego. Wiedział, co kto robi. Kto pije, kto jest chory, kto jest impotentem albo planuje jakiś interes. A dzisiaj żyję po prostu w globalnej wiosce.

– Ale ta dawna wioska była do ogarnięcia, to był ograniczony krąg.

– Co nie znaczy, że było w niej fajniej. Biada, jeśli nie tańczyłeś tak, jak ci zagrali, i nie stosowałeś się do niepisanych norm. Nie poszedłeś w niedzielę do kościoła, opuściłeś święto strażaka albo nie należałeś do rady rodziców w szkole. Anonimowość, sfera prywatna? Zapomnij! Odludek nie ma życia na wsi!

– Ze wsi można się wynieść. Powietrze w mieście wyzwala. Dlaczego mieszkasz w Londynie?

– Bo tam, w Sussex, można skończyć co najwyżej jako pastuch albo alkoholik. Albo zostać jednym i drugim.

– Z globalnej wioski nie da się uciec.

– A chcesz tego?

– Marzyłoby mi się takie miejsce, gdzie nikt by mnie nie podglądał.

– Ja nie mam nic do ukrycia – stwierdza jowialnie Anthony.

– Czyli jesteś strasznie nudny – rzuca Cyn, ubawiona osłupiałą miną szefa.

Chander na fotelu obok śmieje się razem z nią.

– Ile ty tak naprawdę zarabiasz? – pyta Cyn.

– A co to ma do rzeczy? – odpowiada jej pytaniem Anthony.

– No powiedz, ile zarabiasz?

– Hm… heee… – jąka naczelny.

– A widzisz! A jaki jest twój ulubiony utwór?

– No, proszę, powiedz – namawia go ze śmiechem Chander.

– Wiem, do czego zmierzacie – mówi Anthony z pobłażliwym uśmieszkiem. – Chcecie mi udowodnić, że każdy ma swoje małe tajemnice.

– Przyłapała cię, mój drogi – drwi Chander.

– Ludziom całkiem dobrze się żyło bez sfery prywatnej, dopóki sto lat temu nie wynalazł jej pewien kuty na cztery nogi mecenas – odpowiada Anthony, starając się zachować twarz.

– On jej nie wynalazł, tylko wtedy dopiero objęto ją przepisami prawa – sprzeciwia się Cyn.

– Przepisy prawa powstają i znikają. Sfera prywatna też nie jest wieczna.

Oczy, duże i małe, tkwią w dziurkach nosa Cyn, w jej ustach oraz wszystkich otworach jej nagiego ciała i chcą wniknąć coraz głębiej. Obracają się, poszeptują ze sobą, wywracają źrenice na wszystkie strony. Ich widok przyprawia Cyn o zawrót głowy.

– Pobudka. – Chander trąca ją delikatnie. – Zaraz lądujemy.

Cyn potrzebuje chwili, aby zorientować się, gdzie jest. Niemal zaraz potem maszyna siada trochę niezgrabnie na betonowym pasie. Witamy w Wiedniu.

Niebo nad miastem na razie pokrywają chmury, ale jest przyjemnie ciepło. Taksówka zawozi ich do hotelu leżącego w uroczej części starego miasta, niedaleko miejsca, gdzie mają nadzieję znaleźć swojego podejrzanego. Cyn chętnie pozwiedzałaby trochę, praca jednak ma pierwszeństwo. Po odświeżeniu się w swoich pokojach wszyscy troje spotykają się w holu na dole. Chander czeka już na nich i wręcza każdemu mały plecak.

– Co w nim jest? – pyta Anthony.

– Niedługo się przekonasz – odpowiada Chander. – Chodźmy już.

Idą uliczkami ze starymi domami po obu stronach, aż w końcu otwiera się przed nimi rozległy plac otoczony historycznymi okazałymi budowlami. Przez wysoką bramę sklepioną łukiem wchodzą na ogromny dziedziniec barokowego kompleksu mieszczącego między innymi dwa nowoczesne muzea – jak głoszą napisy – a także liczne kafejki na świeżym powietrzu z kolorowymi plastikowymi siedziskami, na których setki ludzi wystawia twarze do słońca. Między nimi spacerują turyści, dokazują dzieci, mieszkańcy prowadzą rowery. Cyn czuje się jak na festynie ludowym bez kramów.

„Obyśmy nie musieli szukać naszego podejrzanego w tym nieprzebranym tłumie" – myśli.

– To jest Wiedeńska Dzielnica Muzeów – wyjaśnia Chander. – Oprócz tego wielkiego dziedzińca są jeszcze dwa mniejsze, dwa muzea, sześć restauracji i różne inne lokale. Osoba, której szukamy, zarejestrowała się z publicznej sieci WLAN właśnie w tej dzielnicy.

– Nie mamy szans! – jęczy Anthony. – Przecież tu nie sposób kogokolwiek znaleźć!

– To jest o wiele prostsze, niż myślisz – uspokaja go Chander, zmierzając w stronę baru przekąskowego o futurystycznym wystroju. – Zamówmy sobie coś najpierw.

– Zabawne, że w Wiedniu nie sprzedają wiedeńskich parówek – stwierdza Anthony.

Decyduje się na kiełbaskę o jakiejś dziwnej nazwie, Cyn i Chander natomiast wybierają sałatki.

Siadają na szerokim charakterystycznym dla tego miejsca wygodnym siedzisku, które właśnie zwolniła grupa młodych ludzi.

– Spróbujemy zrobić podobnie jak przy lokalizacji telefonów komórkowych – mówi Chander między dwoma kęsami. – Wejdziemy do sieci WLAN i poczekamy, aż poszukiwany komputer też się do niej zaloguje. Będziemy wtedy wiedzieli, że jest gdzieś w pobliżu. Następnie dokonamy triangulacji. Teraz możecie otworzyć plecaki.

Cyn znajduje w swoim laptop, jakieś urządzenie w kształcie pałki, którego nie zna, i podłużną puszkę z chipsami. Nie, puszka jest pusta. Anthony wyjmuje identyczne utensylia.

– Komputery mamy po to, żeby w razie konieczności nie musieć robić wszystkiego przez okulary. A ta pałeczka to coś w rodzaju mikrofonu kierunkowego – objaśnia dalej Chander. – Możemy się rozejść w różnych kierunkach i za jego pomocą spróbować namierzyć sygnał poszukiwanego komputera. Kiedy wszyscy na niego natrafimy, musimy tylko sprawdzić, gdzie przecinają się nasze promienie – to będzie to miejsce, w którym go znajdziemy.

– Antena kierunkowa? – powtarza Cyn. – Czy to nie będzie za bardzo rzucać się w oczy?

– Po to mamy puszki po chipsach. W nich schowamy nasze anteny. W środku są nawet wyłożone aluminium, co dodatkowo wzmocni działanie. Położysz po prostu puszkę na stoliku albo na jednym z tych śmiesznych siedzisk i zaczniesz nią powoli obracać, jakbyś się nudziła i nią bawiła. Nikt się nie domyśli, że w środku jest antena.

Cyn wsuwa do pojemnika po chipsach pałeczkę, która chowa się w nim cała, i kładzie go przed sobą. Rzeczywiście trudno cokolwiek podejrzewać. James Bond kontra MacGyver. Nie może wprost uwierzyć w to, gdzie jest i co robi. Ukradkiem rozgląda się dookoła. Nikt nie zwraca na nich najmniejszej uwagi.

– High-tech – rzuca.

– No co ty – oburza się Chander. – Zabawka dla amatorów, coś takiego dostaniesz w każdym lepszym sklepie elektronicznym.

– Czy to jest legalne? – dopytuje Cyn.

– Czy to jest nielegalne? – odpowiada jej pytaniem Chander. – Nieważne. Trzeba zrobić próbę. Wszystkie urządzenia są już skonfigurowane. Musicie je tylko włączyć.

Cyn i Anthony wykonują polecenie.

– Nasz podejrzany przychodzi tu zazwyczaj co dwa, trzy dni w porze obiadowej. Ostatnio był dwa dni temu. Niewykluczone, że jest dzisiaj, a jeśli nie, istnieje dosyć duże prawdopodobieństwo, że spotkamy go tutaj jutro. Niezależnie od tego nie zaszkodzi nam poćwiczyć triangulację już teraz.

Chander zainstalował na wszystkich laptopach oprogramowanie obrazowo ilustrujące ich poszukiwania. Na zdjęciach satelitarnych internetowego centrum map trzy czerwone punkty oznaczają ich aktualne lokalizacje. Transparentne czerwonawe smugi wizualizują fale rozchodzące się od anten kierunkowych. Chander objaśnia im symbole na monitorze. Po przekręceniu anten zauważają na nim zmiany.

Następnie wszyscy troje rozchodzą się po dziedzińcu. Cyn przedziera się między tłumami turystów. Wreszcie na skraju schodów prowadzących do szarego muzeum dominującego nad tą częścią placu znajduje trochę wolnego miejsca w pewnej odległości od grup młodzieży, które zajęły niemal całe stopnie. Anthony siada po przeciwległej stronie dziedzińca w cieniu białego budynku muzeum. Chander natomiast zajmuje miejsce na ławce w pobliżu wejścia pośrodku. Obok Cyn leży puszka po chipsach z ukrytą w środku anteną. Wszyscy troje pozostają ze sobą w kontakcie przez smartfony lub okulary.

– Gotowi? – pyta Chander.

Cyn i Anthony potwierdzają.

Chander informuje ich, że teraz zaloguje się do sieci i sprawdzi, czy pojawi się w niej numer szukanego terminala. Na razie nic na to nie wskazuje.

– Chyba go nie ma – stwierdza. – Wobec tego trochę poćwiczymy.

Wybiera dowolny adres MAC i uruchamia lokalizowanie. Również Cyn zaczyna obracać swoją puszką. W ciągu kilku minut namierzają cel. We wskazanym przez urządzenia miejscu, przy stoliku jednej z kawiarni, siedzą trzy młode dziewczyny i piszą coś w swoich smartfonach.

– Jedna z nich posługuje się naszym testowym urządzeniem – mówi Chander. – Nie jesteśmy w stanie ustalić, która konkretnie, ponieważ siedzą zbyt blisko siebie.

Podaje im kolejny adres. Niecałe dwie minuty później nie mają wątpliwości, że poszukiwanego komputera używa mężczyzna z brodą siedzący na jednym z dziwnych podestów z laptopem na kolanach.

Cyn jest pod wrażeniem. Mimo woli bawi się puszką, obserwując jednocześnie ruch na dziedzińcu.

Promienie słońca i ciepło bijące od murów sprawiają, że robi się senna. Opiera się o ścianę muzeum i na moment zamyka oczy.

Gdy słyszy głos Chandera, stwierdza z przerażeniem, że chyba musiała się zdrzemnąć.

– Słyszycie mnie?

– Jasno i wyraźnie – odpowiada Anthony.

– Tak, ja też – potwierdza Cyn lekko nieprzytomna.

– Okej. Wobec tego zacznijcie lokalizację. Ukierunkowałem już wasze anteny na odpowiedni adres.

Chander wyśledził w sieci podejrzanego! A ona to przespała! Powoli obraca puszką dookoła. Na monitorze czerwonawa smuga przesuwa się po dziedzińcu. Chander jako pierwszy natrafia na sygnał szukanego urządzenia. Zatrzymuje swój promień. Delikwent musi siedzieć gdzieś na tej linii. Cyn naprowadza na nią swoją wiązkę, to samo robi Anthony. Ostrożnie obraca anteną, aż wreszcie laptop daje jej sygnał. Kilka sekund później alarm podnosi również komputer szefa.

– Mamy go! – słyszy jego okrzyk.

Podniecona próbuje odnaleźć oznaczone na zdjęciu satelitarnym miejsce w rzeczywistości. Musi być gdzieś na środku dziedzińca. Cyn gorączkowo wiedzie spojrzeniem po ogromnych siedziskach. Na jednym z nich opiera się dryblasowaty młody mężczyzna ubrany w dżinsy i T-shirt, w czapce z daszkiem i okularach przeciwsłonecznych na głowie, jak wielu innych. Na jego kolanach spoczywa mały laptop.

– Ten gość w granatowej czapce i w ciemnych okularach? – pyta Anthony.

– Tak – potwierdza Chander.

Na poduszkach po prawej i po lewej od niego wylegują się młodzi ludzie, rozmawiają ze sobą, niektórzy dłubią coś w laptopach lub smartfonach. Standardowy obrazek.

– Spróbuję dostać się do jego komputera – oznajmia Chander. – Może będziemy wtedy mądrzejsi.

– To możliwe? – pyta z niedowierzaniem Cyn.

– Jeśli nie jest zabezpieczony.

Cyn za pomocą okularów przybliża twarz nieznajomego. Kolejna praktyczna opcja tego urządzenia: wbudowany cyfrowy obiektyw. Chociaż obiekt siedzi w odległości co najmniej trzydziestu metrów od niej, wydaje się, że jest w zasięgu ręki. Ma gęste ciemne wąsy, nieogolone policzki. Sprawia wrażenie skoncentrowanego, ale dosyć beztroskiego. Od czasu do czasu odrywa wzrok od komputera, jakby nad czymś myślał. To nie jest nerwowe rozglądanie się. Ten gość czuje się bezpieczny.

– Jestem raczej pewny, że to jest nasz człowiek – słyszy głos Chandera.

– I co znalazłeś w jego komputerze? – chce wiedzieć Anthony.

– Nic – odpowiada Chander. – Jest perfekcyjnie zabezpieczony. Zwykły Iksiński nie robi czegoś takiego. Już samo to jest dosyć podejrzane. Jeśli w ogóle uda mi się złamać wszystkie kody i szyfry, potrzebowałbym na to ładnych paru godzin albo i dni. Ten gość dobrze wie, co robi.

– Mam do niego podejść i go zagadnąć? – pyta Cyn. – O wywiad.

– Zrobimy to przez internet. Online – oznajmia Anthony.

– Co? Jak to? – oburza się Cyn. – Przecież rozmawialiśmy…

– Ale sytuacja się zmieniła… – ucina dyskusję naczelny.

– On się zaraz zorientuje!

– Możliwe. I zareaguje. Nas jest troje, a on jeden – odpowiada Anthony. – Nie ucieknie nam. Chodzi o show! W końcu miałaś relacjonować poszukiwania. O znalezieniu nigdy nie było mowy.

Co, u diabła…

Cyn przybliża twarz Anthony'ego. Rozmawia z kimś przez swoje okulary. Potem zwraca się znowu do niej i do Chandera:

– Transmituję obraz z moich okularów do „Daily". Jak chcecie, możecie się podłączyć. Reżyserią zajmie się Londyn.

Cyn nie zrobi tego. Skonsternowana obserwuje przez okulary i smartfon, jak staje się częścią międzynarodowej transmisji na żywo.

– Ci durnie faktycznie nadają na żywo! – pomstuje Jon.

– To nie ułatwia nam sprawy – bąka Marten.

Do tej pory obserwowali cały ten teatr przez kamery w okularach czterech ludzi z CIA będących na miejscu. Zidentyfikowali gościa dosłownie tuż przed cyrkową trupą Heasta, ponieważ Austriacy nie spieszyli się zbytnio z realizacją ich oficjalnej prośby o pomoc.

– Nie możemy sobie pozwolić na kolejną kompromitację jak w Dniu Prezydentów.

– Przecież nikt oprócz nas nie wie, że tam jesteśmy – odpowiada Marten.

Na tle ujęć na żywo z placu wypełnionego nieprzebranymi tłumami Heast opowiada całą historię, począwszy od 3D Whizz, przez numery licencyjne, do metadanych, które ostatecznie zaprowadziły ich do Wiednia. Kamera w okularach Heasta przesuwa się po całym placu. Pokazuje podobne obrazy do tych przesyłanych przez agentów CIA. Co ten kretyn wyprawia? Po co upublicznia swoje poszukiwania i tym samym być może ostrzega ofiarę? Również agenci są zaniepokojeni. Langley poinformowało ich o bezpośredniej relacji i teraz mają świadomość, że plac jest obserwowany na całym świecie.

– Nie możecie go jakoś unieszkodliwić? – pyta jeden z nich. – Przecież on nam psuje całą robotę.

– Możemy? – powtarza Jon, zwracając się do Martena i Luisa.

– Teoretycznie tak – odpowiada Luis – tyle że nie tak szybko. Poza tym to nie nasza działka, tylko sprawa CIA. Powinni zrobić sami, co uważają za konieczne. My możemy się tylko przyglądać.

Marten, coraz bardziej zły, śledzi transmisję i żałuje, że to nie on obsługuje kamerę. Heast próbuje bowiem niczym trzeciorzędny reżyser thrillera stworzyć z poszukiwań Zero pełną napięcia inscenizację. Aby podnieść je dodatkowo, stosuje odwrócenie uwagi, pokazuje scenki rodzajowe z dziedzińca.

– Jak będzie robił tak dalej, niedługo straci ostatniego widza – skrzeczy Jon.

Wprawne oko Martena zauważa, że Heast nie panuje jednak nad własną podświadomością. Sam się zdradza. Jego kamera raz po raz zatrzymuje się na ułamek sekundy w jednym

konkretnym miejscu. Marten widzi centralnie pośrodku faceta z laptopem, w granatowej czapce z daszkiem nad okularami przeciwsłonecznymi, którego wypatrzyli też agenci CIA.

– Jak długo jeszcze będziemy tu bezczynnie siedzieć? – Cyn
pyta Chandera.

Podczas gdy Anthony podnieconym głosem stara się podtrzymać temperaturę relacji, młody człowiek podejrzewany
przez Chandera jak gdyby nigdy nic pisze coś na swoim laptopie. Nie widać po nim najmniejszej nerwowości czy lęku.
Cyn zaczyna się zastanawiać, czy przypadkiem się nie pomylili.

Na monitorze zmieniają się obrazy wysyłane przez Anthony'ego na stronę „Daily". Przez ułamek sekundy dostrzega
nawet siebie, gdy kamera pokazuje szerokie ujęcie. W tym samym momencie na ekranie otwiera się okienko, w którym widzi ujęcia na żywo z „Daily"! Czy to też sprawka Anthony'ego?

W odróżnieniu od zdjęć widocznych na stronie „Daily"
animowana para oczu śmiga po dziedzińcu i zagląda ludziom
przez ramię, podgląda ich, jakiejś dziewczynie wślizguje się za
dekolt i już pędzi dalej.

Powyżej widoczny jest wklejony tekst:

Uwaga! Jesteś właśnie obserwowany w Wiedeńskiej Dzielnicy
Muzeów, a twoje zdjęcia wysyłane są do internetu! Czy ktoś
spytał cię o pozwolenie? Godzisz się na to? Sprawcą tego
jest ten człowiek: Anthony Heast, redaktor naczelny brytyjskiej gazety „Daily"! Powiedz mu, że sobie tego nie życzysz!

– Cholera jasna! – słyszy Cyn wściekłego Chandera.

W okienku pokazuje się zbliżenie Anthony'ego stojącego po
drugiej stronie placu.

Po chwili ten sam tekst pojawia się w wersji angielskiej. Cyn patrzy dookoła. Niektórzy obok niej, akurat pracujący na swoich laptopach czy szukający czegoś w smartfonach, zdumieni podnoszą głowy. Wielu rozgląda się z ciekawością.

– Ten skurczybyk przejął WLAN – syczy Chander w okularach Cyn. – Każdy, kto akurat jest w tym miejscu w sieci, widzi to na swoim ekranie albo wyświetlaczu!

Zaczyna się wyraźne poruszenie wśród kolejnych grup osób przebywających na dziedzińcu. Wersja angielska przechodzi teraz we włoską. Coraz więcej głów zwraca się w stronę Heasta. Inni poszeptują między sobą, wyciągają telefony, tablety i laptopy.

Anthony też zaczyna nerwowo się rozglądać.

„Przerwij transmisję" – myśli Cyn.

Wzburzenie wśród tłumu narasta z każdą chwilą. Są już tacy, którzy wstają i ruszają ku niemu.

Zauważywszy to, Anthony pospiesznie wciska puszkę po chipsach do plecaka.

W jego kierunku zmierzają już ludzie ze wszystkich stron placu. Niektórzy coś wykrzykują.

– Chander, czy możesz coś z tym zrobić? – pyta Anthony poważnie zaniepokojony.

Cyn jest w rozterce. Jej szef sam nawarzył sobie tego piwa, mimo to nie chciałaby teraz być w jego skórze. Z myśliwego zamienił się w ofiarę. Na swoim laptopie ma obraz tego, co Anthony widzi w okularach. Spory tłum ludzi o surowych twarzach idzie prosto na niego.

– Przestań nadawać! – wzywa go Chander.

Cały plac jest już w ruchu. Co najmniej trzysta osób się podniosło i zwartym kręgiem zaczyna otaczać Anthony'ego.

On zaś nerwowymi ruchami wskazuje na mężczyznę w czapce z daszkiem pośrodku dziedzińca.

– Do niego idźcie! Do niego! Ten człowiek jest poszukiwany przez policję wielu krajów!

Na monitorze Cyn widać wzburzone twarze.

Anthony przerywa relację na żywo. Na krótko znikają też obrazy wysyłane przez Zero, ale po chwili wracają.

– To skurczybyk! – klnie znowu Chander. – Wykorzystuje kamerę internetową jakiegoś przypadkowego człowieka tu, z placu, albo jedną z kamer monitoringu.

Widać Anthony'ego otoczonego przez zwartą masę ludzi wypełniającą już połowę dziedzińca. Z każdą chwilą przybywają nowi. Gwałtownie gestykulują, wskazując na swoje laptopy i smartfony, wygląda na to, że nie da się ich tak łatwo uspokoić. Okulary Anthony'ego przekazują jeszcze dźwięk – słychać wzburzone komentarze i zarzuty wykrzykiwane w różnych językach. Niektórzy głośno domagają się wezwania policji. Kilka osób już dzwoni. Inni filmują Anthony'ego smartfonami. Jakiś mężczyzna z długą brodą uderza w jego plecak, na co on unosi ręce w obronnym geście.

– Inteligentne – zauważa z uznaniem Marten. Za pośrednictwem okularów dwóch agentów CIA obserwuje wrzawę wokół Heasta. Nie wszyscy wydają się agresywni. Wiele osób jest tam wyłącznie z ciekawości.

– Chytra riposta Zero, jeśli to rzeczywiście on – potwierdza Jon.

– Nie rozumiem, skąd to całe poruszenie – odzywa się Luis. – Na stronie Dzielnicy Muzeów cały czas na bieżąco wstawiane są relacje zwiedzających, między innymi ze zdjęciami i z wideo. Skąd nagle takie oburzenie z powodu akurat tej relacji?

– Zastanawiam się, jak długo jeszcze będzie potrzebny ktoś taki jak my, skoro ludzie już teraz sami nawzajem się monitorują i od razu reagują? – rzuca pytanie Marten.

258

W różnych miejscach dziedzińca, w pewnej odległości od zgromadzonego wokół Heasta tłumu, stoją grupki dyskutujących ludzi. Od strony poszczególnych wejść wciąż napływają nowi turyści i większość z nich bardzo szybko też przyłącza się do dyskusji. Marten dostrzega także pierwszych mundurowych. Jedynie facet w granatowej czapce z daszkiem zdaje się nie zwracać najmniejszej uwagi na to, co dzieje się wokół niego. Beztrosko zamyka swój laptop, wkłada go do pokrowca i rusza powoli w kierunku wyjścia. I to nie najbliższego, tylko idzie specjalnie obok angielskiej dziennikarki, która siedzi jak gdyby nigdy nic na schodach i nawet go nie zauważa.

– Pozwoli mu się wymknąć – prycha Jon. – Amatorka!

– Jak wygląda w tym mieście sytuacja z kamerami? – Marten pyta Luisa.

– Nie najlepiej – odpowiada jego sąsiad. – Mamy wprawdzie dostęp do kamer monitoringu w metrze, na dworcach kolejowych i dozoru ruchu drogowego, ale ich zasięg nie jest duży.

– A jak możemy się do nich dostać?

Luis parska śmiechem.

– Przecież nawet Anonymous się do nich dostał. Kilka lat temu upublicznił e-maile austriackiej policji, w których przesyłano funkcjonariuszom niezaszyfrowane hasła do kamer dworcowych. Co prawda rzecznik policji wyjaśniał potem, że to były tylko hasła testowe, ale sam wiesz, jak to jest.

Marten uśmiecha się w duchu. Owszem, dobrze wie, jak to jest. Mimo to nie musi się martwić. Bo czterech agentów CIA idzie za podejrzanym w różnych odległościach.

Cyn obserwuje młodego mężczyznę w czapce, jak przechodzi zaledwie kilka metrów od niej. Gdy tylko zaczął kontratak, ani na chwilę nie spuściła go z oczu. Sądząc po wzburzeniu

Chandera, nie ma wątpliwości, że to właśnie on wywołał ten bunt. Szacunek. Jego nonszalancka postawa robi na niej wrażenie. Cyn udaje, że go nie widzi, kiedy ją mija.

– On zwiewa – informuje Chander szeptem, choć wcale nie jest to konieczne, bo zgiełk na dziedzińcu zagłusza wszystko.

Cyn chce mu odpowiedzieć, ale w tym samym momencie zgłasza się Anthony.

– Nie mogę się stąd wydostać – skarży się. – Chyba zaraz będę potrzebował pomocy.

– Policja już jest w drodze – odpowiada Chander.

– Bardzo śmieszne.

– Mówię poważnie. Chyba jest nawet tutaj. Ale nie martw się. Nie robiłeś nic nielegalnego. Bądź po prostu miły. Spotkamy się potem w hotelu. Cyn i ja postaramy się nie zgubić tego typa. Cyn?

To znaczy, że powinna dołączyć do pościgu. Anthony musi jakoś sam wydostać się z opałów.

– Moglibyście nadawać to online! – woła jeszcze za nimi.

– Jeśli ten typ nie nosi inteligentnych soczewek – a wątpię, żeby je miał, bo na razie istnieją tylko wersje prototypowe – wobec tego nie wie, że jest śledzony – stwierdza Will. – Te jego okulary przeciwsłoneczne to nie jest żaden terminal, tylko całkiem normalne okulary.

– Ale jego kumple z Zero na pewno mają na wszystko oko i go informują – zauważa Alice.

Will przygląda się, jak jej usta dalej się poruszają, jakby chciała zakląć przeznaczenie niemą modlitwą.

„Ona naprawdę się przejmuje" – myśli rozbawiony.

W Nowym Jorku jest jeszcze dosyć wcześnie, a oni siedzą już w biurze Willa i wgapiają się w ścianę z monitorami. Za pośrednictwem streamingu przekazywanego z kamery Chandera Argawala na stronę „Daily" widzą plecy ściganego. Idzie wąskimi uliczkami wśród domów zdających się pamiętać wiele stuleci, jakie można spotkać tylko w Europie. Chander, w przeciwieństwie do Heasta, nie zadaje sobie trudu, żeby dodawać jakikolwiek komentarz, a Bonsant chyba w ogóle nie nadaje. Rozchwiane obrazy ilustrujące pościg oraz brak pewności, czy ścigany jest świadom, że ma za sobą cienie, a także pytanie, czy uda mu się uciec, tworzą atmosferę napięcia.

– Teraz – mówi Alice, wskazując na monitor.

Mężczyzna wyjmuje smartfon i przykłada go do ucha. Rozmowa jest krótka. Z powrotem chowa telefon i idzie dalej.

– No, ciekawa jestem – mamrocze Alice. – Zakładamy się, czy dostał ostrzeżenie?

Najwyraźniej jeden z techników w Londynie przejął reżyserię relacji. Na monitorze bowiem pokazuje się teraz Anthony, który znowu uruchomił swoje okulary. Wciąż jeszcze otoczony jest przez grupę ludzi, wśród nich są już dwaj policjanci w mundurach. Rozmowa z redaktorem naczelnym „Daily" odbywa się w bardzo uproszczonej wersji angielskiego. Will nie rozumie wszystkiego. Anthony pokazuje im zawartość swojego plecaka. Laptop. Puszka chipsów. Sprytnie zdążył ją wcześniej zamknąć. Ponieważ w swoich relacjach nie wspominał ani słowem o antenach, funkcjonariusze niczego nie podejrzewają. Obraz się kołysze i nagle widać twarz Anthony'ego. Jeden z mundurowych musiał chyba włożyć okulary.

– Facet w czapce wystawił ich do wiatru – bąka Alice.

Ktokolwiek w Londynie zarządza transmisją, w tym momencie przełącza znowu na Chandera. Jego okulary pokazują już większe budynki przy szerszej ulicy, którą pośrodku jedzie tramwaj.

Mężczyzna w granatowej czapce przyspieszył kroku, raz po raz znika między przechodniami. Ścigający zachowują odpowiedni dystans, aby go nie zgubić.

Will równolegle śledzi reakcje w portalach społecznościowych. Na Twitterze i Freemee setki osób z całego świata przedstawiają już swoje spojrzenie na zaistniałą sytuację. „Oczywiście fanów faceta w czapce jest zdecydowanie więcej" – stwierdza Will. Dodają mu otuchy i ostrzegają, inni pomstują na ścigających, część używa niecenzuralnych określeń, są tacy, którzy nawet im grożą.

Tramwaj zatrzymuje się na przystanku. Gość w czapce wsiada. Obraz faluje, robi się nieostry, rozpikselowany. Chander biegnie, słychać jego przyspieszony oddech. Ciemna dłoń wciska się między zasuwające się skrzydła drzwi, odciąga je. Wagon jest pełen, Will na próżno wypatruje granatowej czapki.

– Jest w pierwszym wagonie – mówi Alice.

Zdaje się, że Chander też to zauważył. Przepycha się między pasażerami do przodu. Na najbliższym przystanku wysiada, rozgląda się, sprawdza. W kadrze pokazuje się Cynthia Bonsant, zaraz znika. Przesiadają się do pierwszego wagonu. Kiedy drzwi się zamykają, ktoś wyskakuje w ostatniej chwili przednimi drzwiami. Młody mężczyzna w czapce z daszkiem. Stary trik.

Chander po raz drugi wkłada rękę między zasuwające się drzwi, też wyskakuje. Teraz sprawa jest jasna. Will i inni widzą z perspektywy Chandera, jak mężczyzna w granatowej czapce stoi jakieś dziesięć metrów dalej i bezceremonialnie lustruje Hindusa, podczas gdy tramwaj ze stukotem odjeżdża z przystanku.

Następnie się odwraca i zaczyna biec.

– Co to nam da? – dyszy Cyn. Cholera, zupełnie nie ma formy! Długo tak nie wytrzyma. Na szczęście w okularach pokazuje się plan miasta z zaznaczonym miejscem, gdzie się teraz znajduje. – To nas donikąd nie zaprowadzi – wyrzuca z siebie, łapczywie chwytając powietrze. – A przecież nie wolno nam go aresztować.

Chander nie odpowiada. I słusznie. Powietrze jest mu potrzebne, żeby mógł biec, a nie gadać. Przebiegli może około dwustu metrów, a uda już ją niemiłosiernie bolą. Mężczyzna omija jakiś rower i po chwili błyskawicznie przemyka na czerwonym świetle przez skrzyżowanie. Trąbienie klaksonów, pisk opon. Laptop w dłoni przeszkadza mu.

Kiedy dobiegają do skrzyżowania, zapala się zielone. Cyn poznaje po sylwetce mężczyzny, że też jest zmęczony. Cofa ramiona, głowę odchyla na plecy, biegnie wolniej, ogląda się za siebie. Cyn coraz bardziej zostaje z tyłu, podczas gdy odległość między nim a Chanderem stopniowo się zmniejsza. Nagle ku jej zaskoczeniu wymijają ją szybko dwaj mężczyźni, jakby oni też pędzili za facetem w czapce. Gdy on właśnie na ułamek sekundy się odwraca, z drzwi domu obok wychodzi jakaś kobieta. Oboje wpadają na siebie z impetem, kobieta zatacza się i niemal traci równowagę, ale w ostatniej chwili chwyta się muru domu. On potyka się, upada, upuszcza laptop. Trochę zdezorientowany wstaje, rozgląda się za komputerem, który w pokrowcu ześlizgnął się z chodnika pod zaparkowane obok auto. Kobieta podnosi krzyk, Chander i dwaj inni mężczyźni są już prawie przy niej, tamten coś woła, a gdy dostrzega swoich prześladowców, gorączkowo szuka laptopa, widzi go, ale w tym momencie dopada go już Chander. Wyciąga rękę do jego twarzy, chce ściągnąć mu okulary i czapkę. Mężczyzna się broni. Po krótkiej szamotaninie wyrywa się i puszcza pędem przed siebie, ścigany przez tamtych dwóch. Chander, ciężko dysząc, patrzy za nimi, następnie przeprasza kobietę, która zaraz odchodzi, a on grzebie w swoim plecaku i coś z niego wyciąga.

W tym momencie dociera do niego Cyn. Jest zlana potem.

Chander trzyma w dłoni urządzenie wielkości myszy z dwoma śmigłami.

– To teraz zabawimy się w dziennikarstwo powietrzne.

Rzuca to coś w górę – dziwny helikopterek wznosi się coraz wyżej. Cyn spogląda na smartfon w drugiej ręce Chandera.

– Zdalne sterowanie – wyjaśnia.

– Czy to jest dron? – dziwi się Cyn.

– Poręczny, prawda? A w środku ma coś takiego, czego Zero użył w swojej akcji podczas Dnia Prezydentów. Bardzo łatwy do nawigowania.

– Skąd go masz? – dopytuje.

– Coś takiego dostaniesz bez problemu w internecie w dobrych sklepach z zabawkami albo z urządzeniami technicznymi.

Przesuwa kciukiem po wyświetlaczu telefonu. Na obrazach z kamery tego małego latającego ustrojstwa błyskają symbole nawigacji. Widać na nich ulicę, na której stoją. Cyn rozpoznaje Chandera i siebie widzianych z góry. Na najbliższym skrzyżowaniu miga chyba granatowa czapka. Dwaj mężczyźni są kawałek za nim.

– I to jest legalne? – pyta Cyn.

– Dopóki ten gruby trzmiel będzie pozostawał w zasięgu naszego wzroku i nie sfilmujemy ani jednej osoby z bliska, zachowujemy się jak ekipa telewizyjna na deptaku.

– A kim są ci dwaj faceci?

– Nie mam pojęcia.

„Dziennikarstwo powietrzne". Ten cynizm przyprawia Cyn o mdłości. Powinna była nie ruszać się z dziedzińca. Cała ta nagonka zupełnie jej nie odpowiada.

– Czy mogłabyś wyjąć laptop spod samochodu? – prosi ją Chander. – Myślę, że znajdziemy w nim sporo interesujących rzeczy.

– Przecież nie możemy go sobie tak po prostu zabrać. On nie należy do nas.

– Później ewentualnie oddamy go policji, ale najpierw sprawdzimy, co w nim jest.

Cyn niechętnie schyla się i wyciąga komputer spod auta.

Chander natomiast dalej śledzi chłopaka, nie odrywając wzroku od wyświetlacza swojego smartfonu. Cyn nie jest w stanie nic na nim rozpoznać, chodnik wzdłuż ulicy wygląda z góry jak usiany mrówkami. Jedna z nich pędzi przed siebie, ścigana już nie przez dwie, ale cztery inne! Nagle stają im na drodze kolejne trzy, którym co prawda nie udaje się zatrzymać tamtych czterech, ale skutecznie je wyhamowują.

Dobrze przynajmniej, że Cyn nie musi już biec. Wyczerpana powłóczy nogami obok Chandera z obcym laptopem pod pachą.

Bezwolna uczestniczka. Dosłownie. Co ona tak naprawdę tu robi?

Sama nie wie, dlaczego nagle ogarnęły ją skrupuły przed wydaniem tego faceta. Przecież Zero nie zawahał się i skompromitował ją przed całym światem na wideo po śmierci Adama. Mimo to… Czterech przeciw jednemu, to nie fair. Poza tym ci obcy faceci wydają się jacyś podejrzani. O co tu chodzi?

– Znowu dzwoni – mamrocze Chander. – Chętnie bym się dowiedział, kto jeszcze go ściga. Czy ktoś nam pomaga?

– A może to agenci, którzy chcą go dorwać po akcji z prezydentem.

– To na jego miejscu dodałbym jeszcze gazu.

Jeśli Cyn go dobrze zrozumiała, stracili z oczu swój dron, który najprawdopodobniej szybuje gdzieś nad boczną uliczką.

Obraz na smartfonie Chandera faluje bez przerwy. Albo brakuje mu wprawy w obsłudze takich urządzeń, albo ten mały gadżet jest wyjątkowo wrażliwy na podmuchy wiatru – bądź jedno i drugie.

– Cholera, on biegnie do metra! – krzyczy Chander i natychmiast puszcza się pędem do przodu.

Cyn nie widzi żadnej stacji metra. Rusza szybszym krokiem, nie siląc się na to, żeby dogonić swojego towarzysza. Właśnie znika jej z oczu za rogiem. Kiedy ona dociera w to miejsce, on jest już pięćdziesiąt metrów dalej. Do stacji metra zostało jakieś trzysta metrów. Oprócz Chandera w tym samym kierunku biegnie jeszcze kilka osób, co najmniej szóstka. Młody mężczyzna natomiast zniknął już pod ziemią.

Chander zatrzymuje się przed schodami w dół i pospiesznie wstukuje coś w telefonie. Potem schyla się, obraca. Cyn domyśla się, że próbuje ściągnąć dron. Na próżno jednak podskakuje jak najwyżej, wyrzucając ręce w górę. Cyn dławi się od śmiechu. „Może powinnam przez okulary przesłać tę scenkę na żywo na stronę «Daily»” – zastanawia się, ale nagle słyszy za sobą groźne brzęczenie.

– Schyl się! – wrzeszczy Chander.

Najpierw czuć niespodziewany podmuch, a zaraz potem dron roztrzaskuje się na kawałki kilka metrów dalej na asfalcie.

– Shit!

Chander w pośpiechu zbiera jego szczątki i zbiega na stację metra, pokonując po dwa stopnie. Cyn rusza za nim, wpychając laptop do plecaka, który robi się jeszcze cięższy.

– Udało wam się dojść, kto do niego zadzwonił i go ostrzegł? – chce wiedzieć Jon.

– Nie – odpowiada Luis. – Karty pre-paid. Nieprzypisane nikomu.

Marten przeklina pod nosem.

– Ciekawe, dokąd on się teraz wybiera?

Na monitorach drżą rozkołysane, niewyraźne obrazy. Na wszystkich widoczny jest młody mężczyzna w granatowej czapce widziany od tyłu z różnej odległości. Wychodzi ze stacji metra po drugiej stronie na pełną przechodniów ulicę ze straganami po lewej i po prawej. Waha się przez moment, co ich ludziom daje szansę na zmniejszenie dystansu. Zaraz jednak znowu puszcza się pędem przez parking, aż w końcu znika za jakimś ogrodzeniem i jakby schodzi gdzieś w dół. Gdy agenci CIA dobiegają na miejsce, Marten dostrzega między dwiema ulicami coś w rodzaju głębokiego wybetonowanego koryta rzeki.

„Wienfluss" – wyświetlają mu okulary. Agenci schodzą po drabince. Koryto wpada do tunelu. Wbiegają do niego i rozmywają się w ciemności. Słychać echo ich kroków; ich postacie rzucają najpierw długie cienie na ścianie, a potem Marten rozpoznaje jedynie niewyraźne zarysy. Kamery przy okularach nie są dostosowane do takich warunków świetlnych.

– I co teraz? – szepcze Marten. – *Trzeci człowiek** czy co?

Z kilkusekundowym opóźnieniem „Daily" pokazuje identyczne obrazy. Pewnie transmituje je ten Hindus. Agenci CIA są na nich całkowicie niewidoczni w ciemności. Jego kamera jest zbyt kiepska, aby sprostać tak raptownej zmianie warunków.

---

* Tytuł angielskiego filmu z 1949 roku według scenariusza Carola Reeda, Orsona Wellesa i Grahama Greene'a; autor podrzędnych kryminałów przyjeżdża do powojennego Wiednia, gdzie ma rozwiązać zagadkę śmierci przyjaciela (przyp. tłum.).

– Tam przynajmniej nie będzie widzów – rzuca Jon.

– Miejmy nadzieję – mówi Marten.

– Chyba żartujesz – jęczy Cyn, gdy Chander znika w tunelu.

Wybetonowane koryto ma szerokość około dziesięciu metrów, po lewej i po prawej stronie wznoszą się wysokie ściany. Cyn czuje się między nimi jak okruch. Środkiem płynie szeroki może na dwa metry i niespełna pół metra głęboki strumień.

Razem z nimi za nieznajomym pędzi już około trzydziestu osób; Cyn nie ma pojęcia, kim są ci ludzie ani czego od niego chcą. Cała ta zgraja zdobywa razem z nią tunel, w którym echo kroków i głosów zlewa się z szemraniem wody. Wszyscy mają okulary – jak przypuszcza Cyn, inteligentne – albo trzymają smartfony w dłoniach, którymi prawdopodobnie filmują. Małe ekraniki świecą niczym robaczki świętojańskie. Ku jej zaskoczeniu nie jest całkiem ciemno. Z przodu odkrywa światło pod stropem i nieco dalej jeszcze jedno. Dzięki niemu rozpoznaje sylwetki innych ścigających, którzy powoli zostawiają ją w tyle. Po chwili okazuje się, że to nie lampy, tylko kratki kanalizacyjne, przez które przesącza się z góry słabe światło dnia.

W regularnych odstępach po obu stronach szerokiego kanału wpada woda z ujść mniejszych koryt. Cyn woli nie myśleć, co ze sobą niesie. Na szczęście na razie czuć tylko wilgocią i stęchlizną.

Ktoś popycha ją mocno. Cyn przewraca się do wody. Słyszy echo własnego krzyku, wyczuwa pod rękami i stopami dno, twarz zanurza się pod powierzchnią. Woda nie jest głęboka, ale podłoże śliskie. Wstrzymuje oddech, zaciska mocno usta, znajduje oparcie pod kolanami i dłońmi, aby podczołgać się do brzegu, gdy nagle kolejne uderzenie wciska jej głowę pod wodę. Desperacko wymachuje rękami i szarpie się, by pozbyć się ciężaru ze swojego karku. Woda wdziera się jej do nosa, do ust. Łapie się czegoś, co wydaje się czyimś ramieniem, wpija w nie palce, mając nadzieję, że ten ktoś ją wyciągnie. Tymczasem brutalny chwyt w nadgarstku pozbawia ją złudzeń. Na dodatek coś jeszcze uciska jej plecy. W panice Cyn wierzga nogami i wali na oślep rękami, osuwając się coraz niżej na śliskie dno. Ma wrażenie, że ktoś kładzie się na niej całym ciężarem i za wszelką cenę nie pozwala się wynurzyć! Brak jej powietrza! Płuca zaraz się rozerwą! Wie, że za kilka sekund może stracić świadomość. Widzi twarz Vi, próbuje coś powiedzieć. Ostatkiem sił, jakie jej zostały, rzuca się w bok. Ciężar na plecach nie ustępuje, przyciska ją jeszcze mocniej do podłoża. Cyn nie potrafi już odróżnić, gdzie jest góra, gdzie dół, nagle przed oczami robi się jaśniej, mięśnie się rozluźniają. Zaraz będzie oddychać. Głęboko i długo. Nie czuje już żadnego ciężaru – unosi się, szybuje. Słyszy muzykę. Skrzypce, fortepian, flet i miękki męski głos śpiewa o wiatrakach*. W blasku popołudniowego słońca kroczy po łące pełnej kwiatów, jak w filmie o miłości z lat siedemdziesiątych. Miękkie, białe, ulotne aksamity i błyszczące owady towarzyszą jej bezgłośnie w drodze do raju.

Marten ma przed sobą czarny obraz. Ich agenci i inni prowadzący transmisję biegną przez podziemną halę pełną filarów, schodów, stopni i różnych wejść i wyjść – o ile dobrze rozpoznaje, ponieważ kamery okularów nie są dostosowane do takiego oświetlenia, poza tym coraz częściej połączenie ulega zerwaniu.

– To wygląda jak któryś z labiryntów Eschera** – stwierdza Jon.

---

* Chodzi o piosenkę Noela Harrisona *Windmills of Your Mind* (przyp. tłum.).
** Maurits Cornelis Escher – mistrz iluzjonistycznej grafiki, w której wykorzystywał figury niemożliwe (przyp. red.).

– Jeśli ten gość zna to miejsce i ma w nim rozeznanie, nie dopadniemy go – prorokuje Marten.

Oprócz ich agentów po podziemiach błądzi jeszcze co najmniej dwadzieścia kilka osób i ciągle pojawiają się kolejne.

– Co to w ogóle za ludzie? – dziwi się Jon. – Inne tajne służby, które też szukają Zero, tylko darowały sobie uzgodnienie tego z nami?

– Raczej mi wyglądają na myśliwych amatorów. Może poszukując Zero, chcą skorzystać z jego nowej popularności – dywaguje Marten. – Albo to jego fani, którzy próbują powstrzymać tych, którzy go ścigają.

Obrazy na stronie „Daily" nie wyglądają wcale lepiej. Migoczą na ekranie, przerywane co rusz sekwencjami absolutnej czerni. Ciemne cienie i zarysy trudno przypisać jakimś konkretnym postaciom.

Wszyscy dobiegają do labiryntu schodów. „Owczy pęd" – myśli Marten. Jeden biegnie za drugim, choć pewnie każdy stracił już z oczu tego, za którym pędzą. Nie wygląda to najlepiej.

– Niech pan puści jeszcze raz ten moment, kiedy nasz znajomy w granatowej czapce gubi laptop – poleca Jon.

Luis zapisał całe nagranie. Cofa się do miejsca, gdy młodemu mężczyźnie wyślizguje się z rąk komputer i wpada pod samochód.

– Nasi ludzie najzwyczajniej w świecie tego nie zauważyli – pojękuje Jon.

Na kolejnych niewyraźnych kadrach trudno rozpoznać, czy Hindus albo dziennikarka sięgnęli po niego.

– Zabrali go czy nie?

Tak czy inaczej widać, że mężczyzna nie ma już laptopa. Co prawda w Langley zauważyli ten incydent i natychmiast kazali jednemu z agentów zawrócić, lecz kiedy dotarł na miejsce, pod samochodem niczego już nie było.

– Ci z „Daily" na pewno nie przepuścili takiej okazji – stwierdza Marten.

– A może znalazł go jakiś przypadkowy przechodzień – zastanawia się Luis.

Będą musieli to potem sprawdzić. Na monitorze Martena rozbłyskują światła. Jakiekolwiek obrazy dochodzą już tylko z dwóch par okularów. Przez szum wody i trzaski wynikające z zakłóceń transmisji słychać podniesione głosy. W bladym świetle czyjegoś smartfonu widać, że dochodzi do jakiejś przepychanki albo bójki.

– Co się stało? – pyta Jon. – Złapali go?

– To mi raczej wygląda na kłótnię między różnymi grupami ścigających – zauważa Marten.

Dwóch agentów szamocze się z obcymi osobami.

– Ludzie, opamiętajcie się, choć jesteście w cuchnącym kanale środkowej Europy – denerwuje się Jon. – Cały świat na was patrzy!

– To nie on! – mówi Alice.

Will nie widzi niczego poza cieniami poruszającymi się nerwowo oraz palcami wskazującymi w różnych kierunkach, a oprócz tego słyszy urywane nawoływania i ich echo.

– No to macie swoją promocję – odzywa się za ich plecami Carl, który wszedł niepostrzeżenie do salki.

Przez kilka minut na monitorze panuje podejrzany chaos, a na dodatek towarzyszy mu niezrozumiały hałas.

– Kim są ci wszyscy ludzie? – pyta Carl.

– Wyglądają mi na mędrków, którzy nie wiedzą, co zrobić z wolnym czasem – mówi Will.

– Brawo – syczy zjadliwie Carl. – Teraz to naprawdę przypomina *Ściganego*.

Will przełącza okulary na media społecznościowe „Daily" i również te obrazy przerzuca na monitor. Co sekunda pojawiają się nowe komentarze, podobnie jak na głównej stronie gazety.

– Są już dziesiątki tysięcy wpisów od początku transmisji! – próbuje przekonać Carla. – W większości ludzie kibicują ściganemu. Wiele stacji telewizyjnych pokazało te zdjęcia, na niezliczonych stronach internetowych ludzie piszą blogi na żywo.

– To mi przypomina nagonkę na sprawców zamachu podczas maratonu w Bostonie w dwa tysiące trzynastym – wtrąca Alice. – Jak mieszkańcy i zupełnie przypadkowi ludzie z całego świata godzinami twittowali, blogowali i publikowali zdjęcia nocnej strzelaniny w Watertown, interpretowali doniesienia policji i dyskutowali, a przede wszystkim rozpowszechniali plotki i różne informacje na niekorzyść podejrzanych. – Otrząsa się. – Wolę nawet nie myśleć, co zrobiłaby ta wirtualna wataha, gdyby wtedy w jej prawdziwe ręce dostała się jedna z tamtych osób.

– Niektórzy uważali, że to był ostateczny koniec klasycznych mediów i ich sposobu relacjonowania – mówi Will.

– Albo nowoczesne wydanie owidiuszowskiej famy[*] – oponuje Alice.

Choć Will powinien być bardziej niż zadowolony, narasta w nim jednak niemiłe uczucie. „Coś w całej tej sprawie jest nie tak" – myśli. Lecz na razie nie potrafi stwierdzić co.

– Nie widzę nikogo przed nimi – zauważa Alice. – Wydaje mi się, że oni go zgubili. Na szczęście – dodaje.

---

[*] Nawiązanie do maksymy *ipsa sua melior fama* (łac.) – (jestem) lepszy od swej reputacji; Owidiusz, *Listy z Pontu* (przyp. tłum.).

– Dlaczego? – pyta Carl, zaciskając powieki.

Alice spogląda na niego zirytowana.

– Bo to by oznaczało koniec naszej promocji – wyjaśnia.

Od uderzenia w żołądek Cyn napływają łzy do oczu. Z głową
w dół zwisa z czegoś w rodzaju belki. Kaszląc i dławiąc się, wyrzuca z siebie potoki wody. Jeszcze jeden cios w brzuch. Kolejna kaskada. Z trudem łapie oddech, krztusi się, rzęzi i zachłystuje, pluje i wymiotuje wodą, podczas gdy czyjeś dwa silne
ramiona oplatają jej tułów i pomagają się podnieść. Będąc na
czworakach, powoli dochodzi do siebie. Pod kolanami i dłońmi czuje zimne i mokre kamienne dno kanału.

Ktoś dotyka jej pleców. Cyn odruchowo się cofa.

– Lepiej pani? – pyta cicho męski głos dziwnym angielskim.
– Proszę się nie bać, nic pani nie zrobię. Ten typ, który panią
podtapiał, zwiał z paroma porządnymi guzami.

Cyn nie potrafi zidentyfikować tego osobliwego akcentu.
W końcu siada i podnosi wzrok – po wąsach i granatowej czapce rozpoznaje przed sobą mężczyznę, którego ścigali!

– Czego on od pani chciał? – pyta nieznajomy, ciężko dysząc; wydaje się spięty.

Cyn jedynie kręci głową. Nie ma pojęcia.

– A gdzie… gdzie jest reszta? – pyta, sapiąc.

– Pobiegli w złym kierunku – szepcze mężczyzna, po czym
pomaga jej wstać.

Cyn poddaje się bez oporu, on zaś ciągnie ją w jakiś wąski
korytarz, z którego odbija dwa razy w bok, aż w końcu zatrzymują się w niedużej niszy.

Jego twarz skrywa ciemność – jedynie kształt głowy rysuje
się niewyraźnie w mroku rozjaśnionym przez ledwie dostrze-
galne światło od tyłu.

– Dziękuję – bąka Cyn równie cicho jak on. – Zdaje się, że uratował mi pan... życie. I to po tym wszystkim, co zrobiliśmy. – Drży na całym ciele.

Mężczyzna rusza dalej korytarzem, ciągnąc ją za sobą.

– Niewykluczone, że to pani mnie uratowała. I ja powinienem dziękować. Oprócz pani gonili mnie jeszcze inni, i to całkiem innego kalibru. Prawdopodobnie amerykańskie służby. Gdyby nie wasza publikacja, nic bym nie wiedział. Kto by przypuszczał, że ci z Wonder Vision mają taki cholerny apetyt na dane! Idziemy dalej!

– To pan... nie śledził dyskusji na ten temat na forach „Daily"? – pyta Cyn, potykając się za nim.

– Nie sposób śledzić wszystkich. A były jakieś na ten temat?

– Owszem.

– No cóż. Jeszcze raz się udało.

Docierają do miejsca, w którym tunel rozwidla się na dwa mniejsze. Mężczyzna wyciąga do niej rękę, rozglądając się nerwowo.

– Proszę mi zwrócić komputer. – Kiedy Cyn nie reaguje, uzupełnia szybko: – Choć po tej podwodnej kąpieli pewnie i tak do niczego się nie nadaje.

Cyn dopiero teraz poczuła, że rzemienie plecaka, o którym zupełnie zapomniała, wpijają się jej w ramiona. Zdejmuje go i otwiera. Wszystko w nim jest tak samo mokre jak ona sama.

Podaje mu laptop. Uzmysławia sobie jednocześnie, że podczas walki z napastnikiem z pewnością zgubiła okulary. A komórka tkwiąca w kieszeni spodni raczej też przestała działać.

– Czyli to pan jest Zero? Albo należy pan do tego ruchu?

– Musimy się stąd wynosić, zanim ktokolwiek tu wróci. Najwyraźniej nie tylko mnie mają na celowniku. Niech pani idzie za mną!

Cyn ciągle jeszcze czuje, jakby nogi wrosły jej w ziemię. Czy powinna zaufać temu człowiekowi? A może to on próbował ją utopić?

Nieznajomy zaczyna iść, lecz gdy zauważa, że ona się waha, przystaje i czeka. Cyn stoi oparta o chłodną i wilgotną ścianę, w końcu jednak rusza za nim. Trzęsie się z zimna, przemoczone ubranie klei się do ciała.

„Chyba jestem w szoku" – przemyka jej przez głowę. Jest to jedna z niewielu jasnych myśli, na jakie ją stać w tym momencie.

– W podziękowaniu powiem coś pani – odzywa się cień przed nią, gdy po omacku posuwają się do przodu. – Ale pod warunkiem że nikomu pani tego nie przekaże, w żadnym razie przez telefon ani e-mailem czy inną drogą elektroniczną.

Cyn idzie ostrożnie, cały czas czujna, nic jednak nie wskazuje na to, by mężczyzna chciał ją zaatakować. Tak czy inaczej nie jest w stanie zapamiętać drogi, którą pokonują, ucieczka nie miałaby więc najmniejszego sensu.

– Obiecuję – mówi.

Zapowiedź usłyszenia jakiejś tajemnicy obudziła w niej zawodową ciekawość, poza tym pozwoliła na chwilę zapomnieć o lęku.

– Anthony Heast i „Daily" podjęli poszukiwania Zero, przystawszy na propozycję firmy o nazwie Sheeld. Mają za to dostać miliony. Tymczasem Sheeld to tylko przykrywka. Ale tego nie wie ani wasz naczelny, ani wasz dział reklamy.

– A kto się kryje za Sheeldem?

– Pieniądze pochodzą tak naprawdę od Freemee.

Cyn potyka się, pod jej stopami rozlega się pisk – krzyczy przerażona.

– To szczury – wyjaśnia mężczyzna i przystaje.

Cyn nieruchomieje. Gdy nieznajomy chwyta ją za ramię, cofa się, lecz on trzyma ją mocno i ciągnie za sobą.

– Po co… dlaczego Freemee to robi?

Gdy widzi, że Cyn się nie opiera, puszcza jej ramię, wciąż idąc dalej. Ten silny uścisk wyostrzył jej zmysły.

– Nieustające relacje na temat Zero przysparzają Freemee użytkowników skuteczniej niż jakiekolwiek inne akcje promocyjne.

– To nasze poszukiwania… mają służyć reklamie Freemee?

– Heast jest przekonany, że to promocja firmy Sheeld.

– Na jedno wychodzi! Skąd pan to wszystko wie?

– Mam swoje źródła. Ale aby nie narażać ich na niebezpieczeństwo, nie wolno pani powiedzieć o tym nikomu. Nikomu, słyszy pani?! Pomyślałem jednak, że pani może się to przydać.

– Jasne! – Cyn potyka się znowu. Nagle sobie przypomina. – Dzisiaj rano mój przyjaciel chciał mi opowiedzieć coś o Freemee. Tylko wolał nie mówić tego przez telefon. Zdaje się, że to było coś ważnego. Czy mogło chodzić właśnie o to?

Cyn wpada na mężczyznę, który nagle zatrzymuje się tuż przed nią.

– Mało prawdopodobne – ocenia. – Niczego nie zasugerował?

– Nie. To o co mogłoby mu chodzić?

Jej przewodnik znowu rusza przed siebie.

– Nie mam pojęcia.

Odgłosy popiskujących szczurów w pobliżu już jej nie płoszą, ponieważ jest pochłonięta własnymi myślami. Gdy młody mężczyzna wchodzi do kanału niewiele szerszego od jego ramion, Cyn znowu zaczyna się bać i mieć wątpliwości.

– Kiedy stąd wyjdziemy? – pyta. Jej głos brzmi nienaturalnie wysoko.

– Jeszcze dwie minuty.

Cyn posuwa się za nim między wilgotnymi ścianami.

– Wybrano „Daily" ze względu na panią. Freemee zależało na tym, aby to właśnie pani relacjonowała poszukiwania Zero.

– Ja? – Cyn aż przystaje ze zdziwienia. – Dlaczego?

– Została pani wytypowana. Przez program. Jako osoba najbardziej nadająca się do realizacji celu w tym konkretnym momencie.

– To absurd.

– Mówię to, co wiem – odpowiada mężczyzna.

„To dlatego Anthony mnie nie zwolnił" – myśli Cyn. Docierają w końcu do szerszego przejścia, na którego końcu Cyn z ulgą dostrzega światło.

– Tam może pani wyjść – mówi jej towarzysz.

– A pan?

– Ja pójdę inną drogą – oznajmia i cofa się w ciemność.

– Skąd… Jak… można się z panem skontaktować? – woła za nim.

On jednak już zniknął. Po chwili ucicha chlupot stóp brodzących w wodzie i słychać już tylko monotonne delikatne szemranie.

– Ten komputer jest niezbędny – stwierdza Jon, sięgając po telefon. – Najpierw spróbujemy załatwić to drogą służbową.

Wybiera numer oficera łącznikowego w Interpolu. Przedstawia mu pokrótce wydarzenia w Wiedniu:

– Członkowie Zero są poszukiwani z powodu utworzenia przestępczego stowarzyszenia i przypuszczalnej działalności terrorystycznej – wyjaśnia. – Musimy natychmiast mieć w Wiedniu policjantów, którzy wykonają międzynarodowy nakaz aresztowania. Najważniejszym tropem prowadzącym do podejrzanego jest komputer, który może być teraz w rękach trzech osób albo został oddany jako przedmiot znaleziony. –

Podaje mu nazwiska i adres hotelu Heasta, Argawala i Bonsant. – Później prześlemy wszelkie oficjalne dokumenty, chodzi nam o wdrożenie jak najszybszej ścieżki postępowania.

– Nie wiem, co da się zrobić – odpowiada jego rozmówca. – Bez oficjalnego zlecenia…

– Cholera, przecież mówię, że doślemy! Teraz po prostu nie ma na to czasu!

– Doskonale się pan orientuje, jak to jest z kolegami z innych krajów…

– Wiem. Ale przecież nie pierwszy raz trzeba działać w przyspieszonym trybie.

– Niektórzy partnerzy europejscy nie mają o nas zbyt dobrego zdania.

– To będą mieli o wiele gorsze, jeżeli na własnej skórze poczują skutki swojej krnąbrności! Niech im pan to uświadomi! – I ciska słuchawkę.

Najwyższa pora, żeby ludzie z CIA w końcu się czymś wykazali, skoro zawalili już całą resztę. Zirytowany bębni palcami o blat stołu.

– Co za tępaki! – warczy.

Relacja na stronie „Daily" straciła już na uroku, co najwyraźniej stwierdzili także reżyserzy transmisji w Londynie. Raz po raz na ekranie widoczny jest Anthony Heast, który obserwuje liczne radiowozy austriackiej policji i jednocześnie opowiada, jak to funkcjonariusze w mundurach próbują zapanować nad sytuacją w podziemiach. Gdy kolejny utytłany błotem mężczyzna wypełza z otworu w ziemi, natychmiast przejmuje go kilku policjantów i prowadzi do jednego z radiowozów. Po spisaniu personaliów zostaje puszczony wolno.

Odzywa się zabezpieczony przed podsłuchami telefon Jona. To Erben.

– Prezydent nie ma nic lepszego do roboty i ogląda historię z Wiednia. Byliśmy tam?

Jon odchrząkuje.

– Tak.

– Z sukcesem?

– Nie mam jeszcze meldunku.

– Mam nadzieję, że nie dojdzie do drugiej kompromitacji w ciągu zaledwie kilku dni.

Erben kończy rozmowę bez słowa pożegnania. Jon odkłada telefon. Na monitorach nie widać nic nowego.

– Niech to szlag! – kipi. – Jeśli ten młody typek należał do Zero, to właśnie nam czmychnął. A wszystko przez tych kretynów z „Daily"! Coś takiego nie może się już nigdy zdarzyć! Naślę na nich naszych brytyjskich kolegów! Już oni będą się mieli z pyszna! – Z furią zwraca się do Luisa: – Macie coś w końcu o tym Archibaldzie Tuttle'u?

– Nie.

– A macie w ogóle cokolwiek?

– Do dwóch dostawców VPN w Stanach poszły nakazy wydania nam danych ich użytkowników. Razem z National Letter of Security zabraniającym im wspominania o tym choćby w rozmowie.

– To nic nowego – odpowiada zjadliwie Jon. – Czy to coś nam da?

Luis nie traci opanowania.

– Zobaczymy.

W szparze pod starymi drzwiami zbitymi z drewnianych żerdzi połyskuje światło. Cyn po omacku natrafia dłonią na zimny żelazny uchwyt, naciska go do dołu. Drzwi otwierają się ze skrzypnięciem i jej oczom ukazuje się pomieszczenie wyglądem

279

przypominające zabytkową piwnicę. Kilka metrów dalej widać kolejne drzwi, gdzieś z oddali dobiega zgiełk głosów. Cyn podchodzi ostrożnie i spogląda przez szczelinę. Jasno oświetlony korytarz, drewniana podłoga, na ścianach plakaty zapowiadające jakąś imprezę. Po schodach idzie na dół starsza kobieta, po czym znika za drzwiami w korytarzu. Cyn wychodzi z ukrycia. Głosy, które zdają się dobiegać z jakiegoś lokalu, stają się donośniejsze. Na drzwiach, za którymi przed chwilą zniknęła kobieta, widnieje metalowa figurka niewiasty w staroświeckiej długiej sukni, a na drzwiach naprzeciwko postać mężczyzny ubrana jest w surdut. Czyli Zero pokierował ją do toalety jakiejś restauracji! Dowcipniś! Cyn z ulgą wchodzi do damskiej łazienki. Jej odbicie w lustrze nie stanowi miłego widoku. Poza tym zauważa, że czuć od niej tak, jakby wyszła prosto z kloaki. Gdy próbuje umyć się chociaż z grubsza pod kranem umywalki, z kabiny wyłania się tamta kobieta. Na widok Cyn ze wstrętem cofa się o pół kroku.

Cyn bierze nogi za pas. Przeciska się przez urządzony w rustykalnym stylu zatłoczony lokal w piwnicy o łukowym sklepieniu, w którym rozbrzmiewa wesoła muzyka na żywo; najchętniej stałaby się niewidzialna. Na szczęście jednak rozbawieni goście, w większości starszej daty, w ogóle nie zwracają na nią uwagi.

W końcu z ulgą wychodzi na dwór, na wąską uliczkę między starymi domami. Zapadł już zmrok. Teraz musi tylko trafić do hotelu. Wprawdzie zna nazwę i adres, lecz bez jakiegokolwiek sprzętu nie znajdzie drogi do niego. Papierowego planu miasta też oczywiście nie ma, zresztą i tak byłby cały przemoczony i do niczego się nie nadawał.

Obrzuca siebie spojrzeniem z góry na dół. Pewnie przechodnie biorą ją za bezdomną. Mimo że ma pieniądze, może zapomnieć o taksówce. Nikt przecież nie zabrałby jej w takim stanie.

Nie pozostaje nic innego jak spytać kogoś o drogę.

Starsza pani, w której stronę właśnie zmierza, wymija ją zręcznie, udając, że w ogóle jej nie widzi. Także dwie kolejne próby uzyskania informacji okazują się daremne. Dopiero jakiś młody mężczyzna z brodą i dredami z trudem zebranymi w jeden pęk na karku zatrzymuje się, lustruje ją podejrzliwie, ale mimo wszystko słucha. Cyn dostrzega ulgę w jego oczach, kiedy zwraca się do niego z prośbą nie o pieniądze, tylko o wskazanie drogi. Ochoczo opisuje jej bardzo przyzwoitym angielskim trasę, wyraźnie jednak zachowując odpowiedni dystans. „Boże, ależ ja muszę cuchnąć" – myśli Cyn. Zadaje dodatkowe pytania, aby dobrze zapamiętać marszrutę, jest bowiem świadoma, że nie tak szybko znalazłaby znowu kogoś, kto byłby gotów z nią porozmawiać. Mężczyzna pyta nawet, czy nie potrzebuje pomocy, na co Cyn zaprzecza i podziękowawszy, rusza przed siebie. Z opuszczoną głową przemyka w letni wieczór przez pełne ludzi ulice. Kto dostrzega ją w porę, umyka w bok, inni starają się wyminąć ją jak najszybciej.

Cyn odczuwa zmęczenie w każdej komórce ciała. W głowie kłębią się obrazy minionego popołudnia. Znowu czuje ucisk czyjejś mocnej dłoni na karku, niewiele brakowało, aby utonęła. Z trudem powstrzymuje łzy i drżenie.

Dwadzieścia minut później recepcjonistka nie chce jej wpuścić do hotelu. Cyn bliska jest albo wybuchu, albo załamania nerwowego. Ostatkiem sił prosi kobietę, aby zadzwoniła do pokoju Chandera lub Anthony'ego. Liczy na to, że są na miejscu, choć tak naprawdę nie ma pojęcia, czym ostatecznie skończył się pościg i gdzie obaj mogą się teraz podziewać. Recepcjonistka spełnia jednak jej prośbę i dzwoni.

Dwie minuty później Anthony wpada jak burza do holu.

– Rany boskie, jak ty wyglądasz! Co się stało?

– Później ci opowiem. Teraz muszę się przede wszystkim wykąpać.

– Też byłbym za tym. Chander nie wyglądał wcale lepiej. Naprawdę musieliście zejść do tych ścieków?

– Ktoś musiał, skoro ty świetnie bawiłeś się na placu – odpowiada, wciskając mu do ręki swój plecak, który on chwyta końcami palców.

W tej samej chwili w jego komórce rozlega się jakiś rockowy kawałek.

Cyn idzie do pokoju i zamyka się w nim. Nie decyduje się jednak na kąpiel w wannie. Dosyć już należała się dzisiaj w wodzie. Bierze najdłuższy prysznic w swoim życiu.

Godzinę później spotyka się z Anthonym i Chanderem w hotelowym barze. Obaj siedzą na dziedzińcu, każdy z laptopem przed sobą i w okularach na nosie. Na wielkim grillu pieką się jakieś pyszności. I jeden, i drugi pytają z zatroskaniem o jej samopoczucie.

Cyn zamawia drinka z dużą ilością dżinu. Właśnie tego teraz potrzebuje. Potem zaczyna opowiadać. Najpierw się waha, w końcu jednak opisuje, jak o mały włos nie została utopiona.

– Ktoś wepchnął cię pod wodę? – Anthony ze zdenerwowania wychyla jednym haustem całą szklankę piwa.

– Uratował cię ten facet w czapce? – dopytuje z niedowierzaniem Chander, unosząc brwi.

– To on tak twierdzi – mówi Anthony. – A może najpierw się na nią rzucił i podtopił, żeby odzyskać komputer. Albo odpłacić pięknym za nadobne za pościg. Trzeba koniecznie iść na policję!

– Nie mam żadnych dowodów. – Cyn odwraca się i opuszcza głowę, żeby pokazać im kark, a następnie podwija rękawy bluzki aż do łokci. – Widzicie cokolwiek? Odciski? Siniaki?

– Nie – odpowiadają obaj zgodnie po krótkiej lustracji.

– No właśnie. Dlatego pójście na policję nie ma najmniejszego sensu – stwierdza Cyn, chcąc kontynuować swoją relację, gdy Anthony odwraca wzrok i korzystając z telefonu, przyjmuje jakieś połączenie. Odchodzi kilka kroków dalej, aby móc swobodnie rozmawiać.

– I tak jest przez cały czas – mówi Chander, patrząc za nim. – Pościg za domniemanym Zero wywołał sporą sensację. Bez przerwy dzwonią do niego różne media. Ale powiedz lepiej, jak ty się czujesz – pyta ze współczuciem. – Może mógłbym coś dla ciebie zrobić?

„Mógłbyś mnie objąć" – myśli Cyn, głośno jednak mówi tylko:

– Dziękuję, to miło z twojej strony. Ale wszystko jest w porządku.

Po chwili wraca Anthony.

– No to co robimy? Idziemy na policję?

– Daj spokój – odpowiada Cyn.

– Jeszcze nie skończyłaś opowiadać. Co stało się potem? On tak po prostu sobie poszedł? Rozmawialiście?

Cyn mierzy go spojrzeniem, po czym mówi:

– Nie. Chciał odzyskać swój laptop.

– I ty mu…? Niech to szlag!

– Przecież i tak już do niczego się nie nadawał, skoro Cyn znalazła się z nim pod wodą – zauważa Chander.

– A kim byli ci pozostali ludzie, którzy za nim biegli? – pyta Cyn, chcąc skierować rozmowę na inne tory.

– Właśnie trwa analiza – wyjaśnia Anthony z entuzjazmem w głosie i na tablecie pokazuje zdumionej Cyn stronę „Daily" poświęconą poszukiwaniom Zero. – Setki tysięcy ludzi z całego świata uczestniczy w dyskusji! W pościgu brali udział głównie reporterzy amatorzy, którzy postanowili śledzić nasze poszukiwania i wstawili na swoje konta społecznościowe *live stream*.

– To jest po prostu chore! – parska Cyn.

– Nie wszyscy to zrobili – mówi Chander. – Nasi sieciowi pomocnicy także to zdążyli już ustalić…

– Po prostu niewiarygodne, do jakiego stopnia ludzie się w to zaangażowali! – Anthony wręcz tryska entuzjazmem. – Porównując opublikowane nagrania, ustalili na przykład, że z uczestników pościgu ośmiu biegło za tym facetem już od Dzielnicy Muzeów, ale pięciu z nich nie wysyłało relacji na żywo. – Gorączkowo otwiera odpowiednie klipy ilustrujące jego słowa. – Tych pięciu widać na nagraniach pozostałych ścigających. Niestety, zdjęcia nie są wystarczająco ostre, aby móc je przepuścić przez programy rozpoznawania twarzy, poza tym każdy ze ścigających nosi przyciemnione okulary i czapkę z daszkiem. Ludzie w sieci wymieniają się opiniami nawet o tych dziwnych modelach okularów! Wygląda na to, że są w nie wmontowane jakieś mechanizmy oślepiające programy rozpoznawania twarzy i uniemożliwiające dalszą identyfikację. Teraz szukają innych cech charakterystycznych, na przykład znamion czy tatuaży. Po prostu ekstra! Kilku twierdzi, że dwaj z nich są podobni do gości, którzy pojawiali się w innych sprawach jako agenci CIA.

– Ludzie kochają takie teorie spiskowe – zauważa sceptycznie Cyn. Jednocześnie przypomina sobie słowa mężczyzny, który wyciągnął ją z wody. Według niego ścigali go osobnicy całkiem innego kalibru.

– To wcale nie jest takie niedorzeczne – ocenia Chander. – Prawdopodobieństwo, że mieliśmy na celowniku rzeczywiście członka Zero, jest całkiem spore. Przecież specjalnie przyjechaliśmy za nim aż do Wiednia. Dlaczego miałyby tego nie zrobić także służby wywiadu?

– Czyli on się nie mylił – mówi Cyn w zadumie.

Czuje, jak przeszywa ją dreszcz.

– Co masz na myśli? – dopytuje Chander.

CIA. Sheeld. Freemee. Przez ułamek sekundy Cyn marzy o tym, aby Anthony poszedł gdzieś sobie, ona zaś mogłaby wtedy zwierzyć się Chanderowi. Po chwili jednak bierze się w garść.

– To my naprowadziliśmy na Zero wywiad – wyjaśnia.

– Myślę, że oni świetnie poradziliby sobie i bez nas.

– To z naszego powodu Zero puścił tamto wideo z Kosakiem i Washington: z błędem, który naprowadził na jego trop nie tylko nas, lecz także innych.

– Jestem przekonany, że niedługo puściłby je tak czy inaczej – mówi Chander.

– Wcale mi się to nie podoba – stwierdza Cyn, kręcąc z dezaprobatą głową. – Jak oddzielimy w tym chaosie plotek ziarno od plew?

– Ludzie zrobią to sami wcześniej czy później – uspokaja ją Chander. – Frances jako moderująca na forum na pewno im w tym pomoże.

– Zatrudniliśmy jeszcze dwóch dodatkowych praktykantów – wtrąca Anthony. – Ona w pojedynkę nie dałaby rady, chociaż jest bardzo utalentowana. Jeff nadzoruje całość, a Charly robi research. Jesteśmy najgorętszym medium! Mamy setki milionów wejść z całego świata! Najwyższa pora, Cyn, żebyś znowu się pokazała!

Cyn w zamyśleniu patrzy w pustkę przed siebie, wspomnienia minionego południa ożywają z każdą chwilą. Nagonka na nieznajomego. Coraz więcej ludzi wdziera się do tunelu. Mnożą się jak szczury. Duszkiem dopija koktajl.

– Okej – mówi. – To włącz nas na żywo. Opowiem o swoich przeżyciach w kanale. Po łebkach, jak to ładnie nazywasz.

– Tutaj? – pyta Anthony z irytacją w głosie.

Cyn rozgląda się dookoła.

– Przecież sceneria jest doskonała, prawda? O co ci chodzi?

– W porządku – zgadza się naczelny. Wypowiada szeptem kilka poleceń, po czym wszystko jest gotowe. Spogląda na Cyn. – Witam, ponownie zgłasza się Anthony Heast z „Daily". Obok mnie jest właśnie nasza reporterka Cynthia Bonsant, która dzisiaj dotarła za Zero aż w podziemny labirynt wiedeńskiej kanalizacji. Cynthio, opowiedz nam, jak to wyglądało!

Cyn uśmiecha się do kamery, po czym zaczyna mówić:

– To jedno wielkie gówno, Anthony. – Patrzy ubawiona na jego przerażoną twarz. – Ścigaliśmy człowieka, który nie zrobił nic innego, tylko dobrał się do skóry największemu donosicielowi świata, temu, który razem z wiernymi mu oprychami śledzi nas w każdej sekundzie dnia i nocy. Ja ze swojej strony chciałam przeprosić za to Zero i oświadczam, że się wycofuję. To jest nienormalne, co wyprawiamy! Ścigani powinni być inni. Jak chcecie, to szukajcie Zero dalej, ale beze mnie.

Anthony patrzy na nią osłupiały, po chwili z irytacją coś szepcze, prawdopodobnie wydaje jakieś wskazówki zespołowi realizacyjnemu w Londynie. Następnie zdejmuje okulary i odkłada je jak najdalej.

– Musisz, słyszysz! – nakazuje jej. – Przypomnij sobie naszą umowę.

– Nic nie muszę – odpowiada Cyn. – Już w samolocie powiedziałam ci jasno, że nie zamierzam uczestniczyć w czymś takim.

W tym momencie staje obok nich młoda kobieta z hotelowej recepcji.

– Czy pani Cynthia Bonsant? – pyta.

Gdy Cyn potwierdza, recepcjonistka wyjaśnia:

– Pani córka prosi o oddzwonienie. Odniosłam wrażenie, że to coś bardzo pilnego.

„Mój telefon! – przypomina sobie Cyn. – Vi nie ma jak się ze mną skontaktować".

Z telefonu w swoim pokoju wybiera numer jej komórki. Vi odbiera od razu. Cyn nie zdążyła nawet się odezwać, gdy słyszy ochrypły głos córki:

– Eddie nie żyje.

Cyn patrzy przez okno na ozdobioną stiukami fasadę leżącej po przeciwnej stronie kamienicy.

– Co powiedziałaś? Eddie nie żyje? – dopytuje.

– Tak.

Przysiada na brzegu łóżka.

– Boże drogi! – bąka. Eddie… Biedna Vi! Drugi przyjaciel w ciągu zaledwie kilku dni! – Skarbie, jak ty się czujesz?!

Ogarnia ją drżenie, nie jest w stanie nad nim zapanować. Vi mamrocze coś w słuchawce, potem zaczyna płakać. Cyn jest zrozpaczona, że nie może wziąć jej w ramiona. Co ona ma teraz zrobić?

Myśli o Annie. Gdyby nie chodziło o Eddiego, posłałaby do niej córkę. Dygocze już tak bardzo, że niemal nie jest w stanie utrzymać słuchawki.

Spogląda na zegar. O tej porze nie ma już żadnego samolotu do domu.

– Posłuchaj, skarbie, jutro z samego rana wrócę do Londynu – oświadcza. Bierze się w garść, chociaż najchętniej też by się rozszlochała. – Zadzwonię do Gwen. Może przenocowała-byś u niej.

– Nie trzeba. – Vi pociąga nosem. – Poradzę sobie.

– Dzisiaj rano jeszcze rozmawiałam z nim przez telefon – wspomina Cyn.

Widzi przed sobą twarz Eddiego, gdy siedział u nich przy stole w kuchni po śmierci Adama. Czy to możliwe?

– To musiało się stać niedługo potem – mówi Vi. Po jej głosie słychać, że stara się zapanować nad sobą.

– Wiesz jak? – pyta Cyn ostrożnie.

– Spadł na tory w metrze.

– Spadł?

– Policja mówi, że na peronie był straszny tłok. Jak to rano. Będą jeszcze analizować nagrania z kamer monitoringu.

Powracają wspomnienia wydarzeń w tunelu. Cyn czuje się nagle całkowicie otępiała.

– Biedna Annie! Rozmawiałaś z nią? Jak ona się trzyma?

Milczenie po drugiej stronie.

– A jak myślisz? Odchodzi od zmysłów.

Pocieszają się nawzajem jeszcze przez kilka minut, po czym kończą rozmowę, umawiając się na kolejny telefon.

Cyn siedzi jak ogłuszona na łóżku. Znowu ogarnia ją drżenie. Nie jest pewna, czy zdobędzie się na to, aby zadzwonić jeszcze do Annie. Nagle uzmysławia sobie, że nie zna na pamięć jej numeru; był zapisany w komórce, która utonęła w kanale. Niewiele brakowało, a ją też by to spotkało.

Eddie nie żyje. Ją ktoś próbował zamordować. Bo przecież to nie było nic innego jak usiłowanie zabójstwa. Przypadek? Witamy w paranoi, Cyn!

Na chwiejnych nogach schodzi do hotelowego lobby. Recepcjonistka znajduje w internecie numer Annie i zapisuje go na karteczce. Cyn bierze ją od niej niczym automat i sztywno rusza z powrotem do pokoju.

Annie Brickle nie odbiera także za piątym razem.

Cyn grzebie widelcem w talerzu. Nie ma apetytu. Tym więcej za to pije wina. Powiedziała Anthony'emu i Chanderowi o śmierci Eddiego. W obliczu tej informacji Anthony nie kontynuuje już dyskusji o jej odmowie dalszej współpracy przy poszukiwaniu Zero. W przerwach między śledzeniem wydarzeń na stronie „Daily" przez okulary, w smartfonie czy tablecie bez przerwy gdzieś dzwoni. Co kilka minut podtyka im pod nos najświeższe doniesienia na temat pościgu. Ta akcja rzeczywiście wywołała ogromne poruszenie na całym świecie. Cyn zauważa, że jego nieznośne zachowanie odrywa ją od czarnych myśli. Czuje się niemal wzruszona. To pewnie działanie alkoholu.

Za zgodą Anthony'ego Chander rezerwuje trzy bilety na następne przedpołudnie.

– Tu i tak już nic nie wskóramy – stwierdza naczelny. – Tylko dla mnie zamów klasę business.

Po kolejnym telefonie oznajmia:

– W wieczornych wiadomościach tutejszej publicznej telewizji mam poprowadzić dyskusję razem z moderatorem. Audycja zaczyna się za godzinę. Muszę jechać.

Ledwie zniknął, Chander ujmuje Cyn za rękę i mocno ściska jej dłoń.

Cyn z trudem powstrzymuje łzy. Również alkohol lekko zaciera jej spojrzenie.

– Jest aż tak źle? – pyta Chander ze współczuciem.

– Za dużo naraz.

Obejmuje ją ramieniem i prowadzi do baru.

– Porządny drink dobrze ci zrobi.

– Już jestem wstawiona.

– Dzisiaj możesz pozwolić sobie na więcej.

Zamawia dwa koktajle. Cyn się nie wzbrania. Potem Chander pyta ją o Eddiego.

Zaczyna mu opowiadać.

– Wyobraź sobie, że dzwonił do mnie jeszcze dziś rano.

– Już to mówiłaś – przypomina jej delikatnie Chander.

Cyn wypija drinka jednym haustem. Wstrząsa się i zamawia następnego. Jej mózg powoli zamienia się w mokrą watę.

– Nie wspomniał ci, o czym chciał powiedzieć? – dopytuje Chander.

Zastanawia się jeszcze raz.

– Nie wiem, nie… – Cyn kręci głową.

Ma wrażenie, że to ciężka dojrzała kapusta na bardzo cienkiej łodydze. „Po tej szklance muszę już skończyć" – postanawia, gdy barman stawia przed nią drugi koktajl. Kiedy Chander delikatnie i czule głaszcze ją po plecach, przebiega ją dreszcz. Nie wzbrania się jednak.

Chander zmienia temat. Opowiada o swoich wcześniejszych pobytach w Wiedniu i innych podróżach. Sporo jeździ po świecie. Jego opowiadania docierają do jej uszu niezbyt wyraźnie, jakby on znajdował się gdzieś daleko, ona zaś była pod wodą. Nagle mu przerywa. Bez pytania sięga po jego smartfon, żeby zadzwonić do Vi. Gdy idzie w spokojniejszy kąt baru, czuje, że niezbyt pewnie trzyma się na nogach.

Głos córki jest już spokojniejszy i bardziej opanowany niż poprzednio. Cyn pilnuje się, aby nie bełkotać.

– Co robisz? – pyta.

– Nic specjalnego. Czatuję, dzwonię. A ty?

– Zalewam smutki – przyznaje się.

– Dobry pomysł.

– Wciąż jeszcze nie dodzwoniłam się do Annie – mówi Cyn.

– Ja też drugi raz jej nie złapałam.

– Przylatuję jutro w południe. Niedługo się zobaczymy – dodaje jeszcze.

Żegnają się, po czym Cyn próbuje kolejny raz skontaktować się z Annie. Na próżno.

Na szczęście bar zapełnił się gośćmi i Cyn nie może iść z powrotem na miejsce najkrótszą drogą, dzięki czemu jej chwiejny krok nie jest tak bardzo zauważalny. Kilkakrotnie prostuje się i wyżej unosi głowę. W końcu dociera do Chandera, nie wpadając na nikogo.

Nie ma już siły panować nad emocjami. Opowiada mu wszystko po kolei. Alkohol sprawia, że sytuacja wydaje jej się mniej tragiczna, niż jest w rzeczywistości.

– Czy mimo wszystko polecisz do Nowego Jorku? – pyta Chander.

– Nie wiem jeszcze – mówi.

Najpierw musi zobaczyć się z Vi i Annie. Dopiero wtedy zdecyduje. Po tym, co usłyszała od tamtego młodego mężczyzny w kanale, czuje się niemal zobowiązana, aby tam pojechać. Przecież musi się dowiedzieć, co za tym wszystkim się kryje.

– Muszę się położyć – oznajmia wreszcie.

Woli nie myśleć o jutrzejszym kacu i bólu głowy.

– Odprowadzę cię na górę – proponuje Chander, otaczając ją ramieniem.

Ich pokoje sąsiadują ze sobą. Przed drzwiami Chandera czekają dwaj mężczyźni. Jeden pokazuje mu legitymację policyjną i kilka urzędowych pism.

– Przyszliśmy po komputer, który pan dziś zabrał. Musimy go zarekwirować.

Cyn natychmiast trzeźwieje. Znowu czuje lęk.

Chander nawet nie zadaje sobie trudu, żeby przyjrzeć się papierom.

– My nic nie mamy – odpowiada, otwierając drzwi do pokoju. – Proszę wejść i wszystko przeszukać. Również u mojej koleżanki obok.

Cyn potakuje.

– Zgubiłam go w kanałach – wyjaśnia. – Wpadł mi do wody. Jeśli mi nie wierzycie, sprawdźcie u mnie w pokoju.

Policjanci patrzą na siebie z powątpiewaniem, po czym wchodzą do pokoju Chandera. Podnoszą poduszki na kanapie, szperają w szafkach, zaglądają do łóżka i pod nie. Zajmuje im to kilka minut. Identyczną procedurę powtarzają w pokoju Cyn.

– A pan Heast?

– Jest teraz w telewizji – wyjaśnia Chander. – Musicie na niego poczekać. Albo poprosić personel hotelowy o klucz do jego pokoju. Tyle że to nic nie zmieni. Nie mamy tego komputera. Przykro mi.

Dwaj funkcjonariusze żegnają się obcesowo i odchodzą.

– Wizyta na najwyższym szczeblu – bąka Chander, gdy tylko tamci znikają z pola widzenia.

Kładąc rękę na plecach Cyn, delikatnie, ale stanowczo kieruje ją do swojego pokoju.

– Od razu przedstawiły mi tych gości – mówi głośno, wskazując na okulary. – Austriacka policja! Akurat! To ludzie z wiedeńskiego oddziału jakiegoś amerykańskiego przedsiębiorstwa. Moim zdaniem to firma będąca przykrywką CIA – wyjaśnia, idąc do łazienki. – Niewykluczone, że ktoś z niej brał dziś udział w pościgu.

Wraca z łazienki i podaje jej proszek od bólu głowy, po czym nalewa wody do szklanki.

– Proszę. Łyknij, profilaktycznie.

Cyn czuje znowu działanie alkoholu, i to intensywniej niż przedtem. Jej język robi się sztywny.

– To pewnie nie cieszyli się z naszej transmisji na żywo.

– Możesz być tego pewna.

„Super, czyli znalazłam się na czarnej liście u Amerykanów!" – przeklina w duchu Cyn, połykając tabletkę. Chander bierze od niej szklankę. Jego palce muskają jej dłoń. Przez krótką chwilę oboje stoją niezdecydowanie naprzeciw siebie.

– Trochę lepiej? – pyta z troską, głaszcząc ją po ramieniu.

– Tak – odpowiada.

Czuje jego ciepły oddech. A po chwili dotyk jego warg. Chander obejmuje ją delikatnie. Przez ułamek sekundy Cyn się waha. Następnie odwzajemnia pocałunek.

ArchieT:

A niech to, niewiele brakowało!

Puchacz:

Wszystko okej?

ArchieT:

Tak. Na razie jestem w Berlinie.

LotsofZs:

Uratowali nas ci kretyni z „Daily".

Submarine:

Czy jeszcze gdzieś zdarzyło się takie szambo jak z 3D Whizz?

LotsofZs:

Powiem tylko: metadane.

Snowman:

Sorry!

ArchieT:

Co robimy z Bonsant?

Sobota

Mimo tabletki przeciwbólowej od Chandera, która miała zapobiec kacowi, Cyn budzi się z pękającą głową. Po zapachu poznaje od razu, że nie jest w swoim pokoju. Otwiera oczy, ból rozsadza jej czaszkę, natychmiast więc opuszcza powieki. Przypomina sobie, że sporo wypiła. Pamięta też Chandera. Ostrożnie sięga w bok ręką, dotyka jego ciała. Śpi tuż przy niej. Gdyby nie głowa, czułaby się wspaniale. Z rozkoszą wsłuchuje się w jego regularny oddech. Próbuje ułożyć się wygodniej i wtedy przypomina sobie o bliźnie. Blizna! Instynktownie zakrywa ją ręką i najciszej jak potrafi wyślizguje się spod kołdry, po czym zbiera swoje rzeczy porozrzucane po całym pokoju. Przemyka do łazienki, szybko się ubiera i porządkuje włosy. Potem na palcach skrada się znowu do łóżka i lekko całuje Chandera w usta, szepcząc: „Na razie".

Jego powieki unoszą się ociężale, a gdy wyciąga rękę, aby jej dotknąć, ona jest już przy drzwiach i po chwili na korytarzu.

Cyn bierze u siebie długi prysznic. Ciepła woda lekko łagodzi ból głowy, lecz wydarzenia poprzedniego dnia bardzo szybko i niepodzielnie opanowują jej myśli. Przypomina sobie, jak o mało nie została utopiona. Nagle zaczyna się dusić. Potykając się, wychodzi z kabiny i stojąc przed lustrem, łapczywie chwyta powietrze. Niezbyt miły widok. Rozdygotana owija się w płaszcz kąpielowy i czesze włosy. Oparta plecami o ścianę wpatruje się w lustro. Płaszcz rozsuwa się nieco i odsłania bliznę. Szybko go poprawia. Myśli o Eddiem. Czy istnieją jakieś powiązania? Witamy w paranoi. Jeszcze raz przeciąga grzebieniem po włosach, a potem smaruje bliznę kremem. Dotykając skóry, przypomina sobie ostatnią noc. Przez ułamek sekundy tęskni za Chanderem.

W taksówce na lotnisko Anthony ponownie opowiada o swoim udziale we wczorajszym programie. Wprawdzie mówił tylko dwie minuty, ale wszystko było wspaniałe! I co najważniejsze, wystąpił w telewizji w związku z poszukiwaniami Zero jako pierwszy, przed Cyn, jak przystało na redaktora naczelnego. Przy śniadaniu nie zdołał przedstawić im wszystkich detali własnego występu. Wziął z hotelu austriackie i zagraniczne gazety relacjonujące wydarzenia w Wiedniu. Pełno w nich zdjęć. Teraz pokazuje każdy artykuł po kolei Cyn i Chanderowi, którzy siedzą na tylnym siedzeniu. Papier głośno szeleści.

– Jesteśmy teraz gwiazdami – grzmi. – A „Daily" skoczył pod względem rozpoznawalności za granicą o kilkadziesiąt miejsc do góry. Wejść na naszą stronę też były miliony. Już choćby z tego powodu ta podróż się opłaciła.

– Tyle że zostaliśmy przez Zero wystrychnięci na dudka – zauważa Chander.

– Bo nie potrafisz obsługiwać tych swoich dronów! – śmieje się Anthony.

– Ponieważ nadawaliśmy na żywo. W przeciwnym razie być może udałoby się nam zrobić z nim wywiad – wtrąca Cyn.

– Albo capnęłoby go CIA – odpowiada Anthony. – Co się z tobą dzieje? Chyba wczoraj nie mówiłaś poważnie? Mam na myśli to, że nie będziesz już szukać Zero.

– Jak najbardziej poważnie – potwierdza Cyn.

Anthony macha ręką.

– Porozmawiamy o tym na spokojnie w Londynie – podsumowuje, po czym otwiera jedną z gazet na stronach gospodarczych.

– Dziś po południu nie będzie mnie w redakcji – oświadcza Cyn grobowym głosem. – Muszę zająć się córką i pomóc matce tego zmarłego chłopca.

Naczelny zupełnie zapomniał o tej historii.

– Jasne – rzuca, nie odrywając spojrzenia od kursów giełdowych.

Przebiega je pobieżnie wzrokiem, następnie odkłada gazetę i uruchamia okulary, gdy z tylnego siedzenia dochodzi podniecony głos Chandera:

– Właśnie zostałem ostrzeżony, że z powodu wczorajszej akcji Anonymous rekrutuje ludzi do ataku przeciw „Daily”.

O czym on gada?

– Rekrutuje ludzi? – Anthony marszczy czoło. – Do ataku? Jakiego znowu ataku?

– Powinieneś jak najszybciej uprzedzić swoich informatyków, chyba że oni też korzystają z tej samej opcji powiadamiania alarmowego co ja.

– Co to ma być? – oburza się Heast. – Myślałem, że hakerzy z Anonymous pracują w ukryciu, jak wskazuje ich nazwa.

– Anonimowo, ale nie w ukryciu. To jest sprawdzony sposób postępowania tej grupy. Posługując się anonimowymi kontami, wstawiają filmiki wideo na YouTube, twittują i tak dalej. Każdy może się dołączyć. Wystarczy tylko ściągnąć z sieci pewne darmowe programy na swój komputer albo wejść na określone strony internetowe. Za ich pośrednictwem będą potem przeprowadzone ataki DoS i im podobne.

– Czyli nasza strona zostanie zalana nadmiarową liczbą zapytań, aplikacja przeciąży się i przestanie działać?

– Zgadza się.

– Nie możemy do tego dopuścić. Da się przed tym jakoś obronić?

– W pewnym stopniu tak, ale pod warunkiem że zaczniemy coś robić natychmiast.

– Już dzwonię do Jeffa – mówi Anthony i dodaje pod nosem: – A to skurczybyki!

Podczas gdy wzburzony Anthony dyskutuje z informatykami w Londynie, a Chander komentuje na chłodno, Cyn obserwuje krajobraz za oknem. Taksówka pędzi autostradą, za szybą peryferie miasta stopniowo przechodzą w tereny przemysłowe i w końcu w pola. Cyn myśli wciąż o Annie i Eddiem. Także o Vi. Nagle czuje blisko kolano Chandera, przysuwa swoje udo do jego, czujnie obserwując Anthony'ego, aby gdy tylko się obejrzy, od razu je cofnąć. Chander odpowiada jej uśmiechem, po czym wraca do rozmowy.

Cyn znowu patrzy przez szybę. Co powie przyjaciółce? Rój szpaków zbija się właśnie w wielką chmurę szybującą nad polami.

Gdy wysiadają z taksówki i regulują rachunek, Anthony rozmawia jednocześnie z taksówkarzem i przez swoje okulary. Po nadaniu bagażu i kontroli bezpieczeństwa oznajmia im:

– Pójdę do saloniku trochę popracować. Na razie, gołąbeczki – dodaje z dwuznacznym uśmieszkiem i znika.

Cyn oblewa się rumieńcem aż po nasadę włosów. Chander natomiast tylko wzrusza ramionami i proponuje jej z uśmiechem:

– Chodźmy wobec tego na kawę.

Po wylądowaniu w Londynie całej trójce tuż przed wyjściem zastępuje drogę kilku celników.

– Państwo pójdą z nami – wydają im polecenie.

Zanim Cyn zdąża otworzyć usta, dwie funkcjonariuszki już oddzielają ją od towarzyszy podróży.

– Jest pani podejrzana o wspieranie terrorystów – oświadcza jedna z nich.

Cyn przystaje i nieruchomieje. Obie opiekunki niezbyt delikatnie popychają ją dalej.

– Panie musiały mnie z kimś pomylić – mówi, zastanawiając się gorączkowo, co to może znaczyć.

Przypominają się jej mężczyźni z hotelu poszukujący komputera. I skandal z dwa tysiące trzynastego roku, kiedy partner amerykańskiego dziennikarza był przetrzymywany przez dziewięć godzin na lotnisku. Mocne dłonie na jej plecach popychają ją do przodu.

– To już wyjaśni pani śledczym – odpowiada jedna z kobiet.

Wprowadzają ją do odrażająco ponurego pomieszczenia. Pośrodku stoi stół i dwa krzesła, pod ścianą – leżanka. Zanim Cyn zdąża się zorientować, jedna z funkcjonariuszek zabiera jej torebkę i wysypuje całą zawartość na blat stołu.

– Rozbierać się – rozkazuje druga.

– Słucham?!

– Rewizja osobista.

– Z jakiej racji?

Ogarnia ją panika. Nieuchronnie myśli o ataku z poprzedniego dnia, czuje śmiertelny strach, taki sam jak wtedy pod wodą.

– Nie macie prawa...

– Mamy – odpowiada ostro kobieta. Po czym dodaje z irytacją: – Niech pani nie utrudnia sobie i nam. Rozbierze się pani na chwilę, my panią zbadamy i będzie po wszystkim.

Cyn rozgląda się po pomieszczeniu. W dwóch rogach pod sufitem odkrywa kamery.

– I jeszcze będę przy tym filmowana?!

– Takie przepisy. Dla naszego bezpieczeństwa.

– Waszego?

– No już! – Funkcjonariuszka daje jej znak ręką, żeby się pospieszyła.

Cyn usiłuje się uspokoić. Zaczyna się domyślać, o co w tym chodzi. To czysta szykana. Próba zastraszenia.

– Nie – oświadcza, krzyżując ręce na piersi.

Kobieta, westchnąwszy ciężko, rusza w jej stronę.

– Niech mnie pani nie dotyka! – Cyn zdobywa się na najbardziej kategoryczny ton, na jaki ją stać w tej sytuacji. A wskazując na kamery, dodaje: – Jesteśmy filmowane. Sama pani powiedziała.

Kobieta zatrzymuje się, opuszcza rękę i cofa się o krok. Czeka.

Cyn nie ma pojęcia, jakie prawa przysługują tym babom. Stoją tak przez kilka sekund, które jej wydają się minutami.

– Okej – mówi w końcu tamta i pokazuje na krzesło. – Niech pani siada.

Odwraca się i otwiera drzwi.

„Małe zwycięstwo – myśli Cyn. – Czy pyrrusowe zwycięstwo?". Wybiera drugie krzesło. Taka drobna gra psychologiczna. Z trudem opanowuje drżenie całego ciała. Przejście kilku kroków do krzesła wydaje się zadaniem nie do pokonania, ponieważ nogi uginają się jej w kolanach. „Na pewno nie pokażę wam słabości!".

Do środka wchodzi inna kobieta i jeden mężczyzna, oboje ubrani po cywilnemu. Wymieniają swoje nazwiska i stopnie, Cyn jednak jest tak wyprowadzona z równowagi, że od razu je zapomina.

– Przesłuchujemy panią na podstawie ustawy o terroryzmie z dwa tysiące czwartego roku – wyjaśnia kobieta.

– Jestem dziennikarką – oznajmia Cyn. – Domagam się adwokata.

– To nie jest serial telewizyjny, proszę pani – odzywa się chłodnym tonem mężczyzna. – Albo będzie pani z nami współpracować, albo nie.

– O jakiej współpracy pan mówi?! – rzuca Cyn wzburzona. – Ja po prostu tylko wykonuję swoje obowiązki zawodowe.

– A my nasze. Gdzie jest laptop tamtego młodego mężczyzny? Będąc w Wiedniu, podniosła go pani z ulicy i zabrała.

– A potem wetknęłam go sobie w tyłek, żeby przeszmuglować do kraju?! Odbiło wam czy co? Zgubiłam go w czasie pościgu w kanałach. – Cyn czuje, że wściekłość wywołana przez to samowolne i w żaden sposób nieuzasadnione przesłuchanie budzi w niej ducha przekory. – Przecież wy to na pewno wszystko wiecie. Jestem przekonana, że zabezpieczyliście wszystkie materiały, jakie ludzie wstawili do sieci, a także nagrania z kamer monitoringu w Wiedniu. Możecie na nich zobaczyć, że wyszłam z podziemi bez laptopa.

Mężczyzna przygląda się przedmiotom na stole wyjętym z jej bagażu podręcznego. Bierze do ręki komórkę i mówi:

– Rekwirujemy ją.

– Proszę bardzo – śmieje się Cyn. – I tak nie działa.

– Nie miała żadnych innych urządzeń przy sobie? – pyta mężczyzna kobiety w mundurach.

– Nie, sir.

Jego partnerka zwraca się do Cyn:

– Swoją akcją pomogła pani w ucieczce domniemanemu terroryście.

– To kompletny absurd i dobrze o tym wiecie. Ani ja mu w niczym nie pomogłam, ani on nie jest żadnym terrorystą. Nawet mimo udziału w akcji w Dniu Prezydentów. – Cyn kipi wściekłością. Musi się opanować, żeby nie zacząć krzyczeć. – A teraz może łaskawie pozwolicie mi już pójść. Wczoraj zmarł mój znajomy, muszę zaopiekować się jego matką.

– Możliwe, że wypuścimy panią dopiero za czterdzieści osiem godzin – oświadcza mężczyzna. – Mamy prawo zatrzymać panią na tak długo.

Przez kolejną godzinę zadają jej wciąż te same pytania, Cyn jednak uparcie trzyma się swojej wersji. Grożą jej, próbują zastraszyć. W końcu Cyn zamyka się i w ogóle się nie odzywa.

Niedługo potem do pomieszczenia wchodzi jeszcze jeden mężczyzna i szepcze coś obojgu śledczym w cywilu. Wszyscy troje mierzą Cyn nieprzyjaznym wzrokiem, po czym kobieta parska:

– Jest pani wolna.

Cyn pakuje rzeczy do torby, zostawia tylko komórkę.

Na zewnątrz czekają na nią Anthony i Chander. Również oni byli przesłuchiwani.

– Jeszcze porozmawiamy! – rzuca z wściekłością Anthony w stronę funkcjonariuszy.

Ona jednak nie ma ochoty dyskutować na ten temat. Ma ważniejsze rzeczy przed sobą.

W końcu dostają swój bagaż z powrotem. Cyn od razu poznaje, że ktoś musiał grzebać w jej sportowej torbie, bo nawet porządnie nie zamknął suwaka.

Anthony i Chander jadą prosto do redakcji, aby zająć się obroną przed atakiem grupy Anonymous. Na nią czeka córka.

Zastaje Vi bladą i rozdygotaną. Również ona nie potrafi już dłużej hamować łez. Przytula córkę. Stoją tak kilka minut, obejmując się nawzajem i szlochając. Pierwsza opanowuje się Cyn.

Przy herbacie Vi opowiada, na jakim etapie jest śledztwo.

– Według policji to był wypadek.

Cyn nie potrafi uwolnić się od wątpliwości.

– Eddie zadzwonił do mnie tuż przed moim wylotem do Wiednia – zdradza córce. – Chciał mi o czymś powiedzieć. Wspominał ci coś o tym?

Vi kręci głową.

– Nie. Nie mam zielonego pojęcia, o co mu mogło chodzić. Może… nie.

– No, mów!

– Mam wrażenie, że od jakiegoś czasu Eddie się we mnie bujał.

– A ty?

– Lubiłam go. Ale tak zwyczajnie, jak przyjaciela.

– Myślisz, że o tym chciał ze mną pogadać?

Vi wzrusza ramionami.

– To tylko takie moje przypuszczenie.

„Może rzeczywiście chodziło mu jedynie o to – ma nadzieję Cyn. – Po co w takim razie wspominałby o Freemee?".

Z telefonu stacjonarnego próbuje znowu dodzwonić się do Annie. Gdy ktoś podnosi słuchawkę, jej żołądek skręca się w węzeł. Ledwie rozpoznaje głos przyjaciółki. Jej własny też się łamie, gdy jąkając się, mówi:

– Annie, tak mi przykro. Może wpadnę do ciebie? Mogłabym być za trzy kwadranse.

– Naprawdę… mogłabyś? – szlocha matka Eddiego.

– To na razie.

– Pojedziesz ze mną? – pyta córkę.

Vi kręci głową.

– Może lepiej nie.

– Rozumiem. W porządku.

Cyn bierze taksówkę. W niej czuje się bezpieczniejsza. Nie wspomniała córce nic o wypadkach w wiedeńskich kanałach. Woli niepotrzebnie jej nie niepokoić.

Gdy Annie otwiera drzwi, wygląda na kompletnie zdruzgotaną. Cyn obejmuje ją i nic nie mówiąc, prowadzi do kuchni.

Drżącymi rękami przyjaciółka próbuje zrobić herbatę. Wreszcie Cyn bierze od niej czajnik i wlewa gorącą wodę do dzbanka.

– To był wypadek – zaczyna Annie, zająkując się. – Tak mówi policja. Tłok na peronie. Na nagraniach z kamer nic nie widać dokładnie. Świadkowie niczego nie zauważyli. Twierdzą, że nikt nie jest winny.

Siedzi, patrząc tępo przed siebie. Po jej policzkach spływają strużki łez zbiegające się na podbródku.

Cyn stawia na stole przed nią filiżankę. „Chętnie obejrzałabym to wideo – myśli. – Chociaż «chętnie» to może niezbyt odpowiednie słowo". Wypiera myśl, która wbiła się w jej mózg jak kleszcz i ciągle nabrzmiewa.

– Tak bardzo się cieszył, że zrobi prawo jazdy – mówi Annie bezbarwnym głosem.

Cyn milczy. Popija gorącą herbatę. Przez kilka minut żadna z nich się nie odzywa. Cyn przysłuchuje się odgłosom kuchni, dźwiękom dobiegającym z ulicy. Oczami wyobraźni widzi Eddiego przed sobą, jak bawi się z Vi na placu zabaw, refleksyjny mały chłopiec o dużych brązowych oczach, który nigdy nie szalał tak jak jej córka. Jego nieśmiały uśmiech, który w okresie dojrzewania przerodził się w bardzo ujmujący. Ona też zauważyła, że od kilku miesięcy czuł do Vi chyba coś więcej niż wcześniej.

– Co ja mam teraz zrobić? – pyta Annie drżącymi ustami.

Cyn staje za nią i mocno ją obejmuje. Czuje, jak szloch wstrząsa jej ciałem. Stoi tak niemal całą wieczność, dopóki przyjaciółka w końcu się nie uspokoi.

– Przepraszam. – Annie pociąga nosem i wyciera łzy z policzków.

– No co ty, nie masz za co mnie przepraszać – odpowiada łagodnie Cyn.

Przypomina jej się ostatnia rozmowa z Eddiem; zastanawia się, czy nie wspomnieć o niej przyjaciółce.

– Podobno… – zaczyna Annie, urywa i mówi dalej: – Podobno… przed śmiercią dzwonił do ciebie. Tak mówi policja.

– Owszem – odpowiada Cyn ze ściśniętym gardłem. – To musiało być na krótko przed tym, jak… to się stało.

– To była… jego ostatnia rozmowa w ogóle. Co ci… powiedział?

Cyn usiłuje przypomnieć sobie dokładne brzmienie jego słów, co jednak okazuje się niemożliwe.

– Chciał mi o czymś opowiedzieć. O pewnej firmie. Nie wiem co. Napomknął, że być może ma dla mnie temat. Wiesz coś o tym?

– Temat? – Annie patrzy na nią bezradnie. – Co za temat? Nie. Nic nie wiem.

Jakby nieobecna duchem wygładza sobie sukienkę dłonią, poprawia włosy.

Cyn jest w stanie sobie wyobrazić, co ona teraz czuje. Pozbawione znaczenia ostatnie słowa. Nieskierowane do własnej matki.

– A czy wiesz może… czym Eddie ostatnio się zajmował?

Annie wzrusza ramionami.

– Wiadomo! Po całych nocach siedział przed komputerem. Jak zwykle.

Cyn waha się przez chwilę, po czym mimo wszystko pyta:

– Czy jego komputer jest tutaj?

Annie bez słowa prowadzi ją do pokoju syna. Wygląda tak, jakby jego lokator za chwilę miał wrócić do domu. Plakaty z raperami naklejone na drzwi i szafę. Zapach chłopięcego pokoju. Annie zatrzymuje się w progu, najwyraźniej nie jest w stanie zrobić ani kroku dalej. Cyn ostrożnie wchodzi do środka. Laptop leży zamknięty na biurku. „Wypadek?" – zastanawia się. Gdyby ktoś zamordował go z powodu odkrycia, o którym Eddie chciał jej opowiedzieć, czy nie zabrałby mu komputera?

„To, że ktoś zaatakował ciebie, nie musi wcale oznaczać, że targnięto się na życie Eddiego – tłumaczy sobie w duchu. – Wiążesz wydarzenia tylko dlatego, że zdarzyły się tego samego dnia. A prawdopodobnie nie mają ze sobą nic wspólnego".

Otwiera laptop i naciska odpowiedni guzik, aby go uruchomić.

– Chciał mieć takie okulary jak tamten drugi chłopiec – mówi otępiałym głosem Annie.

– Oni wszyscy chcą je mieć – odpowiada Cyn.

Na monitorze pojawia się okienko, w którym należy wpisać hasło.

– Znasz hasło? – pyta.

Annie kręci głową.

Cyn zamyka komputer, nie cofając palców z klapy.

– Czy… – zaczyna i urywa. – Czy mogłabym… go wziąć ze sobą? Oczywiście zwrócę ci go potem.

– Jest zakodowany. Do czego miałby mi się przydać?

Cyn bierze laptop pod pachę i opuszcza pokój Eddiego.

– Kiedy… – próbuje spytać, słowa nie przechodzą jej jednak przez gardło.

Annie domyśla się, o co jej chodzi.

– Jeszcze nie wiadomo – odpowiada. – W najbliższych dniach.

Cyn obejmuje ją znowu.

– Czy masz kogoś, kto będzie z tobą?

– Dziękuję. Niedługo powinna zjawić się moja siostra.

– Ja muszę niestety… pilnie wyjechać. Ale o dowolnej porze dnia i nocy możesz do mnie dzwonić. – „Najpierw muszę załatwić sobie nowy telefon" – przychodzi jej do głowy. – Za kilka dni będę z powrotem.

– Nie przejmuj się. Mali i Ben, i jeszcze kilka innych osób troszczy się o mnie. Dziękuję, że wpadłaś.

– Marten, chodź no tutaj! – woła Luis przez kilka pomieszczeń.

Marten opuszcza swój szklany boks i szybkim krokiem idzie do informatyków. Na jednym z monitorów Luisa widzi stronę z wodospadami. Monitor obok jest cały wypełniony drobnym tekstem.

– To przyszło przed chwilą z NSA – wyjaśnia Luis. Wskazuje na listę adresów IP i e-mailowych oraz na całą resztę mało czytelnych informacji. – Sprawdzili osoby odwiedzające tę stronę i natknęli się na IP, spod którego korzystano między innymi z adresu e-mailowego DaBettaThrillCU@…

Po bliższym przyjrzeniu się Marten uzmysławia sobie, czym w istocie jest ten adres.

– Przecież to anagram nazwiska Archibald Tuttle.

– Tak jest – potwierdza Luis. – Nasi koledzy pogrzebali trochę głębiej i w końcu okrężną drogą udało im się znaleźć powiązanie z wiedeńskim Tuttle'em. Nasz poczciwy Archie okazał się nieostrożny w młodych latach nie tylko przy rejestracji wersji programu 3D Whizz. DaBettaThrillCU alias Archibald Tuttle odwiedził stronę z wodospadami tylko raz w dwa tysiące dziesiątym roku, tuż po jej powstaniu. Potem już nigdy więcej. Mimo to nie wierzę, że to był przypadek.

– Według ciebie kryje się za tym coś innego?

– Tak. Tylko nie mam żadnego… Co ty powiedziałeś?

– Według ciebie kryje się za tym coś innego?

– Jesteś genialny!

– To wiem. Ale powiedz dlaczego.

– Jako geniusz powinieneś sam wiedzieć.

– No to co takiego powiedziałem?

– „Kryje się za tym coś innego". Pamiętasz taką scenę z *Parku Jurajskiego*, gdy dzieci chowają się za wodospadem?

– No jasne.

– Jeszcze lepszy przykład jest w komiksie *Świątynia Słońca* z cyklu *Przygody Tintina*.

– Nie znam tego.

– Młody podróżnik i reporter Tintin odkrywa za wodospadem tajne wejście do azteckiej świątyni Słońca.

– Filmy przygodowe i komiksy. Coś mi się zdaje, że przy najbliższej okazji powinniśmy porozmawiać o twojej edukacji kulturalnej.

– I o twojej, skoro nie znasz *Przygód Tintina*.

Marten wybucha śmiechem.

– No i co niby ma się kryć za tymi wodospadami? To jest tylko strona w internecie. – Demonstracyjnie przechyla się ponad monitorami i zagląda za nie. – Nie widzę tu nic poza kablami.

– Moje wykształcenie nie jest jednak takie złe, bo podpowiada mi rozwiązanie – mówi Luis. – Wystarczy powiązać ze sobą kilka luźnych końców. Widziałeś może film *Kontakt*?

– Jodie Foster spotyka istoty pozaziemskie.

– A pamiętasz scenę, kiedy Jodie Foster i jej niewidomy kolega pod jednym sygnałem odkrywają drugi?

– Przemówienie Adolfa Hitlera na otwarcie igrzysk olim-
pijskich w Berlinie w tysiąc dziewięćset trzydziestym szóstym
roku. Uważasz, że…

Luis potwierdza ruchem głowy.

– Steganografia.

Nagle Marten poważnieje. Już jako chłopiec uwielbiał two-
rzyć ukryte wiadomości. Na przykład za pomocą soku z cytryny
na papierze. Tekst stawał się czytelny dopiero wtedy, gdy kartkę trzymano nad świecą i wyschnięty sok przybierał brązowy
odcień. Ukrywanie prowadzenia komunikacji przez używanie
zupełnie niewinnych mediów jest jednym z podstawowych
elementów prowadzenia walki z wrogiem w pracy wywiadu,
wśród bojowników oporu, partyzantów czy terrorystów.

– Dlaczego akurat w wodospadach ktoś miałby przesyłać
ukryte wiadomości?

– Z dwóch powodów: są idealną kryjówką i jednocześnie
medium – wyjaśnia Luis. – Po pierwsze, ze względów czysto
technicznych potrzebny jest obraz poruszony. I to w pełni poruszony. Ani jeden piksel nie może pozostać przez dany czas
identyczny. Oszczędzę ci szczegółów technicznych, ale biorąc to
pod uwagę, wodospady są po prostu wymarzone, bo wszystko
w nich porusza się nieustannie. A po drugie, całkiem niewin-
ne otoczenie sprawia, że nikt nie ma żadnych podejrzeń. Kto
by przypuszczał, że pod portalem ezoterycznym może kryć się
platforma komunikacyjna aktywistów internetowych?

– A skąd masz pewność, że rzeczywiście tak jest?

– Nie mogę mieć pewności. I na tym właśnie polega genial-
ność tej koncepcji. Dopóki nie popełnią żadnego błędu, pozostanie to strona z filmikami i streamami wodospadów. I nawet nie będziemy mogli stwierdzić, czy rzeczywiście są w nich
ukryte jakieś komunikaty, nie mówiąc już o ich odczytaniu.

Marten zastanawia się nad tym, co usłyszał od Luisa.

– Popełnili już inne błędy – stwierdza wreszcie. – Każdy kiedyś się myli. To przecież twoja teza. Według ciebie jest sens ich sprawdzić?

– Jak powiedziałeś: każdy kiedyś się myli. A jeśli ktoś ma znaleźć ich błędy, to oczywiście my. Wspólnie z kolegami z innych służb.

– No to do roboty!

– W ciągu tygodnia straciłam dwóch przyjaciół – mówi nieśmiało Vi, wydaje się jednak spokojna.

Siedzą obie w kuchni przy zapiekance przygotowanej przez Vi. Jedzą bez apetytu, z talerzy niewiele ubywa. Cyn czuje się rozdarta. Jako matka martwi się o córkę i chciałaby też wesprzeć Annie. Z drugiej strony bardzo jej zależy na wyjeździe do Nowego Jorku, gdzie ma spotkać członka zarządu Freemee i gdzie firma ma swoją siedzibę. Może powinna mu opowiedzieć, że właśnie umarł młody człowiek, który chciał z nią porozmawiać o Freemee, a kilka godzin potem ktoś ją próbował zabić? Chętnie dowiedziałaby się także, co to ma wspólnego z twierdzeniami nieznajomego ściganego w wiedeńskich kanałach.

Witamy w paranoi!

– O której masz jutro samolot? – pyta Vi.

– Nie jestem pewna, czy w ogóle powinnam lecieć – odpowiada Cyn. – Choć z powodu, którego nie mogę teraz wyjawić, dobrze by było, żebym znalazła się w Nowym Jorku. Ale w gruncie rzeczy chciałabym zostać z wami i olać cały ten program.

– Dam sobie radę, jeśli o to ci chodzi – uspokaja ją Vi.

– Mam wyrzuty sumienia.

– Skończyłam już osiemnaście lat, mamo.

„Jest dorosłą dziewczynką".

– Wiem. Możesz dzwonić do mnie o każdej porze.

– Pod jaki numer?

„I przytomną". Cyn przynosi ze swojego pokoju kartkę, na której wypisała wszystkie numery.

– Ten jest do hotelu. A ten to moja nowa komórka. „Daily" mi zafundował, rano dostanę ją na lotnisku.

– Ktoś od nich też leci?

– Tak, ten młody Chander – mówi Cyn jak najbardziej od niechcenia.

Vi kiwa głową obojętnie i patrzy na kartkę z numerami.

– Muszę wyruszyć z domu o dziesiątej rano – oznajmia Cyn.

– To będziemy mogły jeszcze zjeść razem śniadanie – podchwytuje Vi. Wciąż wpatruje się w listę telefonów. – To wszystko jest kompletnie pokręcone – mówi szeptem, po czym nieco głośniej zwraca się do Cyn: – Nie uważasz?

„Żebyś wiedziała, do jakiego stopnia pokręcone" – myśli Cyn.

– Masz rację.

Odzywa się dzwonek do drzwi. Cyn i Vi spoglądają na siebie.

– Spodziewasz się jeszcze kogoś? – zwraca się Cyn do córki.

– Nie.

Podchodzi do drzwi i przez domofon pyta kto to.

– Przesyłka dla Cynthii Bonsant – odpowiada kobiecy głos.

O tej porze? Jest już po dwudziestej. Cynthia naciska guzik otwierający drzwi wejściowe na dole, następnie czeka, patrząc przez judasza. Minutę później na klatce schodowej pojawia się pracownica rowerowej firmy kurierskiej. Niesie paczkę wielkości pudełka po butach. Z kuchni dobiega pobrzękiwanie naczyń, które Vi uprząta ze stołu.

315

Cyn wciąż się waha, w końcu jednak otwiera drzwi.

– Od kogo ta przesyłka? – pyta.

Kobieta wzrusza ramionami, po czym podaje jej pakiet. Karton zawinięty jest w zwykły szary papier. Nie ma na nim żadnych napisów poza jej adresem. Cyn obraca go na wszystkie strony i wreszcie na węższym boku zauważa duży owal namalowany flamastrem. Wygląda jak „0". Powyżej małymi, starannymi drukowanymi literami: „Serdeczne pozdrowienia".

Cyn podpisuje potwierdzenie odbioru, po czym cofa się do przedpokoju i zamyka drzwi.

Następnie niesie przesyłkę do kuchni i kładzie ją na stole.

– Co to jest? – pyta Vi.

– Nie mam pojęcia.

– „Serdeczne pozdrowienia" – czyta Vi. – „0". – Spogląda na Cyn. – Jak o czy jak zero?

– Absurd.

– Może to bomba. Ci goście mają wszelkie powody, by za tobą nie przepadać.

– Publicznie przeprosiłam i wycofałam się z poszukiwań – przypomina jej Cyn. Poza tym ten nieznajomy z kanałów nie wyglądał na zamachowca. Ale przecież jej córka nic o tym nie wie. – Może to tylko głupi żart.

Wsuwa palec pod papier i rozrywa go. Nie czuje się jednak zbyt pewnie. Od wewnętrznej strony papier jest powleczony cienką metalową warstwą, mimo to szybko ustępuje. Pod spodem pokazuje się zwykły brązowy karton. Cyn nieruchomieje i mówi do córki:

– Idź do swojego pokoju.

– Nie wygłupiaj się! – woła Vi. – Jeśli według ciebie w środku jest naprawdę coś niebezpiecznego, to nie powinnaś tego w ogóle otwierać!

– To nie jest nic niebezpiecznego.

– Wobec tego mogę zostać.

Vi błyskawicznie unosi nakrycie. Karton jest już otwarty.

W środku znajduje się przejrzysty plastikowy pojemnik wielkości opakowania po papierosach zawierający płytkę obwodu drukowanego i jeszcze inne drobne elementy. Serce Cyn przestaje bić. Identycznie wyglądają na filmach bomby. Obok leży złożona kartka. Pod plastikowym pojemnikiem kryje się coś w rodzaju klawiatury.

Nic nie tyka ani nie mruga. Vi rozkłada kartkę, aby Cyn mogła przeczytać.

Droga Cynthio Bonsant,
okoliczności zawarcia przez nas znajomości nie były zbyt przyjemne. Natomiast Twoje publiczne wycofanie się ze ścigania nas – wręcz przeciwnie. Poniżej odpowiedź na Twoje ostatnie pytanie. Jeśli miałabyś ochotę uczynić coś więcej niż tylko się wycofać – czekamy.
Z serdecznymi pozdrowieniami,
Zero

Vi i Cyn patrzą na siebie osłupiałe.

– A co to za pytanie? – chce wiedzieć Vi, lecz od razu mówi dalej: – Myślisz, że to nie jest żadna ściema? – Nie czekając na odpowiedź, czyta dalej:

W pudełku znajdziesz skonfigurowany minikomputer Raspberry Pi, małą klawiaturę i kilka przewodów. Połącz Pi za pomocą przewodu z klawiaturą i swoim telewizorem zgodnie z zamieszczonym poniżej szkicem. Urządzenie zaloguje się automatycznie do najbliższej dostępnej sieci WLAN.

Zapamiętaj swoją nazwę użytkownika w okienku dialogo-wym. Nie zapisuj jej nigdzie. Nie udostępniaj tego sprzętu nikomu, do kogo nie masz dwustuprocentowego zaufania. Nie zabieraj go ze sobą za granicę (kontrola bagażu), a gdy nie będziesz z niego korzystać, ukryj w bezpiecznym miejscu. W razie konieczności zniszcz kartę pamięci.

– A niech to – szepcze Vi. – Bezpośredni kontakt z Zero.
– Naprawdę tak myślisz? Mam setki pytań!
– Teraz możesz je zadać.
Vi chwyta pudełko i idzie szybko do pokoju. Dwie minuty później Pi jest już podłączony do klawiatury i telewizora.
Na ekranie pojawia się chaos drgających obrazów, wszystko wydaje się w ciągłym ruchu, ani jeden najmniejszy punkt nie pozostaje nawet przez ułamek sekundy w miejscu.
– Co to jest? – pyta Cyn.
– Nie mam pojęcia.
– Przypomina jakby pianę. Spójrz, to wygląda jak lejąca się woda! Wodospady?
Na tle drżących obrazów wyskakuje białe okienko znane Cyn z jej programu poczty elektronicznej.

Witaj, Cynthio!
Ta platforma jest bezpieczna. Wczorajsze wystąpienie miłe. Przeprosiny przyjęte. I jeszcze raz dziękuję za wczoraj.

– Co oni mają na myśli? – dopytuje Vi.
– Nieważne – szepcze Cyn. – Wygląda na to, że to chyba rzeczywiście Zero.
Rozgorączkowana wyrywa klawiaturę córce. Gdy zaczyna pisać, ponad tekstem ukazuje się nazwa użytkownika.

318

Guext:
Co mi tam na dole zdradziliście?

– Co to ma być? Guext? Czy to jest teraz twoja nazwa użytkownika? – pyta Vi zirytowana, ale już po sekundzie przychodzi odpowiedź.

Jakinta0046:
Czy to jest test? Tło i finansowanie poszukiwań Zero.

Cyn opada na oparcie kanapy.
– To naprawdę Zero – szepcze.
– Ale nic z tego nie rozumiem – mówi Vi.
– Może to i lepiej. Wyjaśnię ci później. Mogłabyś mnie teraz zostawić samą?
Córka obrzuca ją pełnym pretensji spojrzeniem. Cyn czeka
jednak, aż Vi się podniesie i podejdzie do drzwi, skąd co prawda nie może widzieć ekranu telewizora, ale stoi tam uparcie
z rękami skrzyżowanymi na piersi.
Cyn stuka szybko w klawiaturę. Musi się dowiedzieć, co tak
naprawdę się stało.

Guext:
W kanałach wspomniałam o przyjacielu, który przed moim
wyjazdem chciał mi opowiedzieć coś o Freemee. On nie
żyje. Wypadek. Zdarzył się tuż przed tym, jak zostałam za-
atakowana w Wiedniu. Czy to zwykły zbieg okoliczności? Czy
to wszystko nie ma związku z tym zamaskowanym finanso-
waniem?
Jakinta0046:
W żadnym wypadku. Musi chodzić o coś innego.

Guext:
Mam jego komputer. Jest zakodowany.

Pauza.

Jakinta0046:
Czyli na razie się do niego nie dostaniemy. Masz do kogo się zwrócić?
Guext:
Tak, mam zamiar zrobić to jutro.
Jakinta0046:
Jeśli moglibyśmy poza tym w czymś pomóc, daj znać.
Guext:
Wywiad z Zero ☺.
Jakinta0046:
To, co mamy do powiedzenia, mówimy sami. Ale być może będziemy mogli pomóc Ci przy Twoim materiale. Odezwij się, kiedy będziesz miała coś więcej.
Następnym razem będziesz potrzebowała hasła. Wpisz teraz jakieś i je zapamiętaj. Musi się składać co najmniej z dziesięciu znaków, w tym z cyfr, małych i dużych liter i znaków specjalnych.

Cyn zastanawia się krótko. Krytyczna część dialogu zniknęła już z okienka.

Guext:
MT17.Ablonde
Jakintax0046:
OK.

– MT17.Ablonde? – pyta Vi.

Cyn wystraszona podnosi wzrok znad klawiatury. Nie słyszała ani nie widziała, gdy córka podeszła znowu bliżej.

– Przecież ci mówiłam… – zaczyna ze złością, ale Vi natychmiast jej przerywa:

– Beze mnie w ogóle nie dałabyś sobie rady.

Cyn zaciska usta i rezygnuje z walki.

– To twoja data urodzenia i twój kolor włosów.

– Nie wiem, czy to bezpieczne – powątpiewa Vi.

– A znasz coś lepszego?

Córka kręci głową.

– Spytaj jeszcze, co znaczą te obrazy w tle.

Cyn wpisuje pytanie.

Jakinta0046:
Kamuflaż.
Do następnego razu.

Przez kilka sekund wpatrują się w milczeniu w ekran, ale oprócz szumiących widoczków nic już się na nim nie pojawia.

– Gdzie to schowamy? – pyta Vi.

– Szczerze mówiąc, wolałabym nie trzymać tego w domu – odpowiada Cyn. Ma jeszcze świeżo w pamięci przesłuchanie na lotnisku. – Miałyśmy kontakt z poszukiwanymi terrorystami.

Kierując się instrukcją, wyjmuje z minikomputera kartę pamięci SD wielkości soczewki, odłącza przewód i wszystko razem oprócz karty pakuje z powrotem do pudełka.

– Może w wyciągu nad kuchnią – proponuje Vi. – Przecież on i tak nie działa.

– Dobry pomysł.

Vi kilkoma zdecydowanymi ruchami usuwa filtr z okapu pochłaniającego zapachy, wsuwa w powstały otwór pudełko i z powrotem zakłada filtr.

Kartę pamięci Cyn zostawia w przedpokoju na niedużej paterze z kluczami, breloczkami, długopisami i innymi drobiazgami.

– Otwarta kryjówka – mówi. – Jak w opowiadaniu Edgara Allana Poego. Tylko żebyś mi się do tego nie dotykała!

Przed pójściem spać Cyn jeszcze raz sprawdza zamek w drzwiach wejściowych. Wkłada do swojej jedynej i sfatygowanej walizki trochę rzeczy na cztery dni oraz coś szykowniejszego na występ przed kamerami. Czy w tej sytuacji naprawdę może zostawić Vi samą? Czy powinna martwić się teraz dodatkowo z powodu dzisiejszej przesyłki? Przypomina sobie, z jakim zapałem jej córka podłączała całe to urządzenie. „Ona jest odważniejsza ode mnie – myśli. – Dlaczego miałabym się obawiać? Ponieważ ona wie mniej ode mnie? I tak jest lepiej".

Bierze laptop do łóżka i w końcu znajduje chwilę, aby dowiedzieć się czegokolwiek o Sheeld. Mało znany start-up; ani koneksje personalne, ani relacje inwestorskie nie wskazują na żadne powiązanie z Freemee. Cyn nie może zasnąć. Zbyt wiele się zdarzyło w ciągu ostatnich czterdziestu ośmiu godzin. I za mało z tego wszystkiego rozumie.

Puchacz:

Ufacie tej Bonsant?

Snowman:

Masz na myśli tamtą historię?

ArchieT:

A co ten chłopak mógł odkryć na temat Freemee?

Peekaboo777:

Nie mam pojęcia.

Niedziela

Następnego ranka Cyn z nabrzmiałymi powiekami z trudem zwleka się z łóżka. Przy śniadaniu Vi wciąż rozmawia tylko o czacie z Zero i audycji telewizyjnej w NBC.

– Co tam powiesz?

– Zależy od tego, jakie będą pytania.

Cyn ma tremę przed swoim wystąpieniem w talk-show. Pozostali zaproszeni goście są na pewno doświadczonymi dyskutantami. Czy w ogóle dopuszczą ją do głosu?

– Ale ci dobrze, zobaczysz Nowy Jork! – zachwyca się Vi.

– Mam nadzieję, że kiedyś pojedziemy tam razem, i to nie do pracy – mówi Cyn.

– À propos pracy, muszę zakuwać francuski. Jutro mam klasówkę.

Powiedziawszy to, Vi znika w swoim pokoju, Cyn zaś czyni ostatnie przygotowania do podróży.

– Jak tylko wyląduję, zaraz do ciebie zadzwonię – zapewnia córkę przy pożegnaniu.

– Spokojnie, dasz radę – mówi Vi, wyczuwając zdenerwowanie matki.

Gdy godzinę później Cyn na lotnisku podchodzi do odprawy, Chander już na nią czeka. Jak zawsze wygląda świeżo i młodzieńczo; posyła jej na powitanie promienny uśmiech. Ze szczerym zainteresowaniem pyta ją, jak miewa się ona sama, chce też wiedzieć, co u Vi i Annie.

Cyn wyraźnie odpręża się w jego obecności. „Ty chyba zwariowałaś – myśli. – On jest dwanaście lat młodszy od ciebie. Przecież nawet nie masz pojęcia, w której części świata wyląduje, kiedy skończy pracę dla «Daily»". Mimo wszystko.

Na razie nie wspomina mu o swojej rozmowie z Zero. Sama jeszcze dobrze nie wie, jak odnaleźć się w tej sytuacji.

– I co z tym atakiem Anonymous? – pyta.

– Udało się przetrwać z niewielkimi obrażeniami. Informatycy Anthony'ego są całkiem nieźli.

Oboje nadają walizki na bagaż, Cyn zostawia sobie tylko niewielki plecak. Gdy widzi przed sobą funkcjonariuszy przeprowadzających kontrolę bezpieczeństwa, ogarniają ją i lęk, i zarazem wściekłość, dokładnie te same uczucia, które dzień wcześniej opanowały ją podczas przesłuchania. Na szczęście żaden z nich nie poświęca jej szczególnej uwagi.

– Mamy jeszcze prawie godzinę do wejścia na pokład – stwierdza Chander, spoglądając na zegar. – Chodź, napijemy się kawy!

W kafejce przekazuje jej nowy smartfon i etui z okularami.

– Z pozdrowieniami od Anthony'ego i prośbą, abyś tym razem bardziej na nie uważała. Poza tym firma na dni pobytu w Nowym Jorku przyznaje ci specjalną dietę.

– Nie chcę już mieć nic wspólnego z poszukiwaniem Zero. Czy to wciąż do niego nie dotarło?

Chander wybucha śmiechem.

– Znasz swojego szefa dłużej ode mnie.

Cyn rozgląda się nerwowo wokół siebie.

– Ja też mam coś dla ciebie. – Sięga do plecaka i wyjmuje laptop. – To komputer Eddiego. – Otwiera go i uruchamia. – Tuż przed śmiercią rozmawiał ze mną przez telefon. Odniosłam wrażenie, że chciał powiedzieć mi coś bardzo ważnego.

328

– Skąd go masz? – pyta Chander z miną, jaką zwykle przybiera, gdy mocno się koncentruje.

Peggy miała rację: komputery to coś, co całkowicie go pochłania.

– Od jego matki.

– Zakodował twardy dysk – stwierdza Chander, gdy na monitorze pojawia się okienko na hasło.

– Potrafiłbyś się do niego dostać?

– To tak postępują dziennikarze?

– Jak trzeba.

Chander ogląda sprzęt.

– Mogę spróbować. Ale to potrwa. Do startu raczej nie dam rady.

– Może jednak. Bardzo cię proszę. Muszę koniecznie się dowiedzieć, co tak naprawdę się wydarzyło.

Chander wyjmuje swój laptop

– Czy on znał się trochę na informatyce?

– O ile wiem: tak.

– To dobrze. Bo tacy ludzie zwykle uważają się za wyjątkowo sprytnych i dlatego popełniają najgłupsze błędy. Wypróbujemy na początku nieskomplikowany wariant. Jeśli hasło jest krótkie i w miarę proste, być może uda nam się dostać.

– Rozumiem, że chcesz zacząć od czegoś konkretnego?

– Tak. Masz jakiś pomysł?

– Viola albo wszelkie odmiany tego imienia.

– Chodzi o twoją córkę?

– On się chyba w niej kochał.

Pięć minut później wszystkie dane zgromadzone przez Eddiego są dla nich dostępne.

– Miałaś nosa – mówi z uznaniem Chander. – Czego szukamy?

– Chciałabym wiedzieć, czym się ostatnio zajmował. Oczywiście szkoła, gry i muzyka mnie nie interesują.

– Zostało nam jeszcze tylko pół godziny – stwierdza Chander. – A w czasie lotu będziemy mieli mnóstwo czasu.

– Ale teraz też nie mamy nic do roboty – nalega Cyn.

Palce Chandera tańczą po klawiaturze. W końcu odzywa się znad komputera:

– Ludzie popełniają błędy. Zawsze popełniają błędy. Ale te tutaj są wyjątkowo interesujące.

Pokazuje na jeden z folderów na monitorze.

– Ktoś chciał go usunąć. Nie tylko wrzucając pliki do kosza, ale tak na dobre. I podejrzewam, że nie był to Eddie.

– Więc kto?

– Ktoś, kto dostał się do jego komputera. Online. Być może uda mi się ustalić, kto to, ale dopiero w Nowym Jorku.

– A co jest w tym folderze? Jesteś w stanie otworzyć te pliki?

– Skrypty programów, tabele. I jakiś filmik.

– Obejrzyjmy go.

Na widok Eddiego na ekranie Cyn ściska się gardło. Jest blady, wygląda na niewyspanego. W tle widać ścianę jego pokoju zawieszoną plakatami.

– Jeszcze jakieś dziewięć miesięcy temu Adam Denham był nieśmiałym chłopakiem – mówi Eddie do kamery. – Potem zaczął korzystać z aplikacji Freemee i bardzo szybko zmienił się w atrakcyjnego, beztroskiego młodego człowieka. Zbyt beztroskiego? Kilka dni temu zginął w strzelaninie podczas pościgu za poszukiwanym przestępcą. Niedługo potem ktoś mimo woli poddał mi pewną myśl: czy to możliwe, aby aplikacje Freemee były temu winne?

Cyn zlewa się potem. Czy on ma ją na myśli?

– Szalony pomysł – szepcze Chander.

– Bzdura, pomyślałem wtedy. Bo w takiej sytuacji ciągle musieliby umierać ludzie, którzy za sprawą Freemee stali się zbyt śmiali. Dlatego postanowiłem sprawdzić dane.

Na ekranie pojawia się wykres słupkowy, Eddie zaś mówi dalej:

– Porównałem wskaźnik śmiertelności użytkowników Freemee z takim samym wskaźnikiem wśród osób niekorzystających z Freemee. Rezultat jest jednoznaczny. Od uruchomienia Freemee przed dwoma laty te dwie liczby nie różnią się od siebie.

– Czyli wszystko w porządku – wtrąca Chander. – Wobec tego gdzie jest problem?

– ...jeśli jednak Freemee wywiera rzeczywiście tak pozytywny wpływ na nasze życie, to wypadków, samobójstw i śmierci z nienaturalnych przyczyn powinno być mniej. Wskaźnik śmiertelności wśród użytkowników Freemee powinien na dobrą sprawę spaść. A jednak tak się nie dzieje. Pomyślałem więc, że powodów może być kilka. – Eddie wyświetla listę. – Po pierwsze, i jedne, i drugie liczby nie są dokładne. Po drugie, aplikacje Freemee nie są jednak tak skuteczne, jak się utrzymuje. Przy czym udaremnienie śmierci to może faktycznie zbyt wygórowane oczekiwanie. Po trzecie, różnica jest zbyt mała, by dawała się uchwycić statystycznie. Po czwarte, nie widać tego, ponieważ to jest taki swego rodzaju worek kartofli.

– Bystry chłopak – zauważa Chander, podczas gdy na monitorze znowu pojawia się Eddie z opakowaniem ziemniaków w ręce.

– W środku są dwa kilogramy. Załóżmy, że są to znane nam wskaźniki śmiertelności. Nie wiemy jednak, co dokładnie się na nie składa. Odnosząc to do naszego przykładu z kartoflami, nie wiemy, czy w torbie znajdują się same duże ziemniaki, czy kilka większych i parę mniejszych. Inaczej: czy mamy do czynienia z wieloma zgonami naturalnymi i nielicznymi nienaturalnymi. Postanowiłem doprecyzować swoje poszukiwania, czyli otworzyć worek ziemniaków. I poszukać nienaturalnych przyczyn śmierci wśród użytkowników Freemee. Takich jak w przypadku Adama Denhama. Chodziło mi o wypadki, samobójstwa, zabójstwa. Innymi słowy, chciałem ustalić liczbę dużych i małych ziemniaków. Freemee jednak nie udostępnia informacji o przyczynach śmierci. Ze względu na szacunek dla zmarłych, jak mi wyjaśniono. – Eddie patrzy prosto w kamerę i mówi dalej: – Uznałem to za zrozumiałe, ale jednocześnie tym bardziej chciałem wiedzieć. Tyle że do danych na ten temat nie jest tak łatwo się dostać. Na szczęście istnieje wiele innowacyjnych wyszukiwarek jak Wolfram Alpha czy cała masa projektów opartych na danych otwartych, na przykład statystyki urzędowe, do których każdy może mieć dostęp bez konieczności uzyskania pozwolenia.

– No, niezły plan – zauważa Chander.

Cyn zerka na zegarek. Już niedługo powinni znaleźć się na pokładzie, ona jednak nie może oderwać się od wideo. Również jej towarzysz wydaje się zafascynowany.

– Napisałem specjalny program do wyszukiwania i zebrałem rzeczywiście wystarczająco dużo informacji, aby móc sobie wyrobić pogląd. I oto wyniki!

Cyn widzi na razie tylko kolorowy wykres, który nic jej nie mówi. Nie ma pojęcia, do czego tak naprawdę zmierza Eddie.

– Liczba zgonów z przyczyn nienaturalnych nie zmieniła się znacząco. Jaki z tego wniosek?

– Że trzeba przyjrzeć się zjawisku jeszcze dokładniej – szepcze pod nosem Chander.

Na monitorze ukazuje się mapa Wielkiej Brytanii i Ameryki Północnej, a na niej kolorowe obszary, od żółtego po ciemnoczerwony, jakby powierzchnię ziemi zalała lawa.

– Zacząłem szukać według kolejnych kryteriów: wieku, miejsca zamieszkania i tak dalej. I zrobiło się ciekawie. W niektórych rejonach i w pewnych grupach pół roku temu liczba samobójstw i wypadków wśród użytkowników Freemee znacząco wzrosła! Tak czy inaczej powinni koniecznie zbadać to eksperci.

– Fuck! – wymyka się Chanderowi.

– Nie rozumiem, co on ma na myśli.

– Spójrz na wykres. W przypadku co najmniej dwóch grup użytkowników Freemee zidentyfikowanych przez tego chłopaka występuje wyraźnie wyższa liczba nienaturalnych przyczyn śmierci niż w porównywalnej grupie osób niekorzystających z Freemee. Pierwsza grupa to mieszkańcy San Francisco i okolic, a druga to niemieccy uczniowie. Mniej więcej od siedmiu miesięcy wskaźniki te podniosły się od pięciu do dziesięciu procent ponad średnią wartość dla całego społeczeństwa. To zdecydowanie wykracza poza błąd statystyczny. Co się tyczy pozostałych użytkowników Freemee, liczba nienaturalnych zgonów pozostała na stałym poziomie albo wręcz zmalała. I dlatego ogólna liczba zmarłych niewiele nam mówi, ponieważ plus i minus się znoszą. Jak w worku z ziemniakami. Niezależnie od tego, czy duże, czy małe, w środku są tak czy inaczej dwa kilogramy.

Cyn znowu spogląda na zegarek.

– Pora iść. Musimy się pospieszyć!

Chander zamyka laptop i oboje biegną do bramki.

– Zdaje się, że liczba nienaturalnych zgonów w ostatnich dwóch miesiącach znowu się ustabilizowała. Coś musiało się zmienić. Jeśli oczywiście zebrane przez niego dane się zgadzają –

mówi cicho Chander, stojąc już w kolejce pasażerów czekających na wejście na pokład samolotu. – Chętnie bym to sprawdził.

– Uważasz, że te liczby nie są wiarygodne?

– Przecież słyszałaś, co on sam powiedział na koniec. Że chciałby zweryfikować to z fachowcami. Niestety, już nie zdążył.

– Bo wkrótce po rozmowie ze mną miał wypadek.

Chander spogląda na nią znowu tym swoim wzrokiem.

Witamy w paranoi!

– Muszę szybko zadzwonić – informuje Cyn.

– Ja też – rzuca Chander.

Cyn w pośpiechu znajduje w swoim smartfonie główną stronę Freemee z danymi kontaktowymi. Wybiera numer, mając nadzieję, że w takiej ambitnej, rozwijającej się firmie pracuje się także w sobotę. Prosi o połączenie z Willem Dekkertem, członkiem zarządu do spraw komunikacji. Wyjaśnia, kim jest, przypomina historię z Kosakiem i Washington, nadmienia, że następnego dnia wystąpi obok niego w programie telewizyjnym i dlatego musi z nim pilnie porozmawiać jeszcze przed odlotem do Nowego Jorku. Natychmiast. Ku swemu zaskoczeniu zostaje zaraz przełączona.

– To software wychwycił tę rozmowę? – pyta Jonathan Stem, odtwarzając dialog między Cynthią Bonsant a Willem Dekkertem.

– Dzięki różnym słowom kluczom ustalonym w odniesieniu do poszukiwań Zero – potwierdza Marten. – I nazwiskom podejrzanych oraz zainteresowanych.

– Bardzo słusznie, że od razu pan do mnie z tym przyszedł – mówi Jon.

Jego gabinet jest mniejszy, niż można by się spodziewać po człowieku o tak wysokiej pozycji. Mahoniowa naturalna boazeria wygląda wprawdzie niezwykle szlachetnie, sprawia jednak, że pomieszczenie wydaje się jeszcze ciaśniejsze i ciemniejsze. Obok Martena zajęli już miejsce dwaj agenci, których nie zna.

– Co ma wspólnego nasze poszukiwanie Zero z Freemee? – pyta Jon.

– Nasze być może nic. Ale to „Daily". Kto wie?

– Rozumiem. Niech pańscy ludzie dalej go tropią. Pan natomiast skupi się na Cynthii Bonsant i Willu Dekkercie. Od tej chwili podlega pan agentowi Dumbrostowi siedzącemu po pańskiej lewej ręce. On będzie kierował całym zespołem. Obecni tu dwaj koledzy oraz cała reszta ekipy sprawdzą dokładnie treść rozmowy. Ta sprawa ma najwyższy priorytet i jest ściśle tajna. Raportowanie wyłącznie do mnie. Chcę znać rezultat waszych ustaleń, zanim ta kobieta wyląduje w Nowym Jorku. To znaczy, że macie sześć godzin.

Marten cieszy się, że nie musi się męczyć z całym tym statystycznym badziewiem, tylko ma teraz za zadanie ustalić tło obojga telefonujących. Standard. O co chodziło w tej rozmowie przez telefon, kompletnie nie zrozumiał. O zmarłych. Jakich zmarłych?

– Tak jest, sir.

Przez kilka sekund Carl patrzy na Willa w milczeniu.

– Interesujące? – odzywa się wreszcie. – Z kim na ten temat rozmawiałeś?

– Tylko z tobą – odpowiada Will.

– Z Alice?

– Nie.

– A może z innymi współpracownikami?

– Z nikim.

– Ta Bonsant to przegrana dziennikarka, już dawno ma za sobą najlepsze lata i dlatego pilnie poszukuje gorącego tematu. Nie rozmawiaj z nią więcej.

– A jeśli będzie nalegać?

– To ją spławisz – beszta go Carl. – Albo wciśniesz jej PR-owy banał, że co prawda poprawiamy standard życia, ale nie potrafimy zapobiec śmierci. Wymyśl coś, w końcu to twoja praca.

Willowi nie podoba się przebieg tej rozmowy.

– Czy w tamtym czasie zmieniłeś coś przy algorytmach? – pyta.

– Na bieżąco je optymalizujemy i rozbudowujemy. Dobrze o tym wiesz.

– Czyli to nie może być przyczyną?

– Po czyjej ty jesteś stronie? – prycha Carl.

– Wow! – rzuca Will.

– Freemee ma obecnie blisko sto dziewięćdziesiąt osiem milionów zachwyconych użytkowników i ich liczba rośnie. Niektórym mogliśmy w minionych miesiącach pomóc w ich problemach mniej skutecznie niż innym. Ale takie przypadki stanowią wręcz niezauważalny procent. I nie powinno nas to powstrzymywać przed wspieraniem coraz większej rzeszy ludzi w dążeniu do szczęścia i sukcesu w życiu. Najważniejsza jest ich przyszłość, a nie przeszłość. Na tym należy się skoncentrować.

Will zaciska mocno szczęki i powstrzymuje się od komentarza. Carl natomiast przygląda mu się wnikliwie.

– No dobrze – rzuca nieoczekiwanie. Sięga po okulary, które odłożył na początku rozmowy. – Kim, Jenna – wymienia imiona swoich kolegów z zarządu. – Odwołajcie wasze wszystkie przedpołudniowe spotkania. Mamy do zrobienia ważną prezentację. Widzimy się za pół godziny w bunkrze.

NBC zafundowała Cyn miejsce w klasie business.

Chandera najwyraźniej stać prywatnie na taki luksus, „Daily" bowiem na pewno nie zapłaciło mu za bilet.

– Miło, że jesteś obok – mówi Cyn.

– Nie chciałem przepuścić takiej okazji – odpowiada, kładąc rękę na jej udzie.

Cyn opiera mu głowę na ramieniu.

– Ta historia nie daje mi spokoju. Znałam Eddiego od małego… Przepraszam, że nie jestem w nastroju do flirtowania.

– Już ja się postaram, żebyś w Nowym Jorku skupiła się na czymś innym – zwraca się do niej z szelmowskim uśmiechem.

Cyn również się uśmiecha, wciąż jednak nie może przestać myśleć o wideo. Jeśli śmierć Eddiego rzeczywiście ma cokolwiek wspólnego z tą sprawą, to musi być coś na rzeczy.

– Seria śmierci zaczęła się mniej więcej siedem miesięcy temu i skończyła od miesiąca do dwóch temu – podsumowuje Cyn.

– Znowu twoja paranoja? – pyta Chander, przeciągając się. – Chyba nie sądzisz, że tych ludzi do śmierci doprowadził Freemee?

– Nie z premedytacją, chociaż… no dobrze, na razie pozostawmy tego rodzaju koncepcje na boku. Może był to swego rodzaju wypadek przy pracy. Niedopracowana kryształowa kula, niestarannie zaprogramowane aplikacje, coś w tym stylu. Czarnobyl w sferze Big Data. Nie byłoby w tym nic dziwnego, jeśli weźmiemy pod uwagę to, jak często i w jakiej postaci wypuszcza się dziś na rynek różnego rodzaju oprogramowania: to są po prostu permanentne wersje testowe. My wszyscy jesteśmy jedynie króliczkami doświadczalnymi dla różnych branż.

– Im dłużej o tym myślę, tym bardziej jestem sceptyczny – nie zgadza się z nią Chander. – Przyznaję, chłopak zebrał

337

ciekawe dane, ale nie sprawdził żadnych innych ewentualnych przyczyn tych zgonów. Mogły nimi być zła pogoda, długa zima, motywy kulturowe czy jeszcze inne. Wiadomo przecież, że w przypadku samobójstw czy katastrof w grę wchodzić może wiele różnych czynników.

– Musisz zweryfikować te dane.

– Zostałem wynajęty do poszukiwania Zero. A poza tym w twojej obecności mam poważne kłopoty z koncentracją – przekomarza się z nią.

– Jeśli te dane się zgadzają, trzeba je upublicznić!

Chander wzdycha ciężko.

– Poważni dziennikarze jak ty potrzebują czegoś więcej. Zresztą kogo interesuje taki temat jak internet? To zbyt abstrakcyjne.

– Setki zmarłych?

– Mogę się założyć, że nawet dla prasy bulwarowej nie ma w tym mięsa. Choć ty oczywiście lepiej znasz własnych kolegów.

– Chyba masz rację.

Teraz wzdycha Cyn. Bierze go za rękę i głaszcze jego długie palce. Nagle zamiera. Z jakiegoś głębokiego zakamarka pamięci wyłania się pewna informacja. Znowu paranoja!

– Powiedz mi, kto we Freemee odpowiada za wszystkie kwestie związane ze statystyką? – pyta.

– Statystycy – odpowiada Chander, wzruszając ramionami. – To jedna z ważniejszych profesji w takiej firmie.

– Jeden z założycieli Freemee był właśnie statystykiem. Zginął dwa miesiące temu w wypadku. Jak Eddie – dodaje.

Chander cofa dłoń.

– Rany boskie, Cyn, przecież jedno nie ma nic wspólnego z drugim!

Czy on już nie pamięta, co przytrafiło jej się w Wiedniu nie dalej jak przedwczoraj? Wideo Eddiego obudziło w niej strach. Zaraz po wylądowaniu musi przede wszystkim zadzwonić do Vi. Vi! Czy ona na pewno jest bezpieczna?

– Ta Bonsant płoszy nam konie – stwierdza Henry. – Dwudziestoprocentowe prawdopodobieństwo urosło do…?
– Prawie sześćdziesięcioprocentowego – uzupełnia Joaquim – już po telefonie Brickle'a. W Wiedniu nadarzyła się wyjątkowo korzystna okazja, dlatego nawet nie podjęliśmy próby rozmowy z nią. Niestety, ten wynajęty na miejscu gość okazał się patałachem. Teraz prawdopodobieństwo wynosi dziewięćdziesiąt procent. Będziemy musieli z nią pogadać. Na razie chyba nie ma co liczyć na możliwość innego rozwiązania w sposób dyskretny.
– Carl zdecydował się na ucieczkę do przodu i już dzisiaj zaprezentuje wyniki swoim kolegom z zarządu.
– Mogą liczyć na szczególne zainteresowanie z naszej strony – mówi Joaquim. – Jesteśmy na to przygotowani.
Siedzą w biurze Henry'ego, z jego okien roztacza się widok na Central Park. Na dworze mży, krople deszczu rysują drobne kreski na szybach, a potem łączą się w niewielkie strużki. Najwyższe piętra drapaczy chmur zlewają się z szarą mgłą.
– W jaki sposób Bonsant dotarła do informacji chłopaka?
– Miała pomocnika. Tego Hindusa. Skrakował płytę główną Brickle'a i znalazł usunięty folder.
– Skoro znalazł, to nie został usunięty. Partactwo z naszej strony?
Joaquim odpowiada mu uniesieniem brwi.
– Nie.
Henry nie ma wyboru, musi mu wierzyć, bo nie zna się tak dobrze na tych sprawach. Chociaż chyba obiło mu się kiedyś o uszy,

że usunięcie danych z komputera bez pozostawienia jakich-kolwiek śladów to dla profesjonalisty nic wielkiego. Może za niestarannym wykonaniem zadania krył się więc jakiś zamiar?

– Co robimy z Bonsant? Nie możemy dopuścić, żeby cokolwiek upubliczniła. Jeśli nawet te liczby nie są wiarygodne, zaraz znajdą się tacy, którzy zaczną grzebać głębiej.

– Ląduje za trzy i pół godziny. Najpierw pojedzie do hotelu, żeby odebrać oświadczenie Willa Dekkerta. Którego on najpierw jej odmówi. Kiedy tylko komputer będzie znowu osiągalny, usuniemy z niego dane definitywnie, na sto procent albo go zabierzemy.

– A potem?

– Mamy przygotowane plany wyeliminowania, o ile Bonsant nie zdecyduje się na współpracę. W przeciwieństwie do Wiednia do dyspozycji jest dwunastoosobowy zespół. Mam nadzieję, że nie będziemy musieli go użyć.

– Co mówią kryształowe kule?

– Wiele wskazuje na to, że spotka się z Dekkertem. Prognozy dotyczące jego postawy po prezentacji Montika są niestety dość nieokreślone. Programy analityczne Freemee są w stanie przewidzieć z dużą dokładnością sytuacje standardowe, a tu nie mamy z taką do czynienia. Z kolei nie dysponujemy też wystarczającą liczbą porównywalnych danych.

– Czy to znaczy, że on może jej wszystko potwierdzić, a na koniec jeszcze dodać coś od siebie? Naprawdę chcemy do tego dopuścić?

– Dekkert jest w tej kwestii trudny do określenia. Zasadniczo sprzyja Freemee i tym samym pilnuje własnej kieszeni. Wykazuje jednak także inne cechy charakteru, które nie czynią z niego wiarygodnego partnera. Może to jest najlepszy moment, żeby złożyć jej propozycję.

– Jeśli on będzie skłonny to zrobić.

– Carl wie o ich rozmowie telefonicznej. Pogada z Dekkertem. A my oczywiście będziemy przez cały czas w pobliżu – deklaruje Joaquim z uśmiechem mającym upewnić Henry'ego w przekonaniu, że sprawa jest w dobrych rękach.

– Wiem, że jesteś zajęty – mówi Luis przez telefon. – Mimo wszystko powinieneś wpaść tutaj na kilka minut. Chyba natrafiliśmy na trop Zero.

Marten przeprasza kolegów, z którymi pracuje nad Bonsant i Dekkertem. Wkrótce potem jest już dwa piętra niżej, w drugim końcu J. Hoover Building, u swoich współpracowników.

– Dostaliśmy dane dwóch dostawców VPN ze Stanów przeanalizowane przez kolegów z NSA. Adresy IP, z których miano dostęp do wodospadów, porównali ze wszystkimi osobami, które w jakikolwiek sposób, choćby bardzo luźny, mają związek z całą tą sprawą. W ten sposób natrafili na niezwykle interesującą okoliczność. Trzy lata temu strona z wodospadami była odwiedzana między innymi z adresu IP należącego do pewnej kawiarenki internetowej. Ta kawiarenka znajduje się zaledwie dwieście metrów od miejsca zamieszkania kobiety, która dzisiaj jest współpracownicą Freemee.

– Znowu Freemee – odzywa się Marten. – Przecież to jest na wskroś amerykańska firma.

– Ta współpracownica też jest Amerykanką. No i co z tego?

– Przecież jej nie nadzorujemy – stwierdza obojętnie Marten.

Obaj wybuchają gromkim śmiechem.

– No dobra – mówi Marten, gdy już się uspokoił. – Uważasz, że to wystarczy, iż kawiarenka internetowa sąsiaduje z miejscem zamieszkania pewnej obywatelki Stanów Zjednoczonych

341

pracującej dla odnoszącego sukcesy start-upu, aby powziąć podejrzenie?

– Jest jeszcze coś. Podczas studiów ta Amerykanka zajmowała się intensywnie kwestiami prywatności i ochrony danych osobowych: to są tematy Zero. Pewnie dzięki temu dostała pracę we Freemee.

– Coś poza tym?

– Od mniej więcej trzech lat ta pani nie korzysta z sieci anonimowych, jak TOR czy VPN.

Marten ściąga brwi.

– A to ciekawe. Pogadam ze Stemem.

– Dlaczego? – pyta Jon.

– Jej model poruszania się w sieci uległ raptownej zmianie trzy lata temu – wyjaśnia Marten. – Zakładamy, że posługuje się dwoma rodzajami instrumentów. Oficjalnymi, nieanonimizowanymi, które w konsekwencji możemy jej przypisać. Oraz innymi, których używa wyłącznie do anonimowej komunikacji.

– Albo wtedy drastycznie zmieniły się jej okoliczności życiowe.

– Już to sprawdziliśmy. Nie zmieniły się, a przynajmniej na razie nic na to nie wskazuje. Ale będziemy drążyć dalej. Może zmiana wynika z tego, że stała się wówczas aktywistką. Nawiasem mówiąc, niewiele wcześniej wodospady pojawiły się w wersji online. Niektóre rzeczy do siebie pasują.

– A jak twoim zdaniem aktywistka pasuje do takiej firmy jak Freemee? Wystarczy mieć naprawdę niewielkie rozeznanie, żeby się zorientować, że to też jest ośmiornica żywiąca się danymi osobowymi, choć może trochę inna niż pozostałe tego rodzaju twory.

– Kto wie, czy to właśnie nie był jej motyw? Pomyśl choćby o Edwardzie Snowdenie. To by się nawet zgadzało, biorąc pod uwagę jej dzisiejszą pozycję i to, za co jest obecnie współodpowiedzialna.

– To znaczy?

– Wiele wskazuje na to, że szef Freemee Carl Montik wspiera niezwykle spektakularny pościg za Zero prowadzony przez brytyjską gazetę „Daily". Nie można też wykluczyć, że Freemee wymyślił całą tę historię, a nawet ją wręcz finansuje, z jakichkolwiek względów. Właśnie badamy przepływy pieniężne. Jako osoba kierująca komunikacją marketingową całej firmy niewątpliwie uczestniczy w tego rodzaju kampanii. Jeśli należy do Zero, miałoby to nawet sens, bo w tej sytuacji Freemee opłacałby promocję Zero.

– Nie mając oczywiście o tym pojęcia.

– Prawdopodobnie. Ale kto wie?

– Okej – mówi stanowczo Jon. – Złożymy wniosek o totalne monitorowanie. Podsłuch, pluskwy, trojany, obstawa na ulicy, pełny program.

„Bunkier" leży w centrum sześciopiętrowej dawnej fabryki mydła, do której Freemee wprowadził się dopiero pół roku temu, a mimo to już zrobiło się w niej za ciasno. Metrowej grubości ściany wykonane są z żelazobetonu z wbudowanymi weń przeróżnymi urządzonkami uniemożliwiającymi podsłuchiwanie od zewnątrz. Każdy gość przed wejściem do środka musi oddać wszystkie sprzęty elektroniczne i przejść przez śluzę bezpieczeństwa włącznie z rewizją osobistą.

Obecni są tylko członkowie zarządu Freemee: sam Carl, Kim Huang, Jenna Wojczewski i Will Dekkert.

Carl nie lubi długich wstępów.

– No dobrze, moi drodzy, mam dobre i złe wiadomości. Za-
cznę od dobrych. Niemal dziewięćdziesiąt procent użytkowników Freemee stosuje się do zaleceń naszych ActApps, aby podnieść wartość swoich parametrów. Przykład: w każdej szkole
jest określona grupa młodzieży, tak zwanych liderów opinii.
To są ci fajni. Wszyscy chcą należeć do tej grupy. Dzięki naszym instrumentom wiemy wcześniej niż oni, jakie marki będą
niebawem trendy. Gdy więc ktoś chce przynależeć do fajnych,
aplikacja podpowiada, aby on także się w to ubrał, jeszcze zanim ci fajni pierwszy raz pojawią się w czymś takim w szkole.

– Na razie nic nowego – zauważa Jenna.

Will mierzy ją wzrokiem. Czy ona schudła? Jej przedramio-
na i szyja wyglądają na wyjątkowo żylaste.

– Być może. Kilka miesięcy temu pozwoliłem sobie dokonać optymalizacji programu i zainicjować kilka drobnych eksperymentów. Z powodów, które za chwilę zrozumiecie, nikogo
o tym nie poinformowałem. Rezultaty są tak spektakularne,
że na razie zaprezentuję je wyłącznie ustnie, aby nie produkować zbędnej dokumentacji.

– Cholera – szepcze Jenna.

Również Will domyśla się, na czym mogły polegać te eksperymenty.

– No proszę – wybucha śmiechem Carl. – Po waszych mi-
nach widzę, że już przeczuwacie, do czego to zmierza. Tak,
nie mylicie się. Bez obawy, programiści, których w to włączyłem, nie wiedzą, czemu służy zlecone im przeze mnie przeko-
dowanie.

Will czuje coś nieprzyjemnego w żołądku.

– Objąłem programem trzy miliony młodych ludzi z różnych
regionów Stanów Zjednoczonych, Kanady, Wielkiej Brytanii,
Japonii, Niemiec, Francji i Skandynawii. Wszędzie tam mamy

344

dużą liczbę użytkowników o wysokich parametrach. W pierwszym doświadczeniu zastosowałem wspomniany już przykład: co się stanie, jeśli aplikacje wskażą liderom opinii i innym młodym ludziom markę, która niezbyt odpowiada ich systemowi wartości? Czy mimo wszystko kupią ją sobie, jeśli w ten sposób będą mogli podnieść wartość swoich parametrów? Mówiąc krótko: chciałem oszacować wpływ aplikacji na osoby testowane w przypadku, gdy zachodzi nieznaczna zgodność wartości wyznawanych przez jednostkę z daną marką bądź też taka zgodność nie istnieje wcale. Kazałem więc odpowiednio przekodować algorytmy. No i co z tego wyniknęło? Mając przed nosem marchewkę w postaci możliwości podniesienia swoich parametrów, młodzi ludzie kupowali to, co zalecały im aplikacje. – Carl obrzuca zebranych spojrzeniem pełnym dumy. – Oczywiście przyznaję, że są tu jednak pewne granice.

– Cholera – rzuca znowu Jenna. – Czy to znaczy, że nastolatki kupują to, co podpowiadają im ActApps, niezależnie od tego, czy dana rzecz im się podoba, czy nie?

– Nie – uśmiecha się chytrze Carl. – Nasze ActApps m ó w i ą młodym ludziom, c o im się podoba. I dlatego kupują potem właśnie to, a nie co innego.

Przez kilka sekund w pomieszczeniu panuje cisza. Wszyscy muszą najpierw przetrawić tę informację. W głowie Willa kłębią się myśli. Carl manipuluje ludźmi jak marionetkami! Jeżeli to wyjdzie na jaw…

– Po tym pozytywnym wyniku podjąłem dalsze testy z różnymi produktami, między innymi z określonymi markami butów, artykułów sportowych, sprzętu elektronicznego, pomocy do nauki – relacjonuje dalej. – I dołączyłem jeszcze inne grupy testowe. Algorytmy działają we wszystkich zakresach.

Jenna, kręcąc głową z niedowierzaniem, mówi:

– Czyli ludzie postępują wbrew własnym wyobrażeniom wartości, ponieważ chcą podnieść swoją wartość? To jest schizofreniczne.

Carl wzrusza ramionami.

– Nie, oni nie postępują wbrew nim, tylko je zmieniają.

– Ty je zmieniasz.

– Nikogo nie zmuszam. Ludzie po prostu tacy są. Każdy z nas z biegiem lat modyfikuje swoje pojęcia wartości. Jedni bardziej, inni mniej. Przecież ty pewnie też nieraz zrobiłaś wiele, żeby zapunktować w czyichś oczach? Żeby komuś się spodobać.

Jenna niechętnie potakuje głową.

„Carl ją przyłapał" – myśli Will.

– Prowadząc kolejne testy, zaobserwowałem zadziwiającą rzecz: zmiana pojęcia wartości w jednej dziedzinie u większości testowanych wywoływała również modyfikację zachowania w sferach, na które w ogóle nie wywierałem wpływu. Mówiąc obrazowo: ze skatera możemy zrobić golfistę, a tym samym z pseudorewolucjonisty potulnego, ukochanego zięcia i odwrotnie. Zmiany sięgają aż po postawy polityczne.

Will pojękuje.

– Nie wierzę – mówi Jenna.

– Jak wspomniałem, tacy są ludzie. Prawie wszystko można obliczyć, przewidzieć, ukierunkować.

– Nie. Nie wierzę, że ty naprawdę to zrobiłeś!

– Przecież dalszy rozwój naszych aplikacji jest tylko logicznym następstwem twojego pierwotnego projektu.

– Jeżeli ktoś się o tym dowie, podniesie się krzyk, że wykorzystujemy młodzież jak szczury w laboratorium!

Carl ponownie wybucha śmiechem.

– Dla weryfikacji musiałem poddać eksperymentowi oczywiście także dorosłych.

Will czuje ostry ból rozchodzący się od napiętych mięśni karku aż po wnętrze czaszki. Pociera sobie skronie. Do czego to doprowadzi?

– O co wam chodzi? Przecież to jest nic innego jak to, co od dziesiątków lat robi reklama: próbuje wpływać na nasze zachowania i preferencje. Wielkie portale internetowe manipulują informacjami, udostępniając wybrane treści w określony sposób. Tym samym oddziałują na postępowanie ludzi. A ja w swoich eksperymentach ostatecznie nakłaniałem dorosłych do tego, aby korzystali z wyrobów przyjaznych środowisku i kupowali żywność ekologiczną.

„I żeby popełniali samobójstwa" – myśli Will.

– Za pomocą ActApps da się wpływać na ludzkie wybory w sposób znacznie bardziej bezpośredni – dodaje Carl.

– Powinieneś był najpierw omówić to z nami – zarzuca mu Kim.

– Tak uważasz?

Kim milczy. Will też na razie wstrzymuje się z komentarzem. Carl odnotowuje to, ale nic nie mówi.

– W tym miejscu dochodzimy do wyborów burmistrza w Emmerstown – kontynuuje.

– Chyba nie… – wybucha Jenna.

– Musiałem. – Carl uśmiecha się chytrze. – Wielkie nieba, czemu tak na mnie patrzycie? Nie udawajcie, że nigdy nie przeszło wam to przez myśl! A przynajmniej w ostatnich minutach.

– Mówiąc szczerze… – zaczyna Jenna.

– No widzisz, dlatego powinnaś się cieszyć, że uwolniłem cię od takich decyzji. Ty zajmujesz się finansami. – Zauważa, że jego palce bębnią nerwowo w stół, przyciska więc dłoń do blatu. – A ja zajmuję się strategią i techniką. A technika umożliwia doprawdy zdumiewające rzeczy! Zresztą już przy okazji

347

wyborów w ubiegłych latach Big Data i algorytmy stanowiły największą pomoc w walce wyborczej. Tyle że do niewielu ludzi to dotarło. Algorytm nie puka do drzwi i cię nie nagabuje ani nie wciska ci do ręki ulotki w centrum handlowym. On wskazuje jedynie kierującym kampanią, dokąd mają posłać swoich agitatorów wyborczych z krwi i kości. I to precyzyjnie co do numeru mieszkania. Emmerstown było po prostu logicznym następnym krokiem. To pięćdziesięciotysięczne miasto w Massachusetts. Kandydat Demokratów już od ośmiu lat piastował w nim stanowisko burmistrza. Mieszkańcy byli z niego zadowoleni. Jak wynikało z rankingów, na pół roku przed wyborami miał dwudziestodwuprocentową przewagę nad swoim republikańskim rywalem i dwoma innymi kandydatami. I właśnie wtedy wkroczyłem do akcji. Tu było trudniej niż w innych doświadczeniach. Nie mogłem bowiem sugerować naszym użytkownikom niczego wprost, ponieważ zgodnie ze statutem Freemee jest apolityczny. Reasumując: podobnie jak ze skatera uczyniłem golfistę, tak tutaj mogłem republikanów, demokratów czy niezdecydowanych wyborców przekształcić w zwolenników Zielonych, posługując się naszymi aplikacjami, które rekomendowały im produkty, marki i sposoby postępowania zgodne z systemem wartości jednego z niezależnych kandydatów. Napędzani chęcią podniesienia swoich parametrów testowani poddawali się tym sugestiom i zaczęli zmieniać własne postępowanie, a w konsekwencji także postawę. Zadanie było łatwiejsze o tyle, że nie musiałem wpływać na wszystkich wyborców. Wystarczyło tylko trzydzieści procent. To dużo. Gdybym zdecydował się jedynie na zrobienie z demokratów republikanów, wystarczyłoby zaledwie dwanaście procent. Ku zaskoczeniu wszystkich – poza mną rzecz jasna – zwyciężył kandydat Zielonych! – Carl śmieje się głośno. – Niewiele brakowało, a powiedziałbym „mój" kandydat.

Will czuje, jak w bunkrze krążą i brzęczą atomy. Carl objaśnia im właśnie, że są nowymi panami świata.

– Czy to była ta dobra, czy zła wiadomość, od której zacząłeś? – pyta Jenna.

Wszyscy się śmieją. „Dopóki można się śmiać, sytuacja nie jest poważna – myśli Will. – Czy beznadziejna, jak by powiedzieli pesymiści. Ale w tych ścianach nie ma nikogo takiego".

– Zła wiadomość jest bardzo prosta – odpowiada Carl, zwracając się do Willa. – I dotyczy ciebie.

– Jak mamy to sprzedać? – uprzedza Will dalsze wyjaśnienia. – To rzeczywiście twardy orzech do zgryzienia.

– Zgadza się. Potencjał jest wprost niewyobrażalny. Możemy trwale oddziaływać praktycznie na każdą sferę życia ludzi, przynajmniej świata zachodniego. Oczywiście nie z dnia na dzień, lecz przez to tym bardziej skutecznie.

– Przy pewnym istotnym ograniczeniu – wtrąca Kim. – Ludzie w żadnym razie nie mogą się o tym dowiedzieć. Gdyby bowiem te możliwości stały się znane, nasi użytkownicy natychmiast przestaliby nam ufać i na pewno by się wycofali. To byłby definitywny koniec Freemee.

– Z moich wyliczeń wynika co innego – oponuje Carl. – Dopóki ludzie sądzą, że zalety przeważają nad wadami, jest im wszystko jedno. Czy ubyło użytkowników Google, Facebooka, Amazona, komórek, kart kredytowych, bankowych i kart stałego klienta, mimo że dziś już chyba każdy zdaje sobie sprawę, jakie masy danych osobowych są przez nie „zasysane"? Wręcz przeciwnie, konsumentów wciąż przybywa. Oczywiście lepiej by było, gdyby cały ten mechanizm pozostał ukryty. Ale jako klienci naszego nowego rozwiązania i tak w rachubę wchodzą wyłącznie duże koncerny i organizacje, które mają dość pieniędzy na sfinansowanie takich kampanii. Bo że każemy sobie za nie nieprzyzwoicie słono płacić, nie ulega chyba najmniejszej wątpliwości.

Will widzi, jak Jenna już liczy w głowie.

– To jest prawdziwe wyzwanie – zauważa.

– Może powinniśmy spojrzeć na to zupełnie inaczej – proponuje Kim. – A mianowicie: jaki kryje się za tym model biznesowy?

– Wiem, do czego zmierzasz – mówi Carl. – Możemy jedynie wywierać wpływ i pośrednio z tego korzystać. Lecz możemy też kupić akcje jakiejś marki odzieżowej i ją promować. Akcje pójdą w górę. Oczywiście działanie w odwrotnym kierunku też jest możliwe. O to ci chodziło?

– Mniej więcej.

– To jest nielegalne manipulowanie kursem – wtrąca Jenna. – Za coś takiego idzie się na długie lata do więzienia.

– Och, mam nadzieję, że nikt nigdy nie zbada dokładnie trendów spadkowych dwóch znanych marek dóbr konsumpcyjnych, o których nie chcę teraz bliżej mówić, podobnie jak o krótkich pozycjach, dzięki którym ktoś, kogo nie wymienię tu z nazwiska, właśnie odniósł milionowe zyski. – Z zadowoloną miną opiera się wygodnie na krześle.

Jenna bez słowa opuszcza głowę na blat stołu.

– Muszę jednak przyznać rację Jennie – odzywa się Kim. – Ten pomysł zaprzecza samej istocie, na której opiera się Freemee: transparentności i samokontroli. Zniszczymy w ten sposób serce marki. Nie powinniśmy tego robić.

Carl wybucha niepohamowanym śmiechem. Gdy w końcu trochę się opanowuje, mówi:

– A to dobre! Siedzimy w pozbawionym okien i zabezpieczonym przed podsłuchami bunkrze, a ten tutaj mówi mi o transparcntności! – parska znowu. – A gdzie niby jest u nas ta przejrzystość? Czy użytkownicy wiedzą, jak powstają algorytmy? W jaki sposób wyliczane są ich wartości? Nie mają zielonego pojęcia! Poza tym mają to gdzieś, dopóki to działa! – Zrywa się z krzesła i zaczyna krążyć dookoła stołu. – A kontrola? W świecie będącym jedną wielką siecią kontrola nad własnym życiem to iluzja! Jeśli chcesz korzystać z zalet współczesnej cywilizacji, musisz zaakceptować też drugą stronę medalu. A tą drugą stroną jesteśmy my: cyfrowi sternicy. – Przesuwa puste krzesło, które stoi krzywo. – Już od dwa tysiące siódmego roku z internetem i przez internet komunikuje się więcej maszyn niż ludzi. Cyfrowa rzeczywistość jest obecna w każdej sferze realnej rzeczywistości: w naszych telefonach i okularach, w inteligentnych zegarkach i galanterii elektronicznej, w telewizorach, ekspresach do kawy i autach, niedługo znajdzie się też w żywności, naszych ubraniach, ziemi, ścianach, wodzie, powietrzu, w naszych ciałach. Cyfrowy świat już od dawna jest światem realnym! – Przestawia kolejne dwa krzesła, aby znalazły się bliżej kantu stołu. – To, jak jest poza granicami tego świata, możesz zobaczyć, patrząc na pierwszego lepszego bezdomnego czy wieśniaka. Nie istnieje pośrednie rozwiązanie: można tylko być albo w nim, albo poza nim, to jest system zero-jedynkowy. Na tym polega istota cyfrowej rzeczywistości, a tym samym całego świata. Trzecia opcja nie istnieje. Nie ma tu miejsca na żadne „trochę", „może", „ani, ani", na jakiekolwiek niuanse. – I jeszcze dwa krzesła, aby wszystkie, na których nikt nie siedzi, stały w identycznej odległości równolegle do stołu. – Tak czy inaczej odpowiada to sposobowi, w jaki większość ludzi porządkuje własny świat: czarne – białe, dobre – złe. Wiedział to już Jezus, a potem prezydent Bush: kto nie jest ze mną, jest przeciwko mnie. – Robi lekceważący ruch ręką. – To tyle na temat kontroli własnej.

Gdy znowu rozparł się na krześle, Jenna pyta z wyrozumiałością:

– Wyrzuciłeś już z siebie wszystko, panie profesorze? No to dobrze.

Carl powtarza swój protekcjonalny gest.

– Uważam – kontynuuje Jenna – że najpierw powinniśmy wszyscy gruntownie przemyśleć sprawę. To zbyt duży kaliber, aby podejmować decyzję w tej chwili. Spotkajmy się znowu jutro. Do tej pory każdy wyrobi sobie własną opinię.

Carl odzyskuje humor. Z rozmachem uderza płaskimi dłońmi w blat stołu.

– Tak jest! – Śmieje się. – Do jutra będziemy też wiedzieli, kogo zrobimy prezydentem Stanów Zjednoczonych, a przy okazji także kogo angielskim premierem i kanclerzem Niemiec.

– Jeszcze słówko. – Will zatrzymuje Carla, gdy Jenna i Kim opuścili już bunkier.

– Statystyki zgonów są prawdziwe, tak? – pyta.

Carl przesuwa krzesło. O milimetr.

– Nie da się udowodnić związku między Freemee a czyjąkolwiek śmiercią.

– Ale liczby ogólne…

– …rzeczywiście nie wyglądają najlepiej. To jednak żaden dowód.

– Kiedy wyjdzie na jaw, że manipulowałeś przy algorytmach, stanie się to wyraźniejsze.

Carl mierzy go przenikliwym spojrzeniem.

– Przy niczym nie manipulowałem, tylko stosowałem alternatywne opcje. A jeżeli to się wyda, wiem już, kto będzie źródłem przecieku. Jedno z nas czworga.

– Jak doszło do tych przypadków śmiertelnych? – dociera Will.

– Powody są różne – odpowiada Carl takim tonem, jakby wyjaśniał, dlaczego danie, które przygotował, nie wygląda dokładnie tak jak w przepisie. – Mogłem skupić się jedynie na próbach losowych. Niektórzy użytkownicy wyznaczają sobie w kryształowych kulach zbyt wysokie cele, innym aplikacje zalecają zbyt śmiałe rozwiązania. W konsekwencji rodzi się przesadna pewność i wiara we własne możliwości, a maleje świadomość ryzyka. Dochodzi do frustracji, która w ostateczności prowadzi do depresji. Z wiadomymi konsekwencjami. W sporadycznych przypadkach mieliśmy do czynienia z fałszywie pozytywnymi lub fałszywie negatywnymi wynikami testów, na podstawie których aplikacje oczywiście wyprowadzały niewłaściwe zalecenia. Niektóre tępaki uważały, że można nakarmić system złymi danymi i mimo to z niego korzystać. A przecież klasyczna maksyma śmieci na wejściu, śmieci na wyjściu mówi, że wyniki przetwarzania błędnych danych będą błędne nawet wtedy, gdy sama procedura przetwarzania jest poprawna. Poddanie ludzi określonym wymaganiom na podstawie przeszacowanych wartości to jakby przypisanie im schizofrenii. Większość z nich tak czy inaczej od razu zrezygnowała albo wybrała inne aplikacje. Jedynie garść sobie nie poradziła.

Mimo że siedzą w hermetycznym pomieszczeniu, Will syczy cicho przez zęby:

– Garść! Mówimy o setkach ludzi!

– O tysiącach, precyzyjnie rzecz ujmując. Zdaje się, że twoja informatorka znalazła jedynie część danych.

– Freemee ma tych ludzi na sumieniu.

– Nie. Ci ludzie z własnej woli wybrali Freemee i korzystali z aplikacji. Z własnej woli jechali zbyt szybko samochodem albo skoczyli z mostu. To nie my dodawaliśmy gazu ani ich nie zepchnęliśmy.

– Dlaczego ta seria wypadków śmiertelnych relatywnie szybko się skończyła?

– Wyregulowaliśmy odpowiednie parametry.

– To język technokratów.

– Nazywaj to sobie, jak chcesz. W końcu język to twoja domena.

– Skąd się o tym dowiedziałeś?

Carl powoli oblizuje wargi, świdrując wzrokiem swojego rozmówcę.

– Joszef zwrócił mi na to uwagę – odpowiada.

Jego usta we wciąż bladej twarzy wyglądają teraz na jaskrawoczerwone.

– Był poinformowany o twoich eksperymentach?

– Wtedy jeszcze nie.

– Co powiedział?

– To samo co wy. Był zbulwersowany i równocześnie zafascynowany. Według mnie to normalna reakcja.

– A potem zginął.

– Do jasnej cholery! – Carl zaczyna znowu krążyć dookoła stołu, ustawiając na nowo wszystkie krzesła. – Bez eksperymentowania do niczego się nie dojdzie! Ciągle jeszcze tkwilibyśmy na drzewach, kryli się przed lwami i walczyli z hienami o pożywienie, gdyby kiedyś w końcu ktoś się nie ośmielił i nie zlazł na ziemię! Joszef był moim przyjacielem od studenckich lat! Dobrze wiesz, że nie mam innych przyjaciół! A wy tu sobie siedzicie i tylko wybrzydzacie, jednocześnie inkasując milionowe pensje. Myślicie, że dostajecie je za swoje mędrkowanie i piękne oczy?! Trzeba mieć odwagę i działać! Pomysł bez realizacji nie jest nic wart! Ideał również, skoro już na ten temat mówimy! Chcesz mi robić wyrzuty? Ty? Może spójrz lepiej na siebie! Dla jakiejś zasranej promocji urządzasz nagonkę na człowieka! Uważasz, że to w porządku? Wobec tego może mi powiesz, w jaki inny sposób mielibyśmy poznawać granice aplikacji. Prowadząc testy na muszkach owocówkach? Uważasz, że się ucieszyłem, kiedy się o wszystkim dowiedziałem?

Krzesła stoją w idealnie równym szeregu.

– Możliwe, że nie rozumiem uczuć innych, ale to wcale nie znaczy, że sam ich nie mam!

Kopie w jedno z krzeseł z taką furią, że aż uderza ono o ścianę.

Will odskakuje do tyłu.

Carl opanowuje się. Podnosi krzesło.

– Przepraszam.

Stawia je obok pozostałych, opiera się na nim.

– Czy ty nie rozumiesz, jakie narzędzie mamy w rękach? – pyta. – Zabawa kursami akcji czy wybory burmistrza to były tylko palcówki niezbędne dla wysondowania możliwości i granic systemu. Możemy zmienić świat w znacznie lepsze miejsce do życia! Już dziś ludzie są dzięki nam szczęśliwsi i odnoszą większe sukcesy. Sprawiamy, że są zdrowsi, szanują środowisko i żyją ze sobą w pokoju.

„Albo ich zabijamy".

– Coś takiego od tysiącleci obiecują nam wynalazcy każdej nowej technologii – przypomina mu Will. – Poza tym mówisz: m y sprawiamy, m y możemy. Jakie m y?! To t y układasz algorytmy albo instruujesz programistów. Ty decydujesz, pod jakim kątem są analizowane i interpretowane różne wartości. Ty określasz tym samym, co znaczy zdrowie, szczęście, sukces i pokój za setki milionów ludzi, a niedługo prawdopodobnie za miliardy. I to poza wszelką kontrolą! Wolna wola człowieka staje się iluzją! Tw o j e algorytmy to nowych dziesięć przykazań! Tyle tylko że nikt nie jest tego świadom!

– Posłuchaj, Will – odzywa się Carl, wzdychając i nerwowo poruszając opuszkami palców po blacie stołu. – Naprawdę nie musisz padać przede mną na kolana.

– Nie zamierzam, nie miej złudzeń! – Will śmieje się, choć tak naprawdę daleko mu do śmiechu.

– Zawsze był ktoś, kto definiował wartości obowiązujące w społeczeństwie. Księża, filozofowie, naukowcy, politycy, prawnicy, bankierzy, przedsiębiorcy.

– A potem były rewolucje, które spowodowały, że przynajmniej staramy się określać te wartości na drodze dialogu, w którym wszyscy mogą uczestniczyć. *Land of the free*, przypomnij sobie.

– Nie bądź śmieszny! O wolności chyba już wystarczająco długo dzisiaj rozmawialiśmy – odparowuje Carl. – Freemee nie robi nic innego jak tylko odwzorowuje procesy i mechanizmy społeczne. Jak porozumiewamy się w sprawie wspólnych wartości? Właśnie stworzyliśmy nowy instrument dla tego twojego dialogu społecznego. Sprawiedliwszy, ponieważ praktycznie każdy ma do niego dostęp.

– A jego podstawowe reguły określiłeś ty. I nikt poza tobą ich nie zna.

– Zgadza się, to ja ułożyłem algorytmy albo przynajmniej je zaplanowałem. Ale przecież ja też jestem produktem otaczającego mnie świata, czyli on stanowi również element tych reguł.

– Dostatniego, białego, zachodniego świata…

– Do którego i ty należysz, powinieneś więc się cieszyć! To jest najbogatsze, najzdrowsze i najszczęśliwsze społeczeństwo, jakie kiedykolwiek istniało!

– Mówisz jak dziecko nowoczesnego neoliberalizmu, dla którego wszystko jest towarem, również człowiek stanowi wyliczalny matematycznie element wielkiej machiny…

– Czyżbyś przeszedł na lewą stronę? – żartuje z niego Carl, otwierając szeroko oczy. – Rany boskie, Will, przecież nie jesteśmy porywaczami ciał*! Nie chcemy produkować klonów pozbawionych jakichkolwiek uczuć, wręcz przeciwnie! Dzięki Freemee każdy może wreszcie w pełni wykorzystać swój indywidualny potencjał.

– I to mówi ktoś, kto ma ewidentne problemy z rozumieniem innych! Przepraszam cię za ten osobisty przytyk, ale uważam za chore, że ktoś mający kłopoty z samym sobą, a także upośledzony w relacjach społecznych, określa podstawowe prawidła ludzkiego współżycia. Nie sądzisz, że to absurdalne?

– Kiedy tak ci się przysłuchuję, zastanawiam się, czy ty w ogóle masz ochotę jeszcze tutaj pracować. Zastanów się w miarę szybko, bo czeka nas mnóstwo roboty. Możesz niewyobrażalnie dużo zyskać! Jeśli jednak nie chcesz, nie muszę ci chyba przypominać o klauzuli poufności, którą podpisałeś

– Tak łatwo się mnie nie pozbędziesz! – uśmiecha się Will.

– Wiedziałem! – wykrzykuje Carl, mocno uderzając go w ramię.

Will nie przypomina sobie, aby kiedykolwiek widział u niego taki kordialny gest.

– Ponad tysiąc – powtarza Erben Pennicott, wpatrując się w wydruk.

Zgodnie z przyjętymi zasadami Jon zaszyfrował wszystkie dane i legendy, dzięki czemu nikt niepowołany nie będzie wiedział, co począć z liczbami i wykresami, gdyby ów dokument dostał się w przypadkowe ręce.

---

* Nawiązanie do amerykańskiego filmu z 1956 roku (remake w 1993 roku) o tym samym tytule (przyp. tłum.).

Razem z Jonathanem Stemem siedzą w jednym z dwóch pomieszczeń Białego Domu, które kilka razy dziennie są sprawdzane przez różne niezależne firmy ze względu na podsłuchy. Tu mogą rozmawiać swobodnie.

– Prawdopodobnie uzyskała te informacje od chłopca, którego znała od lat – wyjaśnia Jon. – Zginął kilka dni temu w wypadku.

– Co za zbieg okoliczności.

– Prawdopodobnie to nie był zbieg okoliczności. Właśnie to badamy.

– Nasi ludzie mają nieporównywalnie większe możliwości i inne źródła danych niż jakiś osiemnastoletni amator. Wszystkie analizy powstały w ciągu zaledwie dwóch godzin. Wystarczy tylko wpaść na odpowiedni pomysł.

– Co wynika z tych zestawień?

– Nasi statystycy uważają, że wahania wskaźnika nienaturalnych zgonów w określonych grupach odbiegają od normy. Największa trudność polegała na wyodrębnieniu grup w ogóle. Są one bowiem definiowane nie na podstawie klasycznych społecznych parametrów porządkujących, jak wiek, płeć, orientacja seksualna, stan cywilny, miejsce zamieszkania czy dochód, lecz na podstawie pakietu wartości. Oczywiście to bardzo komplikuje ustalenie, czy w danych grupach dochodzi do wzrostu liczby zgonów, skoro nie wiemy, jakie pakiety wartości algorytmy przyjęte przez Freemee przypisują danej osobie. Nasze programy analizujące do tej pory zidentyfikowały pięć takich grup, prawdopodobnie jest ich więcej. Pracujemy nad nimi dalej.

– Ta statystyka pokazuje zatem, że z jakiegoś powodu w pewnych grupach użytkowników Freemee nastąpiła znacząco większa liczba zgonów.

– Zgadza się. Nie doszliśmy jeszcze, co było tym powodem.

Erben zastanawia się, czy Jon jest świadom całkowitej wagi tych odkryć.

– Przypuszczalnie jest ich kilka – zauważa. – Ale to omówimy już osobiście z Carlem Montikiem. Zakładam, że nasi ludzie są godni zaufania.

– Oczywiście.

– Ta sprawa ze względu na najwyższy interes państwa jest, rzecz jasna, objęta ścisłą tajemnicą. Pod żadnym pozorem nic nie może się wydostać poza krąg zaangażowanego zespołu ani do opinii publicznej. Ani za pośrednictwem tej dziennikarki, Hindusa czy kogokolwiek innego.

– Rozumiem. Nawiasem mówiąc, niewykluczone, że natrafiliśmy na pierwszy trop prowadzący do Zero. O dziwo, on też wiedzie do Freemee.

Jon relacjonuje pokrótce Erbenowi dotychczasowe ustalenia. Po jego wyjściu Erben ze staromodnego telefonu na biurku dzwoni do swojej sekretarki obok.

– Muszę lecieć do Nowego Jorku. Proszę wszystko zorganizować.

Następnie sięga po jedną z komórek zabezpieczonych przed podsłuchami, którą zawsze nosi przy sobie. Tak czy inaczej już zbyt długo nie rozmawiał z Henrym Emeraldem.

Jeszcze czekając na wyjście z samolotu, Cyn dzwoni do Vi. Gdy słyszy jej głos, czuje, jak opada z niej napięcie powstałe w minionych godzinach.

– Eddie naprawdę nic ci nie powiedział, o czym chciał ze mną rozmawiać? – pyta głośno i wyraźnie, na wypadek gdyby jej komórka była podsłuchiwana.

– Ani słowa, przecież już ci mówiłam – odpowiada Vi z lekką irytacją.

„Słyszeliście? – myśli Cyn. – Paranoja".

Aby nie drażnić już córki, zmienia temat, opowiada krótko o locie, po czym się żegna.

Obawia się kontroli celnej. Jeśli Amerykanie urządzą taki sam cyrk jak wczoraj ich brytyjscy koledzy, nie odpowiada za siebie. Na szczęście jednak wszystkie formalności związane z przekroczeniem granicy przebiegają gładko i nieskomplikowanie. Zgodnie z obietnicą przy wyjściu czeka na nią mężczyzna trzymający tabliczkę z jej nazwiskiem.

Wsiadają do samochodu. Gdy dobre pół godziny później Cyn widzi z bliska drapacze chmur, jej inteligentny zegarek odnotowuje przyspieszenie pulsu i intensywniejszą transpirację. Czy to urządzenie potrafi też zidentyfikować jej emocje? Zdenerwowanie i radość, niepewność i ciekawość? Tak bardzo chciałaby teraz mieć obok siebie Vi!

Hotel Bedley leży w Lower East Side i jest funkcjonalną budowlą pochodzącą z lat siedemdziesiątych, robiącą w miarę świeże wrażenie dzięki nowoczesnemu wystrojowi. W recepcji Cyn otrzymuje pakiet powitalny od nadawcy telewizyjnego zawierający niezbędne informacje i kilka wskazówek dotyczących zakupów i restauracji. Jej pokój znajduje się na siódmym piętrze, a z okna widać dziedziniec przeciwległego budynku i mnóstwo schodów przeciwpożarowych. Chander zarezerwował sobie pokój piętro wyżej. Ma po nią wstąpić, gdy oboje odświeżą się po podróży.

Cyn układa swoje rzeczy w szafie, następnie bierze prysznic. Wciąż nie może uwolnić się od myśli o wideo Eddiego. Będąc jeszcze w płaszczu kąpielowym, przegrywa filmik z jego laptopa na pendrive'a i dodatkowo do swojego komputera. Skoro już go uruchomiła, tworzy bezpieczne połączenie VPN, z którego musi korzystać, jeśli będzie chciała wejść do własnego folderu na serwerze „Daily". Wpisuje nazwę użytkownika i hasło, po czym zapisuje nagranie również tam.

W czasie gdy wideo się ładuje, z komórki dzwoni do Jeffa.

– Gdzie cię złapałam? – pyta.

– W redakcji.

– W niedzielę?

– Z powodu ataku zapowiedzianego przez Anonymous mamy wszyscy weekendowy dyżur. A ty? Jesteś już w Nowym Jorku?

– Właśnie wrzuciłam do siebie pewne wideo na nasz serwer – mówi. Jeśli ktoś ich teraz podsłuchuje, to trudno, nic na to nie poradzi. – Mógłbyś je obejrzeć i powiedzieć mi coś więcej? Może udałoby ci się sprawdzić te liczby. To jest filmik Eddiego, tego chłopca, który rzekomo miał wypadek. Ale na razie nic nikomu nie mów.

Załatwione. Pa!

Następnie chowa pendrive'a do pokojowego sejfu.

Potem dzwoni do Willa Dekkerta. Natychmiast zostaje do niego przełączona. Nieznajomy uprzejmie pyta ją o podróż, w końcu rzuca:

– Czy ma pani jakieś plany na dzisiejszy wieczór? Zapraszam panią na kolację.

Cyn czuje się jak porażona prądem. Czy Dekkert spotkałby się z nią, gdyby najzwyczajniej w świecie chciał – i mógł – zdementować jej podejrzenia? Ma w głowie galopadę myśli. Czy w jego obecności będzie bezpieczna? Wpada na pomysł, żeby zabrać ze sobą Chandera. W cztery oczy jednak z pewnością dowiedziałaby się więcej niż w towarzystwie.

– Okej – mówi zdecydowanie, żeby się nie rozmyślić. – To pana miasto. O której i gdzie się spotkamy?

Kwadrans później do drzwi puka Chander.

– Gotowa do wyjścia? – pyta, promieniejąc. – Dokąd chcesz iść najpierw? Na Times Square czy na Fifth Avenue?

Gdy słyszy, że Cyn jest umówiona na kolację z Willem Dekkertem, udaje urażonego. Lecz oczywiście rozumie, dlaczego woli spotkać się z człowiekiem z Freemee zupełnie sama.

– W takim razie ja w tym czasie sprawdzę dane Eddiego – mówi. – Daj mi jego komputer.

– Wejdź do środka – zaprasza Cyn.

Wyjmuje z sejfu pamięć USB, na którą skopiowała wideo, i wkłada ją do swojej torebki, jemu zaś podaje laptop i całuje go w usta na pożegnanie.

Na spotkanie jedzie taksówką. Z ciekawością patrzy przez okno na wieżowce, których ostatnich pięter nawet nie widać. Czuje się nieco zagubiona w wąskich wąwozach między budynkami. Na drzwiach restauracji widnieje tabliczka informująca o zakazie używania w niej wszelkiego rodzaju sprzętu do transmisji danych – okularów, inteligentnych zegarków, smartfonów itp.

Oddaje więc młodemu mężczyźnie w szatni wszystko poza zegarkiem. Chce spróbować go przemycić. Gdy jednak wchodzi w drzwi sali, drogę zastępuje jej menedżer restauracji.

– Bardzo panią przepraszam – mówi uprzejmie. – Mam wrażenie, że zapomniała pani zostawić jeden ze swoich sprzętów.

Cyn udaje zaskoczoną i spogląda na zegarek.

– Rzeczywiście! Jak pan to zauważył?

Mężczyzna wskazuje na futrynę.

– Mamy tu zamontowane specjalne urządzenie jak na lotnisku.

Cyn oddaje zegarek w garderobie.

– Dziękuję. Czy ma pani rezerwację?

Cyn wymienia nazwisko Dekkerta i rozgląda się dookoła. Nowoczesny lokal wydaje się elegancki i drogi. Co najmniej połowa gości spokojnie nadawałaby się na modeli i modelki – no, może w domu wysyłkowym.

Czuje się jak w kapsule czasu. Nikt nie ma żadnych sensorów ani sprzętu do komunikacji. Chyba że komuś udało się przemycić przez śluzę przy wejściu jakieś całkiem nowe prototypowe urządzenie, tak małe, niezauważalne bądź też zupełnie inne od dotychczas znanych. Może na przykład koszula tamtego gościa po drugiej stronie albo tatuaż na przedramieniu pełni taką funkcję. Chociaż akurat czip w postaci przyklejanego tatuażu nie jest już żadną nowością, jak zdążyła się dowiedzieć z ostatnich rozmów z Chanderem.

Menedżer prowadzi ją do tylnej części lokalu, gdzie stoliki nie znajdują się tak blisko siebie. Przy jednym z nich rozpoznaje Willa Dekkerta. Jest niższy i szczuplejszy, niż sobie wyobrażała, tryska jednak energią, gdy wstaje i zbliża się do niej. A może to nerwowość?

– Czyli to pani zawdzięczam całkiem spore kłopoty! – oznajmia z niezrównanym urokiem, z jakim jedynie rodowity Amerykanin potrafi przekuć złość w pogodny wyrzut. – Proszę mówić mi Will!

– Cynthia. Nigdy jeszcze nie spotkałam się z czymś takim. – Wskazuje za siebie na drzwi i niewidzialną śluzę.

Will wybucha śmiechem.

– Większość tutejszej klienteli pracuje w firmach gromadzących dane. Miasto jest usiane kamerami monitoringu. Więc chociaż tutaj chcemy mieć trochę spokoju.

– Filister – drwi Cyn.

Przy stoliku czeka butelka w wiaderku z lodem. Kelner nalewa im szampana. Podczas gdy oboje studiują kartę, Will podtrzymuje konwersację niezobowiązującymi pytaniami o jej podróż i pierwsze wrażenia z Nowego Jorku.

Po złożeniu zamówienia Dekkert uważnie mierzy ją wzrokiem.

– Skąd pani ma te wszystkie liczby, o których pani wspominała? – wystrzela nagle.

– Od pewnego młodego człowieka – mówi Cyn. – A objaśnił mi je mój kolega.

Tyle wiedzy musi mu na razie wystarczyć.

– Chander Argawal? – pyta, a nim ona zdąży cokolwiek powiedzieć, on dodaje: – Oczywiście zasięgnąłem niezbędnych informacji. – Następnie popija szampana. – Pozwoli pani, że zadam pani jedno pytanie. Dlaczego nie podała pani tych danych do publicznej wiadomości? Jeśli okazałyby się prawdziwe, miałaby pani świetny materiał prasowy, jeszcze bardziej nośny niż rozmowa z Washington i Kosakiem czy pościg za Zero w Wiedniu.

Czemu on tak krąży? Cyn odnosi wrażenie, że Dekkert chce jej coś wyjawić, nie ma jednak odwagi. Ponieważ nierzadko przeprowadza wywiady, potrafi bezbłędnie wyczuć tego rodzaju wahanie. Postanawia, że da mu trochę czasu. I w odpowiednim momencie wykorzysta słaby punkt.

– Nie biorę już udziału w pościgu – przyznaje. – A jeśli chodzi o te liczby, najpierw muszę je zweryfikować. Poza tym chciałabym dać Freemee możliwość zajęcia stanowiska. Zdaje się, że pan jest właściwą osobą. – Próbuje znaleźć kontakt wzrokowy z Dekkertem. – Pytanie tylko, czy zechce mi pan powiedzieć to, co pan powinien, czy co chce mi powiedzieć.

Will opróżnia kieliszek jednym haustem, odstawia go. Następnie składa dłonie na wysokości ust, jakby się modlił i jednocześnie chciał je sobie zamknąć palcami wskazującymi.

Na chwilę opuszcza powieki. Potem je unosi, odrywa dłonie od ust i kładzie splecione na stole.

– A co by pani zrobiła, gdyby te liczby się zgadzały?

Postukiwanie naczyń, pobrzękiwanie sztućców, podzwanianie kieliszków, gwar głosów. Nagle wszystko staje się intensywniejsze i bardzo bliskie.

Cyn sądziła, że dozna czegoś w rodzaju triumfu czy dumy. Z własnego instynktu, z posiadania niepowtarzalnego materiału. Tymczasem odczuwa jedynie bezradność i robi się czujna. Potwierdzenie nastąpiło tak szybko.

– Chciałabym wobec tego wiedzieć, jak do tego doszło – mówi.

Will nalewa jej i sobie szampana. Nabiera głęboko powietrza, zwleka. I wreszcie zaczyna opowiadać. O przesadnie wyśrubowanych wartościach. O nazbyt ambitnych aplikacjach. O wątpliwych analizach i niewłaściwych rekomendacjach ActApps. I o odkryciu pierwszych statystyk przez Joszefa Abberidana. Potem zmienili ustawienia, wskaźniki się zmniejszyły.

– Abberidan – powtarza pod nosem usłyszane nazwisko. – On dwa miesiące temu zginął. Tuż przed tym, jak krzywa znowu zaczęła opadać.

– Chyba nie ma pani na myśli tego, co wydaje mi się, że pani ma?

– Jedynie stwierdzam fakty.

– Na zdrowie!

Cyn widzi, że jej rozmówca intensywnie myśli.

– To był wypadek – oznajmia Will. – Samochodowy.

– Wiem.

– Joszef lubił szybką jazdę. Wcześniej miał już niejedną kraksę.

Cyn unosi brwi. Może wierzyć. Ale nie musi.

365

– Chłopak, od którego mam te dane, też zginął w wypadku – mówi Cyn. – Kilka dni temu. Chciał ze mną o nich porozmawiać i krótko potem poniósł śmierć.

– Chyba nie mówi pani poważnie.

– Daleka jestem od żartów. Był mi bliski.

– Przykro mi – odpowiada Will i wydaje się szczerze poruszony. – Ale chyba nie dopatruje się pani w tych wydarzeniach jakiegoś związku?

Cyn nie wspomina nic o napadzie na nią w wiedeńskich kanałach, bo nie ma na to dowodów. Dekkert mógłby w końcu uznać ją za paranoiczkę.

– Nie wiem – mówi.

Gdy kelner przynosi im przystawki, Will zamawia butelkę wina. Cyn zastanawia się, czy on zawsze tak dużo pije.

– Wypróbowałam kilka aplikacji – przyznaje Cyn. – Nie potrafię sobie jednak wyobrazić, aby przez podsunięcie paru rad czy wskazówek mogły doprowadzać ludzi do tak skrajnych zachowań.

– Pragnienie podniesienia własnej wartości może być przemożnym stymulatorem. Wtedy budzi się ambicja. Rywalizacja. Nie brakuje ludzi, którzy gotowi są przekraczać granice własnych możliwości, byle tylko zostać kimś, poprawić swój wizerunek, zyskać rozgłos, zdobyć kwalifikacje… Nasze parametry to nic innego jak wymierne, liczbowe odwzorowanie tych pojęć. Istnieją jednak jeszcze inne mechanizmy, które znajdują zastosowanie w aplikacjach. Znacznie bardziej efektywne niż klasyczne rady. Na przykład zasada nieświadomych impulsów. Była bardzo popularna kilka lat temu. Tyle że najbardziej znany przykład ją ilustrujący nie byłby raczej najodpowiedniejszym tematem rozmowy przy stole.

– Nie jestem aż tak wrażliwa – odpowiada Cyn, a wskazując na swój pusty talerz, dodaje: – Poza tym już zjadłam przystawkę.

– W męskich toaletach w pisuarach od kilku lat umieszcza się nieduży wizerunek muchy, co obniża koszty utrzymania czystości aż o osiemdziesiąt procent, ponieważ dzięki temu mężczyźni lepiej celują.

– Wow! A jak Freemee wysyła te nieświadome impulsy?

– Na tysiące sposobów. Zaczyna się od stylu sformułowania rekomendacji, a kończy na rodzaju, wyglądzie i strukturze aplikacji. Weźmy taki przykład: można powtarzać ludziom setki razy, że powinni staranniej myć zęby, lecz dużo lepszy skutek odniesie nagrodzenie ich za to. We Freemee podniosą się twoje parametry: musisz mieć tylko elektryczną szczoteczkę do zębów, która przesyła informacje na indywidualne konto, albo zamontować przy zwykłej szczoteczce odpowiedni sensor, który przejmie to zadanie. Jeszcze bardziej motywuje rywalizacja. Zawody w myciu zębów. – Przewraca oczami. – W rodzinie. Między przyjaciółmi. I oczywiście rzut oka w przyszłość: niepełne, brzydkie uzębienie? I tak dalej. Grywalizacja. Włączenie elementów gry. I oczywiście torowanie, ramkowanie, efekt czystej ekspozycji, wykorzystywanie heurystyk, korygowanie tych niewłaściwych lub nieprzydatnych, tępienie kognitywnych deformacji i błędów prewalencji, efekty zakotwiczenia i tym podobne, cała gama narzędzi psychologicznych: to jest zespołowe działanie psychologii, socjologii i IT, aby w ostateczności doprowadzić do zautomatyzowania myślenia i procesu decyzyjnego. – Will patrzy zamyślony na swój kieliszek, obraca jego nóżkę w palcach. – To jest bardzo, bardzo skuteczne – dodaje jakby nieobecny.

– Spojrzenie w przyszłość... czy przepowiednie kryształowej kuli w momencie ich poznania nie nabierają nowego znaczenia? – pyta Cyn. Doskonale pamięta własną reakcję na pierwsze prognozy Peggy dotyczące Chandera. – Albo wręcz w ogóle tracą jakąkolwiek wartość? Negatywne proroctwa każdy próbuje przecież obejść albo im zapobiec.

– Naturalnie. To jest podobna sytuacja jak wtedy, kiedy ludzie, wiedząc, że są obserwowani, zmieniają swoje zachowanie. Pokazują to liczne studia. Ktoś, kto na przykład ma zainstalowany w domu inteligentny licznik, oszczędza prąd, ale nie dlatego, że wybrał sobie korzystniejszą taryfę, tylko z tego powodu, że wie, iż spółka energetyczna może kontrolować go na bieżąco, i to sprawia, że używa prądu w sposób bardziej świadomy.

– Czyli już samo nadzorowanie zapewnia podporządkowanie się

– Tak. Stany, zamiast ścigać Edwarda Snowdena, powinny przyznać mu medal – drwi Dekkert. – Dzięki niemu wiemy, że NSA inwigiluje wszystkich. I gdy teraz z kimś się komunikujemy, może sami się cenzurujemy.

– Freemee też mnie obserwuje.

– Nie, Freemee umożliwia obserwowanie samego siebie. Ale programy w większości uwzględniają już te reakcje i strategie – odpowiada Will. – I dają odpowiednie rekomendacje. Potrafią nie tylko przewidzieć zachowania, lecz także prawdopodobieństwo, z jakim dane zachowanie da się zmodyfikować.

– Innymi słowy, wie pan dokładnie, kim może pan łatwiej, a kim trudniej manipulować.

– I kim w odniesieniu do jakich kwestii i przy jakich okazjach… Programy to wiedzą. Jest to bardzo pomocne w marketingu i przy wyborach. Można bowiem skoncentrować siły i środki, budżet, na tych, których najłatwiej da się zdobyć dla danej sprawy. Tak właśnie Barack Obama w drugiej kadencji zdobył rozstrzygające głosy w tak zwanych Swing States.

Cyn czuje, że musi się napić.

– Czyli pan wszystko potwierdza? – pyta. – Dlaczego? To mogłoby oznaczać koniec Freemee.

– Niekoniecznie. Ludzie nadal przecież mają wolną wolę. I nie muszą ani korzystać z Freemee, ani stosować się do rekomendacji ActApps. Narazili się na niebezpieczeństwo czy wręcz sprowadzili na siebie śmierć sami.

– To jest typowy argument przemysłu tytoniowego i zbrojeniowego.

Will bezradnie wyrzuca ręce do góry.

– Spytam więc jeszcze raz: dlaczego pan mi to wszystko opowiada? Wyrzuty sumienia? Kłopoty w firmie?

– Raczej to pierwsze – przyznaje Will.

– A może to sprawka wina? – rzuca ze śmiechem.

– Ono raczej pomaga.

Cyn czuje się zdruzgotana tym, że Eddie się nie mylił. Jednocześnie budzi się w niej podejrzliwość i strach. Czy ona rzeczywiście chce to wszystko wiedzieć? Jednak na rozważną, ostrożną taktykę jest już za późno. Jej potrzebne są dowody.

– Jednego nie rozumiem – mówi. – Dlaczego przypadki śmierci występują w dużej liczbie jedynie w określonych grupach? Co prawda nie znam się na statystyce, ale tak na zdrowy rozum powinny chyba równomiernie występować wśród wszystkich użytkowników Freemee, jeśli pana wyjaśnienia są prawdziwe?

Will zaskoczony znowu wbija w nią wzrok.

– Ja też nie jestem statystykiem – stwierdza, nie odrywając od niej spojrzenia.

Cyn, oparłszy łokcie na stole, pochyla się ku niemu maksymalnie blisko.

– Musi pan o tym porozmawiać – prosi go cicho, ale kategorycznie.

Obserwuje ją nadal uważnie, jakby w jej twarzy miał znaleźć odpowiedź. Następnie wychyla cały kieliszek wina, napełnia go znowu i też opróżnia jednym haustem.

– Okej – mówi przytłumionym głosem. – Okej.

Również z taką sytuacją Cyn wielokrotnie miała do czynienia podczas wywiadów. Will wyraźnie ma ochotę coś wyjawić. O czym jeszcze chce jej powiedzieć? Przecież już wszystko potwierdził. Nie wolno jej teraz na niego naciskać.

Po chwili Dekkert zaczyna niemal szeptem opowiadać o młodych ludziach, którzy ze skaterów stali się golfistami lub odwrotnie, o wyborach burmistrza i kursach akcji, o swojej dyskusji z Carlem Montikiem, gdy tymczasem kelner uprząta jej talerz i podaje danie główne oraz przynosi kolejną butelkę wina, po jakimś czasie zabiera również ten talerz, ona zaś nie jest nawet świadoma, czy cokolwiek z niego zjadła, ponieważ gdy dociera do niej, co tak naprawdę stało się z Vi, Adamem i Eddiem, ogarnia ją tak przemożny lęk o własną córkę, że nie jest w stanie nad nim zapanować. Gdy Will dobrnął do końca, a drugą butelkę wina zastąpiła trzecia, Cyn czuje, że musi zaczerpnąć powietrza. Po raz drugi w ciągu niezbyt długiego czasu odnosi wrażenie, że zaczęła się dla niej nowa epoka. Mocno przyciska dłonie do blatu stołu i napina wszystkie mięśnie, aby odzyskać kontrolę nad swoim rozedrganym ciałem.

– To narzędzie jest o wiele potężniejsze, niż wyobrażaliśmy sobie w naszych najśmielszych snach – stwierdza ponuro Will. – W naszych najczarniejszych snach…

Teraz również ona ma ochotę na porządny łyk alkoholu.

– Dlaczego pan mi to wszystko opowiada? – pyta powtórnie.

Dekkert obraca nóżkę kieliszka między palcami i w zamyśleniu obserwuje wirujący płyn.

– Sam dowiedziałem się tego dzisiaj.

Cyn zachowuje czujność.

– A skąd mam wiedzieć, że nie opowiada mi pan bajek?

Dekkert uśmiecha się krzywo.

– Czy to nie paradoks? Wiemy o sobie nawzajem więcej niż kiedykolwiek, a mimo to nigdy tak mało nie ufaliśmy jeden drugiemu.

– Potrzebuję dowodów.

– Nie mam ich. Na razie.

– Czy może je pan zdobyć? A właściwie: c z y   c h c e   pan je zdobyć?

Dekkert znowu unosi kieliszek do ust, Cyn jednak chwyta go za rękę, aby go powstrzymać. Teraz już wie, dlaczego on tyle pije podczas ich spotkania. Jest rozdarty między lojalnością wobec własnej firmy a nakazami sumienia. O ile mówi prawdę.

Paranoja.

Proszę sobie wyobrazić, że istnieje narzędzie, które pozwoli uczynić ze świata lepsze miejsce do życia – zaczyna znowu. – Czy nie powinno się go wykorzystać?

– To zależy, kto tego chce – odpowiada Cyn. – Hitler? Pol Pot? Bin Laden? Tea Party? Czy po prostu Carl Montik i Will Dekkert?

– Dzięki za porównanie.

– Nie ma za co. Przede wszystkim: co to znaczy „lepsze"? Nie ulega wątpliwości, że Freemee ma tysiące ludzi na sumieniu. I chcecie dalej tak postępować? Kto twierdzi, że chce pan zrobić ze świata rzeczywiście lepsze miejsce do życia? I czy „lepsze" w pańskim rozumieniu znaczy to samo co moje „lepsze"? – Nabiera głęboko powietrza. – Nie chcę, żeby Freemee, Google, Facebook i wszyscy inni zbierali moje dane osobowe i w zamian za to oferowali mi łaskawie jakiekolwiek usługi e-mailowe, mapy, tłumaczenia czy przyjaciół. Albo wychowywali

371

moje dziecko. Miliony dzieci. Sama chcę decydować, co jest dla mnie korzystne. Ja…

– Freemee nikogo nie okrada. A w pozostałych przypadkach użytkownicy sami są sobie winni. Bo chcą mieć wszystko za darmo. Rozwój wymaga pieniędzy. Albo nowoczesnej waluty: danych osobowych.

– No i już widać, do czego to prowadzi: mamy oligarchów internetowych wcale nie lepszych od dziewiętnastowiecznych baronów rabusiów. I jesteśmy wobec nich bezbronni.

– Nie ma przymusu, żeby korzystać z tych produktów.

– Niech pan nie będzie śmieszny! Oczywiście, że muszę z nich korzystać, żeby móc uczestniczyć we współczesnym życiu! Przecież pan też jest użytkownikiem Freemee.

– Przyzna pani, że stawiałoby to nas w dziwnym świetle, gdyby członkowie zarządu nie stosowali własnych produktów.

Cyn zastanawia się przez chwilę. Chce być górą w tej rozmowie. Ma jeszcze jednego asa w rękawie.

– A jaką pan ma właściwie gwarancję, że Carl Montik nie manipuluje panem tak samo jak innymi?

Dekkert najpierw wpatruje się w nią tępo. „To pewnie przez wino – przebiega jej przez głowę. – W końcu wypił całkiem sporo". Po chwili wybucha śmiechem:

– A to dobre!

Jego śmiech nie brzmi dla Cyn szczerze.

– Spróbuję sformułować swoje wcześniejsze pytanie nieco inaczej – odzywa się, gdy już się opanował. – Jeżeli te zgony potraktujemy jako nieszczęśliwe wypadki fazy początkowej, które już nigdy się nie powtórzą, to co Cynthia Bonsant zrobiłaby z takim instrumentem?

– A skąd mam to wiedzieć? Niech pan sprawdzi w mojej kryształowej kuli – odpowiada zuchwale. – Może zmieniłabym świat na lepszy, jak pan sugerował. – Teraz ona nie potrafi powstrzymać śmiechu. Jak ona w ogóle może się śmiać w takiej sytuacji? To chyba działanie wina. – A przy okazji zdobędę ogromny majątek i władzę.

– To nazywa się chyba sytuacją, w której nie ma przegranych.

– Tyle że ja nie mam takiej możliwości – zwraca mu uwagę Cyn. – W przeciwieństwie do pana.

– A gdyby pani ją uzyskała? – pyta Will.

Cyn nieruchomieje.

– To po to się tutaj spotkaliśmy? Ma mi pan złożyć propozycję, żebym trzymała buzię na kłódkę?

– Właściwie nie. A chciałaby pani taką usłyszeć?

Cyn wychyla zawartość kieliszka, aby zyskać na czasie. Gdy stawia go z powrotem na stole, wie już, co odpowiedzieć.

– Co ona robi?

Marten stoi tuż za Luisem, na którego monitorach widać obrazy z licznych kamer monitoringu ukazujące przechodniów spieszących przez wieczorny Brooklyn.

– Idzie do domu – odpowiada Luis.

Wspólnie śledzą wzrokiem Alice Kinkaid widoczną na ulicy pełnej lokali i sklepów. Program, który identyfikuje obiekt na podstawie sposobu poruszania się i stroju, automatycznie przełącza się do następnej kamery, tym razem znajdującej się wewnątrz całodobowego sklepu, gdzie Alice kupuje napoje, drobne przekąski, chleb, warzywa, następnie płaci i rusza dalej ulicą.

– Dlaczego miałaby to robić? – zadaje sobie głośno pytanie Marten. – Mądra, atrakcyjna, świetnie wykształcona kobieta o obiecującej przyszłości.

– Może właśnie dlatego? – zastanawia się Luis.

Alice wchodzi do apartamentowca, typowej wysokiej kamienicy z czerwonobrązowego piaskowca. Na monitorze pokazują się ujęcia z klatki schodowej. Wsiada do windy i jedzie na siódme piętro.

– Szykowne miejsce – stwierdza Luis.

– Stać ją na to – ocenia Marten.

Alice otwiera drzwi apartamentu, zdejmuje buty i zanosi zakupy do kuchni.

– W każdym pomieszczeniu mamy swoje kamery. Nie ma ani jednego martwego punktu.

Zamontowanie kamer okazało się dziecinnie proste. Ich ludzie nie musieli nawet podawać się za elektryków czy hydraulików. Najzwyczajniej w świecie weszli do mieszkania, kiedy ona była w pracy, w ciągu godziny spokojnie zainstalowali, co mieli do zainstalowania, i się zmyli. Przy okazji sprawdzili, czy nie ma w nim urządzeń, za pomocą których Alice mogłaby się niepostrzeżenie komunikować. Niczego takiego nie znaleźli.

Teraz idzie do łazienki i zaczyna się rozbierać. Luis pogwizduje z uznaniem.

– Zachowuj się! – strofuje go Marten, gdy ona wchodzi do kabiny prysznicowej.

Przez matowe plastikowe drzwi widzą jedynie zarys sylwetki i słyszą szum wody.

Luis przesuwa pomniejszone obrazy w lewy róg monitora.

– Oprogramowanie da znać, jak tylko uruchomi którekolwiek z urządzeń elektronicznych – oznajmia.

Carl wie, że na piętrach pod nim pracuje jeszcze co najmniej połowa jego personelu, chociaż dochodzi już dziesiąta wieczór i na dodatek jest niedziela. Właśnie zastanawia się nad kilkoma kodami, gdy dzwoni jego asystent.

– Na dole jest ktoś z FBI i chce z tobą rozmawiać.

Włącza w okularach obraz z kamery w holu wejściowym. Przy ladzie recepcji o futurystycznym designie czeka przysadzisty czterdziestolatek. Opcja rozpoznawania twarzy potwierdza, że to pracownik policji federalnej. Z dostępnych danych Carl może dowiedzieć się mnóstwo na jego temat, lecz nie tego, co go tutaj sprowadza o tej porze. Poleca przysłać go do swojego biura.

Czeka na nieznajomego, stojąc. Asystent wprowadza policjanta w cywilu do gabinetu i znika na znak dany przez szefa.

Mężczyzna przedstawia się i dodaje:

– Miałem to panu dostarczyć.

Z tymi słowami wręcza mu smartfon.

Carl widzi od razu, że jest to zabezpieczony przed podsłuchami aparat służbowy. Ledwie bierze go do ręki, od razu czuje wibrowanie.

– Proszę odebrać – mówi mu człowiek z FBI.

Stosuje się więc do polecenia. Choć głosu, który słyszy w słuchawce, nie poznaje, jego właściciel nie jest mu obcy.

– Mówi Erben Pennicott.

Spotykał szefa sztabu przy wielu okazjach, ale zawsze tylko przelotnie. Zwykle wymieniali ze sobą co najwyżej kilka zdawkowych zdań.

– Chciałbym z panem porozmawiać – oznajmia Pennicott.

„Dopiero teraz?". Carl spodziewał się tego kontaktu dużo wcześniej. Jedyne, co go niepokoi, to fakt, że szef sztabu odzywa się akurat w momencie, gdy istnieje groźba zdemaskowania eksperymentu. Udaje naiwnego.

– Z przyjemnością. Co prawda mam bardzo napięty harmonogram, ale…

– Zaraz. Mój człowiek przywiezie pana do mnie.

„Za kogo ten Pennicott się uważa?".

Carl ma zamiar odpowiedzieć mu niezbyt grzecznie, lecz jego rozmówca go uprzedza:

– Chodzi o tysiące podejrzanych przypadków śmiertelnych wśród użytkowników Freemee.

Funkcjonariusz FBI wskazuje na okulary, smartfon i inteligentny zegarek.

– Te rzeczy nie będą panu potrzebne. Może je pan tu zostawić.

Carl ma ogromną ochotę powiedzieć mu do słuchu, że to on decyduje, co jest mu potrzebne, dochodzi jednak do wniosku, że byłoby to jedynie marnotrawienie jego inteligencji, bo posłaniec Pennicotta nie jest nawet użytkownikiem Freemee. W ostateczności więc robi, co mu polecono, i wychodzi za mężczyzną na zewnątrz.

Przed siedzibą Freemee stoi czarna limuzyna. Człowiek z FBI otwiera mu drzwi. Carl siada na tylnym siedzeniu, funkcjonariusz zaś zajmuje miejsce obok kierowcy.

– Dokąd jedziemy?

Mężczyzna nie odpowiada.

Kilka ulic dalej skręcają do podziemnego garażu. Na trzeciej kondygnacji zatrzymują się w mrocznym miejscu w jakimś kącie z tyłu.

– Wysiadamy – oznajmia przewodnik.

„Prawdopodobnie tu nie ma kamer" – myśli Carl. Mimo tych osobliwych manewrów nie boi się, że coś mu zrobią. Gdyby rzeczywiście mieli taki cel, nie zadawaliby sobie aż tyle trudu.

Przesiadają się do beżowego auta o przyciemnionych szybach. Czarna limuzyna znika w bladym świetle podziemnego labiryntu. Dwie minuty później kierowca nowego pojazdu opuszcza garaż. Przy wyjeździe czekają na nich dwa samochody z przodu, a za nimi dołączają jeszcze trzy. Carl zadaje sobie pytanie, po co cały ten spektakl. „Czy chodzi o odwrócenie uwagi? Jeśli tak – to czyjej?".

Wszystkich tych, którzy chcieliby wiedzieć, z kim spotyka się szef sztabu.

Po drodze z Brooklynu na Manhattan jego towarzysze przez cały czas milczą. Przejeżdżają przez most. Carl nie zwraca uwagi na grę świateł reflektorów samochodowych odbijających się w stalowej konstrukcji. Rozważa na chłodno, jakiego zachowania może spodziewać się po Pennicotcie i jak powinien na nie zareagować. Wielokrotnie układał sobie w głowie tę przewidywaną rozmowę. To, że szef sztabu wie o eksperymencie, oczywiście wiele zmienia. W takiej sytuacji możliwości są ograniczone.

Kierowca wjeżdża do garażu hotelu Waldorf Astoria. Carl zakłada, że również tutaj jest do dyspozycji dyskretna strefa dla VIP-ów, niemonitorowana i odpowiednio przygotowana na takie okazje.

Winda zawozi go wraz z mężczyzną z telefonem na czterdzieste piętro. Drzwi kabiny rozsuwają się bezszelestnie i jego oczom ukazuje się jeden z apartamentów urządzony w stylu art déco. Za ogromnymi podwójnymi oknami lśni panorama miasta. W środku na rozłożystej kanapie w przytłumionym świetle dwóch lamp stojących siedzi Erben Pennicott ubrany w sportowe spodnie i rozpiętą pod szyją koszulę bez krawata.

Obok niego – jak zawsze zadbany i w nienagannym stroju – zajął miejsce Henry Emerald.

– To bardzo proste – zaczyna Henry. – Jak wiesz, EmerSec od kilkudziesięciu lat jest wiarygodnym partnerem amerykańskich służb bezpieczeństwa. Gdy Erben zaproponował mi dzisiaj, by włączyć Freemee do architektury systemu bezpieczeństwa Stanów Zjednoczonych – uśmiecha się – względnie świata zachodniego, odebrałem to oczywiście jako ogromny zaszczyt.

Mimo kilkakrotnego zaproszenia, aby usiadł na jednym z obciągniętych aksamitem foteli, Carl woli stać. Obchodzi kanapę i zatrzymuje się za plecami obu mężczyzn, powodując, że muszą wykręcać szyje, aby móc na niego spojrzeć.

– To jedynie potwierdza, jak bardzo poważnie Freemee jest już dzisiaj traktowany – kontynuuje Henry, który nawet w tej niewygodnej pozycji potrafi zachować wyniosłą postawę. – Znaleźliśmy się na poziomie gigantów.

– Freemee ma przypaść w udziale rola szczególna – wtrąca Erben i wstaje.

Carl zdaje sobie sprawę, że chodzi o coś więcej niż tylko o standardową współpracę w zakresie monitorowania, jaką prowadzą inne firmy z National Security Agency i podobnymi służbami – lub muszą prowadzić. Teraz chodzi o to, żeby odpowiednio rozegrać tę grę.

– A co z tymi zmarłymi, o których pan wspominał? – pyta szorstko.

– Ach. – Erben lekceważąco macha ręką. – Zostawmy przeszłość w spokoju i lepiej porozmawiajmy o przyszłości. A Freemee ma przed sobą wspaniałą przyszłość! – stwierdza. – Obaj zarobicie na tym bardzo, bardzo dużo pieniędzy. Więcej, niż jakikolwiek człowiek zarobił kiedykolwiek.

Carl pozwala szefowi sztabu mówić dalej. Znudzony odwraca się w stronę okna i patrzy na panoramę miasta. W szybie widzi odbicie ciemnych zarysów postaci Pennicotta i Emeralda.

– Henry – wskazuje Erben na inwestora – potwierdził mi już to, czego się domyślałem, kiedy otrzymałem dane.

Erben obchodzi sofę. Przewyższa Carla prawie o głowę. Niedbale przysiada na jej oparciu, znajdując się dzięki temu na wysokości oczu Montika.

– Stworzył pan niewyobrażalnie potężny instrument – mówi do niego z uznaniem. – Oby rozwijał się dalej z takim sukcesem jak dotychczas. Czterysta milionów użytkowników do końca roku, dwa miliardy za dwa lata, tak wynika z prognoz. Imponujące!

Carl przygląda mu się wnikliwie.

– Henry i ja jesteśmy zgodni co do tego, że można wykorzystać niezwykłą synergię – Erben wykonuje zamaszysty ruch prawą ręką – między możliwościami państwa – podobny gest lewą ręką – a potencjałem Freemee. – Po chwili łączy obie dłonie jak do modlitwy.

Henry kiwa głową z aprobatą.

– Nie wiem, o jakich możliwościach państwa pan mówi – odpowiada chłodno Carl. – Jeśli ma pan na myśli to, że wszystkich i każdego z osobna podsłuchujecie i śledzicie... co z tego macie? Nawiasem mówiąc, my też możemy robić coś takiego w przypadku naszych użytkowników. Tyle że w przeciwieństwie do was oni udzielają nam na to pozwolenia. Więcej: wyraźnie sobie tego życzą! Aby lepiej poznać samych siebie, aby otrzymywać lepsze wskazówki dotyczące szczęśliwszego życia, no i oczywiście, by podnieść wartość swoich danych osobowych.

– Mówię na przykład o wychwytywaniu uciążliwych współobywateli i ich unieszkodliwianiu – wyjaśnia Erben. – Słyszałem, że najnowsze produkcje Zero irytują pana w takim samym stopniu jak nas – dodaje, spoglądając znacząco na Henry'ego. – Ale dowiaduję się również, że nasi ludzie natrafili już na gorący trop. Co jednak zadziwiające, prowadzi on rzekomo do pańskiej firmy...

– Do Freemee? To niedorzeczność!

– Podobno ma coś wspólnego z wodospadami…

– Czy pan próbuje mi imputować…

– Boże broń! Niczego nie imputuję. Prawdopodobnie to zwykły przypadek. Chciałem jedynie przez to powiedzieć, że nam też nie brakuje umiejętności.

– A teraz my mamy pewnie uczynić z pana następnego prezydenta Stanów Zjednoczonych – wnioskuje Carl. – Czy tak?

Chwilę ciszy, jaka zaległa po tych słowach, przerywa Henry:

– Głową państwa nikt się nie rodzi, Carl. Zmieniają się jedynie środki, jakich używa się do jej wykreowania. A dla nas byłoby jak najbardziej korzystne, gdyby prezydent był naszym przyjacielem – poddaje pod rozwagę.

– Masz rację. – Carl szczerzy zęby do Erbena. – Zwłaszcza prezydent nam łaskawy.

– Tak więc sądzę, że byłaby to dla nas wszystkich sytuacja, w której nie ma przegranych – odpowiada Erben. – A Freemee może dalej robić swoje – dodaje ze znaczącym spojrzeniem.

– Jeśli o mnie chodzi, proszę bardzo – mówi Carl lekko znudzony. – Niewykluczone, że to będzie ostatni prezydent.

Erben uśmiecha się wyrozumiale.

– Możliwe. Bo po co wybierać prezydenta czy jakiegokolwiek innego polityka, skoro w przyszłości i tak będziemy wiedzieli, czego chcą ludzie? Tylko nieliczni są w stanie sterować ich wolą. A jeśli nawet nie będzie to już możliwe, bo system okaże się zbyt złożony, wszyscy dzięki ManRankowi i podobnym instrumentom i tak będą znali system wartości preferowanych przez społeczeństwo. Wystarczy administracja, która odczyta z rankingów ManRanku predylekcje ludzi, a potem je zrealizuje. Owa administracja będzie składać się z jednostek najlepiej nadających się według ManRanku do tego celu. Zadecydują algorytmy. To samo będzie się odnosić do zarządzania gospodarką i w ostateczności do wszystkich innych zawodów. I tak dalej. „Zwierzę myślące", człowiek, zdetronizuje samego siebie jako „ukoronowanie wszelkiego stworzenia". Będziemy zmuszeni na nowo zdefiniować istotę człowieczeństwa. – Śmieje się. – Ewentualnie zrobią to za nas programy. Czy tak to może wyglądać?

– Mniej więcej – potwierdza Carl. Musi przyznać, że Pennicott jest równorzędnym partnerem. – Wobec tego dlaczego chce pan w ogóle zostać prezydentem?

– Bo tak sobie postanowiłem przed laty.

– Rozumiem – mówi Carl. – Kolejny z punktów do odhaczenia na liście. – Wydaje mu się to trochę nudne. Czyżby jednak Pennicott nie był aż tak dobry?

– I ponieważ te zmiany nie nastąpią tak szybko – dodaje Erben. – Zanim dojdzie do tego, o czym mówiliśmy, jeszcze kilku prezydentów wybierzemy w sposób tradycyjny.

– Kiedy już poinformujesz kolegów z zarządu, wtajemnicz w najbliższych tygodniach także swoich najbardziej zaufanych programistów – przerywa im Henry. – Przy tej okazji dołączymy do nich także kilku ekspertów Erbena. Aby mogli wspierać go w jego postępach.

– Wspierać, hm? – odzywa się Carl. – A jakie zamiary ma nowy prezydent? W czym mamy mu pomóc? Za jakimi wartościami się pan opowiada?

– Cóż to za pytanie z pańskich ust – śmieje się Erben. – Któż jak nie pan powinien to wiedzieć?

– Racja. – Carl uśmiecha się krzywo, poklepując się po kieszeniach, jakby czegoś szukał. – Niestety, akurat w tym momencie nie mogę znaleźć danych.

– To mi wygląda na zgodę – stwierdza Jon Stem w apartamencie tuż obok, gdy wykres analizujący głos Carla nie wykazuje asynchronicznych wychyleń.

– Carl Montik to racjonalnie kalkulujący pragmatyk – stwierdza Joaquim Proust. – Dlaczego miałby rujnować swoje dzieło życia taką błahostką?

– Bo kieruje się innymi wartościami niż Pennicott? – rzuca Jon.

– Ma pan oczywiście rację – słyszy Erbena na ekranie, na którym obserwują przebieg spotkania odbywającego się za ścianą. – Chodzi o wartości. Zawsze. A Freemee unaocznił to tak wyraźnie jak nikt do tej pory. Również tym wyświadczył pan ludziom ogromną przysługę.

– Będzie z niego dobry prezydent – zauważa Joaquim. – Mało kto potrafi tak kadzić.

Otwiera na drugim monitorze zestawienia wartości Erbena i Carla. Ten pierwszy nie jest co prawda użytkownikiem Freemee, ale jako postać publiczna dobrze wypada w algorytmach Freemee.

– Wyglądają dosyć podobnie. Dominujące pakiety wartości obu koncentrują się wokół uznania. Próżność, poczucie własnego znaczenia i tym podobne – wyjaśnia Joaquim, podczas gdy na pierwszym monitorze Erben podaje Carlowi rękę.

– Myślę, że będziemy się dobrze rozumieć – oświadcza Erben.

Z zadowoloną miną podchodzi do nich Henry Emerald i kładzie swoją dłoń na splecione ręce obu młodszych mężczyzn.

„W swoim czarnym garniturze wygląda jak duchowny udzielający młodej parze błogosławieństwa na całe życie" – myśli Joaquim.

Znalazłszy się z powrotem w hotelu, Cyn dzwoni do Chandera i prosi, aby do niej przyszedł. Zjawia się dwie minuty później. Cyn wciąga go do pokoju, a gdy on próbuje ją namiętnie objąć, zdejmuje mu okulary, wyciąga rękę i stanowczym głosem mówi:

– Twój smartfon.

Osłupiały wręcza jej aparat, ona zaś kładzie go razem z okularami pod kołdrę na łóżku. Potem ciągnie go do łazienki.

– Aha – mruczy Chander. – Wspólny prysznic…?

– Nie teraz – odpowiada Cyn, po czym odkręca kran i przy akompaniamencie szumu wody zaczyna opowiadać.

Dobrnąwszy do końca, zwraca się do niego:

– Czy mógłbyś zweryfikować te twierdzenia Dekkerta?

Na co on kręci głową i odpowiada:

– Nie mam jak wyciągnąć takich informacji z powszechnie dostępnych danych. Zwłaszcza że nie do końca wicm, czego miałbym szukać. To, co mówisz, jest dalece nieprecyzyjne. Pewnie dałoby się znaleźć to wszystko we Freemee, ale w ramach usług odpłatnych. Wydałabyś bajońskie sumy, żeby dojść do właściwych danych. Ale też musiałabyś najpierw wiedzieć, o co ci dokładnie chodzi. W porównaniu z tym statystyki dotyczące zgonów były stosunkowo proste. A nawet jeśli dotrzesz do odpowiednich wskaźników – objaśnia dalej Chander – nie będzie to jeszcze żaden dowód. Samo potwierdzenie zmian algorytmów nie wystarczy, pozostaje do zbadania zachowanie ludzi wynikające z rekomendacji sugerowanych przez aplikacje. Które zresztą też o niczym nie świadczy, bo przecież nikt ich do niczego nie zmuszał. Aby móc udowodnić różne podejście do poszczególnych grup użytkowników, trzeba by mieć dostęp do algorytmów. Do standardowych i zmodyfikowanych. Mogłabyś już zakręcić? – pyta, wskazując na kran.

– Nie, dopóki nie skończymy rozmawiać.

– No to skończmy – mówi z podstępnym uśmiechem i wsuwa dłoń pod jej bluzkę.

– Czyli nie doszło do manipulacji? Tak to widzisz?

– Zróżnicowane podejście, nic ponadto – odpowiada Chander ze wzruszeniem ramion. – Zindywidualizowane. Nie ma w tym nic nadzwyczajnego. Nawet matka nie traktuje jednakowo wszystkich swoich dzieci. Zresztą nie może.

– Ale akurat algorytmy powinny!

– Przeciwnie. Powinny podchodzić do każdego z nas w sposób jednostkowy.

– Chyba jednak nie według wyłącznych wizji Carla Montika!

– Po co w ogóle Dekkert sprzedał ci te wszystkie historie, skoro nie potrafi niczego udowodnić? Chce, żebyś je upubliczniła?

– Bez dowodów tylko bym się ośmieszyła, przecież sam to powiedziałeś. I zafundowałabym sobie najdroższy zarzut o zniesławienie w historii.

– To prawda. A może taki właśnie był cel waszego spotkania?

– Uważasz… że sensacje Dekkerta są zmyślone?

– Witaj w paranoi! – śmieje się Chander. – To już chyba pozostanie nasze stałe hasło.

– Statystyki dotyczące przypadków śmiertelnych potwierdził. Mówi nawet, że było ich znacznie więcej.

– Dowody?

– Brak – przyznaje Cyn. – Wobec tego dlaczego złożył mi… – urywa.

– Co?

– Propozycję – przyznaje z ociąganiem.

– Jaką propozycję?

– Przystąpienia do Freemee. Mamy porozmawiać na ten temat jutro w siedzibie firmy.

– Kolejny podstęp. – Chander uśmiecha się chytrze. – Żeby sprawdzić, czy dasz się kupić. Jeśli się zgodzisz, już na zawsze staniesz się niewiarygodna, gdybyś kiedykolwiek chciała napisać o Freemee coś negatywnego.

– Witaj w paranoi – bąka Cyn.

– Nie zrozum mnie źle – wtrąca Chander. – Ja ci wierzę, tylko zadaję sobie pytanie, jakimi motywami kieruje się Dekkert.

– Ja także.

– A co ze mną? Przecież ja też wiem o tych śmiertelnych przypadkach. Czy ja również dostanę ofertę? Czy będziesz negocjować i w moim imieniu i oboje staniemy się bogaci?

– Pójdziesz ze mną.

– Jeżeli ich oferta będzie wystarczająco dobra, być może już nigdy nie przyjdą ci głupie pomysły do głowy – mówi Chander, próbując znowu zająć ją czym innym. – Dekkert ma rację. Dzięki Freemee możesz skłonić ludzi do całego mnóstwa dobrych rzeczy.

– Niewykluczone – odpowiada. – Ale i do złych też.

– Po co? – Obejmuje ją wpół i przyciąga do siebie. Patrząc na nią uważnie, dodaje: – Jeśli to wszystko, co usłyszałaś, się zgadza, a nie wykluczam, że tak może być, to dla ciebie za duży kaliber. I to o kilka numerów. Dla każdego z nas. Możliwe, że przewidzieliśmy przyszłość. Kto się jej przeciwstawia, przegrywa.

– Jak Eddie? Albo Joszef Abberidan? Albo o mały włos ja w Wiedniu?

– Witaj…

– Och, daj już spokój!

Po opowiedzeniu wszystkiego Chanderowi z Cyn opada napięcie. Teraz alkohol może wreszcie okazać swoje dobroczynne działanie. Czuje się śmiertelnie zmęczona i nie jest w stanie już myśleć. Nie opiera się więc, gdy Chander wyciąga ją z łazienki i prowadzi do łóżka. Pozwala się pocałować. Wyłącza mózg. Właśnie tego teraz potrzebuje i także odpowiada mu pocałunkiem.

Teldif:

W Chinach też już są dostępne platformy doradcze w zakresie pomocy życiowej. Przygotowane na zlecenie biura centralnego!

ArchieT:

A u nas? We Freemee udziały ma Henry Emerald. A EmerSec to od dziesiątków lat ważny element kompleksu militarno-przemysłowego.

Submarine:

Ale nie zapominaj o Edwardzie Snowdenie, który zdobył swoje informacje także jako pracownik prywatnej firmy.

xxxhb67:

Kompleks militarno-przemysłowy od dawna jest kompleksem militarno-informacyjnym.

ArchieT:

Już od czasu Arpanetu.

Submarine:

Tak więc w Chinach rekomendacje formułuje komitet centralny partii, w Rosji – Kreml, a u nas...

Snowman:

...członkowie kompleksu.

Poniedziałek

Następnego dnia rano Will kieruje swe kroki najpierw do biura Carla. Zastaje go przy biurku wgapionego przez okulary w tablet. Ostatnio Will też dosyć często pracuje równocześnie na obu urządzeniach.

– No i jak przebiegła kolacja z panią Bonsant? – pyta Carl, rzucając na niego przelotne spojrzenie. – Masz sińce pod oczami.

– Ach, ten twój wdzięk…

– To moja mocna strona, jak wiesz.

– Przyjdzie tu dziś w południe. Ze swoim kolegą Argawalem.

– Widziałem w terminarzu.

– Chodźmy do bunkra – rzuca krótko Will.

Carl unosi brwi zdziwiony, mimo to zaraz przerywa swoją pracę. Zgodnie z wewnętrznymi regułami zostawiają wszystkie urządzenia elektroniczne przy wejściu i wchodzą do pozbawionego okien pomieszczenia. Zamykają za sobą drzwi.

Po kilku sekundach Will pyta:

– A co ze mną? – Obaj mierzą się wzrokiem. – Czy moje parametry też u s t a w i ł e ś?

– Will, Will, Will. – Carl z uśmiechem kręci głową. – Chyba zostało ci jeszcze trochę alkoholu we krwi. Napisałem podstawy algorytmów, według których od dawna kierujesz swoim działaniem. Czy niuansowe zmiany stanowią tu jakąkolwiek różnicę?

– Wczoraj staliśmy na skraju przepaści. Dzisiaj posunęliśmy się o krok dalej. To jest ta różnica.

391

– Zabawne! Nie zapominaj, że algorytmy są poprawiane na bieżąco.

– To t y je poprawiasz. I one siebie same prawdopodobnie również. Chciałbym wiedzieć, czy też należę do szczurów laboratoryjnych. Czy hodujesz sobie posłusznych członków zarządu?

Carl mierzy go przenikliwym spojrzeniem.

– Nie.

– Skąd mogę mieć pewność?

– Gdybyś potrafił je czytać, dałbym ci do porównania standardowe algorytmy i protokół twojego konta danych.

– Dobrze wiesz, że nic mi z tego nie przyjdzie.

– Nic na to nie poradzę, że wy wszyscy jesteście cyfrowymi analfabetami. W tej sytuacji musisz mi po prostu zaufać.

– Jak mogę ci zaufać po tym wszystkim, co nam ostatnio opowiedziałeś?

– Właśnie dokładnie z tego powodu: bo wam opowiedziałem. Zamiast zataić to przed wami i was przeprogramować, wyprzeć z firmy i przejąć władzę nad światem. – Znowu wybucha śmiechem. – Moim zdaniem, Will, przeceniasz Freemee. To nie jest film o Jamesie Bondzie i jakimś superłajdaku. Mamy konkurentów oferujących podobne modele, wielcy starzy gracze proponują swoje pierwsze rozwiązania. Rodzi się rywalizacja systemów, jak przystało na wolne społeczeństwo.

– Mówisz o konkurencji? Takiej jak w przypadku systemów operacyjnych, wyszukiwarek czy sklepów internetowych? Nigdzie nie ma czystej konkurencji, tylko wszędzie panują quasi-monopole.

– Daj spokój! Microsoft to dogorywający gigant, dawne supergwiazdy, jak AOL czy MySpace, po zaledwie kilku latach przeszły do historii, Facebook i Apple to już dinozaury, a Google…

– Chcesz przez to powiedzieć, że dajesz Freemee tak czy inaczej tylko parę lat…?

– Chcę przez to powiedzieć, że w przyszłości nie będziemy żyli pod dyktaturą *Máximo Líder* Carla Montika, którą to wizję próbujesz malować – wyjaśnia ze śmiechem. Jego twarz znowu zamienia się w nieprzeniknioną maskę. – Pragnę jedynie dać ludziom wspaniałe narzędzie do doskonalenia ich życia! Wchodzisz w to czy nie?

Kto powiedziałby „nie" na tak postawione pytanie?

– O to samo spytamy później panią Bonsant – dodaje Carl. – Chociaż jej kryształowa kula daje nam na razie jedynie osiemnaście przecinek sześć procent nadziei na odpowiedź twierdzącą. – Wstaje z krzesła i przysuwa je pedantycznie do stołu. – Aha, jeszcze jedno – rzuca, gdy również Will podnosi się i zamierza opuścić bunkier. – Może, nie czekając, postarasz się o wsparcie, jeśli chodzi o pomysły na dystrybucję, i wtajemniczysz Alice Kinkaid. Zresztą wcześniej czy później i tak musiałaby się dowiedzieć.

Marten i Luis obserwują Alice, kiedy wchodzi do siedziby Freemee. Jest ubrana w jasne spodnie i blezer, w ręce trzyma dosyć dużą torebkę. Drugie okno pokazuje obraz widziany z jej okularów.

– Jesteśmy w jej smartfonie, okularach i zegarku – informuje Luis.

– W torebce też? – pyta Marten.

– Jeśli tylko zajrzy do niej przez okulary.

Patrząc przez nie, obaj śledzą jej drogę do własnego gabinetu – pozdrawia kilku kolegów na korytarzu, zamienia z tym i owym kilka słów.

– Kontaktowa osoba – zauważa Luis.

– W końcu odpowiada za komunikację – bąka Marten. – Lepiej, żeby odezwała się do swoich kolesi z Zero, zamiast plotkować po próżnicy.

Pieką go oczy, jakby ktoś nasypał mu do nich piasku. Cały weekend spędzony w pracy kosztuje.

Ledwie Alice usiadła za biurkiem, dzwoni do niej przez okulary Will Dekkert.

– Musimy pilnie omówić coś ważnego – informuje. – Kiedy znalazłabyś chwilę?

Alice sprawdza w kalendarzu.

– Jestem zajęta do dwunastej – mówi.

– Okej. Wobec tego o dwunastej. W bunkrze.

Wyszedłszy na ulicę, Cyn i Chander zderzają się ze ścianą rozgrzanego, drgającego powietrza typowego dla nowojorskich letnich upałów. Na szczęście Will przysłał po nich samochód. W jego wnętrzu panuje wręcz mroźny chłód. Cyn nie słyszy szumu silnika.

– Napęd elektryczny – wyjaśnia zapytany przez nią kierowca.

Nagle rzuca się jej w oczy, że on w ogóle nie dotyka kierownicy!

– To jest auto samosterujące – informuje. – Prototypowe. Freemee ma takich kilka w swojej flocie do przetestowania. Na razie ktoś jeszcze musi siedzieć za kółkiem. Ze względu na ubezpieczenie. Za jakiś czas te gówna pozbawią mnie pracy i stanę się bezrobotny. – Pokazuje ręką na tabuny żółtych taksówek stanowiące dominującą część ruchu. – I ich też.

Jak często w ostatnich dniach również w tym momencie Cyn ma wrażenie, że gra w jednym z filmów science fiction, którego bohater budzi się po długim śnie w obcej mu przyszłości. Tyle tylko że ta przyszłość jest już teraźniejszością.

Mijając południowe obrzeża Chinatown, kierują się na zachód, a potem na most Brooklyński. Po prawej Cyn odkrywa Statuę Wolności, której wczoraj nie widziała. Co powiedziałaby Liberty na poczynania Freemee, gdyby potrafiła mówić?

Freemee ma siedzibę w starym gmachu z czerwonobrązowego piaskowca wyglądającym na dawny budynek przemysłowy. Nad wejściem błyszczy imponujące logo firmy. W holu wita ich młody mężczyzna, po czym zawozi na jedno z wyższych pięter. Przed drzwiami do sali konferencyjnej czeka na nich pracownik ochrony. Prosi o pozostawienie wszystkich urządzeń elektronicznych. Cyn zirytowana oddaje okulary, smartfon i inteligentny zegarek. Chander miał przy sobie aż dwa telefony.

– W sali nie ma ani jednego okna – zauważa Cyn.

– Zabezpieczona przed podsłuchami – szepcze jej Chander.

Nie czekają długo. Jeszcze nawet nie zdążyli usiąść, gdy do środka wchodzą Will i Carl Montik. Następuje prezentacja, wymiana formułek grzecznościowych, pada pytanie, czego goście się napiją.

W osobie Carla Montika jest coś, co Cynthię wprawia w rozdrażnienie. Dochodzi do wniosku, że to jego spojrzenie.

– Rozumiem, że są państwo świadomi, jakie Freemee ma możliwości – zaczyna Montik bez wstępów. – Nasza oferta jest następująca: otrzymacie udziały w firmie o wartości trzydziestu milionów dolarów każdy. Ich spodziewana wartość za rok to siedemdziesiąt milionów. Za dwa lata: sto dwadzieścia. Licząc ostrożnie. W zamian za to zobowiążecie się do całkowitego milczenia w kwestii waszych odkryć.

Jego bezpośredniość zaskakuje Cyn – i jednocześnie imponuje. Nie zamierza jednak dać temu wyrazu.

– Jestem świadoma, co może Freemee – odpowiada szorstko. – Doprowadzać ludzi do śmierci.

Kąciki ust Carla lekko drgają, jakby użądliła go osa.

– To choroba wieku dziecięcego – odpowiada niechętnie. Jego dłonie spoczywają płasko na blacie stołu, ale końce palców zaczynają już nerwowo postukiwać. – Skąd to negatywne nastawienie? Już dawno nad tym zapanowaliśmy. Ponieważ zna pani statystyki, orientuje się pani zapewne, że wskaźniki śmiertelności w innych grupach ostatnio zmalały. Tak więc globalnie Freemee jest dobry dla ludzi.

– Chce pan za pomocą Freemee ulepszyć świat?

– Według pani to coś złego?

– Jeśli zamierza pan sam decydować o tym, co jest dobre, a co nie…

– Och, proszę nie zaczynać znowu tej samej dyskusji – wzdycha Carl. – Co wobec tego pani zdaniem powinienem zrobić?

– Zdradza pana pański język – zauważa zuchwale Cyn. – Cały czas mówi pan w pierwszej osobie liczby pojedynczej: ja. Nawet nie włącza pan współzałożycieli firmy i swoich kolegów z zarządu. Nie wspominając już o użytkownikach Freemee.

Carl wybucha gromkim śmiechem, wydaje się szczerze ubawiony.

– Pan buduje dyktaturę – zarzuca mu Cynthia. – Może się pan śmiać, proszę bardzo! Wiem, że teraz modne jest filozofowanie na temat epoki postdemokratycznej. Wielu półgłówków z utęsknieniem czeka na silnych mężczyzn.

Zerka na Chandera, który w ogóle nie włącza się do rozmowy. Po co ona w ogóle go ze sobą wzięła? Nie ma z jego strony najmniejszego wsparcia.

– Swoją drogą ciekawe, że w tym kontekście zawsze mowa jest o silnych mężczyznach. Ale tak czy inaczej nie istnieje coś takiego jak „dobra" dyktatura. Pozycja dyktatora z natury rzeczy zawsze jest niebezpieczna, choćby człowiek, który ją piastuje, był dobry. A w pana przypadku nawet nie wiem, czy o panu da się tak powiedzieć.

Carl słucha jej wywodu z narastającym zniecierpliwieniem. Jego dłonie porządkują niewidzialne przedmioty na pustym stole.

– Mogłaby pani zostać naszą ekspertką do spraw etyki – wypala – gdyby oprócz pieniędzy chciała pani otrzymać jakieś zadanie. – Po czym zwraca się do Willa: – Mamy już kogoś takiego?

– Nie wprost – odpowiada.

– No, czyli przydałby się nam ktoś taki! Chce pani być naszą wyrocznią od etyki? – ponawia pytanie Carl, coraz bardziej zapalony do swojego pomysłu. – W randze członka zarządu, jeśli pani zależy – dodaje, gdy Cyn milczy. – Członek zarządu do spraw etyki! Wspaniale! Niech pani coś wniesie, zamiast tylko krytykować. Dajemy pani możliwość udoskonalcnia Freemee w taki sposób, jaki pani uważa za właściwy!

Cyn straciła rezon. „Czy on mówi poważnie?".

– A przecież lada dzień tak czy inaczej będzie pani potrzebna nowa praca – uzupełnia Carl. – Bo Zero zaraz przejdzie do historii.

Ta myśl przeraża Cyn.

– Skąd pan to może wiedzieć?

– Od ludzi, którzy praktycznie już go mają.

Czy to możliwe? Czuje, że powinna ostrzec Zero. Ale bez Pi nie jest w stanie tego zrobić. A Vi woli w to nie wciągać.

– No to kto to jest?

– Dowie się pani w swoim czasie – odpowiada Montik znudzonym głosem i zmienia temat. – Proszę zrozumieć: wiemy, że w przeszłości to i owo nie potoczyło się jak trzeba, ale przecież, jak się pani orientuje, gdy tylko to odkryliśmy, natychmiast się

wycofaliśmy. Naszym najwyższym priorytetem jest dostarcze-
nie użytkownikom optymalnego produktu. – Próbuje przybrać
przyjazną minę. – Nie brakuje pani przebojowości i dynamiz-
mu, jest pani uparta i konsekwentna i dlatego jest tu pani dzisiaj. Potrzebujemy takich ludzi jak pani, aby ulepszyć Freemee,
a tym samym życie setek milionów ludzi na całym świecie. Kto
wie, może kiedyś będą ich nawet miliardy! Proszę nam pomóc,
aby świat stał się lepszym miejscem. Przecież chyba właśnie
na tym pani zależy. Dlaczego więc nie zrobić tego z nami?

Cyn czuje, że Montik nacisnął właściwy guzik. Jej wzburzenie wywołane próbą przekupstwa przygasa, a ona zaczyna się
zastanawiać. Do jakiego stopnia należałoby zmienić Freemee,
aby jego projekty mogły sprostać jej oczekiwaniom?

– Ciągle zadaję sobie pytanie, czy sama idea programu nie
jest z zasady opaczna.

Myśli o Vi, która tak korzystnie się zmieniła. „Czy to dobrze?". Rozum mówi jej: tak. Ale może tylko dlatego, że jako
matka ma teraz z nią mniej kłopotów? „Nie, to dlatego, że Vi
będzie łatwiej w życiu" – przekonuje samą siebie. Córka wielokrotnie ją zapewniała, że ani przez chwilę nie czuła się zmu-
szona do zmiany. Czy rzeczywiście stało się to z jej własnej potrzeby? Czy nie została do tego popchnięta? Zmanipulowana?
Cyn intuicyjnie czuje, że coś w tym wszystkim jest nie tak.
A wie, że na swojej intuicji może polegać. Chociaż raz po raz
wpędza ją w kłopoty.

– Czy zmanipulowaliście moją córkę? – zadaje pytanie.

Carl patrzy na nią zdziwiony, potem na Willa i znowu na
nią. Wreszcie odpowiada:

– Zmanipulowaliśmy? Nie.

Cyn niepewnie szuka wzroku Chandera, następnie Willa,
lecz żaden z nich nie reaguje.

– Chce pani więcej pieniędzy? – dopytuje Montik. – O to chodzi?

– Otóż to – odzywa się po raz pierwszy Chander. – Freemee wyceniany jest już dzisiaj na sto miliardów dolarów. W tej sytuacji trzydzieści milionów można uznać raczej za jałmużnę. By nie powiedzieć: bezczelność.

Carl wlepia w niego przez chwilę wzrok, po czym wybucha:

– Jałmużna? Kompletnie za nic? Pan chyba zwariował!

Will chrząka, na co Montik, rozumiejąc znak kolegi, opanowuje się i spokojniejszym tonem kontynuuje:

– To są stosowne, godziwe kwoty. Proszę to przemyśleć.

Wstaje.

„I na tym koniec? – dziwi się Cyn, podczas gdy Carl zmierza do drzwi. – Ten człowiek nie zostanie raczej dyplomatą w tym życiu".

– Ja i członek waszego zarządu odpowiadający za komunikację jesteśmy zaproszeni dziś wieczorem do programu telewizyjnego, który ogląda kilka milionów widzów – rzuca Cyn.

Carl zatrzymuje się w pół kroku.

– Telewizja – wypluwa z pogardą i odwraca się do niej. – I o czym chce pani tam opowiedzieć? O wyliczeniach statystycznych, których nikt nie pojmie i które niczego nie dowodzą? I to publiczności, z której połowa jest przekonana do Freemee, jak pokazują nasze liczby, i nie pozwoli oczerniać swoich małych pomocników w codzienności? Will zadba o resztę. Jest doskonałym sprzedawcą.

– Mogłabym przewrócić pierwszą kostkę domina – odpowiada Cyn.

– I po co? Pozbawiłaby pani ludzkość fantastycznego narzędzia do doskonalenia życia i rozwiązywania globalnych problemów. Przypuszczam, że nie zależy pani na tym, prawda?

Cyn nie może już słuchać tego argumentu! Głównie dlatego, że nie przychodzą jej żadne inne kontrargumenty poza tymi, których już użyła.

– Przytacza pan bez przerwy ten sam motyw. Freemee uczyni cię szczęśliwszym i sprawi, że będziesz odnosił większe sukcesy. No i co z tego, że przez to mogą kontrolować twoje życie? Państwo nadzoruje cię w każdej sekundzie? W zamian jesteś bezpieczny. Przynajmniej do następnego ataku, któremu niestety mimo wszystko nie zdołano albo nie chciano zapobiec.

– A może dla normalnych ludzi wartości, które zbywa pani teraz z takim lekceważeniem, jak sukces, szczęście, bezpieczeństwo, są ważniejsze od tego, co pani wysuwa na pierwszy plan? Dlaczego nie pozwoli pani im samym o tym decydować?

– Przecież oni właśnie już o niczym sami nie decydują! – Cyn nie panuje nad sobą. – I o to cały czas chodzi! Ludzie są manipulowani, kantowani i okłamywani przez was, oligarchów danych. Gadacie o wolności i lepszym świecie, a myślicie wyłącznie o własnym portfelu! Jestem sprowadzona do słupka akcji! Te miliardy ludzi tkwiących nieustannie przed komputerami, tabletami, smartfonami i nierozstających się ze swoimi okularami w rzeczywistości nie są waszymi użytkownikami. Jest wręcz odwrotnie, to wy z nich korzystacie! Oni są waszymi oczami, waszymi pilotami sterującymi miliardami komórek gigantycznej maszyny, która szufluje dla was pieniądze!

– Wow! Takiej tyrady nie powstydziłby się chyba nawet Zero.

– Jak daleko posunął się już proces prania mózgów, widać po tym, że ludzie wierzą w wasze argumenty!

– Sprzeciw. Ludzie stosują produkty ułatwiające im życie. Z własnej woli. Nikomu nie przykładam pistoletu do głowy, żeby korzystał z Freemee. Google, Apple, Facebook, Amazon też tego nie robią. I to nie jest żadne pranie mózgu. Czy w swoim domu nie ma pani pralki albo sedesu? Czy przesyła pani wiadomości nadal przez konnego posłańca? Chyba nie. I tu mamy do czynienia z tym samym. To się nazywa postęp.

Cyn spostrzega, że dała się zapędzić w tę samą pułapkę, w jaką zawsze wpada podczas dyskusji z Vi: starzejąca się matka niemająca zrozumienia dla współczesności. Sokrates ubolewający nad sztuką pisania i lękający się śmierci sztuki myślenia. W którym miejscu coś przegapiła?

– Ma pani okazję kształtować ów postęp według pani rozumienia – odzywa się pojednawczo Montik. – Jako ekspertka Freemee do spraw etyki. – Otwiera drzwi. – Podtrzymuję swoją ofertę. Zakładam, że chce się pani nad nią zastanowić. Spotkajmy się zatem jutro.

Przy wyjściu Carl odbiera swoje okulary i telefon. Soczewki tkwiącej w jednym oku nie musiał oddawać, ponieważ bez smartfonu jako stacji bazowej nie ma żadnej wartości. Jednocześnie dyskretnie przekazuje pracownikowi ochrony mikroskopijny dyktafon, który miał przy sobie. Mężczyzna przez bezpieczne połączenie prześle bezzwłocznie plik nagrania na adres otrzymany od szefa.

Joaquim Proust siedzi w swojej izdebce pełnej maszyn i przepuszcza nagranie przez program analizy głosu. Na wynik musi poczekać kilka minut. Bez sensu, że bunkier został tak, a nie inaczej zaprojektowany i w związku z wprowadzonymi zabezpieczeniami niemożliwe jest analizowanie na bieżąco. Najchętniej przesłuchałby rozmowę od razu szybko do końca, żeby poznać jej przebieg i zakończenie.

Bezpośrednio docierają do niego jedynie bieżące obrazy z okularów Carla, który razem z Hindusem idzie w pewnej odległości od Bonsant i Willa. Na nich skupia całą swoją uwagę.

– Nie dam się zbyć trzydziestoma milionami… – słyszy, jak Chander Argawal szepcze do Carla.

Niczym na umówiony znak Montik odwraca głowę, aby Joaquim mógł przez okulary także zobaczyć twarz Hindusa.

– …a na wypadek, gdyby przyszły wam do głowy jakieś dziwne pomysły: kopie filmiku tego chłopaka zdeponowałem w bezpiecznym miejscu. Jeśli mi się coś stanie, zostaną upublicznione. A to oznaczałoby wasz koniec.

Z analizy głosu na monitorze Joaquima wynika, że on blefuje. „Słabo, panie Argawal!".

– Co to za niedorzeczność? – pyta Carl z irytacją.

– Czy mam wyrazić się precyzyjniej? – odpowiada Chander.

„Ten Hindus nie da za wygraną" – myśli Joaquim. Negocjacje z nim nie mają najmniejszego sensu. Trzeba będzie znaleźć inne rozwiązanie. Ostateczne. I to niezwłocznie. Zanim zdąży spełnić swoje puste pogróżki.

Joaquim bardzo chciałby się dowiedzieć, o czym mówią Cynthia Bonsant i Will Dekkert, jednak Carl z Chanderem są zbyt daleko od nich, a Will jest bez okularów.

– Dlaczego nie wróciliśmy do naszej wczorajszej rozmowy i… – zaczyna Cyn, lecz Dekkert szybko jej przerywa:

– Ponieważ to nie był dziś odpowiedni temat.

– Jak to nieodpowiedni. Manipu…

– Słyszała pani – wpada jej ponownie w słowo. – Proszę się zastanowić.

– Czy on naprawdę sądzi, że tą propozycją może mnie ku…

– Carl złożył pani poważną ofertę, ponieważ szanuje pani poglądy. – Znowu nie pozwala jej dokończyć. – Zaczynamy akwizycję. Dotychczas jedynie członkowie zarządu byli poinformowani o eksperymencie, a teraz mam włączyć także naszą dyrektorkę odpowiadającą za komunikację.

– Carl rozdaje posady, jak mu się podoba? Coś panu powiem: wiem od dawna, że zarządcy Freemee chcieli, abym to właśnie ja uczestniczyła w poszukiwaniach Zero. I dlatego sfinansowaliście promocję „Daily"…

– Gdzie pani to usłyszała?

– Nie tylko Carl ma swoje źródła. Mimo to nadal nie rozumiem, dlaczego ja.

Will przez kilka sekund idzie obok niej w milczeniu.

– Nawet pani naczelny nie wie, że za tym wszystkim kryje się Freemee – mówi po chwili bardziej do siebie. – Jedynie kilka osób w firmie…

– A czyj to był pomysł, żeby szukać Zero?

– Naszej szefowej komunikacji Alice Kinkaid.

– Którą ma pan teraz wtajemniczyć? Hm. No więc dlaczego akurat ja musiałam brać w tym udział?

– Wybrał panią program – przyznaje Will. – Na podstawie mnóstwa kryteriów.

– Mnie? Właśnie mnie? To śmieszne. Co to za program? Kto go napisał, kto zdefiniował kryteria wyszukiwania?

– Carl – odpowiada Dekkert po krótkim wahaniu.

Cyn wybucha śmiechem.

– Czy pan widzi, co ja myślę?

– Nie mam pojęcia, naprawdę – zapewnia ją i zaraz popada w zamyślenie. – Muszę wiedzieć, skąd pani ma tę informację – mówi po chwili.

Cyn wciąż nie ma pewności, czy może mu ufać.

– Przykro mi – odpowiada.

Joaquim w maksymalnym skupieniu obserwuje przez okulary Montika grupkę składającą się z czterech osób w korytarzu prowadzącym z bunkra. Carl z Hindusem dołączyli właśnie do Dekkerta i Brytyjki.

– Proszę rozważyć ofertę, jaką pani otrzymała – mówi do niej Will.

– Postaram się – odpowiada Cynthia Bonsant.

„Jej głos coś ukrywa" – stwierdza Joaquim. Niestety, nie potrafi powiedzieć co. Nie wie też, czy zdecydowała się przyjąć ofertę, czy z niej zrezygnować.

– Zostało jeszcze parę godzin – rzuca nagle Carl jowialnie z tyłu. – Jak pani zamierza wykorzystać czas do występu w telewizji? Mała wyprawa na zakupy? W przyszłości mogłaby pani sobie na nie pozwolić.

Cyn spogląda na Willa, on jednak ma obojętną twarz. Doszli już do holu.

– Wobec tego widzimy się wieczorem – mówi Dekkert na pożegnanie.

– A my jutro – dodaje Carl.

– Jeszcze zobaczymy – bąka Joaquim.

– Nie wierzę! – wybucha Cyn, gdy tylko wychodzą.

– Że proponują tak mało pieniędzy? – dopytuje Chander. – To bezczelność!

Szofer Freemee otwiera im drzwi samosterującej limuzyny.

– Dziękuję, weźmiemy taksówkę – oznajmia Cyn.

– Co jest z tobą? – dziwi się Chander.

– Nie dam się kupić – oświadcza i kiwa w stronę przejeżdżających obok żółtych aut.

Żadne się nie zatrzymuje. Idzie więc dalej, co rusz machając ręką. Ktoś na nią wpada i mocno potrąca, Cyn ze złością się odwraca, żeby nakrzyczeć, ale mężczyzna jest już dużo dalej.

– Skorzystajmy z limuzyny – namawia ją Chander.

– Zamierzasz skorzystać? – pyta wzburzona.

– Byłoby wygodniej niż iść w tym upale.

Cyn nadal na próżno usiłuje złapać taksówkę. Wściekła rozgląda się dookoła.

– Gdzie tu może być stacja metra?

– Skorzystajmy. Z tej. Limuzyny.

– Zdejmij to wreszcie! – Zanim Chander zdążył się obronić, Cyn ściąga mu z nosa okulary. – Schowaj je gdziekolwiek, żeby nic nie widziały i nic nie słyszały. Muszę z tobą poważnie porozmawiać.

Pięćset metrów dalej Joaquim stwierdza nagle, że jego monitor robi się czarny, a dźwięk z okularów Chandera milknie.

Przełącza się na obrazy z licznych na tej ulicy kamer monitoringu zamontowanych przed sklepami, pokazujących chodnik przed wejściem i wysyłających nagrania do sieci. Na dwóch rozpoznaje ich oboje. Cyn właśnie wyjmuje rękę z jego kieszeni, do której włożyła pewnie okulary, a jednocześnie coś do niego z wyraźnym wzburzeniem mówi. Niech to szlag. Obraz jest zbyt słaby, żeby zastosować program do czytania z ruchu warg.

– Nie wiesz, co to oznacza? – pyta Cyn.

– Freemee oferuje piekielnie dużo pieniędzy. Należałoby się nad tym chociaż zastanowić.

– Pieniądze to nie wszystko.

– Ale też nie nic. Pomyśl tylko, ile rzeczy można by zrobić z taką porządną sumką. A w przyszłości musieliby wyłożyć jeszcze więcej za nasze milczenie – kontynuuje Chander.

– To chyba jest jakiś żart – mówi Cyn z przerażeniem. – Chcesz ich szantażować?

– Nie. Pertraktować. A w grę nie musiałyby wchodzić wyłącznie pieniądze. Jako członek zarządu odpowiadający za etykę mogłabyś wiele przeforsować.

– Takimi metodami. Wspaniale! – Kręci głową, jest nieznośnie gorąco. – Porozmawiamy o tym później – ucina, gdy w końcu zdołała zatrzymać jeden z żółtych samochodów.

Wskakuje do środka, a za nią Chander. Podaje taksówkarzowi adres hotelu.

– Co teraz robią? – pyta Marten.

Na monitorze Luisa widoczna jest perspektywa z okularów Alice Kinkaid. Widzi, jak Will Dekkert zdejmuje swoje okulary i wyciąga z kieszeni spodni smartfon. Potem obrazy rozmywają się i trudno cokolwiek na nich rozpoznać.

– Wchodzą do tak zwanego bunkra, pomieszczenia zabezpieczonego przed podsłuchami – wyjaśnia Luis. – Umówili się rano, że się tam spotkają.

Obraz robi się ciemny, słychać tylko przytłumione strzępy słów, szum i postukiwanie, gdy urządzenia prawdopodobnie zostają zdeponowane u pracownika ochrony przed wejściem.

– Może w końcu Dekkert powie jej coś takiego, co ona niezwłocznie przekaże swoim kolegom z Zero – mówi Luis. – Tak jak wcześniej powiedziałeś.

– Gdzie on jest? – woła Cyn, siedząc przed monitorem laptopa Eddiego. Ma wrażenie, że cała krew odpłynęła jej z głowy. – Przecież wczoraj wieczorem jeszcze tu był!

– Jesteś pewna, że go dobrze zapisałaś?

– Masz mnie za idiotkę czy co?

Biegnie do sejfu, wyjmuje pendrive'a, który poprzedniego wieczora włożyła tam z powrotem. Gdy chce wetknąć go do komputera, przychodzi jej coś do głowy i pyta Chandera:

– Czy istnieje ryzyko, że po podłączeniu go wszystko z niego zostanie usunięte?

– Teoretycznie zainstalowanie takiego programu w komputerze jest możliwe. Chcesz, żebym sprawdził?

– Tak, proszę.

Chander siada przed klawiaturą i zanurza się w niezgłębione zakamarki płyty głównej. Po kilku minutach oświadcza:

– Czysto.

– A wideo? Przed odlotem na lotnisku byłeś w stanie je odzyskać!

– Tym razem byli dokładniejsi.

– Jacy o n i?

– A jak ci się wydaje?

– Cholera jasna! Czyli to było włamanie, tak? I z takimi ludźmi miałabym robić interesy?

Zaciska w pięści pendrive'a.

– Muszę zadzwonić – oznajmia, dając mu do zrozumienia, że chciałaby zostać sama.

– Poczekam u siebie w pokoju. Po tym polowaniu na taksówkę muszę koniecznie wziąć prysznic…

– To nie potrwa długo – obiecuje Cyn. – Potem przyjdę do ciebie.

– Zostawię otwarte drzwi – mówi Chander i uśmiechnąwszy się do niej, znika.

Cyn podchodzi do telefonu, wybiera numer. Jeff odbiera od razu.

– Cyn, to wideo…

– Jeff, mam coś większego! – syczy. – Musimy…

– Cyn?

To nie jest głos Jeffa.

– To ja, Anthony – oznajmia redaktor naczelny. – Co to, do cholery, ma znaczyć? Jakiś nastolatek opowiada głupoty, a ty chcesz to opublikować? Chcesz wpędzić „Daily" w ruinę? Jeżeli to zamieścimy, Freemee nas zaskarży i nie wypłacimy się do końca naszych dni. Wystarczy, że się zorientują, iż węszymy w tym kierunku, od razu zasypią nas oskarżeniami o zniesławienie i Bóg wie o co jeszcze!

– Ale musimy…

– Jeff sprawdzi, co da się zrobić. Tyle że to wymaga czasu. A mamy ważniejsze rzeczy na głowie.

– Właśnie dowiedziałam się znacznie więcej…

– Fakty? Papiery? Dowody?

Cyn przygryza wargę.

– Będę miała.

– To pogadamy, jak rzeczywiście tak będzie. A na razie nie chcę więcej słyszeć na ten temat. Skup się lepiej na swoim występie w telewizji!

Rozlega się sygnał. Tchórzliwy gnojek! Wypada jak burza z pokoju. Chander koniecznie musi jej pomóc.

Przed Joaquimem pokazuje się twarz Henry'ego. Już od dłuższego czasu nie musi głowić się nad tym, czy obrazy jego rozmówców są prawdziwe, czy nie. Niewielka aplikacja niezawodnie informuje go podczas rozmowy za pomocą prostych symboli, czy ktoś przekazuje swoje rzeczywiste, obrobione, czy sztuczne zdjęcia. Podobnie jak analizator głosu na bieżąco mu podpowiada, czy osoba vis-à-vis rozmawia z nim otwarcie, czy coś ukrywa.

Obraz twarzy Henry'ego jest sztucznie spreparowany. Co mimo wszystko zaskakuje Joaquima, ponieważ Emerald na ogół unika wszelkich urządzeń.

– Jak wyglądają wyniki analizy? – pyta.

Joaquim zerka na dane w innej części swojego pola widzenia.

– Chander jest autentycznie gotów przyjąć ofertę Carla. Chce jednak więcej. Jak wynika z dostępnych nam na jego temat danych charakterologicznych, zawsze będzie domagał się więcej, niezależnie od tego, ile mu damy. Wcześniej czy później zażąda dokładki. Potem kolejnej. Nigdy się nie nasyci.

– Innymi słowy, będzie nas szantażował – podsumowuje Henry.

– Prawdopodobieństwo wynosi dziewięćdziesiąt osiem procent.

– Czyli z nim nie dojdziemy niestety do porozumienia. A co z Angielką?

– Ona ma się za kogoś lepszego. Jeszcze przez jakiś czas oboje będą dyskutować. Argawal spróbuje ją przekonać, co mu się jednak nie uda. Bonsant w końcu zdradzi to, co odkrył Eddie Brickle.

– Zawsze byłeś dobry w rozwiązywaniu problemów – mówi krótko Henry.

Joaquim wie, co znaczą te słowa.

– I szybko je rozwiążemy – potwierdza.

Rozłącza się i dzwoni do kogo innego. Z tą osobą może rozmawiać wyłącznie przez aparat zabezpieczony przed podsłuchami, taki, jakimi posługują się najwyższej rangi politycy, menedżerowie i służby specjalne. Joaquim podaje kod oznaczający jeden z wielu ustalonych wcześniej planów.

Opiera się wygodnie w fotelu. Jest spięty. Bo choć nie ma wątpliwości co do tego, że jego ludzie są skuteczni, zawsze pozostaje ryzyko, którego nie można wykluczyć. Jak w każdym interesie.

Zgodnie z obietnicą Chander nie zamknął drzwi na klucz. Jego rzeczy leżą na łóżku, z łazienki dochodzi szum prysznica.

Wzrok Cyn pada na torbę, przyciągnięty refleksem światła odbitym od jego okularów, których jedno szkło wystaje ze środka i zdaje się ją obserwować. To oczywiście może być czysty przypadek.

Mimo to przez ułamek sekundy szkło sprawia wrażenie gigantycznego. Cyn na miękkich nogach okrąża łóżko i podchodzi do okularów od tyłu. Najpierw wsuwa je głębiej do zewnętrznej kieszeni, aby niczego nie widziały, jeśli ustawione są na nadawanie. Następnie pospiesznie otwiera klapę głównej przegródki, w której Chander zawsze nosi swoje dwa smartfony. Żaden nie jest zabezpieczony hasłem! Ludzie IT często czują się tak sprytni, że popełniają najgłupsze błędy – to jego własne słowa. Wyjmuje telefony i sprawdza, czy któryś jest połączony z okularami – ten w prawej ręce odbiera z nich obrazy. Co w gruncie rzeczy jeszcze nic nie oznacza. Najwyżej paranoję. Zastanawia się jeszcze, gdy nagle rozbłyskuje symbol nowej otrzymanej wiadomości.

Ciekawość to jej choroba zawodowa. Czy nie tak powiedział kiedyś Chander? A Vi często zarzuca jej brak dyskrecji. Tak czy inaczej nie potrafi się oprzeć. Nerwowo zerka na drzwi łazienki, po czym czyta:

od: Carl Montik
Zadzwoń do mnie!

Wpisy powyżej świadczą czarno na białym, że Chander od wielu dni wymienia się informacjami z Carlem Montikiem!

Cyn pospiesznie przebiega wzrokiem treść wiadomości. Aparat niemal wypada jej z ręki – chodzi o nią i wideo Eddiego! Te sprzed kilku dni dotyczą wyłącznie jej. Pierwszy sygnał Chander wysłał zaraz po tym, jak się poznali w redakcji „Daily".

Poznałem dziś Bonsant.
Jest starsza, niż myślałem. ☺

Jak ogłuszona wsuwa telefony z powrotem do torby i zamyka klapę.

Nagłe podejrzenie powala ją niczym cios prosto w żołądek. Chander nie został przysłany ze względu na Zero, tylko ze względu na nią! Czułości z jego strony nie wypływały z namiętności, tylko były chłodną i wykalkulowaną realizacją zadania. Ale dlaczego?

W dużym lustrze naprzeciwko widzi pełen desperacji uśmiech na swojej twarzy, który zaraz przekształca się w dziwny grymas i sprawia, że wygląda staro. Starzej, niż on myślał.

Z łazienki wciąż jeszcze dochodzi szum wody. Cyn postanawia, że nie zostanie tu ani sekundy dłużej.

Rusza do drzwi. W tym samym momencie rozlega się pukanie, czyjś głos oznajmia: „Serwis!".

Waha się. W drzwiach nie ma judasza. Czy Chander coś zamawiał? Cyn lekko uchyla drzwi – widzi hotelowego boja w uniformie. Otwiera je szerzej i kącikiem oka dostrzega cztery inne osoby pod ścianą. Natychmiast zatrzaskuje drzwi. Słyszy, jak ktoś manewruje przy elektronicznym zamku. Rzuca się do okna, za którym schodki przeciwpożarowe prowadzą na dziedziniec i na dach. Podsuwa szybę do góry.

– Co ty wyprawiasz? – Chander wyłonił się z łazienki.

Nie odpowiada mu, nawet się do niego nie odwraca, tylko w ostatniej chwili dostrzega jego osłupiałą minę, gdy przez otwarte okno wychodzi na metalową siatkę. Dziedziniec jest wąski jak studnia, mroczny i wypełniony dusznym, gorącym powietrzem. Cyn próbuje zasunąć za sobą okno, które jednak się zacina i nie zamyka do końca. Gdy znajduje się na pierwszych stopniach, widzi jeszcze, jak drzwi do pokoju się otwierają i do środka wpada pięciu mężczyzn. Chander, który grzebie w swojej torbie, nagle się odwraca i zostaje obezwładniony przez dwóch z nich, trzech pozostałych mocuje się z oknem. Cyn słyszy ich głosy, strzępy poleceń: „na dół", „dziedziniec", „obstawić", „pułapka", stara się jednak maksymalnie skoncentrować na żelaznych stopniach, które dudnią pod jej stopami i które bierze po kilka naraz. Pokój Chandera leży na ósmym piętrze. Ma już za sobą dwie kondygnacje, wie jednak, że na dole będą na nią czekać. Co prawda jeszcze nikogo nie widać, ale pewnie za moment się tam pojawią. Przez głowę przebiegają jej obrazy pościgów z różnych filmów. Kolejne piętro, podczas gdy jej myśli galopują równie szybko jak jej stopy. W dłoni czuje gorące żelazo balustrady. Nad sobą słyszy tupot prześladowców. Nie chce tracić ani sekundy, żeby spojrzeć na górę i przekonać się, ilu ich jest. I jeszcze jedno piętro. Na jej wysokości znajduje się na wpół otwarte okno do pokoju. Nie zastanawiając się wiele, podnosi je wyżej, wślizguje się do środka, zasuwa i rygluje pospiesznie, następnie mijając osłupiałych gości, pędzi do drzwi. Przez ułamek sekundy rozważa, czy użyć podstępu i schować się w łazience, licząc na to, że mieszkańcy pokoju jej nie zdradzą, a prześladowcy pobiegną dalej, nie sprawdzając, czy nie ukryła się tutaj. Zbyt ryzykowne.

Otwiera gwałtownie drzwi, wychodzi na korytarz i zatrzaskuje je za sobą.

Rozgląda się gorączkowo. Mężczyźni na schodach z całą pewnością widzieli, dokąd uciekła. Może zaryglowane okno opóźni ich o parę sekund. A może po prostu je wybiją. Niewątpliwie poinformują swoich kolegów na dziedzińcu o zmianie sytuacji. Co wobec tego zrobią tamci? Wjadą na górę windą. Wbiegną po schodach. Tam na pewno się na nich natknie. Ale w windzie miałaby znikomą szansę. Gdyby przyjechała na czas. I o ile na dole ktoś już na nią nie czeka. W holu zawsze panuje dość duży ruch. Czy byłaby tam bezpieczna? Przynajmniej przez moment?

Biegnie w stronę wind. Z czterech dwie jadą na górę, jedna zjeżdża na dół, jedna stoi. Cyn wali w przycisk i w duchu się modli. Rozsuwają się drzwi. Kabina jest pusta. Wskakuje do środka, naciska guzik parteru. Obie połówki metalowych drzwi zamykają się bezszelestnie.

Spocona i bez tchu usiłuje uporządkować myśli. Ma co najwyżej pół minuty. Jeżeli potrzebowała jeszcze jakiegokolwiek potwierdzenia, że śmierć Eddiego i prawdopodobnie również Joszefa Abberidana nie były przypadkowe, to teraz je chyba otrzymała. Chociaż… Gotowa jest uwierzyć, że Carl Montik i również Chander byliby zdolni wykraść wideo z jej komputera, ale czy byliby w stanie popełnić morderstwo? Nie, tego nie potrafi sobie wyobrazić. Dlaczego Chander odzyskał filmik Eddiego na lotnisku w Londynie, skoro plik został już przez kogoś usunięty? Może on jednak nie jest w zmowie z Freemee. Albo nic nie wiedział o eksperymencie? Jakie jest jego właściwe zadanie? Kontrolować ją czy odwracać jej uwagę? Czy rzeczywiście chodzi mu wyłącznie o kasę? Skąd atak na nią w Wiedniu? Potem już nie został ponowiony. I nieoczekiwana oferta? Kiełkujące w niej podejrzenie niemal nie pozwala jej oddychać: dzięki autopomiarom za pomocą zegarka, okularów

413

i gromadzenia danych Freemee zna już dosyć dobrze jej nastawienie. Przecież sama ochoczo przekazywała swoje dane. Z powodu Peggy. Nie, poprawia się. Z powodu Chandera. Czuje w ustach gorzki smak żółci. Przełyka, a jej myśli galopują dalej. Czy Will namówił ją na spotkanie, a Carl złożył propozycję ze względu na jej parametry? Ponieważ programy Freemee dostrzegają szansę, że ona ją przyjmie? Czy kiedykolwiek byłaby gotowa to zrobić? Przez chwilę nawet się nad tym zastanawiała!

„Znacie mnie!".

W okularach Joaquima migają kolorowe ikonki urządzeń Cynthii; zmieniające się w szaleńczym tempie małe cyfry obok wskazują ubywające metry wysokości, gdy ona jedzie windą w kierunku parteru.

– Zjeżdża na dół – syczy do mikrofonu okularów. – Pospieszcie się! I pamiętajcie, że hotelowe kamery monitorują windy i hol wejściowy. Żadnego gorączkowego zachowania w tych miejscach, żadnego biegania, tworzenia grupek, żadnej identyfikacji!

Gdy winda się zatrzymuje, pod Cyn niemal uginają się nogi. Z cichym poszumem obie części drzwi rozsuwają się na boki. Na zewnątrz czeka grupa składająca się z siedmiu osób. Z przodu stoi starsza Afroamerykanka w ogromnych okularach. Obok niej rodzina z dwójką dzieci i jakaś para młodych zakochanych – on w krótkich spodniach, ona w spódniczce. Za nimi co najmniej ze trzydziestu ludzi idzie w różnych kierunkach, czeka przy recepcji, inni tu i ówdzie rozmawiają. Czekający przed windą odsuwają się nieco na bok, aby ją przepuścić. Pospiesznym spojrzeniem szuka podejrzanie wyglądających osobników przed pozostałymi windami, nie jest pewna co do dwóch mężczyzn w garniturach i co do jednego w dżinsach.

414

Musiałaby pracownikowi recepcji opowiedzieć, co się stało, a na obsłużenie przez niego czeka pięć osób. Na samą myśl o tym, że miałaby stanąć w kolejce, oblewa ją zimny pot. Dwaj garniturowcy wydają się coraz bardziej podejrzani. Podejmuje zatem decyzję i długim krokiem rusza w stronę wyjścia. Ogląda się dwa razy za siebie, lecz nikt za nią nie idzie.

Na zewnątrz uderza ją ściana nieznośnego gorąca, większość przechodniów jednak porusza się szybko. Cyn żałuje, że nie ma czapki z daszkiem i okularów przeciwsłonecznych, lecz nie ze względu na rażące słońce, tylko z obawy przed miejskimi i prywatnymi kamerami monitoringu, za pomocą których można ją tu łatwo zlokalizować. Opuściwszy głowę, miesza się w tłum. Energicznie przeciska się między ludźmi aż do najbliższego skrzyżowania.

Pod jednym z domów na rogu żebrze bezdomna kobieta. Cyn pochyla się ku niej, jakby chciała wrzucić pieniądze do kubka. Zamiast tego zsuwa z ręki swój inteligentny zegarek i nim kobieta zdąży się zorientować, zapina go jej na nadgarstku.

– To prezent – mówi. – Niech go pani trochę ponosi, zanim go pani sprzeda.

– To nie takie proste – szepcze Joaquim pod nosem.

Obrazy z kamery zewnętrznej jednej z kawiarni nie pozwalają mu co prawda rozpoznać, co Cyn robiła przy żebraczce. Przerwany na zaledwie kilka sekund pomiar danych, jak również zmienione parametry pulsu i innych wartości, a zwłaszcza wskaźniki lokalizacyjne zdradzają mu, że teraz ktoś inny nosi inteligentny zegarek.

Ostrym tonem przekazuje informacje swoim ludziom. To nie do pomyślenia, żeby kierujący zespołem nie zostawił nikogo w lobby, tylko posłał wszystkich na dziedziniec i na górę! Ale może przynajmniej teraz te półgłówki dadzą z siebie wszystko, żeby naprawić błąd.

– To, co obowiązywało w hotelu, na ulicy jest jeszcze ważniejsze – przypomina im wszystkim. – Nie rzucajcie się w oczy, żeby nie chwycił was Domain Awareness System. Bezpośrednio za Bonsant co najwyżej jeden człowiek. Mam ją na oku i będę wami kierować.

Na skrzyżowaniu Cyn czeka z gromadą przechodniów na zielone światło. Dyskretnie wsuwa swoje okulary do torby na ramię młodego mężczyzny. Jednocześnie dostrzega w niej smartfon. Próbuje szczęścia i ostrożnie wyciąga aparat. W zamkniętej dłoni opuszkami palców sprawdza wyświetlacz. Telefon nie jest zablokowany. Starając się, aby nikt nie zauważył, wkłada go sobie do kieszeni spodni. Kiedy zapala się zielone światło, własny smartfon wciska jakiejś młodej dziewczynie do ręki.

– To prezent – mówi i szybko idzie dalej, nie reagując na wołania nastolatki.

„Pani Bonsant musiała chyba oglądać *Wroga publicznego*" – myśli Joaquim.

Dzięki kamerom monitoringu o szerokim zasięgu, zamontowanym w tej części Manhattanu przed niemal wszystkimi sklepami oraz różnymi instytucjami i przesyłającym streaming na bieżąco do internetu, cały czas ma ją na oku, chociaż pozostawiająca wiele do życzenia jakość obrazu nierzadko taniego lub przestarzałego sprzętu nie ułatwia mu zadania. Od członków swojego zespołu otrzymuje po kolei informacje, że idą za nią, zachowując różny bezpieczny dystans. Ale Joaquim i bez ich meldunków wie, gdzie każdy z nich się znajduje.

„Nie jesteśmy już policją od pilnowania dzieci" – oświadczył burmistrz Nowego Jorku w dwa tysiące dwunastym roku, gdy prezentował Domain Awareness System udostępniony nowojorskiej policji. Wnętrze Real Time Crime Center na Dolnym Manhattanie rzeczywiście przypomina raczej scenerię filmu futurystycznego niż zwykłą centralę policyjną. Przed dziewięciometrową ścianą wideo siedzą dziesiątki policjantów w ciemnych garniturach wpatrzonych w monitory i zaopatrują swoich kolegów na ulicach w informacje. To, czego dawniej szukano godzinami, dniami, niekiedy i miesiącami, w archiwach i czego często nie znajdowano, teraz komputery dostarczają im na przyciśnięcie guzika. Ponadto najnowocześniejsze oprogramowanie kojarzy i analizuje niewyobrażalne liczby danych, począwszy od szczegółów procesów kryminalnych, terminów zwolnień, milionów akt osobowych, przez szczegółowe plany miasta, zdjęcia satelitarne i rejestry adresów, po zgłoszenia alarmowe, obrazy z tysięcy kamer monitoringu, numery rejestracyjne każdego samochodu jeżdżącego po Manhattanie lub opuszczającego wyspę oraz wiele innych.

Kiedy od menedżerki hotelu Bedley nadchodzi zgłoszenie o ciężko rannym w głowę gościu hotelowym, Domain Awereness System w ciągu kilku sekund wypluwa zdjęcia z powietrza i plany najbliższej okolicy w Lower East Side, dodatkowo także ujęcia ze wszystkich kamer monitoringu w promieniu pięciuset metrów od budynku zarejestrowane na trzydzieści sekund przed zgłoszeniem. Gdy na miejsce jadą już pierwsze radiowozy, wciąż pojawiają się kolejne dane.

Dzwoniąca kobieta nie wie, jak długo mężczyzna leży już nieprzytomny w pokoju, ale według wstępnych informacji prawdopodobnie nie dłużej niż zaledwie kilka minut. Funkcjonariusze Real Time Crime Center odtwarzają następnie zapisy z najbliżej położonych kamer, próbując wypatrzyć w ciągu wspomnianych trzydziestu sekund podejrzanego.

Menedżerka hotelu jest opanowana i skupiona i spokojnie odpowiada na zadawane pytania. Pokój, w którym znaleziono ofiarę, był wynajęty przez niejakiego Chandera Argawala. Ledwie zdążyła wymienić to nazwisko, w centrum zapala się wiele czerwonych lampek sygnalizacyjnych, a każdy z obecnych czuje, że powietrze wprost wibruje od napięcia.

„Możliwe powiązania z terrorystami!" – obwieszcza tekst standardowego ostrzeżenia na monitorach ogromnej ściany wideo.

Po upływie kilku sekund funkcjonariusze dysponują już obszernymi informacjami na temat specjalisty IT, włącznie z życiorysem, pracodawcą, jego zdjęciami, a także nagraniami wideo i materiałami medialnymi. Wynika z nich, że Chander Argawal to obywatel Stanów Zjednoczonych, który dzień wcześniej przyleciał z Londynu na lotnisko J.F. Kennedy'ego, a w minionych dniach został odnotowany w związku z pościgiem za uznanymi za terrorystów aktywistami internetowymi. Szef RTCC natychmiast włącza do akcji jednostkę antyterrorystyczną nowojorskiej policji.

Informacje te Richard Straiten odbiera w swoich okularach. Przydzielono mu je do testowania jako jednemu z pierwszych śledczych z wydziału zabójstw. W tym samym czasie jego kolega za kierownicą wozu operacyjnego dosłownie wystrzela z garażu, aby udać się do hotelu Bedley.

Cyn czuje w uszach szum krwi. Raz po raz się ogląda. Ma wrażenie, że za najbliższym skrzyżowaniem coś się dzieje, bo przechodnie dziwnie się zachowują. Chociaż nie widzi nic konkretnego, puszcza się pędem i przed skrzyżowaniem odbija w bok, po czym znowu nieco zwalnia. Tu jest jeszcze więcej ludzi. Musi koniecznie zniknąć z ulicy!

Widzi przed sobą typowy sklep z pamiątkami. Na chodniku na stojakach wystawione są T-shirty, okulary przeciwsłoneczne, czapki. Cyn chwyta jedną z nich i pierwsze z brzegu okulary, zakłada je i rusza dalej. Po kilkunastu metrach słyszy za sobą wołanie. Odwraca się, widzi jakąś kobietę, prawdopodobnie sprzedawczynię, która wymachuje do niej pięścią, ale raczej nie zamierza rzucić się w pościg. Mimo to Cyn przyspiesza kroku. Na kolejnym skrzyżowaniu ogląda się znowu – kobieta zniknęła, za to jakiś mężczyzna dosyć daleko z tyłu wyciąga szyję, wyraźnie kogoś wypatrując. Ale przecież niekoniecznie jej. Na wszelki wypadek jednak nie zwalnia i co kilka metrów lekko obraca głowę, aby spojrzeć kątem oka za siebie. Następnie znienacka skręca za róg. Sto metrów dalej dostrzega znak stacji metra.

– Ma teraz zieloną czapkę z daszkiem i brązowe okulary przeciwsłoneczne – informuje Joaquim swój zespół. – Właśnie schodzi do metra, Grand Street Station, wyjście południowe.

Przełącza się na kamery z metra, do których ma dostęp, chociaż nie powinien.

Joaquim krąży w napięciu po swoim biurze. Sprawdza w okularach, czy w nowojorskim metrze są w tym momencie użytkownicy Freemee, a może nawet tacy, którzy akurat teraz korzystają z inteligentnych okularów. Chwilę później ma już przed oczami statystyki. Jak w wielu dziedzinach również pod tym względem nowojorczycy są w awangardzie. Z trzech milionów ludzi przebywających każdego dnia na Manhattanie dwadzieścia dwa procent należy do Freemee. Czyli około sześciuset sześćdziesięciu tysięcy. Niecała połowa z tej liczby ma okulary. Jak najbardziej zatem istnieje szansa, że na tak małym obszarze, jakim jest wyspa Manhattan, któraś z tych osób znajduje się akurat na Grand Street Station i mogłaby zobaczyć i zidentyfikować Cynthię Bonsant.

Jeszcze jednak za wcześnie na wysłanie użytkownikom Freemee na ich urządzenia komunikatu. Dopóki z hotelu lub policji nie napłyną żadne przekonujące wypowiedzi świadków łączące Cynthię Bonsant z morderstwem, Freemee nie może pozwolić sobie na taki ruch. Joaquim musi poczekać przynajmniej na pierwszy meldunek.

W tym momencie Brytyjka zatrzymuje się, przywiera do ściany, odwrócona plecami do kamer. Joaquim nie jest w stanie zobaczyć, co wyjmuje z kieszeni spodni i co robi z tym czymś przed swoim tułowiem. Unosi jedną rękę do ucha. Co ona trzyma? Jeszcze jeden telefon? Skąd go wzięła? Czyj to aparat? Z kim ona rozmawia?

Vi siedzi z kanapką przed laptopem i czatuje z koleżankami, gdy odzywa się jej smartfon. Widzi na wyświetlaczu nieznany jej numer z zagranicznym prefiksem.

– Halo?

– Posłuchaj, skarbie, nie pytaj teraz o nic, tylko zrób to, co ci powiem. – Słyszy głos mamy mówiącej nerwowo i urywanymi słowami. W tle słychać gwar głosów, kroki, szum. – Przypomnij sobie przedwczorajszy wieczór, niespodziankę. Użyj jej teraz i napisz coś. W lewej szufladzie regału w dużym pokoju znajdziesz żółtą karteczkę z informacją. W kuchni, w szufladzie z różnymi szpargałami, leży jeszcze różowa z dwiema linijkami bezładnych znaków. Wpiszesz je. Mają to sprawdzić. Wszystko zrozumiałaś?

To nie było specjalnie skomplikowane. Vi nie zwleka ani chwili – najpierw szuka kartek, znajduje je. Na żółtej widnieje adres internetowy „Daily". Tekst na różowej wygląda na nazwę użytkownika i hasło. Ale dlaczego mama jest taka tajemnicza?

– Chyba tak. Ale…

– Potem te kartki nie będą ci już potrzebne! I jeszcze coś. Dopisz krótką wiadomość: „Mam informację, że depczą im po piętach, chyba zwłaszcza tutaj, gdzie teraz jestem".

– Okej… Choć nic z tego nie rozumiem.

– I bardzo dobrze, uwierz mi. Uważaj na siebie! Kocham cię.

Połączenie się urywa. Vi bezradnie patrzy na swój telefon i na dwie karteczki.

– Z jakiego telefonu ona teraz rozmawia? – Marten pyta Luisa.

– Właśnie sprawdzam – odpowiada.

– O czym one mówią?

– Przypuszczam, że ta mała ma się z kimś skontaktować.

– Z kim?

– Nie wiem. Może z redakcją?

– Wobec tego dlaczego nie zadzwoni tam bezpośrednio? I dlaczego mówi zagadkami?

– Komórka jest własnością Jesúsa Domingueza z Nowego Jorku. Zaraz każę go sprawdzić. Może po prostu ukradła mu ten telefon?

– Możemy go zlokalizować?

– To trochę potrwa, ale tak, oczywiście.

– Mamy dostęp do laptopa jej córki i śledzimy jej pocztę?

– Naturalnie. Już od kilku godzin. I do smartfonu też.

Przyciskając po kolei kilka klawiszy, Luis wyczarowuje na jednym ze swoich monitorów kilka okienek.

– To jest laptop Violi Bonsant. Jest włączony. Ale na razie nic się na nim nie dzieje.

– Może powinniśmy poprosić naszych brytyjskich kolegów, żeby odwiedzili tę młodą damę – stwierdza Marten, sięgając po telefon.

Vi podłączyła minikomputer, na ekranie telewizora pojawiają się wodospady i okno dialogowe. Nerwowo wpisuje nazwę użytkownika i hasło uzgodnione podczas przedwczorajszego posiedzenia. Przez cały czas nie może uwolnić się od myśli, że kontaktuje się właśnie z ludźmi poszukiwanymi jako terroryści. Czy to dlatego jej mama brzmiała tak dziwnie przez telefon? Wydawała się bardzo rozgorączkowana. Vi pisze informację, którą przekazała jej Cyn.

Peekaboo777:
Wiadomość otrzymana. A kto jest po drugiej stronie? Bo to nie Cyn.
Guext:
Chyba wszystko jedno, prawda? Najważniejsze, że dostaliście wiadomość.

Przez kilka sekund w oknie dialogowym nie pojawia się nic nowego. Vi zamierza się już wyłączyć, gdy Peekaboo777 pisze:

Viola?

Czuje, jak szumi jej w głowie. Gdy przerażona chce przerwać połączenie, pokazuje się dalszy tekst:

OK. Obejrzymy to sobie.
– Sesja zakończona –

Z bijącym sercem Vi siedzi w dużym pokoju. Co miała na myśli mama, mówiąc, że nie będzie już potrzebowała tych kartek? Czy ma je zniszczyć? To wszystko wydaje się niesamowicie dziwne. Spłukuje obie w sedesie.

W świetle jarzeniówek Cyn przepycha się długim korytarzem pod ziemią. Powietrze jest duszne i gorące, wręcz nie sposób oddychać. Nie zdejmuje ciemnych okularów, zresztą nie ona jedna tutaj. Po telefonie do Vi ewentualni podsłuchujący mogą już znać numer skradzionej komórki i mogą ją namierzyć. Trzeba się jej pozbyć! Wrzuca ją więc do kosza na śmieci, przepraszając w duchu właściciela. Dochodzi do bramek, wygrzebuje z kieszeni dżinsów kilka monet, wrzuca do automatu, który w zamian wypluwa bilet. Z daleka słyszy dudnienie pociągu. Razem z dziesiątkami pasażerów wpycha się do wagonu. Z twarzą przyciśniętą do szyby okna wypatruje w pobliżu ewentualnych prześladowców, nie zauważa jednak nikogo, kto rzucałby się w oczy swoim zachowaniem.

Skrajnie wyczerpana patrzy na twarze innych pasażerów. Większość świeci się od potu. Cyn odruchowo chce aktywować swoje okulary, żeby dowiedzieć się czegoś o młodym Afroamerykaninie siedzącym naprzeciwko, który z kolei lustruje ją przez swoje okulary. Czy to okulary inteligentne? Nie potrafi rozpoznać.

Ma nadzieję, że na razie pozbyła się ogonów. Bo nawet jeśli agenci przesiedli się do samochodów, na pewno nie poruszają się szybciej po Manhattanie niż metro.

Zastanawia się, co powinna teraz zrobić. Czy przedostać się bezpośrednio do NBC? Czy może lepiej iść na policję? Ma jednak wątpliwości, czy ją zrozumieją, nie mówiąc już o tym, czy uwierzą. Po incydencie na lotnisku w Londynie nie wierzy funkcjonariuszom służb bezpieczeństwa. Gdyby dwa tygodnie wcześniej ktoś opowiedział jej taką historię, uznałaby go za wariata.

Najpierw upewnia się, czy ma nadal pendrive'a w kieszeni spodni. Następnie układa po kolei następne kroki: musi spróbować znaleźć jakiś dostęp do komputera i internetu. Jeśli nie zdoła, postara się dotrzeć do NBC.

Z przeraźliwym piskiem hamulców kolejka zatrzymuje się na stacji, która jest tak pełna, że nie sposób omieść choćby przelotnie wzrokiem każdego czekającego pasażera. Przesuwa spojrzenie po zgromadzonym tłumie w nadziei, że może wychwyci coś instynktownie. Okulary ze swoją opcją rozpoznawania twarzy byłyby teraz bezcenne! Gdyby działały tu, pod ziemią, i gdyby nie zdradziła tym samym miejsca swojego pobytu.

Gdy detektyw Richard Straiten dociera do hotelu, funkcjonariusze w mundurach zaczynają właśnie zamykać ulicę. Między pulsującymi niebieskimi światłami radiowozów miga czerwony sygnał ambulansu. Z piskiem opon partner Straitena zatrzymuje się w szeregu pojazdów przed wejściem. Z drugiej strony nadjeżdża samochód Critical Response, z którego wybiegają uzbrojeni po zęby członkowie jednostki specjalnej Herkules. Kilku z nich, z bronią gotową do strzału, zabezpiecza główne wejście, podczas gdy pozostali wpadają do środka. Przerażeni przechodnie przyciskają się do ścian, inni wyciągają smartfony i filmują.

Straiten pokazuje legitymację i razem z partnerem wchodzą do holu, w którym między funkcjonariuszami w cywilu i pracownikami hotelu kręci się już kilkunastu mundurowych. Przed hotel podjeżdżają kolejne pojazdy. Za kilka minut będzie się tu roić od policji. Straiten pyta o menedżerkę, która zgłosiła incydent.

Przy ladzie recepcji wysoka, smukła Latynoska czeka na niego w towarzystwie oficer policji i jeszcze jednej kobiety z hotelowego personelu. Wyjaśnia mu, że to właśnie ona znalazła ofiarę.

Jeden z gości poinformował na korytarzu pracownicę serwisu sprzątającego, że w pokoju, którego drzwi stoją otwarte na oścież, słyszał krzyki.

– Poszłam tam i na podłodze znalazłam mężczyznę. Na głowie miał krwawiącą ranę. Obok niego leżał zakrwawiony laptop. Natychmiast zawiadomiłam panią menedżer.

– Który z gości pani o tym powiedział? – chce wiedzieć Straiten. – Czy teraz jest tu, na dole, czy w swoim pokoju?

Ani pokojówka, ani menedżerka nie potrafią odpowiedzieć na pytanie. Mężczyzna na razie się nie zgłosił. Detektyw pyta więc o nagrania z hotelowych kamer monitoringu.

– Mamy kilka zamontowanych tylko tutaj, w lobby, i w windach – wyjaśnia menedżerka. – Na korytarzach nie ma kamer.

Straiten przeklina w duchu.

– Czy dotarliście do gościa, który wynajął ten pokój?

– Nie. Ale nie wykluczam, że to on jest ofiarą. Nie mogłam go zidentyfikować, ponieważ leżał na brzuchu i miał całą twarz we krwi.

Nie, podczas jego pobytu nie zauważyły nic niezwykłego.

– Ale skoro już pan pyta, to przypominam sobie inne wydarzenie, które inni goście zgłosili mi tuż przed odkryciem ofiary. Twierdzili, że do ich pokoju wdarła się przez okno ze schodów przeciwpożarowych jakaś kobieta i od razu wyszła drzwiami. To było kilka pięter niżej. Niestety, nie da się tego zweryfikować, ponieważ na dziedzińcu również nie mamy kamer.

– Może wsiadła potem do windy – rzuca Straiten. – Proszę przygotować mi wszystkie nagrania z kamer mniej więcej z tej godziny.

Zadaje jeszcze kilka pytań, następnie udaje się na górę do pokoju, z którego właśnie sanitariusze i lekarz wywożą na noszach rannego. Jego zakrwawiona twarz jest prawie niewidoczna pod maską tlenową.

Detektyw zatrzymuje się w drzwiach. Dwóch członków jednostki Herkules przeszukuje ostrożnie każdy kąt. Jednocześnie technicy w kombinezonach przystępują do zabezpieczania śladów. Tu Straiten na razie niewiele się dowie. Wraca zatem do lobby.

Menedżerka przegrała mu nagrania z kamer monitoringu na komputer w swoim biurze.

– Trochę już je przejrzałam – mówi i wskazuje na ujęcie przedstawiające kobietę w średnim wieku wsiadającą do windy. – Dokładnie kilka sekund po skardze gości z czwartego piętra zjechała właśnie z tego piętra na parter.

– A pozostałe windy?

– Były używane. Jedna, jadąc z dołu, zatrzymuje się kilka sekund później także na czwartym piętrze, ale kobiety już tam nie ma. – Pokazuje ujęcia z kabiny z pięcioma pasażerami; na czwartym piętrze wysiada z niej dwóch mężczyzn. Widać jedynie ich plecy.

– W kolejnych minutach nikt nie wsiadł na tej kondygnacji do windy – dodaje menedżerka. Cofa się znowu do fragmentu nagrania z kobietą. – Jej twarz jest bardzo dobrze widoczna. Pozwoliłam sobie przepuścić ją przez program rozpoznawania twarzy.

„A kto cię prosił o wyręczanie nas" – z irytacją myśli Straiten, na głos natomiast mówi uprzejmie:

– Dziękuję. Bardzo dobry pomysł.

– Odkryłam przy tym coś interesującego – kontynuuje administratorka wyraźnie zadowolona z pochlebstwa. – Ona też się u nas zatrzymała. To Cynthia Bonsant, angielska dziennikarka. Pokój dla niej zarezerwowała NBC.

– Telewizja NBC?

– Ma u nas abonament. Regularnie przysyła do nas gości. Osoby zaproszone do programów i tym podobne.

W głowie Straitena zapala się czerwone światełko. Dziennikarka! Telewizja! Ludzie z mediów z muchy potrafią zrobić słonia i odwrócić kota ogonem, jak im wygodniej. Dochodzenie będzie się toczyć pod czujnym okiem opinii publicznej. Teraz i on, i jego koledzy muszą dobrze rozważyć każdy swój krok i nie mogą pozwolić sobie na choćby najmniejsze potknięcie.

– Jak wynika z naszych danych meldunkowych, pani Bonsant przyjechała jednocześnie z mężczyzną, w którego pokoju znaleziono rannego.

– Chander Argawal – czyta Straiten. – To rzeczywiście interesujące. – Lekkim pociągnięciem palcem po zauszniku okularów nawiązuje połączenie z Real Time Crime Center. – Cynthia Bonsant, brytyjska dziennikarka – mówi do kolegi, którego portret ukazuje się przed nim. – Chcę wszystko, co mamy na jej temat.

Ledwie Vi wróciła z łazienki, na monitorze jej laptopa pojawia się komunikat Freemee.

Wartość twoich danych wzrosła właśnie o ponad pięć procent!
Więcej >

Coś musiało się wydarzyć. I tak wystarczająco zdenerwowana po telefonie mamy, z obawą rozwija wiadomość.

Stopień rozpoznawalności Twojej mamy Cynthii właśnie znacząco się podniósł. Ty także, Violu, odnosisz z tego korzyści. Więcej >

„Program w telewizji!" – przypomina sobie. Kompletnie o nim zapomniała! Ale czy on nie miał być później? W Nowym Jorku jest teraz mniej więcej wpół do czwartej po południu. Klika w „Więcej". Na monitorze otwiera się okno z wieloma kolumnami, w których kłębią się wpisy z różnych serwisów społecznościowych. Aktualizują się tak szybko, że Vi nie może nadążyć z czytaniem ich wszystkich. Wybiórczo przebiega wzrokiem niektóre.

O rany, co tu się dzieje? Mnóstwo policji, radiowozy przed hotelem Bedley #NYC#cotusiedzieje (foto)

Przechodnie podobno widzieli pościg w #LowerEastSide

Zdenerwowana kobieta wybiegła z hotelu Bedley. Wszędzie pełno policji. Zamiast shoppingu wypytywanie ☹

Policja szuka podobno kobiety, która przyjechała razem z ofiarą #nyfugitive

Another day, another dead #NYC

Shit! Popatrzcie tylko na tych gości! Dosłowne oblężenie hotelu Bedley w #NY (foto)

Vi widzi dwóch facetów w ciężkich, czarnych kuloodpornych strojach, w hełmach, z zakrytymi twarzami i z automatyczną

bronią w rękach przebiegających obok jakiegoś fotografa ama-
tora. Niemal słyszy dudnienie ich kroków i wyszczekiwane
rozkazy.

Zabity w hotelu Bedley, NYC? Policja na miejscu

Wielkie zamieszanie przed hotelem Bedley. Policja zabloko-
wała ulicę przed wejściem (foto)

Ambulans odwozi ofiary ataku na hotel (foto)

Zdenerwowana kobieta ucieka #LowerEastSide? Uchwy-
cona przez moje okulary na kilka minut przed akcją policji
w hotelu Bedley (wideo)

Vi zaniepokojona klika w wideo. Co te wszystkie doniesienia mają wspólnego z jej matką?

Na rozchwianym obrazie z dość odległej perspektywy ktoś
wybiega z budynku. Początkowo widać w popołudniowym
świetle jedynie przemykającą między przechodniami sylwetkę, która w końcu niemal zderza się z osobą filmującą. Vi rozpoznaje swoją mamę. Zdenerwowana wraca do wpisów. Co
tam się stało?

Potworny chaos południowy #Manhattan. Policja ściga podejrzanego mordercę/podejrzaną morderczynię

Zabójstwo w hotelu #Bedley #NYC już potwierdzone?

Nie. Brak potwierdzenia przez policję. Tylko dużo mundurowych i radiowozów

Prawdopodobnie siedem ofiar śmiertelnych zamachu w hotelu #Bedley #NYC (link)

Jeszcze jeden film pokazujący kobietę uciekającą z hotelu #Bedley #NYC, zrobiony z moich okularów (wideo)

Z walącym sercem Vi ogląda także to nagranie, zarejestrowane, jak wynika z zapisu czasu, zaledwie pół godziny temu. Z głośników jej laptopa grzmi szum uliczny. Nagle w polu widzenia przechodnia pojawia się jej mama – wybiega z hotelu, rozgląda się na prawo i lewo, potem odwraca się plecami i rusza szybko przed siebie, by po chwili zniknąć między ludźmi. Kto nie zna Cyn, nie byłby w stanie zidentyfikować jej na tych zdjęciach, ponieważ są zbyt rozmyte i rozedrgane.

Z narastającą paniką Vi patrzy na najświeższe wpisy.

Doniesienia o trzech ofiarach wybuchu w hotelu Bedley #NYC via @jjknews

Policja nie potwierdziła na razie zamachu w hotelu Bedley #NY Trwa dochodzenie

Zdjęcia osób, które opuściły hotel Bedley bezpośrednio po zamachu. Wykonane za pomocą #eyeclick (foto)

Co ma robić? Wybiera numer, spod którego mama dzwoniła do niej niedawno. Po wielu sygnałach słyszy mechaniczny głos poczty głosowej. Próbuje jeszcze raz, ale nic się nie zmienia. Gorączkowo pisze esemes pod ten sam numer.

„Szukają cię! Co się dzieje?!! Odezwij się!!!".

Przez minutę czeka na odpowiedź, śledząc w tym czasie informacje. Gdy jej telefon wciąż milczy, po raz drugi loguje się za pomocą Pi na stronie z wodospadami.

Guext:
Wiecie, co z moją mamą?

Odpowiedź przychodzi niemal natychmiast.

Peekaboo777:
Tak.
Guext:
To nie była ona. Pomóżcie jej, proszę.
Peekaboo777:
Staramy się.

– I co teraz? – pyta Alice. – Jeden zabity? Trzy ofiary? Siedem? Strzelanina? Eksplozja? Zamach? Dlaczego ludzie wypisują takie rzeczy, skoro w ogóle nie mają o niczym pojęcia?

Stoi razem z Willem przed ścianą wideo w swoim biurze i śledzi pościg za Cynthią Bonsant.

– To nie jest żadne medium informacyjne, tylko wylęgarnia niezliczonych sprzecznych plotek.

W pierwszym oknie widać obrazy regionalnej stacji telewizyjnej. Alice pogłaśnia, zdejmuje z nosa okulary, chowa je i prosi, aby Will zrobił to samo.

Radio policyjne (link): #NYPD poszukuje kobiety o nazwisku @CynthiaBonsant jako świadka wydarzeń w hotelu #Bedley #NY (foto)

Zaginęła Ann Tsilakis, gość hotelu
#NYPD zapowiada pierwszą konferencję prasową po zaj-
ściach w hotelu #Bedley w #NY na godz. 17.00

Kobieta poszukiwana przez #NYPD po zajściach w hotelu
#Bedley: @Cynthia Bonsant facebook.com/Cyn… freemee.
con/cyn…

– O co tu chodzi? – pyta Willa cicho, żeby nie zagłuszać głosów reporterów. – Cynthia Bonsant poznaje tajemnice Freemee
i nagle jest poszukiwana przez policję jako podejrzana o morderstwo?
– Nie wiemy, co się stało. Za wcześnie na jakiekolwiek przypuszczenia.
– Mam złe przeczucia. Musimy jak najszybciej ustalić, co
się wydarzyło. I potrzebne są nam dowody na to, o czym powiedziałeś mi w bunkrze. Jeszcze zanim pójdziesz do NBC.
Będziesz je tam mógł przedstawić.
– Nie dostaniemy ich.
– Trzeba koniecznie spróbować. I chyba wiem jak.

Wsiadając w pośpiechu do następnego pociągu metra, Cyn nie
zwracała w ogóle uwagi na linię, a potem przejechała kilka
stacji, nie śledząc, gdzie jest. Teraz wnikliwie studiuje mapkę
nad oknem. Zdaje się, że jedzie jedną z zielonych linii – cztery,
pięć albo sześć. Najbliższa stacja to Hunter College. O dostę-
pie do internetu na razie nie ma co marzyć. Adres NBC zna na
pamięć. Odkrywa nawet specjalny przystanek pod Rockefeller Center, w którym znajdują się studia telewizji. Dochodzi
do wniosku, że na najbliższej stacji musi wysiąść, pojechać
z powrotem i przesiąść się do linii w kierunku Times Square.

Stoi blisko drzwi, wokół niej ludzie wpatrują się w swoje okulary, grzebią coś w smartfonach albo rozmawiają z niewidzialnymi rozmówcami. Jedynie nieliczni podobnie jak ona patrzą na pozostałych pasażerów. Niemal odczuwa z nimi coś w rodzaju wspólnoty. Młody mężczyzna w bluzie z kapturem gapi się na nią przez okulary wręcz natarczywie, lecz gdy tylko ona spogląda na niego, szybko odwraca wzrok. Młoda kobieta w eleganckim kostiumie dwa kroki za nim też patrzy na nią z wyraźnym zainteresowaniem, oczywiście przez okulary. „Czy to rzeczywiście są jeszcze okulary, czy raczej już przejrzysty monitor z danymi?" – zadaje sobie pytanie Cyn, nie po raz pierwszy w ostatnich dniach. Gdy mierzy tę bizneswoman nieco dłużej, jej spojrzenie z przenikliwego robi się znudzone i przenosi się gdzieś w dalsze rejony. Tymczasem mężczyzna w bluzie znowu zezuje w stronę Cyn. Czy on próbuje ją poderwać? A może ona jakoś dziwnie wygląda? Zirytowana rozgląda się wokół siebie. Na ławce po drugiej stronie dwóch nastolatków pochylonych nad smartfonem poszeptuje coś między sobą. Cyn mogłaby przysiąc, że jeden z chłopaków właśnie pokazywał palcem w jej kierunku, ale szybko go cofnął, gdy odwróciła się ku niemu i jego towarzyszowi.

Szybko odkręca głowę i przyłapuje młodego mężczyznę i kobietę w kostiumie na tym, jak błyskawicznie uciekają spojrzeniem w bok, udając, że na nią nie patrzą. Ona też udaje, że nic nie zauważyła, i staje w taki sposób, aby jednym kątem oka obserwować tych dwoje z lewej, a drugim – chłopaków ze smartfonem na ławce po prawej. Ich palce przesuwają się po wyświetlaczu, a Cyn nie ma wątpliwości, że raz po raz spoglądają na nią; wreszcie pociąg zwalnia i wjeżdża na Hunter College Station.

Witaj w paranoi, Cynthio!

Wydaje mi się, że widziałem #CynthiaBosant w #NYSub-way, linia 5, Hunter College St (foto) #NYPD zajścia w hotelu #Bedley

Ann Tsilakis nadal poszukiwana #zajścia w hotelu Bedley #NY. Czy ktoś może ją widział? (foto)

Poszukiwana w związku z zajściami w hotelu #Bedley #CynthiaBonsant kradnie czapkę i okulary, via livestream, kamera monit @MarinasBeauty (wideo)

#NYPD potwierdza: jedna ofiara zajść w hotelu #Bedley w #NY. Poszukiwana bryt. dziennikarka @CynthiaBonsant, prawdopodobnie już nie tylko jako świadek

Na to właśnie Joaquim czekał. Wiadomość do wszystkich użytkowników Freemee w najbliższej okolicy zostaje wysłana automatycznie.

Uwaga: New York Police Department poszukuje Cynthii Bonsant jako świadka morderstwa. Jeśli ją zobaczysz, zgłoś to niezwłocznie pod numer alarmowy 911. Pamiętaj: pomoc udzielona policji podnosi wartość Twoich parametrów. UWAGA: może być uzbrojona!

Do komunikatu dołączone jest zdjęcie Bonsant i link do strumieni mediów społecznościowych z najświeższymi doniesieniami w sprawie poszukiwania.

Widziałem #CynthiaBonsant #subway #Linia5 kier płn wysiadła na #Hunter College (foto)

#CynthiaBonsant zapowiedziana jako gość talk-show w #NBC. Dziś wieczorem z #TakishaWashington #Alvin-Kosak #WillDekkert #Freemee #NYPD

Czy to jest #CynthiaBonsant na #HunterCollege #NY #subway #Linia5 kier płd? (foto)

– Próbuje się dostać do stacji NBC w Rockefeller Center – informuje Joaquim swój zespół w mieście, mimo że paru kretynów widziało ją podobno nawet na Tajwanie i na wyspach Ziemi Ognistej.

Jest trochę rozdrażniony tym, że algorytmy nie potrafią przepowiedzieć dokładniej zachowania Cynthii Bonsant. Co prawda zastosował specjalny program kryminalny używany przez EmerSec do tropienia zbiegłych przestępców, ale jego prognozy wydają mu się zbyt mętne. Poza tym Bonsant rzeczywiście ucieka, nie jest jednak kryminalistką. I dlatego zachowuje się inaczej niż zwiewający gangster.

Zastanawia się, czy nie połączyć programu kryminalnego z innymi. Mianowicie z takimi, które opracowano specjalnie do tropienia zagubionych dzieci oraz do nadzorowania wrogich dziennikarzy i aktywistów. Na to ma jednak za mało czasu. Dlatego na razie włącza do analizy wszystkie będące do dyspozycji informacje i pozwala programowi, aby potwierdzał jego własne wnioski albo dostarczał mu impulsów do myślenia. Nawet jeśli informacje pochodzą z Mongolii.

Najbardziej drażnią go analizy nagrań z metra. Kamery bowiem widziały Bonsant w miejscach, gdzie nie powinno jej być. Możliwe jednak, że niektóre z nich są przestarzałe, a materiał zdjęciowy zbyt kiepski jakościowo.

Zdjęcie wyraźnie pokazuje mamę. Vi bezradnie śledzi powszechne poszukiwania Cyn w obcym mieście. Nowe komunikaty pojawiają się tak szybko i niemal natychmiast wypychane są z okna przez następne, że Vi czyta co najwyżej co dziesiąty z nich.

Mylicie się! @CynthiaBonsant jest tutaj! #CentralParkSouth #nypd #zajście w holu #Bedley #NY (foto)

Być może to jest jej mama, ale kobieta na zdjęciu jest zbyt oddalona i niewyraźna, by Vi mogła stwierdzić to z całą stanowczością. Wśród wpisów znajduje coraz więcej wzmianek o innej kobiecie, o nazwisku Ann Tsilakis. Prawdopodobnie także ona zaginęła albo poszukiwana jest w związku z tamtymi wydarzeniami – kto to wie?

Jedyne informacje z na wpół oficjalnych źródeł to nagrania z krótkofalówek nowojorskiej policji puszczane przez jakichś ludzi online. Ale skąd Vi może mieć pewność, że są autentyczne, a nie zostały spreparowane jako idiotyczny żart przez jakichś dupków? Poza tym słychać tylko urywane i niezrozumiałe strzępy zdań.

Szuka w sieci czegokolwiek na temat tej drugiej kobiety, znajduje jednak tylko to, co już wie z krótkich wpisów: menedżerka z San Francisco o dwa lata młodsza od mamy. Vi zauważa pewne podobieństwo między nimi dwiema, ale mimo wszystko trudno jej sobie wyobrazić, by można było je ze sobą pomylić.

Znowu odzywa się ktoś, kto rzekomo widział Cyn, tym razem w zupełnie innym miejscu Manhattanu. Jednak kobieta na zdjęciu jest znowu zbyt daleko, by Vi mogła zidentyfikować ją bez żadnych wątpliwości.

Jest! #CynthiaBonsant przy 2ndAve, 92 St. #NYPD zajścia w hotelu #Bedley (foto)

Gdzie mama jest naprawdę? Co może teraz robić?

Przed wyjściem do studia NBC Will zagląda jeszcze na krótko do Carla.

– Jeśli chodzi o prezentację, mam jeszcze kilka pytań dotyczących eksperymentów, które…

– Pst! – Carl z palcem przyłożonym do ust zrywa się z krzesła, po czym chwyta Willa za ramię, wyciąga go z pokoju i rzuca z wściekłością tylko jedno słowo: – Bunkier.

Will wsuwa dłoń do kieszeni spodni i wyłącza funkcję nagrywania w swoim smartfonie.

Przed pomieszczeniem zabezpieczonym przed podsłuchami pozbywają się wszystkich urządzeń. Carl sprawdza nawet, czy Will nie ma soczewek w oczach.

– No super – mówi Will lakonicznie. – Twoje zaufanie jest wprost bezgraniczne.

Carl go przejrzał. „Tę metaforę należy dzisiaj traktować jak najbardziej dosłownie" – myśli z goryczą Will. Z umiarkowanym zainteresowaniem zadaje mu pytania. Skoro nie może nagrać odpowiedzi, nie mają dla niego żadnej wartości. Podczas gdy Carl mówi, on zastanawia się, jak inaczej mógłby dobrać się do dowodów potwierdzających eksperymenty.

– Dobrze, że pracujesz nad prezentacją – mówi Carl, przerywając mu intensywne myślenie. – Bo już pojutrze mamy ją przedstawić.

Will czuje się zaskoczony. Przecież najpierw miał opracować strategię, w jaki sposób przedstawić „rozwój ActApps", jak ostrożnie nazywa to Carl. Po raz kolejny daje mu się do zrozumienia, że jest członkiem zarządu drugiej kategorii, wysoko opłacanym pomocnikiem Montika, który już dawno wszystko zaplanował.

– Komu? – pyta krótko. – Dobrze byłoby wiedzieć, żeby ją odpowiednio dostosować.

Carl wymienia nazwę jednego z największych koncernów na świecie.

– Ale oni nie są jedyni. Będą następni – dodaje z uśmiechem samozadowolenia.

Will najchętniej przyłożyłby mu między oczy.

Ledwie Carl założył na nos okulary, otrzymuje wiadomość od Joaquima, nowego psa wartowniczego Henry'ego, z prośbą o bezzwłoczne oddzwonienie. Niechętnie spełnia jego prośbę, zostając nieco z tyłu za Willem.

Joaquim nie używa nawet zdjęcia czy awataru podczas rozmów przez okulary. Dlatego Carl musi rozmawiać z nazwiskiem.

– Wizyta Willa Dekkerta i spytanie otwarcie o eksperyment były celowe – oznajmia mu głos Joaquima. – Jesteśmy w jego telefonie. Kiedy wszedł do pańskiego biura, miał uruchomioną opcję nagrywania.

– Gnojek.

– On w żadnym wypadku nie może wystąpić w tym talk-show. Poślijcie tam kogoś innego.

– Kogo?

– Nie mam pojęcia. Alice Kinkaid właśnie wyszła z firmy. Ale ona też nie byłaby tam właściwa. Albo pan pójdzie, albo trzeba to odwołać.

– A z jakiego powodu?

– Nie mam pojęcia. Pościg za Cynthią Bonsant. Niech im pan powie, że Dekkert musi być w firmie, żeby błyskawicznie reagować na niespodziewane wydarzenia. Musimy z nim po-gadać. Do tej pory nie wolno mu opuszczać budynku ani z ni-kim się kontaktować. Najlepiej niech go pan wyśle na nara-dę do bunkra.

Carl kończy rozmowę i dzwoni po ochronę. Następnie bieg-nie za Willem, który właśnie znika za rogiem.

– Nie możesz iść do telewizji – oświadcza mu, gdy go dogania.

– Dlaczego?

– Musimy omówić coś pilnego. Wróć jeszcze do bunkra, ja zaraz do ciebie dołączę.

– Wobec tego niech pójdzie ktoś inny – proponuje Will. – Najlepiej Alice, ona ma doświadczenie w występach przed kamerą.

– Dokąd ona idzie? – pyta Marten.

– Pewnie coś zjeść – mówi Luis.

Obserwują Alice dzięki kamerom różnych sklepów i trzem parom okularów jej cieni. Ona sama włożyła swoje do torebki.

– Zawsze tam chodzi?

Luis przybliża jej profil, przygląda się mu.

– Czasami, ale nieregularnie.

– Umówiła się z kimś?

– Nic takiego nie wyłowiliśmy z jej rozmów ani z kalendarza.

Alice znika w wejściu modnej restauracji.

– Za nią! – Marten wydaje polecenie swojej pracownicy.

Przez jej okulary widzi, jak Alice siada przy jednym z ostat-nich wolnych stolików w tylnej części lokalu. Agentce pozostaje już tylko miejsce w jego drugim końcu, skąd może mieć obser-wowany obiekt na oku, lecz nie jest w stanie dostrzec każde-go ruchu, ponieważ między nimi dwiema jest zbyt wiele głów i całych postaci. Muszą jednak się tym zadowolić.

Kelnerka przynosi Alice kartę. Ona przegląda ją pobieżnie, kładzie na bok. Następnie wyjmuje okulary z torebki, wkłada na nos.

– Teraz – mówi Luis. – Jednak nie – wzdycha ciężko, gdy Alice otwiera po prostu kilka stron z relacjami z poszukiwań Cynthii Bonsant.

Detektyw Straiten zdążył się już przyzwyczaić do mówiących twarzy tuż przed swoimi oczami. W hotelowym korytarzu w pobliżu pokoju, w którym to wszystko się wydarzyło, czuć środkiem do czyszczenia dywanów. Przez okulary kolega z Real Time Crime Center wyjaśnia mu:

– Obecnie docierają do nas setki wskazówek. Według analiz Bonsant powinna być teraz w Midtown. Nasze kamery nie namierzyły jej jeszcze w metrze. Coś z nimi jest nie tak, po prostu powariowały. Ale czapka z daszkiem i ciemne okulary nie ułatwiają zadania. To samo odnosi się do zdjęć przesyłanych przez przechodniów, którzy twierdzą, że ją widzieli. Musimy analizować je sami, bo dla programów do rozpoznawania twarzy i ciał są zbyt kiepskiej jakości.

Technicy zabezpieczający ślady pozwalają mu wreszcie wejść do pokoju. Ogląda miejsce, w którym znaleziono ofiarę. Administracja hotelowa będzie musiała zmienić wykładzinę na nową. Obok na wpół zaschniętej plamy krwi leży wymazany krwią laptop w przejrzystej foliowej torbie.

– Ofiara została zidentyfikowana. To rzeczywiście jest Chander Argawal. Lekarze nie dają mu szans na przeżycie.

Straiten podchodzi do okna, którego dolna część podniesiona jest do góry. Na szybach poznaje ślady po działaniach techników zabezpieczających odciski palców. Wygląda na ciasny dziedziniec, na którym panuje już mrok, mimo że ponad wysokimi budynkami wciąż jeszcze lśni jasny prostokąt nieba. Cztery piętra niżej kobieta, uciekając po schodach przeciwpożarowych, przebiegła przez czyjś pokój. Patrząc na odciski palców na szybie, Straiten pyta pracownicę zespołu techników kryminalnych obok niego:

– Jest już identyfikacja?

– Właśnie dostałam – odpowiada kobieta, której jednorazowy kombinezon wydaje się nieco zbyt obcisły. Patrząc na tablet trzymany w rękach, dodaje: – Zidentyfikowano odciski czterech osób. Trzy należą do gości wynajmujących ten pokój przed Argawalem, a czwarte do Cynthii Bonsant.

– Na zewnątrz też znaleźliście jakieś?

– Oczywiście. Również pochodzą od niej. Także na oknie i drzwiach na czwartym piętrze. Wszędzie zostawiła ślady.

Straiten odwraca się i patrzy na zabezpieczony w foliowej torbie laptop.

– To jest narzędzie zbrodni?

– Lekarz uważa to za prawdopodobne. Solidne urządzenie. Bez trudu można rozwalić nim czaszkę.

– Rana była głęboka?

– Tak. Do tego stopnia, że wypłynął mózg.

– Nie zależało mi aż na takich szczegółach.

– Ale odciski palców Bonsant znaleźliśmy jedynie na górnej części komputera. Jeśli rzeczywiście nim zadała cios, to albo miała rękawiczki, albo między jej skórą a obudową coś się znajdowało.

– Wtedy znaleźlibyście chyba jakieś ślady. Macie coś?

– To da się stwierdzić dopiero w laboratorium.

– Przeanalizowaliśmy nagrania z niektórych kamer monitoringu – informuje go przez okulary jeden z kolegów z Real Time Crime Center.

Straiten dziękuje kobiecie w kombinezonie i mówi:

– Dawaj!

Nagranie wideo, które puszcza kolega, wypełnia mu niemal całe pole widzenia i przesłania hotelową scenerię. Straiten rozpoznaje wejście do hotelu widziane z odległości mniej więcej pięćdziesięciu metrów. Jakość obrazu nie jest najlepsza, twarzy Bonsant nie sposób rozpoznać.

– To jest Cynthia Bonsant, kiedy opuszcza hotel. Jej dalszą trasę da się łatwo odtworzyć. Interesujące jest to, co działo się po drodze.

Kolega pokazuje kolejne fragmenty nagrań. Bonsant schyla się nad jakąś bezdomną żebrzącą pod murem domu.

– Co ona robi? Chyba nie daje jej pieniędzy? – dziwi się Straiten. – Pozbywa się dowodów?

– Też zadawaliśmy sobie to pytanie. – Cofa tę scenę w przyspieszonym tempie do momentu, gdzie widać tułów i ręce Bonsant. – Zwróć uwagę na jej lewy nadgarstek.

– Ma zegarek.

– Właśnie. A teraz…

Przewija film do przodu, w nienaturalnym przyspieszeniu dziennikarka znowu pochyla się nad kobietą na chodniku, potem się prostuje i idzie dalej. Obraz się zatrzymuje.

– Już nie ma zegarka – stwierdza Straiten.

– Zgadza się. Sprawdziliśmy: to nie był zwykły zegarek, tylko smartwatch.

– Który rejestruje parametry ciała?

– Tak.

– Dlaczego go oddała?

– Poczekaj.

Dwie minuty później Straiten dowiaduje się, że Cynthia Bonsant podarowała przypadkowej mijanej kobiecie także swój smartfon, a młodemu mężczyźnie wsunęła do torby inteligentne okulary.

– Wygląda na to, że ona pozbywa się każdego urządzenia, za pomocą którego można by ją zlokalizować i śledzić – wyciąga wniosek detektyw.

– Wszystko na to wskazuje.

– Czy nasi ludzie już je odzyskali?

– Mają zegarek. Namierzyliśmy też dziewczynę z telefonem i chłopaka z okularami. Radiowozy są w drodze.

– Ale po co ona to zrobiła? Przecież to bez sensu, skoro wszędzie są kamery monitoringu. A nie wierzę, żeby o nich nie wiedziała.

– Żeby się przed nimi ukryć, kilka przecznic dalej kradnie czapkę z daszkiem i okulary przeciwsłoneczne. Potem znika w metrze.

– Czapka i okulary w niczym jej nie pomogą, skoro już ją namierzyliśmy, a wszędzie są kamery o szerokim zasięgu. Z tego raczej też musi zdawać sobie sprawę – odpowiada koledze.

– Może nie zastanawia się nad tym. Nie jest przecież zawodową morderczynią. Jeżeli rzeczywiście zabiła tego Argawala, jest w szoku.

– Dzięki zegarkowi i tym innym urządzeniom możemy ustalić, gdzie znajdowała się w momencie popełnienia przestępstwa.

– Lekarze nie są w stanie stwierdzić co do sekundy, kiedy Argawal został zaatakowany.

– Sprawdźcie od razu dane zarejestrowane na jego sprzęcie – wydaje polecenie Straiten. Wie co prawda, że RTCC robi to automatycznie, woli jednak mieć pewność. – Wiadomo, gdzie ona teraz się znajduje?

Stojąc tuż przy drzwiach wagonu, Cyn czeka niespokojnie na wjazd na stację Grand Central Terminal. Przez cały czas ma wrażenie, że ludzie wokół ją obserwują. Gdy tylko drzwi się rozsuwają, wyskakuje na peron. Panuje na nim taki tłok, że niemal nie sposób posuwać się do przodu. Także tutaj powietrze jest gorące i duszne. Cyn ma nadzieję, że w telewizji jest prysznic i będzie mogła się porządnie odświeżyć. Jej strój też pozostawia wiele do życzenia. A przecież przywiozła sobie coś szykownego specjalnie na tę okazję! „To idiotyczne, że w takiej chwili myślę o ciuchach!".

Pozwala się nieść nieprzebranemu potokowi ludzi, aż w końcu staje w gigantycznej hali dworca znanej jej z filmów i ze zdjęć. Ma wrażenie, że znalazła się w katedrze, tyle tylko że przebywający w niej ludzie nie trwają w nabożnym skupieniu, lecz spieszą we wszystkich kierunkach, by oddać hołd bogowi współczesności – tempu. Nieliczni zatrzymują się na krótko przed ogromną tablicą informacyjną albo robią fotki na pamiątkę. „Dokąd teraz?" – zastanawia się.

Trzy relacje na żywo z cybernetycznych okularów pozwalają Vi śledzić z różnych perspektyw, jak jej mama na pozór bez celu idzie przez wielką halę Grand Central Station. Najwyraźniej nie ma pojęcia o tym, że została dostrzeżona przez wielu pasażerów, którzy bezpośrednio wysyłają jej zdjęcia w świat. Jeden z nich nie zadowala się podaniem informacji, tylko zachowując pewną odległość, idzie za nią krok w krok. Reporter amator bełkocze coś pod nosem, z czego do Vi docierają tylko strzępy, ponieważ jego głos zagłuszają szum i gwar.

W strumieniu wiadomości pojawia się czwarty nadawca. Vi w nowym oknie otwiera także jego zdjęcia. Ten musi stać gdzieś wyżej i ma widok z góry na całą halę. Przybliża jej postać i po chwili oddala. Z odległości Cyn jest jedynie maleńkim punktem pośród wielu, pozostającym jednak przez cały czas w centrum pola widzenia.

Tymczasem w oknie, w którym Vi śledzi strumień newsów, wciąż migają nowe meldunki.

Nowe doniesienia policji (link): #NYPD szuka #Cynthia-Bonsant jako ewentualnej podejrzanej w związku z zajściami w hotelu #Bedley #NY #nyfugitive

#NYPD poszukuje nadal Ann Tsilakis. Ktoś widział Tsilakis w #NY (foto)

Footage z kamer monitoringu przy Lebby's Deli: #Cynthia-Bonsant oddaje telefon (wideo)

#NYPD potwierdza: jedna osoba ranna w zajściach w hotelu #Bedley #NY: stopień obrażeń nieznany. Brak dalszych ofiar

#CynthiaBonsant ma powiązania z #terroryści? #Zero #0

Halo #NYPD, #CynthiaBonsant jest tutaj #GrandCentral #NY

Wg anonim źródeł ofiara zajść w hotelu #Bedley to partner #CynthiaBonsant w pościgu za #Zero Chander Argawal

Kolejny materiał z kamery monitoringu przy Lebby's Deli #CynthiaBonsant wsuwa coś facetowi do torby. Co? Okulary? (wideo)

Ann Tsilakis: podejrzana czy ofiara zajść w hotelu #Bedley? #NY Gdzie ona jest? via @nycregex (link)

Kolejne wideo (link) pokazujące, jak #CynthiaBonsant kradnie czapkę i okulary przeciwsłoneczne. Tak wygląda teraz (foto)

Vi nie ma pojęcia, co myśleć. Ogląda oba filmiki, na których rzekomo widać, jak jej mama pozbywa się okularów i komórki. Kamera przed Lebby's Deli musi chyba pochodzić z dziewiętnastego wieku, bo twierdzić, że osoba widoczna na nagraniu jest Cynthią Bonsant, może co najwyżej ktoś, kto dokładnie do tego miejsca obserwował ją za pomocą innych kamer. W każdym razie Vi jej nie rozpoznaje. Ani nie potrafi też w czarnej plamie podawanej przez nią innej osobie dostrzec smartfonu. Wylęgarnia plotek! Po raz kolejny próbuje się dodzwonić, ale znowu odzywa się tylko poczta głosowa.

„Okej, wreszcie jest policja" – słychać wyraźny głos mężczyzny monitorującego halę dworca przez swoje okulary. Rzeczywiście Vi dostrzega między ludźmi dwoje funkcjonariuszy w mundurach. Na obrazach czwartego z „reporterów", tego stojącego gdzieś wyżej, można objąć wzrokiem całą halę. Na lewym skraju obrazu policjant i policjantka torują sobie drogę przez tłum, na prawym Cyn studiuje tablicę z informacjami, odwrócona plecami do hali.

Napływające nieustannie krótkie wiadomości, zdjęcia i relacje sprawiają, że Vi czuje się tak, jakby była tam na miejscu. Gorączkowo śledzi każdy ruch mamy, w ogromnym napięciu i ze spoconymi dłońmi tkwi zgarbiona nad laptopem, obok leży Pi, odruchowo chciałaby krzyknąć do niej: „Uważaj, policja! Za tobą!", musi jednak bezradnie się przyglądać, jak gliniarze idą do niej, a ona jako jedyna tego nie zauważa!

Vi mocno zaciska pięści. Zastanawia się w popłochu, co może zrobić. Zero? Pisała już do nich. Ale to jedyna szansa.

Sięga po Pi i wstukuje:

Guext:
Czy nie możecie pomóc mojej mamie?!
Peekaboo777:
Już to robimy. Mamy wsparcie Anonymous. Weszliśmy do systemu kamer monitoringu w metrze, zmanipulowaliśmy zdjęcia. Teraz kolej na Grand Central. A propos: w jaki sposób mama skontaktowała się z Tobą?
Guext:
Przez telefon.
Peekaboo777:
Zadzwoniła na Twoją komórkę?
Guext:
Tak.
Peekaboo777:
Uciekaj z domu! Natychmiast! Zostaw telefon. Staraj się unikać kamer. Weź ze sobą Pi i dyskretnie się go pozbądź; zniszcz kartę! Szybko!
– Sesja zakończona –

Vi czuje rewolucję w żołądku, dłonie jej drżą. Nie zwlekając, zbiera wszystko w popłochu, naciąga na siebie bluzę z kapturem, chwyta w przelocie ciemne okulary. Unikaj kamer, polecił jej Zero. Czyli obawiają się, że jest obserwowana. Kurde, przecież ona jest zwyczajną osiemnastolatką, o co, do cholery, chodzi? Na dodatek jest środek nocy! I dokąd ona ma pójść?!

Ociągając się, zdejmuje z ręki inteligentny zegarek. Zostawia też smartfon. Z domu jest tylne wyjście prowadzące na wąską alejkę dla pieszych. Tam chyba nie ma zamontowanej kamery. Musi spróbować.

– Miss Cynthia Bonsant? – pyta policjant, doszedłszy do Cyn.

Zaskoczona potwierdza. Zastanawia się jednocześnie, skąd on może znać jej nazwisko i dlaczego ją zaczepia.

Policjantka staje tuż obok niej i oznajmia:

– Miss Bonsant, chcemy panią prosić, aby poszła pani z nami – mówi.

Cyn zaczyna się naprawdę denerwować, mimo to stara się zachować spokój i pyta:

– O co chodzi?

– Nasi koledzy mają do pani kilka pytań w związku z wydarzeniami w hotelu, w którym pani się zatrzymała.

Ona też ma ich sporo!

Policjant wskazuje ręką drogę. Cyn rusza między dwójką mundurowych. Niektórzy przechodnie zwalniają kroku albo przystają na moment. Dwaj chyba nawet idą za nimi w pewnej odległości, podczas gdy oni przecinają halę w kierunku głównego wyjścia.

– O jakich dokładnie wydarzeniach mówimy? – pyta zaniepokojona.

– To już wyjaśnią pani moi koledzy – odpowiada policjantka.

– Jak mnie tu w ogóle znaleziono? – próbuje się dowiedzieć. – Dzięki kamerom?

Mężczyzna wzrusza ramionami.

– Prawdopodobnie. My otrzymaliśmy tylko polecenie, żeby panią stąd sprowadzić. Dostaliśmy w tym celu kilka aktualnych zdjęć. – Sprawdza swoją komórkę. – Rzeczywiście wyglądają na ujęcia z kamer. Pełno ich w całym mieście. Poza tym niektóre przysłali jacyś goście, którzy widzieli panią w swoich okularach.

Mimo że jest całkowicie ubrana, Cyn czuje się nagle zupełnie naga.

– Proszę posłuchać – zaczyna. – Muszę wam powiedzieć coś bardzo ważnego. Mam tutaj… – sięga do kieszeni spodni.

Oboje nagle wyciągają swoją broń, ona zaś szybko odsuwa ręce od tułowia. Za późno. Funkcjonariusze rzucają się na nią, przewracają na ziemię i wykręcają jej ramiona na plecy.

– Nie! Nie! Nie jestem uzbrojona! W kieszeni mam tylko pamięć USB z wideo, które musicie koniecznie obejrzeć! Albo wasi koledzy, którzy znają się na tych sprawach. Chodzi o setki zmarłych, może nawet o tysiące!

Usłyszana informacja nie robi na nich najmniejszego wrażenia.

– Wszystko opowie pani naszym kolegom – odpowiada opryskliwie policjant.

Obmacują ją w poszukiwaniu broni, następnie podnoszą i prowadzą między poruszonymi przypadkowymi ludźmi do wyjścia. Cyn w pierwszym odruchu ma ochotę się bronić, daje jednak spokój. Dobrze, że chociaż nie założyli jej kajdanków. Ale policjant nie zwalnia swojego żelaznego uścisku.

– Miałam kilka kopii tego wideo! – ciągnie Cyn. – W hotelowym pokoju, na komputerze. Wszystkie zniknęły! Ale powinna być jeszcze jedna, w „Daily"! Wasi koledzy muszą to sprawdzić!

Gdy wychodzą na zewnątrz, powietrze nadal jest duszne. W zwartym potoku przechodniów prawie nikt nie zwraca na nich uwagi, z wyjątkiem nielicznych, którzy stoją i patrzą, jakby czekali na nią i na policjantów. Oglądana sceneria przypomina Cyn Nowy Jork z filmów. Ulicą powoli posuwają się zderzak w zderzak sznury samochodów, co drugi to żółta taksówka. Z kratki kanalizacyjnej unosi się para. Kilka metrów dalej na jezdni stoją trzej robotnicy w odblaskowych pomarańczowych kamizelkach i wpatrują się w dziurę w ziemi. Przy skraju chodnika czeka radiowóz, do którego prowadzi ją dwójka policjantów.

– Rozumiesz, co oni mówią? – pyta Carl Joaquima przez okulary, próbując wyłowić ze streamingu kilku przechodniów jakąś sensowną ścieżkę dźwiękową.

Siedzi w limuzynie, która wiezie go do studia NBC w Rockefeller Center.

– Nie – opowiada Joaquim. – Na ulicy jest za duży hałas.

Poza tym filmujący są w zbyt dużej odległości, by móc uchwycić rozmowę między Cyn a gliniarzami. Cała trójka dochodzi już do radiowozu, gdy nagle tuż obok zatrzymuje się na drugim pasie czarna limuzyna i uniemożliwia policjantom zarówno wejście do samochodu od strony kierowcy, jak i odjechanie z miejsca.

– Oho, ktoś przybył z misją pokoju – drwi Carl.

– Wygląda na to, że będzie awantura – potwierdza Joaquim.

Policjant rzeczywiście wykrzykuje coś gniewnie w kierunku limuzyny, z której wysiada dwóch mężczyzn i jedna kobieta w ciemnych garniturach. Wtedy puszcza ramię Cyn i kroczy zdecydowanie w kierunku tamtych trojga.

Carl co chwila przeskakuje wzrokiem z jednej relacji na drugą, żeby dokładnie wiedzieć, co dzieje się przed dworcem. Jeden z mężczyzn pokazuje policjantowi legitymację, ten ogląda ją i mu oddaje. Z wyraźną niechęcią prowadzi ludzi z czarnej limuzyny w stronę Cyn i jej opiekunki.

– Co to za jedni? – pyta Carl.

– FBI – oświadcza kobieta w ciemnym garniturze. – Pójdzie pani z nami.

W tym samym momencie policjantka mocniej ściska ją za rękę. Cyn pytającym wzrokiem spogląda to na jedną, to na drugą, podczas gdy gliniarz przez radio w radiowozie usiłuje skontaktować się ze swoimi przełożonymi.

– Może się zdecydujcie?! – rzuca Cyn. – Czego wy właściwie ode mnie chcecie?

– Jeszcze zdąży się pani dowiedzieć – odpowiada szorstko kobieta z FBI.

– A jeżeli odmówię i nie pójdę z wami?

– Pani nie ma wyboru – odszczekuje tamta.

– Mam wrażenie, że tych dwoje inaczej to widzi. – Cyn nie daje się zbić z tropu i wskazuje na policjantów z NYPD. Czyżby znana jej z filmów absurdalna rywalizacja między policją miejską a federalną rzeczywiście istniała? – Dosyć tego, nigdzie nie idę – oznajmia kategorycznie. – Dopóki się nie dowiem, dlaczego miałabym to zrobić. Czy może jestem aresztowana?

– Owszem – odpowiada wysłanniczka FBI. – Z powodu podejrzenia o działalność terrorystyczną.

– To jakiś żart!

W tym momencie policjant wyłania się z radiowozu, wpycha między Cyn a garniturowców, po czym staje przed nimi wszystkimi i oznajmia:

– Ona pójdzie z nami. Podejrzenie zabójstwa.

– Co proszę?! – wykrzykuje Cyn tak głośno, że gliniarz aż przykłada rękę do ucha. – A niby kogo miałabym zamordować?

– Chandera Argawala – odpowiada.

„Chander nie żyje?".

W osłupieniu obserwuje, jak ludzie z FBI próbują ją mimo wszystko chwycić. Policjant jednak, zręczniej, niż można by się spodziewać po jego przysadzistej sylwetce, powstrzymuje agentów z niewielką pomocą swojej koleżanki. Po chwili Cyn widzi przed sobą chaos splątanych rąk i ramion, przepychan-ki i szamotaninę, słyszy przekleństwa i urąganie sobie nawza-jem, szum komunikatów z radiowozu oraz odgłos syreny alar-mowej zdający się dochodzić z Grand Central Station.

Przerażenie wywołane śmiercią Chandera przeradza się na-gle w furię, która budzi w niej energię i siły. Policjanci skupiają się na alarmie na dworcu, z którego zaczynają wypływać potoki ludzi. Cyn odwraca się szybko i wtapia się w zbity tłum, który wypełnia już cały chodnik, po czym oddala się wraz z nim, sta-rając się nie biec, aby nie zwracać na siebie uwagi. Po siedmiu, ośmiu metrach ogląda się za siebie i widzi, że tamci co praw-da odkryli jej zniknięcie, są jednak zaklinowani przy samocho-dach przez ogarnięte paniką masy ludzi. Ona sama zaś znajdu-je się na czole fali i jeszcze może się z niej wyrwać. Ale wtedy przypomina sobie słowa gliniarza: kamer jest pełno w całym mieście, nie brakuje też typów z okularami.

Nie ma szansy na ucieczkę. Co więc powinna zrobić?

Kilka kroków przed nią robotnik wyłazi z zastawionej dziu-ry w jezdni.

Poszukiwana z powodu podejrzenia o działalność terrory-styczną i zabójstwo. Przez FBI i nowojorską policję. Zarzuty zupełnie niedorzeczne, lecz po tym, co słyszy się, czyta i oglą-da na temat obu tych organizacji, w obliczu dwóch tak po-ważnych oskarżeń nie chciałaby wpaść w ręce żadnej z nich. Na ulicy jest wolna, tylko dokąd ma uciec? Do podziemi, jak Zero w Wiedniu!

Przeskakuje przez barierki dookoła otworu, pospiesznie rzu-ca spojrzenie w głąb – nie widzi dna, ale przy ścianie są stopnie prowadzące w tę otchłań. Zanim kręcący się wokół robotnicy zdążyli się zorientować, Cyn już schodzi na dół, właściwie nie-mal się ześlizguje, prawie nie dotykając zimnych metalowych prętów, podczas gdy nad nią rozlega się echo nawołujących ją głosów.

Im głębiej schodzi, tym ciemniej i bardziej gorąco się robi. Nagle nie czuje oparcia pod stopami, zawisa w powietrzu. Wystarczy rzut oka w dół, by się przekonać, że ten szyb kończy się jakimś większym kanałem, ale grunt jest jeszcze około trzech metrów pod nią.

W górze widać już sylwetkę jej pierwszego prześladowcy wypełniającą niemal cały otwór. Cyn zwisa z ostatniego stopnia i w końcu puszcza się. Upada. Ląduje twardo, lecz szybko zbiera się z ziemi. Kanał, wysoki na trzy metry i tak samo szeroki, biegnie w dwóch kierunkach. W regularnych odstępach przez kratki ściekowe padają z góry snopy światła pozwalające cokolwiek odróżnić. Cyn puszcza się pędem przed siebie. Przynajmniej na razie jest sucho, choć wyobraża sobie, że tak duszno musi być chyba tylko w tropikalnym lesie deszczowym.

„Ilu ich jeszcze zlezie za tą kobietą?" – zadaje sobie pytanie Alice. Poza dwoma facetami w garniturach i policjantem z policjantką za Cynthią Bonsant schodzą także jakieś dwa typy, a potem kolejni przypadkowi ludzie. Otwór w jezdni zdaje się dosłownie wsysać całkiem niemałą część uciekającego z dworca tłumu. Wokół barierek cisną się przechodnie z okularami lub smartfonami i jakby czekają tylko na moment, kiedy im też uda się opuścić w dół. Robotnicy zrezygnowali już z prób powstrzymania tej inwazji i obojętnie przyglądają się przedstawieniu. Alice ma otwartych w swoich okularach sześć okien ze streamingiem z pościgu. Już od jakiegoś czasu nie może patrzeć na wszystkie, ponieważ musiałaby je albo pomniejszyć, albo nasunąć jedno na drugie. Strumień wiadomości dosłownie się wylewa.

Raz po raz zerka też na salę restauracji. Żaden z gości nie wydaje się podejrzany. Zdejmuje okulary i wkłada je do kieszeni blezera. Następnie sięga po torbę i idzie do łazienki. Nie rozgląda się. Doskonale zna ten lokal. Toalety są bardzo czyste i porządne, a przede wszystkim każda kabina ma pełne ścianki od podłogi po sufit, nie da się więc podglądać od dołu czy od góry. Poza tym nie są to ściany plastikowe, które mogą się przewrócić od samego krzywego spojrzenia. Dwie z pięciu kabin są zajęte. Zamyka się w jednej z trzech pozostałych, opuszcza klapę sedesu i siada na niej. Potem otwiera torbę i z bocznej przegródki wyjmuje Raspberry Pi, który zawsze tam nosi, jeśli nie ma go gdzie schować; wyciąga też małą klawiaturę i minimonitor. Szybko i sprawnie za pomocą komputerka wielkości dłoni buduje zakodowane anonimowe połączenie. W jednej z zajętych toalet otwierają się drzwi. Słychać stukot szpilek po posadzce. Tuż potem Alice zaczyna pisać. Starannie przemyślała tekst podczas jedzenia, aby był jak najkrótszy, a jednocześnie całkowicie zrozumiały.

– Chcę wiedzieć, co ona tam robi! – ujada Marten. Na monitorze przed nim migoczą rozmyte obrazy z damskiej łazienki. Jego agentka sprawdza, czy zamki w drzwiach są zamknięte, czy otwarte. W kadrze pojawia się jej dłoń, gdy najpierw otwiera parę niezaryglowanych drzwi, a potem ostrożnie próbuje uchylić trzy pozostałe.

– Wyważ je, zrób coś, do cholery, wszystko jedno co! – domaga się Marten.

W drugim oknie widać restaurację z perspektywy innej agentki, która właśnie weszła do lokalu i od razu została zatrzymana przez menedżera.

Agentka w toalecie szepcze:

– Nie wiem, za którymi drzwiami ona jest.

– Co za tępota! – syczy Marten, tak by nikt go nie zrozumiał. – To otwórz wszystkie! – rozkazuje głośniej.

Za pośrednictwem jej okularów widzi, jak jego podwładna gruntownie bada wzrokiem powierzchnię drzwi i próbuje znaleźć słabe punkty. Potem w polu widzenia znowu pokazuje się jej dłoń – między palcami widać kartę kredytową. Zaczyna manipulować nią przy zamku. Wykonuje kilka szybkich ruchów – i zamek ustępuje. Otwiera gwałtownie drzwi.

Krzyk jakiejś kobiety wystrasza Alice tak bardzo, że nieomal upuszcza z kolan minikomputer i klawiaturę.

– Co pani tu robi?! – z sąsiedniej kabiny dochodzi histeryczny wrzask.

Druga kobieta coś mówi, lecz trudno ją zrozumieć. Alice już prawie kończy swoją wiadomość. Nerwowo stuka w klawisze, podczas gdy z zewnątrz dochodzą wciąż krzyki, urągania i podniesione głosy. Potem przycichają, a jednocześnie przy jej drzwiach słychać dziwne skrobanie.

– Zajęte – mówi, logując się na stronie z wodospadami.

Na monitorze migocze komunikat.

ArchieT:
Uciekaj!

Fuck!

– Proszę otworzyć! – domaga się kobiecy głos.

– Chwileczkę! – odkrzykuje Alice obcesowo, czuje jednak, że ogarnia ją panika.

Mimo to wysyła jeszcze swoją wiadomość.

Ktoś bębni w drzwi i manipuluje przy zamku.

– Otwierać!

Lekko drżącymi palcami Alice wyciąga kartę SD z komputera i wrzuca ją do sedesu.

– Co to ma, u licha, znaczyć? – mówi zirytowana. – Zaraz skończę! – Właściwie nie mija się z prawdą. Spuszcza wodę razem z kartą i chowa Raspberry, klawiaturę i monitor do torby, gdy nagle w plecy z furią uderzają ją drzwi, powodując, że o mały włos nie wpadłaby do sedesu.

– Alice Kinkaid? – słyszy ostry głos.

Marten widzi na monitorze przerażoną twarz Alice z bezładnie opadającymi na oczy pasmami włosów. Obiema rękami opiera się o ścianę kabiny.

– Zwariowała pani? – wrzeszczy na agentkę, której oczami Marten wszystko obserwuje. – Co to ma być?

– Co pani tu robi? – skrzeczy tamta, chwytając Alice za ramię.

– A jak pani myśli? – odcina się Alice, jeszcze raz naciskając wolną ręką spłuczkę.

Agentka odpycha ją na bok tak gwałtownie, że Marten słyszy przeraźliwy krzyk wywołany bólem, następnie rzuca się do muszli z szumiącą wodą i zanurza w niej obie dłonie, klnąc głośno. Przez okulary drugiej agentki, która właśnie dołączyła, Marten widzi wypięte siedzenie tej pierwszej. Alice jedną ręką trzyma się za ramię. Z muszli klozetowej wyłaniają się dwie mokre dłonie – puste.

– Gówno! – ciska z wściekłością pierwsza agentka.

– W rzeczy samej – komentuje Luis.

– Całkiem pani odbiło? – wrzeszczy znowu Alice. – Już nie można spokojnie pójść do kibla?

– Proszę mi pokazać swoją torebkę! – żąda ta druga.

– Jeszcze czego! Najpierw umyjcie sobie ręce! – rzuca i wypada z łazienki, nim tamte zdążyły się zorientować.

Cyn nie ma pojęcia, gdzie się znajduje. W trzewiach Nowego Jorku. Jest w nich wilgotno, gorąco i śmierdzi. Jak w każdych wnętrznościach. Nieokreślone dalekie źródło światła pozwala jej przynajmniej domyślać się zarysów tunelu, którym się posuwa. Można by się spodziewać, że pod ziemią powinno być cicho. Tymczasem zewsząd słychać posykiwanie, burczenie i pomlaskiwanie, jakby miasto już ją trawiło. Gdzieś z boków dochodzi echo głosów albo kroków. Pogoń chyba nie jest zbyt blisko. Nie zważając na nic, Cyn biegnie dalej, podczas gdy w jej głowie kłębią się migawki z wydarzeń ostatnich godzin. Początek niedorzecznego polowania na nią w hotelu. Instynktowna ucieczka przed obcymi mężczyznami zza drzwi Chandera. Miała dobre przeczucie, bo kto jak nie oni zamordowali Argawala? Ale ścigana za to zabójstwo jest ona. Niewykluczone, że chodziło im także o nią. Tylko kto to był? I dlaczego? Freemee? Gdyby chcieli ją sprzątnąć, nie składaliby propozycji. Chyba że dopiero po spotkaniu zdali sobie sprawę, że ona jej nie przyjmie…

Ciemność staje się coraz bardziej nieprzenikniona. Cyn porusza się już prawie całkowicie po omacku. Głosy, kroki, teraz bliższe.

Nagle ją olśniewa. Przecież oni to wiedzą! Pewnie wyczytali to z algorytmów. Freemee wie, że dzisiaj przed kamerami NBC wszystko by wyjawiła. I dlatego jest ścigana.

Te cholerne programy czytają w niej jak w otwartej księdze! Gdzieś z przodu znowu pojawia się słaba smuga światła. Czy oni znają już także jej następne kroki? To mogłoby być nawet pomocne, bo ona sama nie ma pojęcia, co robić dalej. A skoro tak, to będą na nią czekać w konkretnym miejscu. Tylko gdzie ono jest? Pierwotnie chciała dostać się do NBC, lecz na to nie ma już szans – z nowojorską policją i FBI depczącymi jej po piętach. Żeby to wiedzieć, nie potrzebuje żadnych programów komputerowych.

Nasłuchuje w ciemności. Nadal ze wszystkich stron docierają do niej osobliwe, demoniczne odgłosy, za to nawoływania i kroki nieco się oddaliły. Choć w tym labiryncie może to być jedynie złudzenie.

Nagle staje się dla niej jasne, jak powinna się zachować! Musi być nieobliczalna! Musi zrobić coś innego, niż się od niej oczekuje. Niż ona sama od siebie oczekuje.

Czy to jest równoznaczne z „kreatywnością", czy z „obłędem"?

Z drugiej strony we Freemee wiedzą, że ona zna możliwości algorytmów. Czy wobec tego zakładają, że właśnie tak teraz kombinuje? Czy da się wyliczyć nieobliczalność? Czy nieprzewidywalność, przypadkowość w ogóle jeszcze istnieje? A skoro tak, to jaki ona powinna z tego wyciągnąć wniosek? Że mimo wszystko ma zrobić to, czego się od niej w takiej sytuacji oczekuje, ponieważ programy zakładają, że spróbuje czegoś nietypowego? A jeżeli również ten jej sposób myślenia przewidzieli? Wobec tego powinna jednak zdecydować się na coś nieoczekiwanego.

Kłębowisko myśli w głowie! Dotyka czegoś wilgotnego, oślizłego, co na dodatek się rusza; dławi jednak krzyk i biegnie dalej.

„Czego się po niej spodziewają?" – zadaje sobie pytanie. Że będzie uciekać i starać się gdzieś zaszyć? Tak jak od samego początku tego obłędu robiła wciąż to, czego się po niej spodziewano! Od polowania na Zero po ucieczkę z hotelu i zbiegnięcie policjantom i FBI. No bo jakie wyjście ma ktoś, kto poszukiwany jest jako przestępca? Kogo chce się posądzić o morderstwo? Kto jako podejrzany o działania terrorystyczne nie może liczyć na transparentne dochodzenie, przyzwoitą obronę czy uczciwy proces przed zwykłym sądem, tylko raczej na areszt w skandalicznych warunkach, znęcanie się i postępowanie przed specjalnymi trybunałami? Zatrzymuje się zdyszana, opiera dłonie na kolanach i nasłuchuje. Dosyć bliskie głosy. Cyn nie rozumie, co mówią. Echo rozpryskiwanej w biegu pod stopami wody. Dalej!

Po wejściu do pokoju Cynthii Bonsant detektywowi Straitenowi od razu rzucają się w oczy otwarte na oścież drzwi szafy, a w niej także szeroko rozwarte drzwiczki niedużego sejfu. Towarzyszący mu technicy natychmiast przystępują do pracy.

Sejf jest pusty. „Być może nic w nim nie było" – zastanawia się Straiten. On sam podczas swoich rzadkich podróży nigdy nie zostawia niczego w hotelowej skrytce. Jeśli ktoś z niej korzysta, to znaczy, że ma za dużo bagażu – taka jest jego dewiza. W szafie leży i wisi trochę ubrań. Łóżko jest zaścielone. Detektyw dzwoni do menedżerki i pyta, kiedy sprzątano pokój Bonsant. „Przed południem, około jedenastej" – brzmi odpowiedź poprzedzona krótką rozmową z personelem. Cynthia Bonsant była jeszcze wtedy w hotelu, jak pokazują nagrania z kamer w holu wejściowym i windzie.

Na niedużym biurku pod oknem stoi otwarty laptop. Straiten wciąga lateksowe rękawiczki i wciska jeden z klawiszy. Komputer jest włączony, domaga się jednak hasła. Niech się nim zajmą specjaliści IT. Muszą sprawdzić też zawartość wszystkich urządzeń Chandera Argawala. O ile uda im się cokolwiek z nich wyciągnąć, bo facet był profesjonalistą i na pewno wiedział, jak się zabezpieczyć przed intruzami.

Stoi skupiony przed pustym sejfem, zastanawiając się, co mogło w nim być. Starannie poukładane i zawieszone ubrania wskazywałyby na osobę lubiącą porządek. Gdyby Bonsant nie korzystała z sejfu, na pewno przymknęłaby drzwiczki, spekuluje, poza tym prawdopodobnie nie zostawiłaby też otwartych drzwi szafy. Wygląda na to, że ktoś w wielkim pośpiechu coś stąd wyjął.

– Dobry wieczór państwu! – moderator z emfazą wita bijącą brawo publiczność. – Pierwotnie chcieliśmy porozmawiać dzisiaj o nowych usługach służących samodoskonaleniu i poprawianiu świata, które stały się przedmiotem gorącej dyskusji po umieszczanych w sieci filmikach grupy aktywistów Zero. W związku jednak z bieżącymi wydarzeniami w Nowym Jorku zmodyfikowaliśmy temat naszego spotkania!

Zamiast tradycyjnej dekoracji towarzyszącej zawsze talk-show za prowadzącym rozciąga się jedynie ogromna ściana wideo, na której tle Carl i inni uczestnicy debaty wyglądają jak krasnoludki. Na dziewięciu segmentach migoczą rozkołysane ujęcia z ulic miasta widziane przez cybernetyczne okulary albo w miarę statyczne, uchwycone okiem kamer monitoringu, a także wiadomości i zdjęcia z portali społecznościowych.

– Miała być dziś z nami brytyjska dziennikarka Cynthia Bonsant, aby rozmawiać o inwigilacji i manipulacji. Tymczasem na oczach nas wszystkich jest właśnie ścigana w naszym mieście! Przygotowaliśmy dla państwa małe podsumowanie tego, co dotychczas się wydarzyło.

Carl z zainteresowaniem patrzy na zawrotnie szybką rekapitulację ogromnej liczby nagrań wideo, kończącą się widokiem hordy ludzi schodzących niczym stonoga za Cynthią

Bonsant do otworu w jezdni oraz ciemnymi, nerwowymi obrazami spod ziemi.

– Panie i panowie! Co najmniej dziesięć procent ludzi na Manhattanie nosi inteligentne okulary. Oznacza to ponad trzysta tysięcy osób! A praktycznie każdy jest właścicielem smartfonu czy zwykłej komórki z kamerą. Wygląda na to, że wcale nie tak mało z tej liczby stanęło w zawody z policją, kto pierwszy znajdzie Cynthię Bonsant!

Na ścianie za nim ukazuje się co najmniej dwadzieścia niedużych okien ze streamingiem z ciemnych kanałów, w których da się dostrzec co najwyżej niewyraźne kontury.

– Pod adresem #nyfugitive tysiące ludzi na całym Manhattanie uczestniczą już w tym pościgu! Używając okularów lub telefonów, wysyłają spod ziemi lub z jej powierzchni swoje zdjęcia czy nagrania prosto do sieci! Wszystkie mogą państwo śledzić na naszej stronie internetowej! Tym samym więc poszerzamy temat dzisiejszej rozmowy o jedno z powszechnych zjawisk współczesności – o kwestię obserwacji. Obserwacji innych lub nas samych! Doktorze Syewell – zwraca się do zaproszonego filozofa, który Carlowi kojarzy się raczej z jakimś raperem – może zechciałby pan zabrać głos jako pierwszy.

– Chętnie, Lyle! Poszedłbym dalej i powiedział zamiast „obserwacja" raczej „kontrola". Istotna jest odpowiedź na pytanie, czy jest ona środkiem do jakiegoś celu, czy samoistnym fenomenem, jak w przypadku hipochondrii czy narcyzmu. Ponieważ dotyczyć może całych kultur, od dłuższego już czasu mówi się o społeczeństwie narcystycznym, ja zaś dodałbym do tego jeszcze określenie „społeczeństwo hipochondryczne", które wierzy między innymi w to, że za pomocą wybujałego aparatu inwigilacji i wywiadu ochroni się przed rzekomo szkodliwymi jednostkami, co oczywiście jest całkowicie…

„Dlaczego niektórzy ludzie muszą koniecznie widzieć wszystko negatywnie? – myśli Carl. – A przecież jest tyle stron pozytywnych! Postęp jest wygodny".

Cyn musi znaleźć wyjście z kanałów. Mijając każdą kratkę kanalizacyjną, wdrapuje się na górę po pordzewiałych uchwytach zamocowanych w betonie, ma jednak zbyt mało siły, aby unieść żelazne kraty, albo po prostu każda z nich jest zamknięta. Załamana schodzi z powrotem na dół i szuka dalej. Ma wrażenie, że upłynęła cała wieczność od momentu, gdy zanurzyła się w trzewia miasta, i chociaż nadaremnie próbowała unieść już dwanaście krat, wspina się także do trzynastej. Przechodnie ponad nią tworzą w rozjaśnionym szybie grę świateł i cieni, choć cieni jest zdecydowanie więcej, ponieważ mnóstwo ludzi porusza się ulicą. Z zelówek migających szybko butów sypie się w jej włosy i oczy pył i piasek. Ale to jej nie powstrzymuje. Zapierając się mocno całym ciałem, usiłuje unieść żelazny właz. Czuje, że ustępuje, gdy nagle mocny i niespodziewany opór sprawia, że niemal traci równowagę i się zsuwa. Nie poddaje się jednak i przesuwa kratę dalej, lecz buty przechodniów wciąż nie pozwalają jej skończyć dzieła. Wściekła wchodzi jeden stopień wyżej i napiera wszystkimi siłami, jakie jeszcze w niej pozostały. Nagle jej głowa wysuwa się ponad otwór, a krata z głośnym łomotem ślizga się po asfalcie. Nie zważając na obce nogi poszturchujące ją w głowę i ramiona ani na stopy następujące jej na palce rąk, szybko podciąga się w górę, siada na skraju otworu i głęboko zaczerpuje powietrze. Ludzie omijają ją, niektórzy obrzucają zdziwionym spojrzeniem, nikt jednak się nie zatrzymuje. Jest na dosyć wąskiej ulicy, widzi sklepy, biurowce, budowy, restauracje, parkingi piętrowe, hotele i teatry. Wyjmuje nogi z szybu i zasuwa kratę z powrotem, aby nikt nie wpadł do dziury.

– Co ona tam robi? – zwraca się jeden z operatorów w Real Time Crime Center do kolegi siedzącego obok.

System analizujący nagrania z kamer monitoringu właśnie wyświetlił na monitorze zarejestrowane przez jedną z nich zdarzenie, zidentyfikowane przez ów system jako odbiegające od normy. W zasięgu tej kamery znajduje się fragment West 49th Street niedaleko Broadwayu.

W oddzielnym oknie operator odtwarza ostatnie trzydzieści sekund przed momentem zasygnalizowanym jako podejrzany. Na pełnym przechodniów chodniku unosi się krata kanalizacyjna, a spod niej wyłania się drobna postać w czapce z daszkiem. Nie ma na sobie ani kombinezonu pracownika kanałów, ani kamizelki odblaskowej robotnika budowlanego.

W głównym oknie osoba ta stoi już wyprostowana. Operator przybliża obraz. Spod czapki widać tylko brodę i usta.

– Czy to nie jest przypadkiem ta angielska dziennikarka, której wszędzie szukamy? – pyta jego sąsiad. Otwiera zdjęcia Cynthii Bonsant sprzed jej zniknięcia pod ziemią. – Ubranie jest brudniejsze, ale poza tym… Założę się, że to ona!

– Poślę tam radiowóz – oznajmia pierwszy operator i łączy się już z radiem.

– Ale ona wcale nie ucieka. Co ona zamierza? Zagaduje ludzi?

Cyn nie wygląda co prawda, jakby wyszła właśnie z eleganckiego butiku, mimo to zwraca się do pierwszej kobiety przechodzącej obok:

– Przepraszam, czy mogłaby mi pani pożyczyć na chwilę komórkę?

Kobieta okrąża ją łukiem i idzie dalej. Cyn dochodzi do wniosku, że musi wymyślić coś innego. Na ulicy niewiele się dzieje, ale na najbliższym skrzyżowaniu kłębią się tłumy przechodniów. Idzie tam. Tablica na rogu informuje ją, gdzie się znajduje: W 49 St/Broadway. Usiłuje przypomnieć sobie plan miasta. Studio NBC powinno być gdzieś niedaleko, nie wie jednak dokładnie gdzie. Próbuje więc spytać.

– Sorry, jestem turystą – brzmi odpowiedź.

Uważnie przygląda się mijanym ludziom, wciąż idąc przed siebie. Na niektórych budynkach wiszą gigantyczne reklamy, dalej z przodu – ogromne monitory. Postanawia zaczepiać teraz wyłącznie osoby w okularach. Licząc na szczęście, ponieważ na pierwszy rzut oka nie potrafi odróżnić zwykłych okularów od inteligentnych. Pięciu czy sześciu zagadniętych mija ją pospiesznie, nie przystając ani nie udzielając odpowiedzi, gdy nagle ktoś od tyłu chwyta ją za prawe ramię.

– Mam ją! – woła.

Cyn odwraca się natychmiast, usiłuje wyrwać się z mocnego uścisku, ale już czyjaś druga dłoń zaciska się na jej lewym ramieniu. Dwaj młodzi mężczyźni w okularach trzymają ją mocno i mówią coś do niej. Albo do siebie. Albo jeszcze do kogoś innego? Cyn słyszy jedynie strzępy nerwowo rzucanych zdań.

– Szanowni państwo, panie i panowie! – Moderator wchodzi w słowo Alvinowi Kosakowi. – Jak sami państwo widzą na naszej ścianie wideo, wydarzenia następują błyskawicznie! Właśnie w tym momencie dwóch przechodniów zidentyfikowało Cynthię Bonsant na Broadwayu niedaleko Times Square!

Mikrofony w okularach mężczyzn przekazują wymianę zdań między nimi a Cyn. W reżyserce technik reguluje dźwięk, aby był odpowiednio głośny.

Carl śledzi pokazywany show z chłodnym opanowaniem.

– Potrzebuję laptopa! – woła Cynthia Bonsant. – Potrzebuję laptopa!

W kadrze pojawia się jej dłoń, a w niej wyraźnie widoczny pendrive.

– Muszę wam pokazać, co na nim jest!

– Pokaże to pani policji – odpowiada jeden z dwóch przechodniów.

– Policji to nie interesuje! – krzyczy Cyn. – Policja myśli, że ja kogoś zamordowałam! A to nieprawda! Tu chodzi o coś więcej! O tysiące śmiertelnych ofiar! O przerażający eksperyment! Wideo na tym pendrivie...

„Tylko nie to!" – jęczy w duchu Carl. Skąd ona ma tę pamięć? Zasłania dłonią mały mikrofon wpięty w klapę i korzystając z okularów, szepcze do Joaquima, z którym jest połączony, podobnie jak z Henrym:

– Myślałem, że zniszczyliście wszystkie kopie. Także te w „Daily".

– Szanowni widzowie! – Głos moderatora zagłusza odpowiedź Joaquima. – Próbujemy połączyć się z jednym z mężczyzn, którzy znaleźli Cynthię Bonsant! Obaj...

„Wygląda na to, że on nic nie rozumie" – myśli Carl. Dlaczego któryś z tamtych facetów ma jeszcze gadać z jakimś tępym gostkiem z telewizji, skoro oni sami nadają online i każdy na świecie, mając dostęp do internetu, może ich widzieć?! Dziesiątki mediów właśnie usiłują w tym momencie się z nimi skontaktować.

– Nie zrozumiałem cię – szepcze Carl, niemal nie poruszając ustami.

– Powiedziałem, że zniszczyliśmy wszystkie kopie Bonsant – powtarza Joaquim.

– Wobec tego co ona trzyma w ręce?

– Ja mam laptop – woła ktoś z wianuszka ludzi, którzy zebrali się dookoła Cyn i jej dwóch opiekunów.

Najpierw widać tylko pokrowiec unoszący się nad głowami gapiów. Potem pokazuje się twarz młodego mężczyzny. Jasne włosy opadają mu na opalone czoło. Jego toporne cybernetyczne okulary pierwszej generacji Cyn rozpoznaje bezbłędnie.

– Proszę! – woła, po czym wyciąga komputer z etui i otwiera klapę.

Cyn z irytacją próbuje wykręcić się z żelaznego uchwytu dwóch facetów, którzy ciągle ją trzymają.

– Puśćcie mnie wreszcie! – fuka na nich. – Rozejrzyjcie się, do cholery! Myślicie, że uda mi się stąd wydostać?

Blondyn zdołał się wreszcie przedrzeć i podaje jej laptop.

– Czy wy filmujecie swoimi okularami? – pyta Cyn samozwańczych opiekunów stojących tuż za nią. – I wysyłacie to gdzieś?

– Na mój kanał na YouTube – odpowiada jeden.

– To dobrze – kwituje Cyn, następnie zwraca się do wszystkich zgromadzonych. – Każdy, kto ma inteligentne okulary, proszę, żeby to nagrywał i też wysyłał do sieci!

Wsuwa pamięć USB do laptopa i podnosi go wyżej, aby przynajmniej część otaczających ją ludzi mogła widzieć monitor i filmować. Zaczyna się przepychanie, aby zapewnić sobie jak najlepsze miejsce.

Wstrzymując oddech, Carl śledzi przekaz ośmiu posiadaczy okularów, którzy akurat zapewnili sobie dobrą widoczność. W innym oknie pojawiają się wciąż nowe wiadomości z portali społecznościowych spod #nyfugitive lub innych hasztagów. Czuje, że wydarzenia zaczynają wymykać się spod kontroli. Ta kobieta może wszystko zniszczyć.

– Joaquim, do jasnej cholery, nie można jej jakoś powstrzymać? – syczy Carl tak, by nikt z obecnych go nie usłyszał, podczas gdy Cyn klika na monitorze laptopa w ikonkę dysku zewnętrznego.

Z głośników rozlegają się liczne „ach" i „och" przemieszane z pojedynczymi krzykami.

– Po co? – pyta Joaquim.

– A teraz?

– Przecież tu nic nie ma!

– Co to ma być?

Reżyser talk-show przełącza na ujęcie z okularów osób stojących z przodu i mających inną perspektywę. Jedna z nich pokazuje zbliżenie osłupiałej twarzy Cyn. Jej usta otwierają się i zamykają jak u ryby.

Po chwili zwraca się do właściciela laptopa.

– Tu nic nie ma. Czy to możliwe? Może coś nie łączy?

Chłopak pochyla się nad komputerem i kręci głową.

– Nie, wszystko jest w porządku. Pendrive jest pusty.

– Teraz mnie rozumiesz? – Carl słyszy głos Joaquima.

W Real Time Crime Center operator obserwuje, jak Cynthia Bonsant wyjmuje pamięć USB i po raz drugi wtyka do komputera.

– Utrudnienia w ruchu w drodze na miejsce operacji – informuje przez radio jeden z funkcjonariuszy. – Co się tam dzieje?

Operator sprawdza trasę i na podstawie zdjęć z kamer stwierdza, że wszystkie ulice w okolicy zaczynają się blokować, ponieważ na niektórych skrzyżowaniach wysiadła sygnalizacja.

– Co się tam dzieje? – przekazuje pytanie do swojego sąsiada.

– Jeszcze nie wiemy – odpowiada. – Coś dziwnego zrobiło się z sygnalizacją.

– Najpierw kamery w metrze, teraz to. Zawsze wtedy, kiedy chodzi o tę Angielkę. To nie może być przypadek!

– Zajmę się tym – mówi sąsiad.

– Nadal nie zauważono broni – przekazuje tymczasem kolegom z radiowozu. – Podejrzanej pilnuje dwóch obywateli, poza tym otacza ją chyba z pięćdziesiąt osób. Wszyscy zidentyfikowani. Żaden nierejestrowany. Korki na wszystkich sąsiednich ulicach. Musicie dostać się tam na piechotę.

Słyszy siarczyste przekleństwo, a potem tylko jedno słowo: „Zrozumiano".

Operator siedzi na swoim miejscu z krótkimi przerwami już od sześciu godzin. Głowa mu ciąży, opiera ją więc na rękach opartych łokciami o biurko, gdy patrzy na wielką ścianę z monitorami. Bonsant i blondyn jeszcze raz kręcą głowami, co oznacza, że na pendrivie nic nie jest zapisane.

– Wystarczy – oznajmia jeden z jej cerberów. – Już miała pani swoje pięć minut!

– Okej! – woła Cyn. – Posłuchajcie mnie! Słyszycie? Filmujecie dalej? Muszę wam coś opowiedzieć!

– A ty mnie teraz rozumiesz? – mówi Carl do Joaquima, znowu starannie zakrywając mikrofon w klapie, podczas gdy Cyn opowiada o wideo Edwarda Brickle'a i o sporządzonych przez niego statystykach śmiertelności.

– Ktoś musi ją powstrzymać! – odzywa się Henry, który do tej pory nie powiedział ani słowa.

– Niby jak? – pyta Joaquim. – Mam w całym kraju wyłączyć prąd?

Widzą, że Cyn przerywa na krótko i zaskoczona patrzy na ogromne ekrany reklamowe w sąsiedztwie, na których widać wideo Eddiego. Gorączkowo macha rękami w tamtą stronę i mówi dalej, a spojrzenia zgromadzonych wokół niej widzów przenoszą się raz na nią, raz na gigantyczne monitory.

– Rany boskie – syczy Henry. – Skąd to się tam wzięło?

W tym samym momencie w dole obrazu pokazuje się tekst stanowiący odpowiedź: „Zero prezentuje: Edward Brickle, wideo odnalezione przez Cynthię Bonsant".

Carl przestaje słuchać. Z jedenastu różnych perspektyw widzi poruszające się usta Cyn, a w tle filmik tamtego chłopaka sygnowany przez Zero. Wokół kłębią się słuchacze. Poszczególne pojęcia, które docierają do jego świadomości, potwierdzają najgorsze obawy. Ona mówi nie tylko o odkryciach Eddiego. Najwyraźniej Will musiał jej opowiedzieć o eksperymencie. Co prawda podczas swojej prezentacji dla kolegów z zarządu specjalnie nie zdradził wielu detali, aby nie było możliwe zrekonstruowanie doświadczeń, zdaje jednak sobie sprawę, że słowa Bonsant spowodują, iż dziennikarze, władze i w końcu prokuratura nie spoczną, dopóki Freemee nie ujawni im wszystkiego. A nawet gdyby nie można ich było do tego zmusić, to i tak będą na przegranej pozycji, ponieważ zatajenie przez nich informacji słusznie odebrane zostanie przez opinię publiczną jako podejrzane. Nie mówiąc już o radości konkurentów. Poza tym duzi gracze na rynku gromadzenia danych byliby w stanie za pomocą swoich banków danych odkryć szczegóły rzucające światło na ten lub inny aspekt eksperymentu. Teraz nawet NBC puszcza wideo Eddiego Brickle'a z jego oryginalnym głosem. Skądkolwiek je mają. Prawdopodobnie Zero wysyła je wszędzie, na cały świat.

Mimo wszystko jednak Carl zauważa, że opadają w nim emocje i powraca chłodna kalkulacja. To zawsze była jego mocna strona. Jedna z większych.

– Okej – mówi jak najdyskretniej do Joaquima i Henry'ego. – Mleko się rozlało. Widzę dwie możliwości. Przede wszystkim podkopiemy wiarygodność Bonsant i Brickle'a i wszystkiego się wyprzemy.

– Musimy zrobić więcej niż tylko podkopać ich wiarygodność – wtrąca Joaquim. – Chyba znasz to stare porzekadło: ludzie kochają zdradę, ale nienawidzą zdrajców. Musimy podać
w wątpliwość ich osobowości, ich motywy i uczciwość. Tak jak
rząd i sprzymierzeńcy zrobili z Edwardem Snowdenem. Ataku-
jąc jego motywy i potępiając ucieczkę do Chin, szukanie azylu
w Rosji i kilka niezręcznych wypowiedzi, udało się im przewartościować także jego inne działania i ukazać jako zdradę.
To doskonale zadziałało.

– Przewartościować? Myślałem, że ty robisz z tym rządem
miliardowe interesy – wtrąca Carl.

Próbuje ułożyć usta w wyniosły uśmiech, bo wszystkie kamery w tym przeklętym studiu są zwrócone teraz na niego.
Szeptem cedzi przez zęby słowa odbierane tylko przez okulary.

– Posłuchaj! – namawia go Joaquim. – Taki atak na pewno odniósłby skutek! Tam, na ulicy, słychać już buczenie
i gwizdy.

Carl koncentruje się przez chwilę na transmisji.

– To jakaś bzdura!

– Ona kłamie!

– Codziennie korzystam z Freemee! I jest super!

– Jak widać, na miejscu jest paru użytkowników Freemee –
stwierdza Joaquim.

– Dajcie jej powiedzieć do końca! – nawołuje ktoś inny.

– Tak, dajcie jej mówić!

– Wspomniałeś o dwóch możliwościach – odzywa się Henry.

– Druga to ofensywa – odpowiada Carl kącikiem ust. –
Wszystko potwierdzimy. Używając odpowiednich słów. Ludzie
kochają Freemee za to, co dają im ActApps i kryształowa kula.
Musimy im tylko przypomnieć korzyści, jakie płyną z tego dla
ich życia. I znowu odwołanie do różnych historii z ostatnich

lat dotyczących inwigilacji i zbierania danych. Ostatecznie dla każdego człowieka ważniejsze są wygoda i bezpieczeństwo niż wolność i niezależność. Bo i tak nie wie, jak je spożytkować.

– Zrobimy i jedno, i drugie – mówi Henry. – Zdezawuujemy Bonsant jako człowieka i jednocześnie podkreślimy zalety Freemee.

– Ale tych śmiertelnych przypadków nie wolno nam potwierdzić – wtrąca Joaquim. – Bo wtedy niektórzy z nas trafią za kratki.

– Nie musimy potwierdzać – oponuje Henry. – Wystarczy im tylko nie zaprzeczać. Freemee i tak nie da się przecież nic udowodnić, bo to nie Freemee był bezpośrednią przyczyną tych śmierci. A jeśli nawet był! – Wybucha śmiechem. – Widziałeś kiedyś, żeby prezes koncernu tytoniowego, firmy zbrojeniowej czy banku poszedł siedzieć? Po papierosa, pistolet czy niespłacalny kredyt klienci sięgają zawsze z własnej woli. Z Freemee jest tak samo.

– Dajcie spokój takim porównaniom! – oburza się Carl.

– Nie denerwuj się! – uspokaja go Henry. – Z całej tej sprawy wynika jeszcze jedna korzyść: Erben Pennicott będzie mógł nas pocałować gdzieś. Kiedy wszystko zostanie ujawnione, nie będzie miał już na nas żadnego środka nacisku.

– Dopiero teraz włączyłem – mówi Erben do Jona.

– Ta Bonsant otworzyła puszkę Pandory. W końcu rozumiem, skąd twoje zainteresowanie Freemee.

– To już przeszłość. Nie sądzę, by Freemee to przetrwało. Konkurenci będą się cieszyć ze zniszczenia lidera rynku. Wtedy nawiążemy kontakt z nimi.

– Wycofaliśmy naszych ludzi – informuje go Jon. – Ale musimy ich jeszcze nauczyć, jak mają się prawidłowo zachowywać w takich warunkach. Już choćby w momencie, kiedy próbowali odbić Bonsant policji, byli obserwowani przez jedenaście kamer i zostali nagrani przez siedmiu przechodniów za pomocą okularów.

– Czyli jej próba ucieczki jest solidnie udokumentowana. To prawie jak przyznanie się do winy. Tylko głupio, że im zwiała. Ale tak czy inaczej ją mamy.

– Każdy, kto ogląda to teraz albo zobaczy później, powinien zażądać wyjaśnień od Freemee! – mówi Cyn prosto do minikamer swoich słuchaczy. – Albo powinien spróbować ustalić fakty, tak jak zrobił to Eddie Brickle!

– Wystarczy już, proszę pani! – wrzeszczy jeden z policjantów przedzierający się razem z partnerem przez tłum. – Przejście! Proszę nas przepuścić!

Na ich widok Cyn próbuje wyrwać się swoim cerberom, którzy znowu mocno ją trzymają.

– Fakty przerażające, takie jak ten, że Eddie wcale nie zginął w wypadku! – krzyczy.

– Blagierka! – słyszy wśród zgromadzonych, ale ignoruje to.

Funkcjonariusze są już przy niej. Zostały jej jeszcze tylko sekundy.

– Podobnie jak być może nawet członek zarządu do spraw statystyki we Freemee, który kilka miesięcy temu zginął rzekomo w wypadku samochodowym!

Gdy wykrzykuje te słowa, policjanci oświadczają jej, że jest zatrzymana, i wyręczają obu mężczyzn, chwytając ją za ramiona.

– Albo Chander Argawal, którego podobno zabiłam! – woła jeszcze głośniej. – Kiedy go ostatni raz widziałam, jeszcze żył!

Gdy jeden z mundurowych cofa jej ręce do tyłu i spina kajdankami, w tłumie ktoś krzyczy:

– To oszczerstwa!

Cyn nie daje za wygraną.

– Sprawdźcie! Poszukajcie! – apeluje, wykręcając szyję w stronę zgromadzenia, podczas gdy policjanci ciągną ją między sobą.

Wciąż otacza ich rój ludzi, którzy idą razem z nimi. Ponad ich głowami nadal widoczna jest powiększona do gigantycznych rozmiarów twarz Eddiego. Jego usta się poruszają.

– Niech pani się zamknie! – warczy do niej jeden z policjantów.

„Ani mi się śni".

– Odkrył to osiemnastolatek! To i wy możecie!

Doszli do najbliższego skrzyżowania. Radiowóz tkwi w korku w morzu taksówek. Kiedy policjanci wciskają jej głowę do samochodu, ona wysuwa ją jeszcze i ostatni raz zwraca się do swoich słuchaczy:

– Razem znajdziecie jeszcze więcej! Znajdziecie wszystko!

Policjant wpycha ją w końcu do środka i zatrzaskuje drzwi. Przez krótką chwilę w aucie jest cicho. Gdy policjanci zajmują miejsca z przodu, jeszcze raz dobiega gwar głosów jej publiczności, zgiełk miasta. Potem rozlega się ryk syren na dachu.

W drodze powrotnej na komendę detektyw Straiten dowiaduje się, że jest już gotowa analiza wszystkich wskaźników z opaski sensorycznej, a także z okularów i smartfonu zarówno Bonsant, jak i Argawala.

– Szybko poszło – stwierdza.

– Koledzy mówią, że gdy okulary Hindusa zostały zniszczone, jej urządzenia znajdowały się w pobliżu. Ale są w stanie zlokalizować to miejsce z dokładnością tylko do trzech metrów. Czyli niezbyt precyzyjnie.

– Co znaczy „w pobliżu"? Wystarczająco blisko?

– Podobny brak precyzji dotyczy też urządzeń ofiary. Czyli w sumie chodzi o kilka metrów.

– Nie znęcaj się nade mną! Czy te okręgi o promieniu trzech metrów przecinają się w momencie, kiedy okulary Argawala się roztrzaskały, czy nie?

– I tak, i nie.

– Przestań już! Fakty!

– Pytałeś o okręgi. Patrząc z góry, przecinają się. Zgodnie z dotychczasowymi ustaleniami Bonsant wyszła stamtąd po schodach przeciwpożarowych. Jej współrzędne pozostały mniej lub bardziej niezmienione.

– Ale…

– …wysokość się zmieniła. Wygląda na to, że była oddalona o od czterech do ośmiu metrów od Hindusa, kiedy jego okulary wyzionęły ducha.

Co jeszcze nic nie znaczy. Być może on przekręcił się dopiero po paru sekundach, a okulary wydały ostatnie tchnienie jeszcze później. Gdy ona znalazła się już na schodach.

– Lekarze mówią, że uderzenie było bardzo silne. Musiał skonać od razu.

– Czy to znaczy, że powinniśmy szukać kogoś innego?

– W swoim przedstawieniu na ulicy twierdziła, że uciekła z pokoju Argawala przed kilkoma mężczyznami. Widziałeś ten jej show na Times Square?

– Częściowo?

– I co o tym myślisz?

– Nie mam pojęcia. Brzmi trochę absurdalnie. Chociaż gdyby mi ktoś trzy lata temu powiedział, że będziemy rozmawiać ze sobą przez okulary, też bym go uznał za wariata.

– Drodzy widzowie, nasz program za kilka minut powinien dobiec końca! – woła moderator, który już od dawna nie siedzi na swoim miejscu. – W obliczu wydarzeń rozgrywających się w Nowym Jorku nadawca postanowił jednak kontynuować relację! Za chwilę dołączy do nas z redakcji informacyjnej prezenterka wiadomości Tyria LeBon! A realizator pokazuje nam właśnie analizę streamingu wideo umieszczoną na blogu Trevora Demsicha! Trevor jest specjalistą IT z Santa Fe i przeprowadził analizę nagrań z kamer monitoringu i z okularów inteligentnych przesyłanych dziś po południu na żywo do sieci, korzystając z automatycznego programu rozpoznawania ciała i ubrania. – Przykłada dłoń do ucha, aby lepiej zrozumieć reżyserkę w słuchawce. – Jak słyszę, Trevor dokonał przy tym ciekawego odkrycia! Bezpośrednio po rzekomym napadzie na Chandera Argawala podejrzana Cynthia Bonsant opuszcza hotel Bedley. W kolejnych minutach wychodzą z niego także inne osoby. Wśród nich ten człowiek.

Na ścianie z monitorami widać w czerwonym kółku mężczyznę w garniturze w okularach przeciwsłonecznych.

– A tuż za nim ten.

Kolejnym czerwonym kółkiem otoczony jest korpulentny mężczyzna w krótkich spodniach, hawajskiej koszuli, a także w jasnym słomkowym kapeluszu i ciemnych okularach.

– Trevor wybrał te ujęcia z kamer, które dokumentują niemal całą drogę Bonsant aż do jej zniknięcia w kanałach. Jak widzimy, niedaleko za nią przez cały czas widoczny jest jeden z tych dwóch panów! Proszę popatrzeć! Na całej trasie! Przypadek? Trevor jest przekonany, że obaj specjalnie idą za nią od samego hotelu! Kim oni są? Świadkami? Wobec tego dlaczego nie zgłosili się do tej pory na policję? Dlaczego nie zawiadomili jej natychmiast, jeżeli uznali, że jest powód, aby śledzić

Bonsant? Jak to możliwe, że przez cały czas podążali za nią, mimo że wielokrotnie tracili ją z oczu?

– Ten Demsich może mieć rację – potwierdza operator w centrali policji. – Porównaliśmy jego zdjęcia z nagraniami z hotelu. Kamery w lobby uchwyciły tych dwóch gości. Pojawili się tam mniej więcej dwadzieścia minut przed zajściem w towarzystwie trzech innych.

Przesyła Straitenowi odpowiednie ujęcia na okulary. Typ w hawajskiej koszuli, trzech w garniturach, jeden w dżinsach. Wszyscy w ciemnych okularach, dwaj w kapeluszu, jeden w bejsbolówce. Ten w kapeluszu podchodzi do recepcjonistki, a kiedy z nią rozmawia, na chwilę podnosi okulary na czoło.

– Błąd! – woła operator.

– Przepuściłeś go przez rozpoznawanie twarzy?

– Tak jest. Pracuje dla niewielkiej firmy ochroniarskiej. Spółka córka dużo większej, EmerSecu.

– Te g o EmerSecu? Wartego miliardy partnera rządu, z kontraktami w Iraku i Bóg wie gdzie?

– Główny właściciel Henry Emerald ma udziały we Freemee.

– We Freemee, który Bonsant tak gromiła w swoim kazaniu ulicznym?

– Tak, w tym.

Straiten gwiżdże po cichu przez zęby.

Na komendzie Cyn musi najpierw czekać. Ręce ma wciąż skute na plecach, bolą ją już ramiona.

Po kwadransie zbliża się do niej jakiś mężczyzna, którego przodkowie musieli pochodzić chyba ze wszystkich kontynentów, ubrany w dżinsy, koszulę i wymiętą marynarkę.

Przedstawia się jako detektyw Straiten, zdejmuje jej kajdanki i prowadzi do pokoju przesłuchań.

– Proszę mi teraz opowiedzieć, co się stało – prosi łagodnym tonem.

Gołe ściany wywołują słabe echo.

– Od czego mam zacząć?

– Najpierw od dzisiejszego południa w hotelu, kiedy wróciła pani z Chanderem Argawalem z Freemee.

– Czy to prawda, że on nie żyje? – pyta Cyn.

Nie do końca wie, co w tym momencie czuje. Na wspomnieniu kilku pięknych razem spędzonych godzin głębokim cieniem położyło się odkrycie jego nielojalności.

Straiten patrzy na nią uważnie. Następnie mówi:

– Tak, to prawda.

– To nie ja go zabiłam.

– Proszę opowiedzieć, co się stało.

– Za moment realizator pokaże nam nowe wideo – oznajmia moderator. – Jak się zdaje, pochodzi ono znowu od Zero.

Na monitorze Martena ukazuje się wizerunek prezydenta i przekształca w postać szefa sztabu.

– Akcja w Dniu Prezydentów była tylko przygrywką – mówi Zero. – Oczywiście przyglądamy się nie tylko prezydentowi, lecz także jego ludziom. Na przykład jego szefowi sztabu Erbenowi Pennicottowi, który tak bohatersko polował na nasze słodkie małe drony.

Ilustrująca jego słowa scena płynnie przechodzi w widok ciemnego hotelowego lobby, przez które kroczy Erben Pennicott.

– Wczoraj wieczorem gościowi pewnego nowojorskiego hotelu wszedł na kilka sekund w zasięg soczewek. Ów zaś nie miał oczywiście nic lepszego do roboty i zamieścił krótkie wideo na Facebooku.

„Za to, że to nagranie w ogóle powstało, nie mówiąc już o tym, że ukazało się na Facebooku, Pennicott urwie paru swoim ludziom głowy" – przemyka przez myśl Martenowi. Co prawda to nie jego działka, ale od czasu wystąpienia Cynthii Bonsant na Times Square Marten odnosi wrażenie, że wkrótce znowu zacznie polowanie na Zero. Dzwoni więc od razu do swoich informatyków, żeby natychmiast przeanalizowali nowy filmik.

– W tym samym hotelu – kontynuuje tymczasem Zero – na czterdziestym piętrze nieco później widziany był w oknie przez kamerę umieszczoną na tarasie przeciwległego budynku prezes zarządu Freemee Carl Montik. Ta kamera wysyła automatycznie wszystko, co nagrywa, do internetu. Czyż w głębi apartamentu nie znajdują się przypadkiem Erben Pennicott i Henry Emerald? Dla aplikacji rozpoznawania twarzy ujęcia są za mało ostre, podobieństwo wydaje się jednak uderzające, nie uważacie? Co ważnego mają ci trzej do omówienia w wieczór poprzedzający dzień, w którym Cynthia Bonsant podniesie ciężkie zarzuty przeciw Freemee i ma być aresztowana przez FBI z powodu podejrzenia o działalność terrorystyczną? No cóż, panie Erbenie Pennicotcie, tym razem nie może pan naszym kamerom nawet powyrywać nóżek! Bo one nie są nasze.

Jako śmiejący się do rozpuku szef sztabu Zero znika z ekranu, wypowiadając na koniec swój tradycyjny komentarz: „Uważam, że ośmiornice karmiące się danymi osobowymi powinny zostać zniszczone".

– Przynajmniej tym razem nie popełnili błędu w metadanych – informuje go informatyk przez telefon. – A jeśli chodzi o wideo, na pierwszy rzut oka niczego nie widzę.

„Pennicott dostanie białej gorączki" – myśli Marten, czując jednocześnie dziwną satysfakcję.

– To by się zgadzało z naszymi ustaleniami – stwierdza detektyw Straiten, gdy Cynthia Bonsant skończyła relację.

Przesuwa jej przez stół laptop z widokiem z kamery na monitorze. Cyn poznaje hol hotelu. Przy ladzie recepcji stoi mężczyzna w kapeluszu i ciemnych okularach podniesionych na czoło i rozmawia z recepcjonistką.

– Zna go pani? – pyta detektyw.

Cyn uważnie przygląda się twarzy. Na chwilę rozprasza ją kobieta w źle dopasowanym kostiumie, która wchodzi do pokoju i szepcze coś Straitenowi do ucha, na co on tylko kiwa głową, a ona zaraz znika.

Detektyw rzuca pytające spojrzenie.

– Nie – mówi Cyn. – Ale znam ten kapelusz. Jeden z mężczyzn, którzy wtargnęli do pokoju Chandera, miał taki. Albo podobny.

– Proszę pójść za mną – wydaje polecenie i wstaje z krzesła.

Cyn się waha. On stoi już przy drzwiach z ręką na klamce.

– No już. Chcę coś pani pokazać.

Wprowadza ją do gabinetu z dwoma zawalonymi biurkami stojącymi naprzeciw siebie. Przy tym po lewej siedzi kobieta, która przed chwilą szeptała mu coś do ucha, i wpatruje się w monitor swojego komputera. Straiten popycha Cyn za nią i sam staje tuż obok. Ręce wkłada do kieszeni spodni, jakby chciał w ten sposób zasygnalizować, że raczej nie zamierza ich użyć w razie wysoce nieprawdopodobnej próby ucieczki angielskiej dziennikarki.

Cyn potrzebuje kilku sekund, aby rozeznać się w tym, co widzi na ekranie. W różnych oknach przeglądarki lecą różne treści. Najbardziej rzuca się jej w oczy streaming pewnego talk-show. Poznaje Kosaka i Washington. Ona też tam miała siedzieć.

– ...okazuje się, że mamy jeszcze więcej widzów, niż sądziliśmy! – wykrzykuje prowadzący.

„Zarozumiały dupek" – myśli Cyn. Ludzie śledzą wydarzenia przez inne media, począwszy od Twittera po stronę „Daily". Ponieważ jego program przejmuje doniesienia, wydaje mu się, że wszyscy oglądają telewizję.

– Bezpośrednio po aresztowaniu Cynthii Bonsant masa widzów na całym świecie przystąpiła do szukania poszlak, aby sprawdzić, czy jej zarzuty są uzasadnione. Byli wśród nich także pracownicy największych firm gromadzących dane. Te firmy wiedzą w gruncie rzeczy absolutnie wszystko o nas! Również to, jak, kiedy i na co umarli ci, których nie ma już między nami. Wystarczyło im niecałe pół godziny, aby nie tylko znaleźć dowody na konkretne hipotezy Cynthii Bonsant dotyczące intensywnego wzrostu liczby zgonów z przyczyn nienaturalnych wśród użytkowników Freemee w USA i Japonii, lecz także odkryć inne tego rodzaju przypadki! Proszę popatrzeć!

Na ścianie z monitorami realizator pokazuje pokryte kolorowymi plamami mapy krajów, diagramy kołowe i wykresy słupkowe.

– Zaledwie kilka minut później spontanicznie utworzony międzynarodowy zespół badawczy specjalistów IT opublikował podobne dane!

– Mam wrażenie, że to pani rzuciła ten kamyczek, który wywołał lawinę – mówi detektyw Straiten.

Kilka dni później

Ostatnie promienie słońca przedzierają się przez korony drzew na skraju łąki, zmuszając Cyn do ciągłego przymykania oczu. Upaja się ciepłymi muśnięciami na swojej twarzy. Kamienny mur za jej plecami dodatkowo jeszcze promieniuje nagromadzonym ciepłem popołudnia. Po nogach pełza już jednak chłodne powietrze znad ziemi. W oddali na łące beczy jakaś owca. Dołączają do niej dwie inne. Pozostałe z opuszczonymi głowami przeżuwają dalej. Potem znowu zalega cisza.

– Proszę.

Vi stawia przed Cyn drinka na surowym drewnianym stole. Sobie też przyniosła i siada obok na ławce. Obie popijają i wsłuchują się w cykanie świerszczy.

– Znowu było siedem telefonów i przyszło ze sto e-maili – mówi Vi.

Cyn nic nie odpowiada. Z opuszczonymi powiekami czeka jeszcze na jeden promień słońca. Ale chłód ogarnia ją już coraz wyżej, sięga szyi i twarzy. Znajomi znajomych udostępnili jej ten samotny domek w Lake District. Otwiera oczy, patrzy na Vi, która ma na nosie nowe inteligentne okulary.

– Nie ma mnie dla nikogo – mówi w końcu. – Przecież wiesz.

– Wiem, wiem – wzdycha córka.

„Przynajmniej nie nosi już smartwatcha". Cyn zwróciła na to uwagę zaraz po powrocie do Londynu.

– Przez komórkę na kartę i sieć nie da się tu nas zlokalizować. A ja w internecie korzystam z programów anonimizujących albo wchodzę przez Mesh. Odciski palców w przeglądarce prawie usunęłam i tak dalej.

– Mesh? – powtarza Cyn pytająco.

– Ogólnie dostępna sieć radiowa. Coś w rodzaju paralelnego internetu na bazie WLAN-u. Istnieje w tej okolicy. To są takie prywatne lokalne inicjatywy spotykane głównie w regionach zbyt odległych dla znanych spółek telekomunikacyjnych. Często nie są infiltrowane przez służby albo firmy komercyjne.

„Skąd znowu ona to wszystko wie?" – dziwi się Cyn.

– Nie myśl jednak, że nikt cię tu nie znajdzie, jeśli naprawdę będzie mu zależało – ciągnie Vi. – Wtedy nie pomoże ani Mesh, ani on.

Wskazuje głową na starego vauxhalla obok domu, którym tu przyjechały. Pojazd pamiętający czasy, kiedy za kółkiem siedział kierowca, a pasażer obok z mapą na kolanach wskazywał drogę. Z którego ani GPS nie wysyłał na bieżąco współrzędnych lokalizacji, ani komputer pokładowy czy poszczególne części, jak hamulce, osie czy reflektory, nie informowały producentów o swoim stanie. Również samochód należy do przyjaciół.

Cyn musiała zostać w Nowym Jorku jeszcze dwa dni, zanim policja pozwoliła jej wyjechać. Gdyby chciała udzielić wszystkich wywiadów, o jakie ją proszono, i odbyć wszystkie sesje zdjęciowe i nagrania, musiałaby siedzieć tam dodatkowo co najmniej tydzień. Jej jednak bardzo zależało na tym, aby być na pogrzebie Eddiego. Śledczy szukali od tamtej pory mężczyzn zauważonych na nagraniach z kamer monitoringu. Cofając się w czasie, udało się odtworzyć po kolei miejsca pobytu wszystkich na kilka dni przed wydarzeniami. Każdy z nich bowiem pozostawił tu czy tam wskazówki umożliwiające stwierdzenie ich tożsamości, na przykład pokazał twarz, wsiadł do samochodu o dających się zidentyfikować numerach albo dotykał przedmiotów, z których policja mogła zdjąć odciski palców. Dwóch już złapano. Trzech jeszcze się ukrywa. Policja badała koneksje między EmerSekiem a małą firmą ochroniarską. Henry Emerald zaprzeczał jakiemukolwiek związkowi Emer-Secu z wydarzeniami wokół Freemee. Podobnie nie chciał mieć z nimi nic wspólnego Erben Pennicott. Od czasu wyczynu Cyn opinia publiczna jednak wyraźnie się uaktywniła, ponadto także media i opozycja polityczna nie dawały im spokoju.

– Freemee wciąż traci użytkowników – informuje Vi. – Ma ich już o jedną czwartą mniej. Nic dziwnego, wszyscy nazywają to teraz Czarnobylem Big Data, tak jak napisałaś wtedy w swoim artykule.

Carl Montik potwierdził eksperymenty, nie podając oczywiście wszystkich detali ani ich dokładnego zakresu. I wciąż neguje jakikolwiek związek z trzema tysiącami przypadków śmiertelnych.

– Co byś zrobiła, gdybyś się dowiedziała, że byłaś jednym z króliczków doświadczalnych Freemee? – pyta Cyn.

Vi milczy przez chwilę, po czym odpowiada:

– Nie mam pojęcia.

– A chciałabyś w ogóle się dowiedzieć?

– Cała ta historia wystarczająco dała mi w kość – mówi. – Ale gotką już nie zostanę – dodaje.

– To kim?

– Mamo, nie wiem, który już raz gadamy o tym od twojego powrotu. Freemee tak czy inaczej należy do przeszłości. Prokuratury w wielu krajach wdrożyły postępowanie. Mama Adama i inni wnieśli oskarżenia.

– Możliwe, ale po jakimś czasie pojawią się nowe firmy.

– Na przykład Will Dekkert – kontynuuje Vi – z kilkoma swoimi kolegami, którzy odwrócili się od Freemee, zapowiada stworzenie podobnego systemu przetwarzania danych opartego na bazie otwartego oprogramowania. Każdy miałby w nim dostęp do kodu źródłowego.

– Wiem, opowiadał mi o tym przed moim odlotem. Jego zdaniem nie ma już odwrotu od świata komercyjnego gromadzenia i przetwarzania danych. Ale może przynajmniej wszyscy będą się trzymać reguł, wedle których zorganizowane będzie w przyszłości społeczeństwo.

– Teoretycznie… w praktyce może to wyglądać trochę inaczej.

– Jednak istnieje przynajmniej szansa publicznej kontroli…

– Will napisał kilka e-maili. Próbuje cię namówić do udziału w tym projekcie.

– Nie wiem, czy chcę takiego społeczeństwa poddawanego totalnej wiwisekcji. Tego odsłaniania wszelkich relacji i związków w czasie rzeczywistym, świata bez tajemnic i niespodzianek. Świata, w którym wszystko i każdy jest na sprzedaż.

– Ale przecież on już od dawna istnieje, mamo. Pytanie polega tylko na tym, kto ma w to wszystko wgląd i z tego korzysta: służby specjalne i kilka tajemniczych koncernów światowych czy każdy z nas.

– Na razie jestem tutaj.

– Masz rację. Możesz wybierać z wielu propozycji. Napisałaś już do Anthony'ego, że odchodzisz?

– Jeszcze z Nowego Jorku. Najwyższy czas – mówi z uśmiechem.

– Zero wstawił nowe wideo. Chcesz zobaczyć?

– Nie, dzięki. Upajam się spokojem.

W wierzchołkach drzew szumi lekki wiatr. Wieczorne niebo za zielonymi koronami staje się tym jaśniejsze, im wyżej Cyn podnosi wzrok. Wysoko nad sobą odkrywa migotanie pierwszej gwiazdy. A może to satelita, który patrzy na nią z góry?

ArchieT:
Scenariusz wygląda tak: za dwadzieścia lat większość ludzi zostanie przeanalizowana na wylot i pozwoli, aby odpowiednie programy pomagały im we wszystkich aspektach życia.

Submarine:
Masz na myśli to, że programy będą lepiej wiedziały ode mnie, do jakiej pracy się nadaję, jakiego powinienem mieć partnera czy jaki uprawiać sport, co powinienem jeść i jakie robić interesy? I niewidzialną ręką będą sterować mną w danym kierunku?

ArchieT:
A Ty mimo wszystko wciąż będziesz wierzył, że decyzje algorytmów są Twoimi własnymi.

Puchacz:
A kto będzie zarządzał programami?

Teldif:
Nikt. A przynajmniej już nie człowiek. Bo te programy już od dawna są zbyt skomplikowane, by mógł je ktokolwiek przejrzeć na wskroś.

Snowman:
Czyli w przyszłości programy wyręczą nas w podejmowaniu decyzji. A to przecież znaczy, że zbędni staną się ci, którzy w naszym dzisiejszym społeczeństwie mają kompetencje do ich podejmowania: politycy, menedżerowie…

Peekaboo777:
Przestań! Bo ten scenariusz zaczyna mi się podobać!

Posłowie i podziękowania

Niezliczone źródła na opisany temat można znaleźć w sieci i książkach popularnonaukowych. Wiele ze stosowanych dziś technologii opisywano w powieściach utopijnych z minionych lat i sprzed dziesięcioleci – tymczasem owe utopie stały się rzeczywistością. Książka przedstawia potencjalny scenariusz przyszłości. Prawdopodobnie programy doradcze (ActApps) nie będą wszystkie pochodzić z jednego źródła jak w *Zero*, a ManRank będzie nazywał się inaczej.

A może wszystko potoczy się zupełnie odmiennie? Jak to bywa z przepowiedniami, gdy już się je pozna…

Każdemu, kto twierdzi, że nigdy nie sięgnie po takie technologie, chętnie przypomnę, że przypuszczalnie mówił też „nie", gdy pojawiły się pierwsze komputery, telefony komórkowe, internet i inne nowinki, które dziś są oczywistym elementem naszej codzienności.

Dziękuję wszystkim, którzy wspomagali mnie informacjami i wskazówkami przy pisaniu tej książki, w szczególności Philippowi Schaumannowi, Christianowi Reiserowi i profesorowi Nikolausowi Forgó.

Jak wspomniałem już na początku, jest to powieść. Z tego też powodu uprościłem lub nagiąłem fakty tam, gdzie wydawało się to korzystne ze względów dramaturgicznych. Oczywiście dziękuję powtórnie zespołowi wydawnictwa Blanvalet i mojemu agentowi. Swojej żonie nie odwdzięczę się chyba nigdy za okazaną mi cierpliwość i miłość. I rzecz jasna, dziękuję również Państwu, droga Czytelniczko, drogi Czytelniku, za zainteresowanie i poświęcenie swojego cennego czasu!

Marc Elsberg
luty 2014

Mimo wszelkich przedstawionych zagrożeń i działań ubocznych szklanego świata miło mi będzie spotkać się z Państwem także online:
www.marcelsberg.com

Słowniczek

Poniższy słowniczek zawiera dowolny wybór pojęć. Jeżeli jakiegoś w nim brakuje, proszę sprawdzić w internecie. Który po to jest. Między innymi.

Analiza predyktywna – usiłuje za pomocą analizy przeszłych wydarzeń i modeli działania przewidzieć przyszłe; dzięki nowoczesnemu software'owi często stawia trafne prognozy; stosowana już przez niemal wszystkie branże, począwszy od sektora wojskowego, finansowego i ubezpieczeniowego, przez medycynę i przepowiadanie pogody, po marketing.

Anonymous (Anonimowi) – szyld, pod jakim aktywiści internetowi i hakerzy – zespołowo i indywidualnie – organizują akcje nazywane przez nich operacjami. Ze względu na strukturę grupy nie jest możliwe jednoznaczne ustalenie, czy różne komunikaty, informacje i działania rzeczywiście można przypisać Anonymous.

Arpanet (Advanced Research Projects Agency Network) – pierwsza rozległa sieć powstała z inicjatywy Departamentu Obrony USA, która w późniejszych latach objęła także niektóre amerykańskie uczelnie wyższe i placówki badawcze; poprzednik internetu.

Beale Howard – fikcyjna postać szalonego i krytycznego komentatora telewizyjnego z nagrodzonego czterema Oscarami filmu *Sieć* (1976).

Big Data – termin obejmujący zbieranie, gromadzenie, analizowanie i przetwarzanie ogromnych zbiorów danych, m.in. za pomocą nowoczesnych technologii komunikacyjnych, sensorycznych i sieciowych.

Crowdsourcing – proces, w ramach którego organizacja (firma, instytucja publiczna, organizacja non profit) przenosi realizację zadań wykonywanych tradycyjnie przez pracowników na niezidentyfikowaną, zwykle bardzo szeroką grupę ochotników.

Ekonomia uwagi – koncepcja, według której we współczesnym społeczeństwie informacyjnym uwaga jest rzadkim i cennym dobrem. Im więcej uwagi się zyskuje, tym lepiej. Niektóre prominentne postacie znane jedynie z tego, że są znane, zdają się potwierdzać tę teorię.

Fawkes Guy – w 1605 roku usiłował za pomocą tzw. spisku prochowego wymierzonego w londyńską Izbę Lordów wymusić osadzenie na tronie katolickiego króla; w 1606 roku zawisł na szubienicy.

FISC (States Foreign Intelligence Surveillance Court) – sąd Stanów Zjednoczonych zajmujący się kontrolą zagranicznych służb wywiadowczych. Założony w 1978 roku, reguluje akcje monitoringu prowadzone przez zagraniczne wywiady operujące na terenie USA. Jego posiedzenia są tajne i nie podlegają żadnej demokratycznej kontroli.

Grywalizacja – wykorzystanie mechaniki znanej np. z gier fabularnych i komputerowych do modyfikowania zachowań ludzi w sytuacjach niebędących grami w celu zwiększenia ich zaangażowania. Technika bazuje na przyjemności, jaka płynie z pokonywania kolejnych osiągalnych wyzwań, rywalizacji, współpracy itp.

INDECT (Intelligent Information System Supporting Observation, Searching and Detection for Security of Citizens in Urban Environment) – projekt badawczy Unii Europejskiej, którego celem jest opracowanie rozległego systemu monitoringu.

Monkey Wrench Gang – fikcyjna grupa terrorystów ekologicznych z powieści Edwarda Abbeya o takim samym tytule.

Panopticon – tak filozof Jeremy Bentham (1748–1834) nazwał wymyślone przez siebie więzienia i fabryki, których konstrukcja umożliwiałaby pojedynczym osobom obserwowanie wielu ludzi w ten sposób, by nie wiedzieli, czy i kiedy są obserwowani.

Porywacze ciał – pozaziemskie istoty z powieści Jacka Finneya *Inwazja porywaczy ciał* (trzykrotnie sfilmowanej). Klasyczna pozycja literatury antykomunistycznej lat 50., 60. i 70. ubiegłego wieku.

Predictive policy/pre-crime – programy komputerowe służące przewidywaniu rodzajów i gatunków przestępstw. Wykorzystywane już w wielu miastach.

PRISM, **XKeyscore**, **Tempora** i inne – zaawansowane technologie inwigilacji stosowane przez wywiad amerykański i brytyjski.

Raspberry Pi – prosty minikomputer stworzony przez Raspberry Pi Foundation, aby młodzi ludzie mogli w łatwy sposób zdobywać wiedzę na temat hard- i software'u. Znalazł zastosowanie także w wielu innych dziedzinach.

Savonarola Girolamo – dominikanin i florencki kaznodzieja żyjący w XV wieku; ostro piętnował styl życia arystokracji i kleru, za co został spalony na stosie.

TOR (The Onion Router) – sieć anonimizująca atrybuty połączenia. Umożliwia do pewnego stopnia anonimowe surfowanie w sieci.

Uciekinier – film fantastycznonaukowy (1987) nakręcony na podstawie powieści Stephena Kinga.

V – główny bohater komedii filmowej *V jak vendetta* walczący z dyktaturą w totalitarnym państwie przyszłości. Nosi maskę → Guy Fawkesa, która stała się potem znakiem rozpoznawczym ruchu → Anonymous.

VPN (Virtual Private Network – Wirtualna Sieć Prywatna) – umożliwia między innymi do pewnego stopnia anonimowe lub chronione przed monitorowaniem poruszanie się w sieci.

Wolfram Alpha – wyszukiwarka semantyczna; na zadane hasło znajduje nie tylko strony internetowe, lecz także stara się podać poszerzone odpowiedzi treściowe.

Przekład: Elżbieta Ptaszyńska-Sadowska
Redakcja: Jerzy Szeja
Korekta: Magdalena Matuszewska, Artur Kaniewski
Skład i łamanie: Dariusz Ziach
Projekt okładki i grafika wykorzystana na I stronie okładki:
© www.buerosued.de
Adaptacja okładki i stron tytułowych: Krzysztof Rychter

Druk i oprawa: Toruńskie Zakłady Graficzne ZAPOLEX
Książkę wydrukowano na papierze Creamy 60 g/m^2, wol. 2.0,
dostarczonym przez

ZiNG

Grupa Wydawnicza Foksal Sp. z o.o.
00-372 Warszawa, ul. Foksal 17
tel./faks (22) 646 05 10, 828 98 08
biuro@gwfoksal.pl
www.gwfoksal.pl

ISBN 978-83-280-2165-5